ARTHUR DEEVS

DESSINS : DUPUY ET BERBERIAN

BISTRONOMIQUES

60 CHEFS, 60 RESTAURANTS ET 180 RECETTES - PARIS

Les renseignements figurant dans cet ouvrage ne sont donnés qu'à titre indicatif et ne sauraient en rien engager la responsabilité de l'auteur et de l'éditeur.

Conception graphique et maquette : EUH BÉ
Connectez-vous sur : **www.lamartiniere.fr**

ISBN : 2-8307-0864-4

ARTHUR DEEVS

DESSINS : DUPUY ET BERBERIAN

BISTRONOMIQUES

60 CHEFS, 60 RESTAURANTS ET 180 RECETTES – PARIS

Minerva

INTRODUCTION

IL Y A UNE DIZAINE D'ANNÉES, QUAND VOUS VOULIEZ SORTIR DANS UN RESTAURANT À PARIS, VOUS AVIEZ LE CHOIX ENTRE :

UN : le grand restaurant « gastronomique », certes excellent, mais aux additions vertigineuses, pas toujours justifiées il faut l'avouer.

DEUX : le bistro de « ménage », certes sympa et pas cher, mais à la réalisation trop approximative, voire brouillonne (et puis bon, les harengs pommes à l'huile, la bavette à l'échalote, et la crème caramel, cela reste limité d'un point de vue culinaire).

TROIS : la brasserie, malheureusement de plus en plus ringarde, majoritairement usine à touristes, et à la carte bien trop flemmarde. Bref, ce n'était pas la joie…

AUJOURD'HUI, LE PAYSAGE GASTRONOMIQUE DE LA CAPITALE A BIEN CHANGÉ. GRÂCE À QUI ? Grâce à une nouvelle génération de jeunes restaurateurs, formés dans les plus prestigieuses maisons de France, et qui ont préféré la sincérité et l'authenticité à la performance, en s'installant à leur compte dans des endroits au départ plus humbles. Avec leur CV en or massif, ils auraient pourtant pu, eux aussi, se lancer dans l'aventure du « grand » restaurant, avec serveurs en habit, service sous cloche, moquette et addition épaisses. Eh bien, non ! ils ont choisi de tourner le dos à la course aux étoiles et de faire descendre la « grande » cuisine dans leurs bistrots intimistes et conviviaux, tout en pratiquant des prix ultra-démocratiques. Ainsi, il est désormais possible – en payant même moins cher que dans n'importe quel mauvais restaurant de « chaîne » – d'avoir accès à la grande gastronomie, dans ces endroits qui marient la décontraction et les tarifs d'un bistro avec le côté gastronomique de la cuisine. Des lieux vite qualifiés de « bistronomiques », un terme judicieux pour désigner des adresses aussi modestes en apparence qu'ambitieuses dans les assiettes.

POUR VOUS AIDER À MIEUX CERNER LES CARACTÉRISTIQUES DE CETTE TENDANCE, VOICI GROSSO MODO LES POINTS COMMUNS DE LA PLUPART DE CES TABLES :

- Des produits pas forcément nobles ou luxueux (qui alourdiraient l'addition), mais plutôt des produits simples, canailles et populaires, sublimés par le chef qui exprime ainsi tout son talent. Et, surtout, des produits de saison et d'excellente qualité : bien souvent ces jeunes restaurateurs mettent à profit les contacts noués avec les meilleurs fournisseurs lors de leur passage dans les grandes maisons.

- Une technique, derrière les fourneaux, affûtée et irréprochable, fruit des leçons apprises auprès des plus grands chefs français : découpes soignées, maîtrise des cuissons, précision des assaisonnements, présentations léchées, pureté des saveurs et choc des textures sont de mise.

- Une carte (ou mieux une ardoise) en général courte, renouvelée quasi quotidiennement, créative, inventive, bourrée d'idées originales, pour des assiettes nettes (trois saveurs maximum), sans chichis inutiles, et sans lourdeur aucune.

- Un service décontracté, loin des codes sectaires de la haute gastronomie, mais un service cependant efficace et professionnel. Et, surtout, une équipe de salle enthousiaste et impliquée qui fait corps avec la cuisine.

- Une carte des vins moderne, avec moins de grandes appellations trop onéreuses, mais présentant avant tout les « nouveaux » vignerons, les vins dits « naturels », et offrant une sélection au verre conséquente.

- Une ambiance joyeuse et conviviale, avec une clientèle rajeunie, qui peut enfin vivre au restaurant des moments alliant détente et (très) bonne cuisine, des instants riches de sens et d'expérience.

- Une gestion comptable rigoureuse permettant de tirer les prix au maximum vers le bas.

- Des couverts en nombre limité, afin de privilégier la qualité des assiettes et du service. Il faut donc, en général, réserver plusieurs jours à l'avance, voire parfois même plusieurs semaines, pour espérer obtenir une place dans ces établissements : c'est la seule ombre au tableau…

ALORS, BIEN SÛR, CES PÉPITES NE SE TROUVENT QUAND MÊME PAS À TOUS LES COINS DE RUE ! Elles restent même, malheureusement, largement minoritaires au sein de toute la flopée d'arnaques en tout genre qui pullulent à Paris. D'où l'idée de cet ouvrage inédit qui vous présente la quintessence de la vague bistronomique.
À mes yeux, tout simplement, les soixante adresses et les soixante restaurateurs les plus recommandables de la capitale. À la fois guide (pour les Parisiens et les provinciaux de passage dans la capitale), portraits de chef (vous êtes de plus en plus nombreux à vous intéresser au parcours de ces artistes), livre de recettes (chaque chef vous confie trois recettes originales, bon marché, souvent faciles d'accès, toutes accompagnées d'un petit commentaire de leur cru : vous épaterez vos convives !), cet ouvrage vous permettra de plonger dans les délices d'une tendance unique au monde. Car, à l'heure où la cuisine française est – paraît-il – dépassée par la cuisine espagnole, italienne, anglo-saxonne… sachez que ce type d'établissements ne se trouve qu'à Paname. Nulle part ailleurs dans le monde vous ne pourrez manger aussi bien pour aussi peu cher. Alors maintenant, à vous de saisir cette chance et de partir à la découverte de ces endroits et de ces plats que le monde entier nous envie…

« TOUTES LES RECETTES PROPOSÉES PAR LES CHEFS SONT POUR 6 PERSONNES ! »

SOMMAIRE _BISTRONOMIQUES À PARIS

LES DON JUAN ______ 78
MARC ALVAREZ ET MEIR DANON
ENTRÉE **CRÈME DE CÈPES AU LARD FUMÉ** PLAT **DAUBE DE SANGLIER À LA CATALANE** DESSERT **PANNA COTTA À LA LAVANDE, FRUITS ROUGES EN SALADE**

LE PAMPHLET ______ 84
ALAIN CARRÈRE
ENTRÉE **PRESSÉ DE POIREAUX, FOIES DE VOLAILLE PARFUMÉS AU VIN DE NOIX, SALADE DE BETTERAVES, CÉLERI ET MOULES DE BOUCHOT** PLAT **STEAK HACHÉ AU COUTEAU DE MAGRET DE CANARD ET SON FOIE RÔTI** DESSERT **BISCUIT MI-CUIT AU CHOCOLAT GUANAJA ANISÉ**

BARACANE ______ 92
MARCEL BAUDIS
ENTRÉE **TARTE FINE AUX SARDINES, CUMIN ET TOMATES CONFITES** PLAT **PAVÉ DE QUASI DE VEAU POÊLÉ, JUS AUX ÉCHALOTES ET GALETTE DE POMMES DE TERRE AUX ÉPINARDS** DESSERT **FIGUES POCHÉES RÔTIES ET JUS PRIS EN GRANITÉ**

MON VIEIL AMI ______ 98
ANTOINE WESTERMANN ET FRÉDÉRIC CROCHET
ENTRÉE **RADIS BLANCS ET POMMES DE TERRE EN SALADE GOÛTEUSE, FILETS DE MAQUEREAU POÊLÉS** PLAT **POMMES DE TERRE MIJOTÉES AU CITRON CONFIT, AROMATES ET LIEU JAUNE POÊLÉ AUX CÂPRES ET CROÛTONS** DESSERT **CRÈME RENVERSÉE À L'ORANGE**

LE BUISSON ARDENT ______ 106
PHILIPPE DUCLOS
ENTRÉE **TERRINE DE CONCOMBRE AU FROMAGE BLANC ET CORIANDRE** PLAT **PASTILLA D'AGNEAU AUX ÉPICES, AUBERGINES ET FRUITS SECS** DESSERT **CROUSTILLANT DE DATTES ET GANACHE AU CHOCOLAT BLANC**

L'ÉQUITABLE ______ 112
YVES MUTIN
ENTRÉE **ŒUFS COCOTTE À LA CRÈME DE MOUSSERONS ET MOUILLETTES DE FOIE GRAS** PLAT **ROGNONS DE VEAU À LA MOUTARDE ET AUX ENDIVES** DESSERT **GARIGUETTES RÔTIES ET SORBET FRAISE, JUS CARAMÉLISÉ AU VINAIGRE BALSAMIQUE**

L'ESTRAPADE ______ 118
FRÉDÉRIC CHALETTE
ENTRÉE **PÂTÉ LORRAIN EN CROÛTE** PLAT **CRÉPINETTES DE PIEDS DE COCHON, JUS AU PERSIL PLAT** PLAT **POITRINE DE VEAU CONFITE AU ROMARIN, JUS AU MIEL**

LES PAPILLES ______ 124
BERTRAND BLUY
ENTRÉE **VELOUTÉ DE PETITS POIS FRAIS À LA MENTHE FRAÎCHE** PLAT **CARRÉ D'AGNEAU À LA PROVENÇALE** DESSERT **GELÉE D'AGRUMES AU CAMPARI®**

LE PRÉ VERRE ______ 130
PHILIPPE DELACOURCELLE
ENTRÉE **ŒUFS FAÇON « ONSEN », CHAMPIGNONS SAUVAGES SAUTÉS AU GINGEMBRE** PLAT **CURRY DE LAPIN AUX CACAHUÈTES** DESSERT **NEMS DE FIGUES AUX AMANDES**

LE RÉMINET ______ 136
HUGUES GOURNAY
ENTRÉE **RAVIOLIS D'ESCARGOTS TERRE-MER, CRÈME DE CHAMPIGNONS À L'AIL ET JUS DE PERSIL** PLAT **SAINT-JACQUES POÊLÉES, TOMBÉE DE CAROTTES AU MIEL ET AIL, SÉSAME GRILLÉ** DESSERT **FEUILLETINE CRAQUANTE, COMPOTÉE DE RHUBARBE, FRAISES GARIGUETTES ET MENTHE FRAÎCHE**

06e

LA BASTIDE ODÉON ______ 144
GILLES AJUELOS
ENTRÉE **CANNELLONI FROIDS DE LÉGUMES À L'HUILE D'OLIVE, GASPACHO ANDALOU** PLAT **DOS DE CABILLAUD CUIT SUR LA PEAU, HARICOTS COCOS DE PAIMPOL AU CHORIZO** DESSERT **TRANCHE D'ANANAS AU PAIN D'ÉPICES ET GINGEMBRE, GLACE AU LAIT DE COCO**

L'ÉPI DUPIN — 150

FRANÇOIS PASTEAU

ENTRÉE **SALADE DE FENOUIL ACIDULÉE, VINAIGRETTE D'AGRUMES AUX CREVETTES ROSES** PLAT **FILETS DE MAQUEREAU EN CROÛTE DE NOISETTES ET CORIANDRE, COMPOTÉE DE FENOUIL AUX FRUITS SECS** DESSERT **SABLÉ AUX CLÉMENTINES SAFRANÉES ET CUMIN**

LA FERRANDAISE — 156

NICOLAS DUQUENOY

ENTRÉE **FILETS DE LISETTE MARINÉS** PLAT **POT-AU-FEU DE CANARD** DESSERT **SOUPE AU CHOCOLAT**

ZE KITCHEN GALERIE — 162

WILLIAM LEDEUIL

ENTRÉE **RAVIOLI DE CANARD ET FOIE GRAS, JUS THAÏ MOSTARDELLE** PLAT **RIZ BASMATI-SAUVAGE SAUTÉ AUX ENCORNETS ET CREVETTES, BOUILLON CURCUMA** DESSERT **CAPPUCCINO DE FRAISES-CITRONNELLE, ÉMULSION WASABI**

L'AFFRIOLÉ — 170

THIERRY VÉROLA

ENTRÉE **CROQUETTES DE PIEDS DE PORC SAUCE TARTARE** PLAT **THON POÊLÉ AUX OLIVES ET CANNELLONI D'AUBERGINES** DESSERT **PETS DE NONNE, MI-GELÉE D'AGRUMES**

L'AMI JEAN — 176

STÉPHANE JÉGO

ENTRÉE **CRÈME D'ENDIVES « PLEINE TERRE » AU MALT TORRÉFIÉ** PLAT **BOUILLON DE TRIPES ET HARICOTS TARBAIS RELEVÉS AUX PIMIENTOS** DESSERT **CRÈME CITRON**

LE CLOS DES GOURMETS — 182

ARNAUD PITROIS

ENTRÉE **BOUILLON DE CHÂTAIGNES AU QUATRE-ÉPICES, LARD CROUSTILLANT, CROÛTONS ET CIBOULETTE** PLAT **NOIX DE SAINT-JACQUES À LA MOELLE, BOUILLON DE BŒUF CORSÉ AUX LÉGUMES CROQUANTS ET HERBES THAÏ** DESSERT **RIZ AU LAIT FAÇON RISOTTO, TARTARE DE MANGUE AU CURRY**

LES SAVEURS DE FLORA — 190

FLORA MIKULA

ENTRÉE **TARTARE DE SAINT-PIERRE EN GELÉE D'ALGUE** PLAT **CABILLAUD RÔTI, GALETTE DE BRANDADE DE MORUE, CAPPUCCINO BLANC** DESSERT **POIRE RÔTIE SUR GAUFRE AVEC GRANITÉ AU THÉ VERT, CRÈME DE RÉGLISSE**

CARTE BLANCHE — 198

JEAN-FRANÇOIS RENARD ET CLAUDE DUPONT

ENTRÉE **« PIMIENTOS DEL PIQUILLO », CEVICHE DE THON ET SAUMON** PLAT **PIÈCE DE CABILLAUD, PALOURDES ET CHORIZO** DESSERT **FRAISES, FRAMBOISES, ET FRAISES DES BOIS, GINGEMBRE ET SAUTERNES, TUILES NOIX DE COCO**

LE JARDINIER — 204

STÉPHANE FUMAZ

ENTRÉE **CÈPES EN VELOUTÉ SUR UNE ROYALE DE CHOU VERT** PLAT **CABILLAUD DORÉ AU JUS DE VIANDE, ASPERGES VERTES VAPEUR, SAUCE MOUSSELINE** DESSERT **LE CHOCOLAT, SON SOUFFLÉ ET SA BOULE DE GLACE**

JEAN — 210

BENOÎT BORDIER

ENTRÉE **BANANA FISH : SARDINES MOELLEUSES, GELÉE DE CORNICHONS, « MILK SHAKE » BANANE-PERSIL** PLAT **NOIX DE SAINT-JACQUES POÊLÉES, SOUBISE DE CHOU VERT, CRACOTTE AIL/CURRY** DESSERT **MOUSSELINE AU CHOCOLAT, GEL CAFÉ ET M & M'S®**

VELLY — 216

ALAIN BRIGANT

ENTRÉE **TERRINE DE CHÈVRE FRAIS, VINAIGRETTE À L'ORANGE** PLAT **PAVÉ DE MORUE FRAÎCHE AU GROS SEL, COCOS DE PAIMPOL GASCONS** DESSERT **CRÈME RENVERSÉE AUX TOPINAMBOURS**

L'O À LA BOUCHE — 292

FRANCK ET LYSIANE PAQUIER

ENTRÉE **CROUSTILLANT DE CHÈVRE CENDRÉ AUX NOIX, MÂCHE ET VINAIGRE BALSAMIQUE** PLAT **BROCHETTES DE SAINT-JACQUES ET LANGOUSTINES, CAVIAR D'AUBERGINE ET JUS À LA SARRIETTE** DESSERT **CLAFOUTIS AUX FRAMBOISES**

LA RÉGALADE — 298

BRUNO DOUCET

ENTRÉE **PETIT SALÉ D'ESCARGOTS AUX HERBES** PLAT **MAGRETS DE CANARD DES LANDES RÔTIS SUR LEUR GRAISSE, LÉGUMES DE PRINTEMPS AU JUS** DESSERT **FRAÎCHEUR DE FRAISES ET RHUBARBE, FROMAGE BLANC BATTU À LA VANILLE**

15e

L'AMI MARCEL — 306

ÉRIC MARTINS

ENTRÉE **CHARLOTTE D'ENDIVES AUX ESCARGOTS, ÉMULSION À LA MOUTARDE VIOLETTE** PLAT **QUASI DE VEAU RÔTI AUX CHÂTAIGNES, GRATIN DE POIRES ET CÉLERI, JUS À LA SAUGE** DESSERT **BEIGNETS DE PRUNEAUX À L'ARMAGNAC, MOUSSELINE GLACÉE À LA RÉGLISSE**

LE BÉLISAIRE — 312

MATTHIEU GARREL

ENTRÉE **RAVIOLES GÉANTES AUX HUÎTRES** PLAT **CERVELLE D'AGNEAU EN MEUNIÈRE DE BASILIC SUR TARTARE D'AVOCAT AUX CREVETTES** DESSERT **BANANES RÔTIES AU CARAMEL LACTÉ ET TUILES À L'ORANGE**

LE BEURRE NOISETTE — 318

THIERRY BLANQUI

ENTRÉE **ROULADE DE TÊTE DE VEAU POÊLÉE, POIREAUX VINAIGRETTE** PLAT **DOS DE CABILLAUD RÔTI, RAGOÛT DE HARICOTS PAIMPOL ET LARD CROUSTILLANT** DESSERT **PETIT POT DE CHOCOLAT AU LAIT, FINANCIER AU MIEL D'ACACIA**

L'OS À MOELLE — 324

THIERRY FAUCHER

ENTRÉE **CRÈME DE LENTILLES AUX AILERONS DE POULET, FLEUR DE THYM, P'TITS CROÛTONS ET MOELLE** PLAT **PALERON DE BŒUF POÊLÉ, FRICASSÉE D'ASPERGES ET MORILLES, BEURRE FUMÉ ET ROMARIN** DESSERT **GALETTE CHARENTAISE DE MA MAMAN ET RIZ AU LAIT DE MA GRAND-MÈRE**

THIERRY BURLOT — 330

THIERRY BURLOT

ENTRÉE **TARTARE D'HUÎTRES ET GROSEILLES** PLAT **ROUGET EN PAPILLOTTE, JUS AU VIN AVEC FOIE ET COEUR, FIGUES ET NOISETTES** DESSERT **MILLE-FEUILLE CARAMEL ET FLEUR DE SEL**

LE TROQUET — 336

CHRISTIAN ETCHEBEST

ENTRÉE **CHAMPIGNONS MARINÉS AU PIMENT D'ESPELETTE, ŒUF DE CAILLE ET VENTRÈCHE IBAÏONA DE MON AMI « OSPITAL »** PLAT **ÉPAULE D'AGNEAU CONFITE AU THYM, FENOUIL ET CAROTTES RÔTIS À CRU** DESSERT **POTS DE VANILLE ET CHOCOLAT, MADELEINES À L'ANIS**

16e

LA TABLE LAURISTON — 344

SERGE BARBEY

ENTRÉE **RILLETTES DE LISETTES AUX BAIES ROSES** PLAT **TENDRONS DE VEAU BRAISÉS AUX PETITS LÉGUMES** DESSERT **SOUPE DE GARIGUETTES AU BROUILLY**

LA TERRASSE MIRABEAU — 350

PIERRE NEGREVERGNE

ENTRÉE **PÂTÉ EN CROÛTE DE CANARD AU FOIE GRAS** PLAT **BAR SAUVAGE DE BRETAGNE, ÉPINARDS FRAIS À L'AGASTACHE ET VINAIGRETTE DE SUREAU** DESSERT **TARTE AU CHOCOLAT EXTRA-BITTER**

17e

L'ABADACHE — 358

YANN PITON

ENTRÉE **BROCHETTE DE LANGOUSTINES ET SAINT-JACQUES SUR UNE SALADE EXOTIQUE, VINAIGRETTE AUX FRUITS DE LA PASSION** PLAT **SOURIS D'AGNEAU EN TAJINE AUX CITRONS CONFITS** DESSERT **CRÈME DE CLÉMENTINES ET MOUSSE À LA MENTHE**

18e

19e

01

01er

L'ABSINTHE

MÉTRO PYRAMIDES
24, PLACE DU MARCHÉ-SAINT-HONORÉ
75 001 PARIS
01 49 26 90 04

CAROLINE ROSTANG ET YANN LAINÉ

FERMÉ SAMEDI MIDI ET DIMANCHE

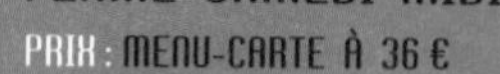

PRIX : MENU-CARTE À 36 €

01

Avec le « Point Bar », voici la meilleure adresse de l'agréable place du Marché-Saint-Honoré, par ailleurs bien pourvue en restaurants, mais qui sont malheureusement difficilement recommandables. Ici, pourtant, on a affaire à une vraie bonne table gastronomique. D'abord et surtout, parce qu'il y a aux fourneaux un véritable chef (il y a deux ans, il était encore bras droit de Michel Rostang) : son tour de main est talentueux, il ne travaille que des produits de première qualité et il propose des assiettes impeccables, aux présentations esthétiques et originales. Sa carte est très appétissante : tout est excellent et d'une grande régularité. Il est à la fois respectueux de la tradition, sans en être esclave (les incursions contemporaines sont toujours bien vues). Mais outre cette très bonne cuisine, ce que j'aime ici, c'est le cadre. Il est l'oeuvre de Caroline Rostang, la jeune maîtresse de maison, qui anime la salle avec sourire. Elle a fait de cet endroit un lieu convivial et chaleureux, où se côtoient verrière, boiseries, métal vieilli et béton brut, à mi-chemin entre café parisien (les tables en bois, le vieux zinc) et le loft new-yorkais (parquet, murs de briques, vitraux industriels, immense pendule de gare). Il s'en dégage un cachet indéniable : on sent que Caroline a beaucoup de goût et que chaque objet a été « chiné » avec passion. Ce décor un peu « post-industriel », vraiment bien senti, constitue l'un des atouts majeurs du succès de cette table. Autre atout : la carte des vins, très maligne, pragmatique, classée par niveau de prix, avec en particulier une solide sélection à 19 €. Enfin, le dernier « plus » de l'adresse, et non le moindre : une large terrasse prise d'assaut aux premiers rayons de soleil.

"Tout est excellent et d'une grande régularité."

« L'Absinthe » est donc, je le répète, l'une des rares adresses fréquentables de la place du Marché-Saint-Honoré. Hautement fréquentable, même : un superbe point de ralliement pour tous les connaisseurs du quartier, qui viennent trouver ici (grande) qualité et convivialité. Une belle réussite signée Caroline Rostang, digne fille de son père, et sans doute l'une des meilleures hôtesses de la place de Paris...

QUELQUES EXEMPLES DE PLATS : **haché-menu de Saint-Jacques et dorade aux algues wakamé / ravioles de Romans aux langoustines / petits farcis d'étrilles et chair de crabe / poulpe en aigre-doux, cuit fondant, chips à l'ail / rognon de veau au vin de syrah et macaroni / Saint-Jacques d'Erquy jus de Xérès, patate et lard / soupe de pommes rôties avec beurre noisette et muffins noisette / tarte au cidre et figues noires / petits pots de chocolat de Michel Rostang / tiramisù de kumquats confits et Grand-Marnier®.**

POUR EN SAVOIR PLUS SUR

CAROLINE ROSTANG ET YANN LAINÉ

La jolie Caroline représente la cinquième génération de restaurateurs de la famille Rostang. Même si, poussée par son grand chef de père (installé dans le 17e arrondissement et multi-étoilé, une table grandiose, en particulier au moment de la saison de la truffe), elle a bien sûr « fait » l'école hôtelière (celle de Lausanne, l'une des plus réputées au monde), Caroline n'a pas souhaité passer derrière les fourneaux, « pour ne pas marcher sur les platebandes de mon père ». Elle se définit donc comme restauratrice, passionnée par son métier, l'art de la table, l'art de recevoir, la convivialité. Depuis deux ans qu'elle a repris cette adresse idéalement située sur la place du Marché-Saint-Honoré, visiblement, elle « s'éclate ». Elle s'est associée avec le chef Yann Lainé, présent depuis près de vingt ans dans la famille Rostang. Jusqu'en 2003, après avoir franchi tous les postes un par un (commis, chef de partie, second, etc.), il était tout simplement le véritable bras droit de Michel Rostang dans son navire amiral. Il a donc finalement décidé de rejoindre Caroline dans l'aventure de « L'Absinthe ». Le secret de la réussite de cette association réside, bien sûr, dans la grande complémentarité des deux personnages, mais aussi dans leur professionnalisme, chacun dans leur domaine. Lui en cuisine : un savoir-faire irréprochable, une précision sans faille et une belle inventivité sur des produits obtenus auprès des mêmes fournisseurs que ceux de « Michel Rostang » (un gage de qualité). Elle, en salle, chargée de l'accueil, du service, du décor, de la « scénographie » des tables, insufflant tout son dynamisme dans ce lieu qui renaît de ses cendres depuis qu'elle l'a investi. Voilà une « fille de… » qui a tout compris à ce que l'on attend d'un bon restaurant aujourd'hui : la qualité et le professionnalisme, mais dans la décontraction et la bonne humeur. Décidément, la place du Marché-Saint-Honoré semble bien réussir aux filles de chef…

ENTRÉE_PLAT_DESSERT

CLUB-SANDWICH À LA SARDINE

500 G DE SARDINES À L'HUILE
1,3 KG DE PAIN DE MIE
1 KG DE SAINT-MORÊT®
200 G DE BEURRE DOUX
2 CITRONS
50 G DE MOUTARDE
SEL ET POIVRE DU MOULIN

Mélangez en fouettant le Saint-Morêt®, le beurre en pommade, le jus des deux citrons et la moutarde. Lorsque le mélange est homogène, ajoutez les sardines égouttées. Ne travaillez par trop le mélange, qui ne doit pas se transformer en une crème lisse. Salez et poivrez. Toastez les tranches de pain de mie et tartinez-les généreusement de crème de sardines (4 tranches). Empilez-les. Parez le « club » et découpez-le selon la forme que vous voulez.

ET LE CHEF A DIT

« JE VOUS CONSEILLE SI POSSIBLE DE TIÉDIR LES SANDWICHES SUR LE GRIL ET DE LES SERVIR AVEC UNE SALADE. C'EST UNE RECETTE SIMPLE ET DÉLICIEUSE, MAIS AVEC UN PETIT CÔTÉ FESTIF. JE VOUS RECOMMANDE EN ACCOMPAGNEMENT UN QUINCY, COMME PAR EXEMPLE LE DOMAINE J. SIRET 2004. »

ENTRÉE_ **PLAT** _DESSERT

COQUILLETTES AUX MOULES ET AU CHORIZO

1 KG DE MOULES DE BOUCHOT
30 G D'ÉCHALOTES
10 CL DE VIN BLANC
40 G DE BEURRE
250 G DE COQUILLETTES
20 CL DE CRÈME LIQUIDE
100 G DE TOMATES CONFITES
50 G DE CHORIZO
50 G DE HARICOTS VERTS
1 BOTTE DE CIBOULETTE
1 CUILLERÉE À SOUPE DE CURRY
SEL ET POIVRE DU MOULIN

ET LE CHEF A DIT

« VOILÀ UNE RECETTE DÉLICIEUSE QUI REDONNE SES LETTRES DE NOBLESSE À UN PRODUIT FORMIDABLE, TROP SOUVENT BANALISÉ PAR LA TRADITION " MOULES-FRITES ". JE VOUS CONSEILLE, POUR DÉGUSTER CE PLAT, UN BOURGOGNE BLANC COMME LE CHARDONNAY 2003 DE CHEZ GUY ROULOT. »

PRÉPARATION DES MOULES

Après les avoir bien nettoyées, versez les moules dans une marmite avec les échalotes, pelées, ciselées et préalablement fondues dans le beurre.
Ajoutez le vin blanc et le curry.
Faites réduire de moitié.
Lorsque les moules sont ouvertes (jetez celles qui sont restées fermées), versez-les dans une grande passoire posée sur une casserole pour réserver le jus de cuisson.
Décoquillez les moules en en gardant quelques-unes entières pour le décor.

PRÉPARATION DE LA SAUCE

Faites réduire le jus de cuisson des moules de moitié sur feu doux pendant 8 minutes, puis ajoutez 10 cl de crème liquide. Laisser encore réduire de moitié sur feu doux. Goûtez et rectifiez l'assaisonnement en sel et en poivre.

CUISSON DES LÉGUMES ET DES COQUILLETTES

Faites cuire les haricots verts pendant 5 minutes à l'eau bouillante salée et égouttez-les.Faites cuire les coquillettes à l'eau bouillante salée pendant 8 minutes et égouttez-les.

POUR SERVIR

Coupez le chorizo et les tomates confites en bâtonnets, les haricots en petits tronçons. Ciselez la ciboulette
Faites suer le chorizo sans coloration dans une grande poêle.
Ajoutez les tomates, les moules et les coquillettes.
Versez 10 cl de crème liquide et laissez cuire encore 3 minutes.
Au dernier moment, ajoutez les haricots verts et la ciboulette.
Servez dans des assiettes creuses.

CRÈME LÉGÈRE NUTELLA®-CANNELLE ET AILES CROQUANTES AU CACAO

POUR LES AILES CROQUANTES AU CACAO
30 G DE CACAO EN POUDRE
50 G DE SUCRE CASSONADE
100 G DE BEURRE POMMADE
1 BLANC D'ŒUF
150 G DE SUCRE GLACE
1 BÂTON DE CANNELLE

POUR LA CRÈME LÉGÈRE
50 G DE SUCRE
23 CL DE LAIT DEMI-ÉCRÉMÉ
23 CL DE CRÈME LIQUIDE
3 JAUNES D'ŒUF
150 G DE CHOCOLAT
1 BÂTON DE CANNELLE
210 G DE NUTELLA®

PRÉPARATION DES AILES CROQUANTES AU CACAO
Mélangez dans l'ordre le sucre glace, le cacao et la cassonade. Ajoutez le beurre pommade et incorporez-le soigneusement, puis ajoutez le blanc d'œuf
Couchez cette préparation sur une plaque Téfal® à l'aide d'une poche à douille unie de petit diamètre en leur donnant la forme désirée. Faites cuire dans le four à 180 °C pendant 4 à 5 minutes.

PRÉPARATION DE LA CRÈME LÉGÈRE
Mélangez dans un « cul de poule » les jaunes d'oeufs et le sucre jusqu'à ce que la préparation blanchisse. Versez dessus le mélange bouillant de crème et de lait, ainsi que la cannelle. Faites cuire comme une crème anglaise jusqu'à ce qu'elle nappe le dos d'une cuillère en bois.
Couper le chocolat en petits morceaux. Ajoutez le Nutella® et versez dessus la crème anglaise bien chaude
Mélangez jusqu'à ce que le chocolat soit bien fondu.
Versez le tout dans un plat de service et laissez au frais 5 à 6 heures.

POUR SERVIR
À l'aide d'une cuillère trempée dans de l'eau chaude, confectionnez des quenelles de crème et piquez dedans quelques ailes croquantes.
Placez une deuxième quenelle sur la première et rajoutez quelques ailes croquantes en les piquant vers le haut.

ET LE CHEF A DIT

« J'AI VOULU DONNER ICI UNE RECETTE POUR LES GRANDS QUI ONT GARDÉ LE SOUVENIR DE LEUR GOÛTER D'ENFANT. DÉGUSTEZ EN MÊME TEMPS UN VERRE DE MAURY DU MAS AMIEL, C'EST UN PUR BONHEUR DE GOURMAND ! »

A CASALUNA

CHRISTINE SANNA-LEFRANC

MÉTRO PALAIS ROYAL
6, RUE DU BEAUJOLAIS
75 001 PARIS
01 42 60 05 11

OUVERT TOUS LES JOURS
PRIX : À LA CARTE COMPTER ENTRE 35 € ET 40 €
MENU DÉJEUNER À 20 €

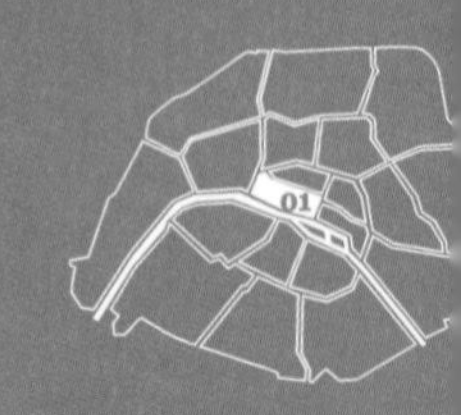

Si vous nous lisez attentivement, vous savez désormais que les Basques ont leur ambassade gourmande avec « Au Bascou », que la région Midi-Pyrénées est fort bien représentée avec « Baracane », et que la Bretagne c'est « Chez Michel » qu'on la trouve, et nulle part ailleurs dans la capitale. Mais quid de la Corse à Paris ? Où prolonger vos dernières vacances dans l'île de Beauté, goûter ses merveilleux produits et ses plats enchanteurs ? Il y a encore quelques mois, j'étais un peu embarrassé quand on me posait la question. Certes, j'arrivais à m'en sortir : il y a bien à Paris trois ou quatre tables dites « corses », plutôt recommandables quant au contenu de l'assiette. Mais – et là je risque de me fâcher avec certains – la cuisine servie dans ces établissements, souvent très bonne, n'est pas authentiquement corse. Elle lorgne trop souvent, à mes yeux, vers le sud de la France, avec une carte étendue à la vaste Méditerranée. C'est pourquoi l'ouverture en mars 2005 de cette adresse face au jardin du Palais Royal a été une petite révolution. Enfin une table 100% corse à Paris ! Les produits, les vins, les herbes, les charcuteries, les fromages, le miel, les confitures, les alcools, les eaux et surtout les recettes : tout vient de là-bas, exclusivement. L'équipe en salle également (jeunes hommes tout de noir vêtus et ultra souriants), parfaitement dirigée par la patronne, la brune et charmante Christine Sanna-Lefranc. Le décor et l'ambiance sont au diapason : salle voûtée, pierres apparentes, moquette et rideaux rouges, affiches évoquant le pays, lumières tamisées, chants corses en fond sonore, tables bien espacées (mais les conversations se lient facilement et naturellement avec les voisins, vous en ferez l'expérience...). C'est

“Enfin une table 100% corse à Paris !”

d'un bon goût absolu. Enfin, le chef, cousin de la patronne et natif de l'île, domine parfaitement la cuisine locale, et surtout celle du nord de l'île (à ne pas confondre, attention, avec celle du sud !). Vous ferez ici des repas, non seulement authentiquement corses, mais surtout excellents, remarquables de netteté, de saveurs et de couleurs. D'ailleurs, un détail ne trompe pas : de nombreux Corses de Paris en ont fait leur rendez-vous gastronomique régulier, notamment lors des « soirées corses » du dimanche soir, au cours desquelles les clients qui le désirent viennent avec leurs guitares pour entonner des chants traditionnels en fin de repas. C'est vous dire l'authenticité de cet établissement qui, après quelques mois seulement, s'impose comme « la » référence à Paris de cette magnifique région.

QUELQUES EXEMPLES DE PLATS : **marinade de sardines fraîches à l'huile d'olive / soupe paysanne corse / tourte de blettes / « stufatu » de veau aux olives, tagliatelles fraîches / rognon de veau du Cap-Corse / loup grillé à l'huile de « Rogliano », aumônière de fenouil / cabri rôti aux herbes du maquis / barigoule de rougets à l'émulsion d'huile d'olive de Balagne / ragoût de haricots blancs et figatelli / dégustation de fromages corses, confiture de figues maison / gâteau de brocciu au miel de châtaignes / tarte aux figues fraîches et sa glace au romarin.**

POUR EN SAVOIR PLUS SUR CHRISTINE SANNA-LEFRANC

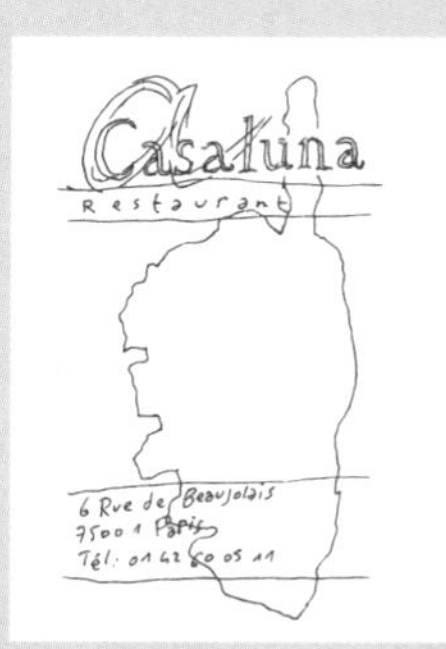

La jolie et pétillante Christine Sanna-Lefranc naît à Bastia au début des années 60. Elle tombe dans la restauration un peu par hasard et passe par les salles de diverses adresses de sa région natale avant de monter à Paris à la fin des années 90. Elle rejoint ainsi son cousin Jean, un chef talentueux qui travaille à l'époque dans un restaurant étoilé de la capitale. Ils s'associent alors tous les deux pour prendre la gérance d'un restaurant du Marais. Ensemble, elle en salle, lui derrière les fourneaux, ils assurent le succès de cette adresse. C'est un tel succès qu'ils décident au bout de quelques années d'ouvrir « leur » table corse à Paris, un endroit où ils pourront donner libre cours à leurs talents respectifs. Et quand ils tombent sur cette adresse de charme face au jardin du Palais Royal, avec ses salles voûtées, ses pierres apparentes, ils n'hésitent pas une seule seconde. C'est ainsi qu'ouvre en mars 2005 « A Casaluna » (le nom d'une rivière), avec l'ambition de devenir la véritable ambassade culinaire corse de la capitale. La carte est élaborée à trois, avec l'aide de la sœur de Christine, Rose-Marie (qui, elle, n'a pas quitté son île natale et ne monte à Paris qu'une fois par mois). Les recettes proviennent toutes exclusivement de là-bas : ce sont des recettes familiales traditionnelles transmises par les mères et les grands-mères de Christine et de Jean (la cuisine corse est avant tout une pure cuisine de femmes), auxquelles s'ajoutent quelques créations maison. Mais avec toujours la volonté affirmée de coller au plus près des saisons et de proposer les meilleurs produits possibles du moment. Quelques mois plus tard, le pari est gagné : nulle part ailleurs vous ne goûterez une cuisine aussi authentiquement corse. À découvrir le plus vite possible, car, en outre, l'accueil, le cadre et le service sont irréprochables, parfaitement dans le ton. La fête est alors totale et dépaysante...

ENTRÉE _PLAT _DESSERT

TOURTE AUX HERBES AU PARFUM DE MARJOLAINE

3 OIGNONS
2 CUILLERÉES À SOUPE D'HUILE
1 BOTTE DE BLETTES
1 BOTTE D'ÉPINARDS
1 PINCÉE DE MARJOLAINE, FRAÎCHE OU SÉCHÉE
400 G DE PÂTE FEUILLETÉE
1 JAUNE D'OEUF
SEL ET POIVRE DU MOULIN

ET LE CHEF A DIT

« VEILLEZ À CE QUE LA PÂTE SOIT SOUDÉE HERMÉTIQUEMENT SUR TOUT LE POURTOUR, AFIN QUE LES PARFUMS SE LIBÈRENT AU MOMENT DU DÉCOUPAGE. ET ESSAYEZ, SI POSSIBLE, DE VOUS PROCURER DE LA MARJOLAINE CORSE ("A NÈPITA")! »

Coupez la pâte feuilletée en deux portions égales. Abaissez chaque portion en un rectangle de 24 x 30 cm environ.
Pelez et émincez les oignons ; lavez et essorez les blettes et les épinards, hachez-les grossièrement. Faites revenir tous ces légumes dans une grande poêle avec l'huile.
Salez, poivrez et ajoutez la pincée de marjolaine.
Déposez un rectangle de pâte feuilletée sur la plaque du four ; étalez par-dessus le mélange d'oignons, de blettes et d'épinards en une couche régulière. Posez le second rectangle de pâte feuilletée dessus et pincez les bords tout autour pour fermer la tourte hermétiquement.
Badigeonnez le dessus avec le jaune d'œuf et faites cuire dans le four à 200 °C pendant 35 minutes.

ENTRÉE_PLAT_DESSERT

STUFATU DE VEAU

1 KG D'ÉPAULE DE VEAU DÉTAILLÉE EN MORCEAUX
4 OIGNONS MOYENS
3 GOUSSES D'AIL
2 CUILLERÉES À SOUPE DE CONCENTRÉ DE TOMATE
3 CUILLERÉES À SOUPE D'HUILE D'OLIVE
1 BOUQUET GARNI
SEL ET POIVRE DU MOULIN

Pelez et émincez les oignons ; pelez les gousses d'ail et hachez-les.

Mettez les morceaux de viande dans une sauteuse, ajoutez les oignons et l'huile d'olive. Faites revenir en remuant avec une cuillère en bois.

Quand la viande est bien colorée, ajouter l'ail, le bouquet garni et le concentré de tomate. Remuez tous les ingrédients avec la cuillère.

Mouillez d'eau à hauteur, salez et poivrez. Couvrez et faites mijoter sur feu très doux pendant 2 heures.

ET LE CHEF A DIT

« VOUS POUVEZ FLAMBER LA VIANDE À L'EAU-DE-VIE. CELA APPORTE UN "PLUS" AU NIVEAU DU GOÛT ET PERMET D'ATTENDRIR LA VIANDE. VOUS POUVEZ SERVIR DES TAGLIATELLES EN ACCOMPAGNEMENT DE CE PLAT. ENFIN, UN VIN DE PATRIMONIO (DOMAINE LECCIA ROUGE, PAR EXEMPLE) EN SERA LE PARFAIT COMPAGNON. »

ENTRÉE_PLAT_DESSERT

FIADONE

500 G DE BROCCIU
5 ŒUFS
250 G DE SUCRE
1 CITRON (CORSE DE PRÉFÉRENCE, EN TOUT CAS NON TRAITÉ)
5 CL D'EAU-DE-VIE
BEURRE POUR LE MOULE

Battez les œufs avec le sucre. Ajoutez le brocciù et l'eau de vie, puis le zeste du citron finement râpé. Mélangez intimement les ingrédients.
Beurrez légèrement un moule à manqué et versez la préparation dedans. Lissez le dessus et faites cuire dans le four à 170 °C pendant 45 minutes environ.

ET LE CHEF A DIT

« ESSAYEZ DE VOUS PROCURER DES CITRONS CORSES NON TRAITÉS QUI ONT UN PARFUM EXCEPTIONNEL. UN MUSCAT DU CAP-CORSE SERA LE BIENVENU POUR ACCOMPAGNER CE DESSERT.»

L'ARGENTEUIL

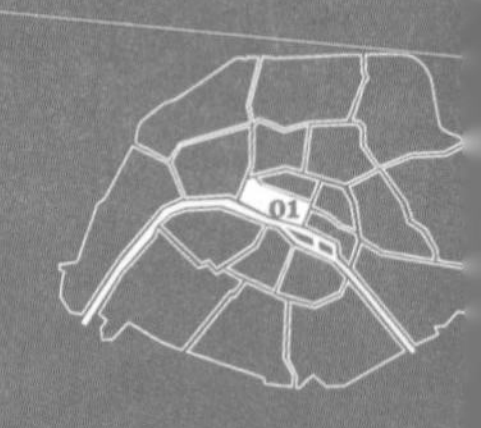

SYLVAIN ET LAETITIA VIENNE

MÉTRO PYRAMIDES
OU PALAIS ROYAL
9, RUE D'ARGENTEUIL
75 001 PARIS
01 42 60 56 22

FERMÉ SAMEDI ET DIMANCHE

PRIX : MENU-CARTE À 29,5 €

MENU AU DÉJEUNER À 23,5 €

Cette adresse est vraiment l'une de mes préférées de tout le 1e arrondissement. Et pourtant, je suis prêt à prendre les paris : avouez-le, les yeux dans les yeux, « L'Argenteuil », en avez- vous déjà entendu parler ? Forcément, non ! C'est le genre d'adresse plus que discrète, tout sauf médiatique, que les habitués aiment garder pour eux, et qu'on se « refile » uniquement entre initiés. Elle est très bien située, tout près de la place du Palais-Royal, mais dans une rue incroyablement tranquille pour ce quartier animé. Il est clair qu'on n'entre pas ici par hasard, d'autant que la devanture n'est pas vraiment racoleuse. La salle au style assez contemporain fait à peine plus de 30 mètres carrés, avec une vingtaine de couverts seulement, des tables joliment dressées, des fauteuils confortables, un très beau parquet, de grands miroirs (sans doute pour agrandir le lieu), quelques lithographies, le tout dans les tons beiges et marrons. C'est simple, mais très chic et élégant, tout en étant cosy à l'ancienne. C'est dans cet écrin que le jeune couple Vienne reçoit, elle en salle et lui aux fourneaux (et pas une personne de plus). Laetitia accueille avec sourire, conseille avec brio les vins (sur une carte courte mais finaude et pas chère, avec une très intéressante sélection au verre à partir de 4 €) et sert avec gentillesse et professionnalisme. C'est la parfaite maîtresse de maison moderne et dans le coup, chaleureuse et aux petits soins. Sylvain, quant à lui, arrive à caser sa carcasse dans la cuisine qu'on imagine minuscule pour réaliser des repas qui sont toujours de grands moments de bonheur. Il ravit à sa manière très personnelle une clientèle qui ne vient chercher ni poudre aux yeux, ni grands exercices techniques, mais la

« Les cuissons sont d'une absolue précision, les mélanges toujours réussis, l'équilibre des saveurs absolument parfait. »

juste sincérité d'un vrai cuisinier. Sa carte best courte, bien construite, raisonnablement créative, elle se renouvelle régulièrement pour mettre en scène de beaux produits de saison. Les cuissons sont d'une absolue précision, les mélanges toujours réussis, l'équilibre des saveurs absolument parfait. Sa cuisine, à la fois rustique et moderne, est fine, sans fioritures inutiles, pleine de tonus, d'idées simples mais qui font mouche à chaque coup. Vous l'aurez compris : le plaisir pris ici est inversement proportionnel à la taille de la salle et à la renommée de l'établissement. Les tarifs quant à eux sont plus que compétitifs au regard de la qualité des produits (surtout, une telle pèche – en arrivage direct de la Bretagne – à ce prix, c'est une véritable aubaine), de la réalisation, du confort, du service et des prestations d'ensemble. Allez, une dernière cerise sur le (gros) gâteau : la petite terrasse bien aménagée aux beaux jours, particulièrement agréable dans cette rue si tranquille… Qu'attendez-vous pour réserver ?

QUELQUES EXEMPLES DE PLATS : **marbré de foie gras, artichaut et aubergine sur lit de mesclun / crêpes de pommes de terre à l'andouille de Vire, chantilly épicée / feuilleté de sardines grillées parfumé au pesto et tapenade / croustillant de foie gras de canard et échalotes confites, caramel de Banyuls / ris de veau braisé en cocotte et ses girolles / filet de bœuf grillé à la moutarde violette / filet de turbot à la chapelure d'échalotes / filet de bar grillé, cannelloni d'aubergines / macaron aux framboises, crème à la pistache / bonbons croustillants à l'ananas et crème d'amande / biscuit moelleux au chocolat Valrhona, glace vanille.**

POUR EN SAVOIR PLUS SUR SYLVAIN VIENNE

L'ARGENTEUIL RESTAURANT

Le tranquille et discret Sylvain Vienne naît à Paris en 1973, de parents originaires de Normandie qui lui inculquent le culte du bon goût (« jamais de surgelés à la maison ! »). Très tôt également, son oncle restaurateur dans l'est de la France lui donne le goût et l'envie d'embrasser une carrière de chef. Il fait ainsi son apprentissage au « Petit Coin de la Bourse » dans le 2e arrondissement de la capitale. Son premier véritable poste, il l'occupe à partir de 1991 en tant que commis dans le très bel établissement « Le Relais de Sèvres », l'une des rares tables étoilées du 15e arrondissement (et à juste titre). En 1992, il entre en tant que chef de partie chez « Dalloyau », en face du jardin du Luxembourg. Il passe au sein de cette institution gourmande de très belles années qui lui permettent de parfaire sa technique et de travailler les plus beaux produits qui soient. En 1995, il part à la concurrence en rejoignant « Fauchon » sur la place de la Madeleine dont il s'occupera jusqu'en 1997. Direction alors le restaurant « L'Impatient » dans le 17e en tant que second de cuisine. Mais la vraie ambition de Sylvain, c'est à terme de s'installer à son compte dans la capitale en compagnie de sa jeune épouse, Laetitia. En 2002, ils décident pour se « faire la main » de rejoindre la région natale de Laetitia (et celle des parents de Sylvain) : la Normandie. Ils ouvrent donc ensemble « Le vieux Coutances » à Coutances, dans la Manche : une petite structure d'une vingtaine de couverts, dans un cadre rustique, Sylvain seul en cuisine, Laetitia seule en salle. Leur adresse s'avère un franc succès, devenant rapidement l'une des toutes meilleures tables du département. En 2005, ils se considèrent fin prêts pour tenter l'aventure parisienne. Ils se mettent donc à la recherche de l'endroit idéal dans la capitale. Au bout de quelques mois, ils ont le coup de cœur immédiat pour cette adresse de poche, « L'Argenteuil », alors mise en vente par un autre couple (M. et Mme Schaeffer) qui avait lui-même en 1997 pris la relève à cet endroit du grand chef italien Paolo Petrini. Ils effectuent leur premier service à « L'Argenteuil » le 3 avril 2006, avec la volonté affichée de proposer une cuisine de qualité, attentive au produit (du frais, rien que du frais), créative et bon marché, tout en offrant un confort et des prestations d'ensemble de qualité. Tout cela en fait une adresse (très) rare dans ce quartier du Palais-Royal. N'hésitez pas à venir découvrir rapidement cette table et ce jeune couple sympathique…

ENTRÉE _PLAT_DESSERT

CRÊPES DE POMMES DE TERRE À L'ANDOUILLE DE VIRE, CHANTILLY ÉPICÉE

500 G DE POMMES DE TERRE
90 G DE FARINE
3 ŒUFS
3 BLANCS D'ŒUF
25 CL DE CRÈME LIQUIDE
18 TRANCHES D'ANDOUILLE DE VIRE (PAS TROP FINES)
BEURRE POUR LA CUISSON DES CRÊPES
QUATRE-ÉPICES, SEL ET POIVRE

Pelez et lavez les pommes de terre, faites-les cuire à l'eau salée et réduisez-les en purée. Ajoutez la farine, mélangez, puis ajoutez les œufs entiers, les 3 blancs et 3 cuillerées à soupe de crème liquide.
Laissez reposer 2 heures au réfrigérateur.
Placez un récipient creux au congélateur durant 10 minutes (la chantilly montera ainsi beaucoup plus rapidement).
Versez-y 20 cl de crème liquide et montez-la en chantilly avec un fouet électrique.
Une fois qu'elle est bien ferme, salez, poivrez et ajoutez une pincée du mélange quatre épices. Réservez au frais.
Faites fondre une noisette de beurre dans une poêle. Ajoutez 3 petites cuillerées à soupe de pâte par personne. Posez dessus une tranche d'andouille.
Laissez cuire 3 minutes de chaque côté sur feu moyen.
Déposez dans une assiette 3 quenelles de chantilly (confectionnées à l'aide de deux cuillères à soupe) avec 3 crêpes par personne.

ET LE CHEF A DIT

« VOUS POUVEZ REMPLACER L'ANDOUILLE PAR DU SAUMON FUMÉ, À CONDITION ALORS DE REMPLACER LE MÉLANGE QUATRE-ÉPICES PAR DE L'ANETH POUR AROMATISER LA CHANTILLY. JE VOUS CONSEILLE DE MARIER CETTE ENTRÉE AVEC UN VIN BLANC DU RHÔNE, COMME PAR EXEMPLE UN VACQUEYRAS. (LE CHÂTEAU DES ROQUES SERA PARFAIT). »

ENTRÉE_PLAT_DESSERT

FILET DE ROUGET BARBET AUX CHIPS DE COPPA, SAUCE CRÉMEUSE DE PETITS POIS

12 FILETS DE ROUGET BARBET
12 FINES TRANCHES DE COPPA
300 G DE PETITS POIS
10 CL DE CRÈME LIQUIDE
50 G DE BEURRE
HUILE D'OLIVE
SEL ET POIVRE
CIBOULETTE CISELÉE

Pour les chips de coppa, faites sécher les tranches de coppa au four chaud pendant 10 minutes, puis réservez à température ambiante.
Faites cuire les petits pois à l'eau bouillante salée pendant 10 minutes. Rafraîchissez-les à l'eau glacée pour les garder bien verts (mettez de côté un peu d'eau de cuisson). Mettez les petits pois dans un blender avec la crème liquide, mixez puis incorporez le beurre.
Salez et poivrez. Si la sauce vous semble trop épaisse, ajoutez un peu d'eau de cuisson pour la détendre.
Saisissez rapidement les filets de rouget dans une poêle avec de l'huile d'olive. Salez et poivrez, réservez sur papier absorbant.
Nappez les assiettes de service de sauce aux petits pois et déposez les filets de rouget dessus, ajoutez une chips de coppa sur chacun des filets. Décorez de ciboulette ciselée.

ET LE CHEF A DIT

«LES CHIPS DE COPPA ET LA SAUCE PEUVENT ÊTRE PRÉPARÉES LA VEILLE. VOUS RÉCHAUFFEREZ ALORS LA SAUCE À FEU DOUX. JE VOUS INVITE À ACCOMPAGNER CE PLAT D'UN MÂCON UCHIZY DU DOMAINE SALLET.»

ENTRÉE _ PLAT _ **DESSERT**

POELEE DE CERISES NOIRES AU PAIN D'ÉPICES ET NOISETTES EN ÉCLATS, GLACE VANILLE

500 G DE CERISES NOIRES
6 TRANCHES DE PAIN D'ÉPICES DE QUALITÉ
30 G DE NOISETTES
20 G DE BEURRE
GLACE À LA VANILLE

Lavez et dénoyautez les cerises. Réservez-les au frais. Coupez les tranches de pain d'épices en dés de 1 cm de côté.
Concassez grossièrement les noisettes.
Faites fondre le beurre dans une grande poêle. Ajoutez les cerises et faites-les revenir. Laissez cuire pendant 2 minutes. Ajoutez les dés de pain d'épices et les noisettes concassées. Faites cuire encore 2 minutes.
Répartissez équitablement les cerises et leur garniture dans 6 assiettes creuses. Ajoutez une boule de glace vanille dans chaque assiette. Attendez une minute avant de servir : la glace aura eu le temps de fondre très légèrement et de se mélanger aux cerises chaudes.

ET LE CHEF A DIT

« IL EST PRÉFÉRABLE DE PRÉPARER LA POÊLÉE JUSTE AVANT DE LA SERVIR. VOUS POUVEZ ÉVENTUELLEMENT REMPLACER LES NOISETTES PAR DES PISTACHES. À MARIER IDÉALEMENT AVEC UN CIRCÉ DU DOMAINE DE BLANVILLE. »

L'ATELIER BERGER

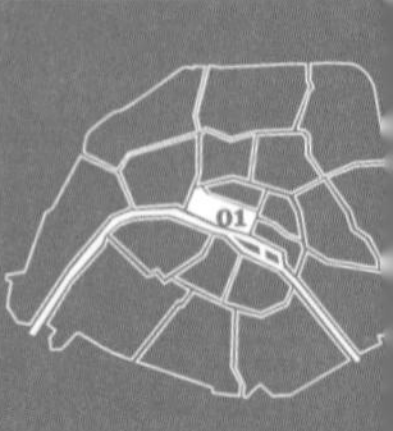

MÉTRO PONT NEUF
OU LOUVRE RIVOLI
49, RUE BERGER
75 001 PARIS
01 40 28 00 00

JEAN CHRISTIANSEN

FERMÉ SAMEDI MIDI ET DIMANCHE

PRIX : MENU-CARTE À 36 €

MENU DÉGUSTATION À 58 €

Cet « Atelier » qui porte si bien son nom est l'une de mes adresses parisiennes préférées : je m'y rends au moins deux fois par an. Mais surtout, c'est une table que je recommande tout aussi régulièrement. Pour vous convaincre, je vais vous narrer ma dernière (et récente) expérience faite sur place. Je descends à la station « Louvre-Rivoli » et je rejoins rapidement la rue Berger et son « Atelier », juste derrière la Bourse du Commerce, où je suis accueilli comme chaque fois par la charmante maman du chef et son accent inimitable, qui m'accompagne à l'étage où se trouve la salle à manger. Au rez-de-chaussée, il n'y a qu'un bar où l'on peut déguster charcuteries, fromages et plats de bistros : une carte complètement différente de celle du premier. En haut de l'escalier, je retrouve un décor sobre et cossu aux couleurs chaudes (banquettes couleur caramel en harmonie avec les murs), des beaux tableaux et des appliques en demi-lune aux murs, des grands roseaux dans les coins, des tables bien dressées, de la vaisselle moderne : c'est très confortable, aéré, élégant et cosy. Une fois assis, je me plonge aussitôt dans la lecture de la fabuleuse carte des vins, digne d'une grande maison : elle est très étoffée (plusieurs centaines de références), claire, bien présentée, avec notamment une sélection époustouflante dans le Sud (en particulier les plus grands crus du Languedoc-Roussillon) et un solide choix de vins au verre (plus de vingt propositions ce soir-là). Après plusieurs minutes de réflexion, mon choix se porte finalement sur un côtes du roussillon « les Calcinaires » de chez Gauby, que je demande à déguster aussitôt en guise d'apéritif. Je me concentre ensuite sur le menu-carte, aidé en cela par l'excellente musique d'ambiance, parfaitement adaptée au lieu (si je me souviens bien, il y a eu Massive Attack, Air, Gotan Project,

“Je retrouve alors le style du chef, oscillant entre tradition et modernité sans exclure ni l'originalité et même l'extravagance.”

Craig Armstrong et de la musique cubaine). Je retrouve alors le style du chef, oscillant entre tradition (la tourte de pigeon) et modernité (le tartare de thon rouge au sésame et gingembre, sorbet à l'encre de seiche), sans exclure ni l'originalité (le milk-shake d'huîtres) et même l'extravagance (« Tu sais ce qu'elle te dit la tomate… le printemps arrive, elle va aimer la verdure »). Je me laisse tenter en entrée par un « carpaccio de langoustines parfumé au sel fumé, rémoulade de céleri et pomme fruit », d'une grande finesse. Pour suivre, une « pastilla de pigeon aux abricots et amandes, mesclun », très étonnante vu les origines nordiques du chef. Enfin, je ne résiste pas à tenter le « riz au lait aux parfums de truffe, glace pomme de terre » : une très grande réussite ! Je termine mon repas par un très bon café servi avec un chocolat et une madeleine exquise. Après avoir réglé la « douloureuse » (qui, dans un cas comme celui-ci, porte plutôt mal son nom), je hèle le premier taxi pour rejoindre mes pénates. Une fois n'est pas coutume, j'avais passé une excellente soirée : tout était parfait. J'oubliais de signaler (mais c'est si évident !) que les produits étaient encore, ce soir-là, de toute première qualité, les présentations toujours aussi soignées, au service d'une cuisine inventive et percutante. Cette table est donc une vraie bonne table du XXIe siècle, à la fois rassurante et surprenante (c'est très rare), avec du caractère et qui refuse le sur-place, le tout avec un rapport qualité+originalité+confort / prix très compétitif. Dépêchez vous de la découvrir avant que le chef ne vogue vers d'autres aventures…

QUELQUES EXEMPLES DE PLATS : **cappuccino de champignons et mouillettes d'asperges vertes / tartare de thon rouge au sésame et gingembre, sorbet à l'encre de seiche / harengs de chez moi marinés aux épices et aux aromates / milk-shake d'huîtres / velouté en demi-gelée d'écrevisses, salpicon d'endives / côtelettes d'agneau grillées aux herbes de Garrigue et sa pastilla aux oignons rouges confits / tourte de pigeon confite « Apicius », jus aux fruits secs / pavé de saumon mi-cuit, nem de soja à la citronnelle et mesclun / Saint-Jacques rôties en coque de beurre salé et thym frais, crémeux de riz « arborio » / sorbets verts « verveine, basilic, estragon », cake aux noix / moelleux chocolat « Valrhona », mi-cuit sauce moka / riz au lait aux parfums de truffe, glace pomme de terre / Tu sais ce qu'elle te dit la tomate… le printemps arrive, elle va aimer la verdure.**

POUR EN SAVOIR PLUS SUR JEAN CHRISTIANSEN

La quarantaine séduisante, Jean Christiansen, d'origine norvégienne, a fait son apprentissage à la « Maison du Danemark » sur les Champs-Elysées. Au milieu des années 80, il passe deux années aux côtés de Dominique Bouchet à la « Tour d'Argent », puis il part près d'Aix-en-Provence pour devenir à 23 ans le chef d'une pure « auberge de province » : une expérience très intéressante et formatrice à ses yeux, même si l'organisation de mariages et autres banquets lui pèse un peu au bout de trois ans. En 1988, il décide, alors qu'il n'y était nullement contraint, de retrouver ses origines en effectuant une année de volontaire dans l'armée norvégienne, en pleine Laponie (« une année très riche ! »). De retour en France, il passe deux ans sous les ors et les lambris du « Trianon Palace » de Versailles, aux côtes du multi-étoilés Gérard Vié. En 1991, il devient chef de partie, puis, très vite, second chez Jacques Cagna, l'une des meilleures tables à l'époque de la rive gauche. Mais le tournant décisif de sa carrière est son entrée, juste après son mariage (en 1993), chez le grand Michel Rostang. Il passe plus d'un an dans ses cuisines : c'est le temps qu'il lui faut pour comprendre les limites d'une telle table. Il s'associe alors avec Michel Rostang pour développer ses « annexes » : durant près de quatre ans, il est ainsi le chef du « Bistro d'à côté », boulevard Saint-Germain, puis il prend la tête de « Dessirier » durant trois ans. La suite coule de source : au début des années 2000, il cherche un endroit assez vaste, spacieux, bien situé, afin de pourvoir s'inscrire dans la durée. Il tombe alors sur ce bel endroit situé près des Halles sur deux étages, avec une très belle et grande cuisine. Le coup de foudre est immédiat. C'est ainsi que naît quelques mois plus tard « L'Atelier Berger », avec l'ambition de faire fructifier sa technique, tout en allant chercher un peu partout des goûts nouveaux. Avec aussi la volonté d'être plus qu'un « bon restaurant » : un lieu de vie entièrement réceptif au client. Ne vous étonnez pas de voir le chef venir lui-même aider les convives pour le choix du vin ou faire le service en apportant à votre table le plat qu'il vient de concocter : Jean Christiansen adore ce contact direct. Il est toujours à l'écoute des réactions à ses créations ou à ses trouvailles dénichées dans les vignobles, aussitôt ajoutées à la carte des vins. Ce norvégien et son « Atelier » font énormément de bien, finalement, à la cuisine française.

ENTRÉE _PLAT _DESSERT

CRÈME CHAUDE D'ARTICHAUT DE BRETAGNE AU FOIE GRAS DE CANARD POÊLÉ

80 G D'OIGNONS BLANCS
80 G DE POIREAUX
5 CL D'HUILE D'OLIVE
12 ARTICHAUTS DE BRETAGNE
5 CL VIN BLANC SEC
10 CL DE CRÈME FLEURETTE
1 CUILLERÉE À CAFÉ DE FLEUR DE SEL
1/2 CUILLERÉE À CAFÉ DE POIVRE MIGNONNETTE
300 G DE FOIE GRAS DE CANARD 1er CHOIX
SEL FIN ET POIVRE DU MOULIN

Parez les artichauts, retirez les feuilles et le foin, coupez les fonds en quartiers. Pelez les oignons et hachez-les grossièrement. Lavez les poireaux et émincez-les.
Faites revenir tous ces ingrédients sans coloration à l'huile d'olive dans une casserole haute pendant 10 minutes. Versez le vin blanc, ajoutez 2 litres d'eau et faites cuire à petit bouillon pendant 30 minutes. Mixez le tout.
Montez au batteur la crème fleurette jusqu'à ce qu'elle soit ferme, puis incorporez-la à la crème d'artichauts pour l'alléger ; salez et poivrez. Répartissez la crème d'artichaut dans des assiettes creuses de service.
Taillez le foie gras en six tranches de 50 g chacune.
Faites chauffer une poêle à fond épais sur feu vif ; quand elle est bien chaude, parsemez-la de sel et déposez les tranches de foie gras dedans.
Saisissez-les rapidement sur chaque côté, puis déposez-les sur le dessus de la crème d'artichaut dans chaque assiette ; arrosez avec un peu de gras fondu.
Mélangez la fleur de sel et le poivre mignonnette ; poudrez légèrement de ce mélange la crème d'artichaut.

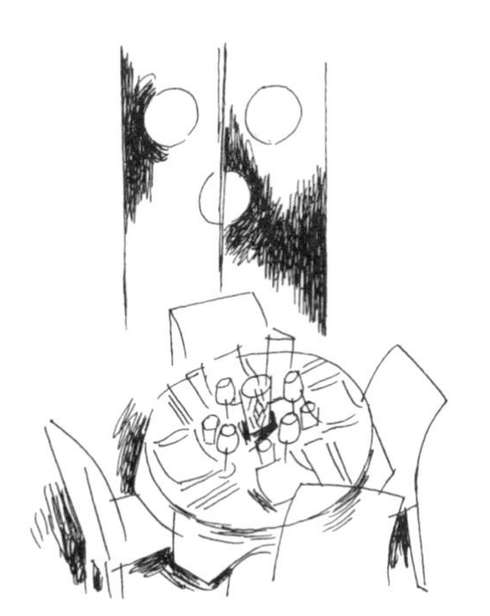

ET LE CHEF A DIT

« POUR ALLER AVEC CE PLAT, JE CHOISIRAIS UN VIN TRÈS EXPRESSIF, D'UNE GRANDE MATURITÉ, AVEC DES ARÔMES DE FRUITS MÛRS, DU "GRAS" ET AVANT TOUT UNE BONNE TENUE EN BOUCHE POUR ENVELOPPER L'ARTICHAUT ET REJOINDRE LE GOÛT NOISETÉ DU FOIE GRAS POÊLÉ. PAR EXEMPLE : UN VACQUEYRAS BLANC DOMAINE DE LA MONARDIÈRE OU UN CHÂTEAUNEUF-DU-PAPE CHÂTEAU DE BEAUCASTEL. »

ENTRÉE_ **PLAT** _DESSERT

TURBOT GRILLÉ AUX PARFUMS DE LA MÉDITERRANÉE

1 TURBOT DE 2 KG
3 BRINS DE THYM FRAIS
1 BRIN DE ROMARIN
5 CL D'HUILE D'OLIVE
POIVRE DU MOULIN
FLEUR DE SEL

POUR LA GARNITURE
50 G D'OIGNONS
100 G DE COURGETTES
100 G D'AUBERGINES
50 G DE POIVRON ROUGE
50 G DE TOMATES FRAÎCHES
3 BRINS DE THYM FRAIS
1 FEUILLE DE LAURIER
1 BRIN DE ROMARIN
10 CL D'HUILE D'OLIVE
SEL FIN ET POIVRE DU MOULIN

Demandez à votre poissonnier de lever les filets du turbot et d'enlever la peau. Coupez chaque filet en deux portions égales et mettez-les en attente dans le réfrigérateur.
Épluchez et taillez tous les légumes de la garniture en brunoise (très petits dés).
Poêlez les légumes séparément à l'huile d'olive, puis réunissez-les tous dans la poêle. Salez, émiettez le thym et le romarin, ajoutez ces herbes aux légumes avec le laurier.
Faites cuire encore une dizaine de minutes sur feu doux.
Saisissez les filets de turbot au gril. Assaisonnez de fleur de sel et de poivre du moulin. Déposez-les dans un plat à four, arrosez d'huile d'olive et finissez de faire cuire dans le four pendant 5 minutes environ à 200 °C.
Laissez reposer quelques instants. Répartissez la ratatouille sur des assiettes de service chaudes ; posez les filets de turbot dessus, arrosez d'un filet d'huile d'olive vierge et servez.

ET LE CHEF A DIT

« POUR L'ACCORD DU VIN AVEC CE PLAT, JE RECHERCHERAIS L'ÉQUILIBRE ENTRE LES ARÔMES DE GARRIGUE, DE LA PROVENCE ET DU GRILLÉ IODÉ. C'EST POURQUOI UN VIN DU SUD BIEN ÉQUILIBRÉ ME SEMBLERAIT PARFAITEMENT CONVENIR. PAR EXEMPLE : UN CÔTES DU LUBERON CHÂTEAU LA VERRERIE OU UN BANDOL CHÂTEAU PRADEAUX. »

ENTRÉE_PLAT_DESSERT

COMPOTE DE RHUBARBE ET FRAISES À LA MOUSSELINE DE FROMAGE BLANC

LA COMPOTE
600 G DE RHUBARBE
300 G DE FRAISES FRAÎCHES
180 G DE SUCRE SEMOULE

LA MOUSSELINE
20 CL DE FROMAGE BLANC À 40%
20 CL DE CRÈME FLEURETTE
1 GOUSSE DE VANILLE
20 G DE SUCRE GLACE

Lavez et équeutez les fraises. Lavez les tiges de rhubarbe et pelez-les avec un couteau économe, puis coupez-les en tronçons de 1 cm.
Mettez les tronçons de rhubarbe dans une casserole avec 2 cl d'eau.
À la première ébullition, ajoutez les fraises et le sucre semoule.
Retirez la casserole du feu et laissez infuser jusqu'à refroidissement complet.
Ouvrez la gousse de vanille en deux et grattez les graines de l'intérieur avec une petite cuillère.
Mélangez la crème fleurette avec les graines de la gousse de vanille et fouettez-la en neige très ferme en incorporant le sucre glace.
Ajoutez le fromage blanc à cette crème montée et mélangez bien.
Répartissez la compote de rhubarbe à la fraise dans des coupes de service et ajoutez la mousseline de fromage blanc en garniture.

ET LE CHEF A DIT

« IL ME VIENT UNE IDÉE ORIGINALE POUR ACCOMPAGNER CE DESSERT, UNE IDÉE QUI POURRAIT SURPRENDRE PLUS D'UN CONVIVE MAIS LES RAVIR AUSSI, À SAVOIR UN CHAMPAGNE DEMI-SEC AVEC DES BULLES ÉTINCELANTES, CRÉMEUSES, DOUCES, AUX ARÔMES QUI RAVIVENT ET ÉQUILIBRENT CE DESSERT D'ÉCOLIER. PAR EXEMPLE : UN CHAMPAGNE DEMI-SEC VEUVE CLICQUOT OU UN CHAMPAGNE DEMI-SEC ANDRÉ BEAUFORT. »

L'AUTOBUS IMPÉRIAL

MÉTRO LES HALLES
14, RUE MONTEDOUR
75 001 PARIS
01 42 36 00 18

MICHEL VICO

FERMÉ DIMANCHE

PRIX : MENU À 17,5 € AU DÉJEUNER
MENU À 30 € AU DÎNER

Quelle réussite que cette nouvelle adresse du cœur des Halles ! Ouverte au printemps 2005, cet établissement est vite devenu un rendez-vous gastronomique incontournable du « ventre de Paris ». Pourtant, on peut très bien passer devant sans y prêter attention : sa devanture est celle d'une banale brasserie, mais n'hésitez pas à entrer. Derrière cette façade assez peu engageante se cache un lieu magnifique. Dès l'entrée vous accueille un agréable coin « lounge » (fauteuils confortables et tables basses), puis, un peu plus vers le fond, on découvre une superbe salle aux volumes amples (grande hauteur sous verrière ronde, carrelage mosaïque, murs bruts, vastes miroirs, lustres gigantesques), dotée d'un décor mi-baroque, mi-industriel particulièrement réussi : tons gris et verts, références au métro façon Hector Guimard, d'autres allusions plutôt Art Nouveau et mobilier de style « Louis quelque chose ». Ajoutez à cela une excellente musique tendance, un éclairage tamisé bien étudié, une atmosphère trépidante, un accueil adorable, des serveuses jeunes et jolies, cool et souriantes, mais compétentes et dynamiques. Voilà déjà quelques bonnes raisons pour un tel succès. Bien évidemment, je ne vous aurais même pas parlé de cette adresse si les assiettes n'étaient pas à la hauteur du cadre, de l'ambiance et du service. En fait, elles font mieux que tirer leur épingle du jeu, grâce à un tout jeune chef, modeste et talentueux, qui réalise une cuisine intelligente, avec notamment un vaste éventail de desserts particulièrement réussis, à ne manquer sous aucun prétexte. Je vous parle donc là de l'une des belles nouveautés de l'année 2005 : une table bien dans son époque, qui a tout pour réussir. Un décor original et confortable, une ambiance parfaite, un service professionnel, détendu et gentil, des assiettes de grande qualité exécutées par un chef au bagage technique solide. Bref, une aubaine pour ce quartier des Halles, pas forcément bien doté en bonnes tables, intéressantes et pas chères.

“ Je vous parle donc là de l'une des belles nouveautés de l'année 2005 : une table bien dans son époque, qui a tout pour réussir. ”

QUELQUES EXEMPLES DE PLATS : **mille-feuilles de légumes rôtis tièdes au pistou, roquette au balsamique / roulé d'asperges au lard, œuf en croûte, vinaigrette à la truffe / crème de lentilles aux copeaux de foie gras et croûtons / croustillant de canard et champignons, frisée acidulée / salade de filets de caille braisées au vinaigre de truffe noire et copeaux de vieux parmesan / calamars à la plancha, risotto à l'encre, fine salade acidulée au vinaigre de tomates / parmentier de jambon confit, fricassée de champignons / suprême de pintadeaux farcis, viennoise à la truffe et caviar d'aubergine / faux-filet à la plancha, pommes fondantes aux morilles / dorade rôtie au thym, fricassée de cocos de Paimpol / tarte Tatin, poire, pomme, coing, servie tiède / chariot de desserts.**

POUR EN SAVOIR PLUS SUR
MICHEL VICO

L'Autobus impérial

Le sympathique et accueillant Michel Vico naît en 1979 à Marmande, dans le Lot-et-Garonne, dont il a gardé l'accent chantant. A l'âge de 12 ans, il réalise un stage d'été chez un pâtissier. Il a alors la révélation de sa vie : il sera cuisinier. Ainsi, dès l'âge de 14 ans, il entre à l'école hôtelière dans le Sud-Ouest, en tentant de se spécialiser dans la pâtisserie. Vers 18 ans, c'est au cours d'un nouveau stage qu'il fait une rencontre capitale, celle de Christophe Felder, l'un des plus grands pâtissiers français. Il considère ce dernier comme son mentor et parle avec émotion de celui qui n'a cessé ensuite, tout au long de son parcours professionnel, de le conseiller et de le guider. Après avoir travaillé dans quelques grands établissements de la côte d'Azur (dont « Le Martinez » à Cannes), Michel est poussé par Christophe Felder à « monter » à Paris. C'est ainsi qu'il arrive en 2001 au « Violon d'Ingres », la grande table de Christian Constant. Il juge cette expérience comme évidemment très formatrice : il y a énormément appris, en particulier, sur la façon de gérer au mieux un tel établissement. Il reste 1 an et demi dans cette maison, puis il a l'occasion de retrouver Christophe Felder en secondant celui-ci aux « Ambassadeurs », la grande table gastronomique du palace « Le Crillon ». Après deux ans passés sous les ors de la place de la Concorde, ce qui lui permet de travailler les plus beaux produits du monde, Michel reçoit une proposition de la part du « Meurice ». C'est dire la renommée qu'il a su rapidement acquérir dans le milieu de la gastronomie parisienne. Pourtant, Michel décline cette proposition et préfère s'associer avec deux autres comparses pour redonner vie à cette adresse des Halles. Et mettre tout son talent, son savoir-faire et son expérience au service d'une cuisine qu'il qualifie lui-même de gastronomique, mais à des tarifs doux, dans un cadre agréable et une ambiance détendue.
Le voici donc depuis mars 2005 (à 24 ans !) responsable des cuisines de cet établissement très réussi qu'est « L'Autobus Impérial ». Un changement de cap qui l'a beaucoup fait mûrir : il se sent vraiment épanoui dans ses nouvelles fonctions et peut notamment laisser entièrement libre cours à son imagination au moment des desserts (à ne surtout pas rater). Je suis convaincu que ce jeune homme a encore énormément d'avenir et je lui souhaite de parvenir à réaliser son rêve : retourner un jour dans sa région natale pour y ouvrir sa propre boulangerie-pâtisserie. Encore une chose que je ne voudrais pas oublier (il m'en aurait voulu) : Michel tient à remercier publiquement sa famille et sa femme Sandrine (ancienne sommelière, actuellement directrice de salle au « Café Constant » dans le 7e arrondissement) pour le soutien qu'elles lui apportent depuis longtemps et qui jouent un rôle majeur dans la réussite de son établissement actuel.

ENTRÉE _PLAT_DESSERT

FRICASSÉE DE GIROLLES, ŒUF MOLLET RÔTI À LA MIE DE PAIN, ÉCUME DE CHÂTAIGNES ET FOIE GRAS

POUR L'ÉCUME DE CHÂTAIGNES ET FOIE GRAS
1 ÉCHALOTE
10 CL DE BOUILLON DE VOLAILLE
10 CL DE CRÈME LIQUIDE
10 G DE CHÂTAIGNE CUITE
5 G DE BEURRE
30 G DE FOIE GRAS
SEL DE GUÉRANDE ET POIVRE DU MOULIN
2 CL DE COGNAC
5 CL DE VIN BLANC DOUX

POUR L'ŒUF MOLLET EN CROÛTE
6 ŒUFS FRAIS
60 G DE BEURRE
80 G DE CHAPELURE
FLEUR DE SEL ET POIVRE MIGNONNETTE
10 CL DE VINAIGRE BLANC

POUR LA FRICASSÉE DE GIROLLES
600 G DE GIROLLES FRAÎCHES
5 CL DE JUS DE VOLAILLE
1 ÉCHALOTE CISELÉE
2 GOUSSES D'AIL HACHÉES
1 CUILLERÉE À CAFÉ DE PERSIL HACHÉ
1 CUILLERÉE À CAFÉ DE CIBOULETTE CISELÉE
5 CL D'HUILE D'ARACHIDE
40 G DE CHÂTAIGNES CUITES CONCASSÉES
SEL DE GUÉRANDE ET POIVRE DU MOULIN

ET LE CHEF A DIT

« CE PLAT D'AUTOMNE PEUT ÊTRE RÉALISÉ ÉGALEMENT AU PRINTEMPS EN REMPLAÇANT LES GIROLLES PAR DES ASPERGES ROULÉES DANS DU LARD ET RÔTIES AU FOUR. UN VERRE DE SANCERRE BLANC DE CHEZ LUCIEN CROCHET ACCOMPAGNERA TRÈS BIEN CETTE ENTRÉE. »

POUR L'ÉCUME DE CHÂTAIGNES
Ciselez finement l'échalote et faites-la fondre au beurre avec la châtaigne ; flambez au cognac. Déglacez au vin blanc et faites réduire. Ajoutez le bouillon de volaille et faites cuire 20 minutes sur feu doux.
Passez au chinois en pressant bien afin d'obtenir le maximum de sucs.
Incorporez le foie gras, puis laisser cuire 5-6 minutes et ajoutez la crème ; faites réduire de nouveau. Mixez et rectifiez l'assaisonnement. Le bouillon ne doit pas être épais, sinon l'émulsion ne se fera pas.

POUR LES ŒUFS MOLLETS EN CROÛTE
Portez 1,5 litre d'eau à ébullition avec le vinaigre blanc. Plongez les oeufs dedans et faites-les cuire pendant 5 minutes et 30 secondes. Rafraîchissez les œufs, écalez-les et réservez-les dans l'eau froide pour bien stopper la cuisson et garder le jaune coulant.
Faites fondre le beurre dans une poêle, posez les œufs dedans pour les réchauffer. Poudrez-les de chapelure, puis enveloppez-les délicatement avec la chapelure roussie et le beurre fondu pour les enrober d'une croûte.

POUR LA FRICASSÉE DE GIROLLES
Lavez et parez les girolles. Saisissez-les dans l'huile bien chaude. Assaisonnez à la fleur de sel et au poivre du moulin. Faites-les cuire jusqu'à évaporation de leur eau de végétation pour les rendre croustillantes.
Ajoutez les châtaignes concassées, l'ail, l'échalote, le persil, la ciboulette, puis laissez cuire pendant 1 à 2 minutes.
Déglacez avec le jus de volaille pour les rendre brillantes et onctueuses.

POUR SERVIR
Répartissez les girolles dans des assiettes creuses de service.
Placez un oeuf mollet en croûte par-dessus.
Parsemez de fleur de sel et poivre mignonnette
À l'aide d'un mixeur, faites mousser la crème de châtaigne et foie gras. Avec une cuillère, récupérez délicatement l'écume (la mousse) pour en napper les girolles. Servez aussitôt.

ENTRÉE_ **PLAT** _DESSERT

CÔTELETTES D'AGNEAU GRILLÉES, FINE CHOUCROUTE DE NAVETS CONFITS, CRUMBLE DE NOISETTES

POUR LES CÔTELETTES D'AGNEAU
18 CÔTELETTES D'AGNEAU
2 GOUSSES D'AIL
3 BRINS DE THYM FRAIS
30 CL DE JUS D'AGNEAU

POUR LE CRUMBLE DE NOISETTES
50 G DE BEURRE RAMOLLI
15 G DE NOISETTES FINEMENT HACHÉES
35 G DE CHAPELURE

POUR LA CHOUCROUTE DE NAVETS
1 KG DE NAVETS LONGS
1 OIGNON
3 CUILLERÉES À SOUPE DE GRAISSE DE CANARD
2 FEUILLES DE LAURIER
6 BAIES DE GENIÈVRE
30 CL DE VIN BLANC
30 CL DE BIÈRE BLONDE
50 CL DE FOND BLANC DE VOLAILLE
2 BRINS DE THYM
SEL ET POIVRE
1 PINCÉE DE SUCRE

Portez le jus d'agneau à ébullition avec l'ail et le thym frais, puis laissez mijoter à feu doux pour obtenir un jus plus corsé et foncé. Le jus est prêt quand il nappe légèrement le dos d'une cuillère.
Mélangez tous les ingrédients du crumble dans un saladier avec une cuillère en bois jusqu'à consistance homogène. Etalez ce mélange à la main sur une plaque et faire cuire au four à 220 °C jusqu'à coloration dorée. Laissez refroidir et émiettez le crumble entre vos mains.
Pelez les navets et râpez-les. Faites fondre la graisse de canard dans une casserole. Ajoutez l'oignon émincé et faites-le fondre sans coloration. Ajoutez l'ail haché, le laurier, le thym, le genièvre et les navets râpés.
Laissez cuire 5 minutes en remuant sans cesse, puis déglacez avec la bière et le vin blanc. Portez à ébullition et laissez réduire à sec sans coloration. À mi-cuisson, ajoutez le sucre pour confire le navet.
Après réduction, versez le fond blanc, puis laissez cuire jusqu'à totale évaporation.
Goûtez et rectifiez l'assaisonnement.
Faites griller les côtelettes d'agneau.

POUR SERVIR
Formez un dôme de choucroute de navets au centre de chacune des assiettes, puis disposez trois côtelettes d'agneau grillées. (Finissez éventuellement la cuisson au four selon l' « à-point » souhaité.)
Nappez avec le jus d'agneau et ajoutez le crumble sur le dessus pour apporter du croustillant au plat.

ET LE CHEF A DIT

« LES CÔTELETTES D'AGNEAU PEUVENT AUSSI ÊTRE AGRÉMENTÉES D'OLIVES NIÇOISES, DE TOMATES CONFITES ET D'UNE COMPOTÉE D'OIGNONS NOUVEAUX, QUI VOUS RAPPELLERONT VOS VACANCES DANS LE SUD. CE PLAT PEUT ÊTRE ACCOMPAGNÉ AVEC UN VIN DES CÔTES DU RHÔNE, QUI VOUS LAISSERA SUR UNE NOTE NOSTALGIQUE. »

ENTRÉE_PLAT_DESSERT

CAKE FAÇON «PAIN PERDU», CRÉMEUX AU CHOCOLAT ET FIGUES RÔTIES

POUR LE CRÉMEUX AU CHOCOLAT
225 G DE CHOCOLAT À 70% DE CACAO
25 CL DE LAIT
25 G DE CRÈME LIQUIDE
4 JAUNES D'ŒUFS
80 G DE SUCRE SEMOULE

POUR LA CRÈME ANGLAISE
20 CL DE LAIT
1 GOUSSE DE VANILLE
3 CUILLERÉES À SOUPE DE CRÈME LIQUIDE
3 JAUNES D'ŒUFS
50 G DE SUCRE SEMOULE

POUR LE PAIN PERDU ET LES FIGUES
6 TRANCHES ÉPAISSES DE CAKE CITRON OU NATURE
12 FIGUES COUPÉES EN DEUX
50 G DE SUCRE SEMOULE
10 G DE BEURRE
5CL DE PORTO ROUGE

ET LE CHEF A DIT

«LES FIGUES ÉTANT UN PRODUIT DE SAISON, ELLES PEUVENT ÊTRE REMPLACÉES PAR DES PÊCHES OU DES ABRICOTS. VOUS POUVEZ ÉGALEMENT SERVIR CE DESSERT AVEC UN SORBET AU FROMAGE BLANC OU UNE GLACE AU YAOURT. ENFIN, UN BON RIVESALTES AMBRÉ OU UN MAURY DU MAS AMIEL ACCOMPAGNERA PARFAITEMENT CE DESSERT.»

PRÉPARATION DU CRÉMEUX AU CHOCOLAT
Hachez finement le chocolat au couteau. Versez le lait et la crème dans une casserole, portez à ébullition.
A l'aide d'un fouet, mélangez délicatement les jaunes d'œufs dans un saladier avec le sucre jusqu'à consistance crémeuse. Versez délicatement sur la préparation précédente le mélange bouillant de lait et de crème en fouettant. Incorporez le chocolat haché. Faites cuire le mélange dans une casserole sur feu doux sans laisser bouillir et en remuant sans arrêt avec une cuillère en bois jusqu'à ce que la crème nappe la cuillère. Passez la préparation au chinois. Réservez au réfrigérateur toute la nuit.

PRÉPARATION DE LA CRÈME ANGLAISE À LA VANILLE
Fendez la gousse de vanille en deux et grattez les graines. Versez le lait dans une casserole, faites chauffer, ajoutez la gousse de vanille et les graines, couvrez et laissez infuser hors du feu. Ajoutez la crème liquide et porter à ébullition.
Dans un saladier, fouettez les jaunes d'œufs avec le sucre semoule jusqu'à l'obtention d'un mélange crémeux.
Ajoutez le mélange bouillant lait-crème (sans la gousse de vanille) sur le mélange jaunes / sucre en fouettant légèrement. Remettez ce mélange à cuire dans une casserole sans laisser bouillir ; la crème est cuite lorsqu'elle nappe la cuillère. Faites refroidir la crème en plaçant la casserole dans un récipient rempli d'eau froide avec des glaçons. Réservez au réfrigérateur.

POUR LES FIGUES RÔTIES
Dans une poêle, préparez un caramel avec le sucre sans ajouter d'eau. Retirez la poêle du feu, puis posez dedans les figues, côté chair contre le fond, ajoutez le beurre en petites parcelles.
Remettez à chauffer, déglacez avec le porto et faites cuire jusqu'à obtention d'un sirop assez épais. Avec une cuillère, prélevez les figues et mettez-les dans une assiette.

POUR LE PAIN PERDU
Tranchez le cake en bâtonnets de 1 cm de côté et 7 cm de long. Faites fondre le sucre dans une autre poêle jusqu'à obtention d'une coloration brune. Imbibez les tranches de cake de crème anglaise et faites-les faire cuire dans le caramel pour les rendre blondes et croustillantes sur les deux faces. Réservez.

POUR SERVIR
Versez un trait de crème anglaise au fond de chaque assiette. Posez le pain perdu tiède au centre.
Avec une cuillère à soupe, prélevez une quenelle de crémeux au chocolat. Posez la quenelle sur le pain perdu, puis placez les figues rôties. Nappez avec le jus de cuisson.

LE DAUPHIN

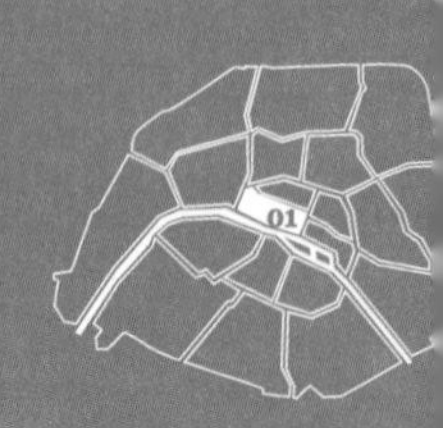

MÉTRO PALAIS ROYAL
167, RUE SAINT-HONORÉ
75 001 PARIS
01 42 60 40 11

DIDIER OUDILL ET EDGAR DÜHR

OUVERT TOUS LES JOURS

PRIX : MENU-CARTE À 37 €

MENU À 26 € AU DÉJEUNER (SAUF DIMANCHE)

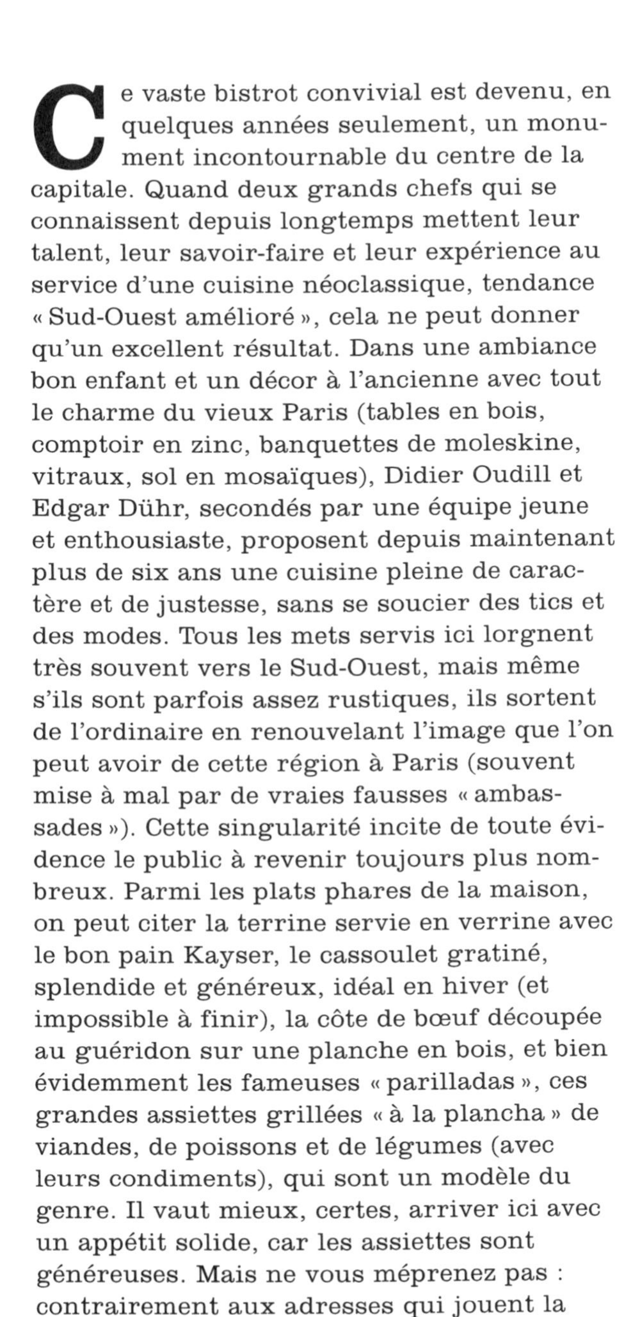

Ce vaste bistrot convivial est devenu, en quelques années seulement, un monument incontournable du centre de la capitale. Quand deux grands chefs qui se connaissent depuis longtemps mettent leur talent, leur savoir-faire et leur expérience au service d'une cuisine néoclassique, tendance « Sud-Ouest amélioré », cela ne peut donner qu'un excellent résultat. Dans une ambiance bon enfant et un décor à l'ancienne avec tout le charme du vieux Paris (tables en bois, comptoir en zinc, banquettes de moleskine, vitraux, sol en mosaïques), Didier Oudill et Edgar Dühr, secondés par une équipe jeune et enthousiaste, proposent depuis maintenant plus de six ans une cuisine pleine de caractère et de justesse, sans se soucier des tics et des modes. Tous les mets servis ici lorgnent très souvent vers le Sud-Ouest, mais même s'ils sont parfois assez rustiques, ils sortent de l'ordinaire en renouvelant l'image que l'on peut avoir de cette région à Paris (souvent mise à mal par de vraies fausses « ambassades »). Cette singularité incite de toute évidence le public à revenir toujours plus nombreux. Parmi les plats phares de la maison, on peut citer la terrine servie en verrine avec le bon pain Kayser, le cassoulet gratiné, splendide et généreux, idéal en hiver (et impossible à finir), la côte de bœuf découpée au guéridon sur une planche en bois, et bien évidemment les fameuses « parilladas », ces grandes assiettes grillées « à la plancha » de viandes, de poissons et de légumes (avec leurs condiments), qui sont un modèle du genre. Il vaut mieux, certes, arriver ici avec un appétit solide, car les assiettes sont généreuses. Mais ne vous méprenez pas : contrairement aux adresses qui jouent la carte du «terroir », ici, cette générosité ne rime pas avec approximation et ne vient en aucun cas occulter la qualité des produits, les présentations soignées, le raffinement de certains plats et la rigueur des deux chefs, qui se relaient aux fourneaux. Tous les jours de l'année, midi et soir, Didier et Edgar font l'éclatante démonstration de leur talent parfaitement maîtrisé. S'ils ont décidé de jouer dans la division « en-dessous », par rapport à leurs précédentes expériences dans la haute gastronomie, félicitons-nous de ce choix !

"Une cuisine pleine de caractère et de justesse, sans se soucier des tics et des modes."

QUELQUES EXEMPLES DE PLATS : escargots à la niçoise à la croustille d'herbes / soupe crémeuse d'asperges des Landes et coussin moelleux au foie gras / marbré de foie gras aux cèpes et aux pommes de terre / cocotte de joue de cochon cuite sept heures au vieil armagnac / tournedos de jarret de veau fondant, bouillon de girolles et mousserons aux asperges / parillada du boucher (cœur de rumsteck, canard, boudin d'Espelette, suprême de volaille) / parillada de la mer / chaud et froid d'artichauts nains et coquilles Saint-Jacques grillées / cassoulet d'en-bas aux quatre viandes gratiné au four / riz au lait à la rhubarbe et vanille caramélisée / baba gonflé au vieux rhum et crème vanillée / compotée de figues au jurançon / pêches blanches de Gascogne glacées au citron et au basilic / blanc-manger mousseux aux framboises et sorbet lychee / crousti-fondant au chocolat au lait et à la bergamote.

POUR EN SAVOIR PLUS SUR DIDIER OUDILL ET EDGAR DÜHR

« Le Dauphin » est une table singulière : elle possède deux chefs, qui ne sont jamais là en même temps, mais qui se relaient toutes les deux semaines aux fourneaux. Tous les deux ont eu un parcours balisé d'étoiles avant de se retrouver à Paris, face à la Comédie Française. Ainsi, Edgar Dühr (le blond du duo, le plus jeune, d'origine picarde) a passé le début de sa carrière chez Jacques Chibois à Cannes avant de s'envoler pour l'étranger pendant plusieurs années au début des années 1980 : il visite successivement New-York, Saint-Martin, les Antilles, le Japon. En 1986, il rentre en France pour intégrer la brigade de Michel Guérard, l'un des papes de la « Nouvelle Cuisine », à Eugénie-les-Bains dans les Landes. C'est là qu'il rencontre Didier Oudill (le brun, qui lui est parisien), surdoué précoce, alors bras droit du maître depuis quelques temps déjà. Lorsque Didier Oudill, quelques mois plus tard, part pour s'installer à son compte à Grenade-sur-Adour, avec « Pain, Adour et Fantaisie » (un établissement qui deviendra en quelques années doublement étoilé), Edgar le remplace et devient, à moins de trente ans, le chef des cuisines de la maison Guérard. Cette expérience reste pour lui extraordinaire, presque irréelle, purement inoubliable. Elle dure huit ans, jusqu'en 1994, date à laquelle Didier et Edgar se retrouvent pour s'associer en reprenant le luxueux « Café de Paris » à Biarritz. Malgré la difficile gestion d'une grande table dans une station balnéaire, ils obtiennent très rapidement un énorme succès, aussi bien critique que populaire. Mais en 1999, le projet de création d'un parking souterrain sous leur établissement les pousse à changer d'air et à émigrer à Paris. Ils revendent leur affaire à Biarritz et remettent en selle cette vielle gloire un peu usée qu'est alors « Le Dauphin », en décidant d'être en cuisine en permanence, mais chacun leur tour. Compte tenu de la réussite de l'adresse depuis plus de six ans (c'est bondé midi et soir, semaine et week-end), force est de constater que cette association originale est parfaitement complémentaire, malgré leurs caractères opposés. Tout marche du tonnerre ! Ce n'est que mérité pour ces deux chefs qui, vu leur parcours, n'ont plus rien à prouver : ils se sentent désormais libres de faire ce qu'ils veulent, pour notre plus grand plaisir...

ENTRÉE _PLAT _DESSERT

GROSSE CREVETTE ROYALE CUITE ENTIÈRE, MOUSSELINE DE THON À L'HUILE D'OLIVE VIERGE

600 G DE GROSSES CREVETTES, SOIT 12 DE 50 G CHACUNE
25 CL D'HUILE D'OLIVE
1 PAMPLEMOUSSE ROUGE, PELÉ À VIF ET TAILLÉ EN DÉS
1 GROSSE TOMATE MONDÉE ET TAILLÉE EN DÉS
30 G D'ÉCHALOTES CISELÉES
5 G D'AIL HACHÉ
50 G DE MANGUE EN DÉS
3 CUILLERÉES À SOUPE DE VINAIGRE BALSAMIQUE
1/2 CITRON
100 G DE THON À L'HUILE
100 G D'ANCHOIS EN FILETS À L'HUILE
60 G DE CRÈME FRAÎCHE FOUETTÉE
12 PETITS CROÛTONS RONDS TAILLÉS DANS UNE FICELLE
6 CUILLERÉES À SOUPE DE TAPENADE
36 BELLES FEUILLES DE MÂCHE
SEL ET POIVRE

Décortiquez les queues des crevettes sans détacher les têtes. Salez et poivrez, laissez-les mariner dans 10 cl d'huile d'olive.
Mixez le thon et les anchois avec 3 cl d'huile. Incorporez délicatement la crème et vérifiez l'assaisonnement. Moulez cette préparation dans des petits cercles de 4 cm de diamètre et 3 cm de haut.
Faites mariner dans 9 cl d'huile d'olive et le jus du demi-citron, les dés du pamplemousse, de la tomate et de mangue, l'échalote ciselée et l'ail haché. Salez et poivrez.
Faites poêler les croûtons dans le reste d'huile d'olive et garnissez-les de tapenade.
Sur chaque assiette, faites, dans la partie supérieure, une fleur avec 6 feuilles de mâche. Posez dessus la mousse de thon.
Faites griller les grosses crevettes.
Dans la partie inférieure des assiettes, versez la vinaigrette au pomelo et déposez les crevettes dessus. Arrosez le tout avec l'huile de la marinade des crevettes et le vinaigre balsamique. Placez un croûton de tapenade de chaque côté de la mousse et servez.

ET LE CHEF A DIT

« C'EST UNE ENTRÉE PARFAITE AU MOMENT DE L'ÉTÉ. DE PLUS, ELLE EST TRÈS ESTHÉTIQUE, AVEC UN JEU SUR LES COULEURS TRÈS INTÉRESSANT. »

ENTRÉE_ **PLAT** _DESSERT

TARTE TATIN DE RIS DE VEAU AUX CHAMPIGNONS SAUVAGES

75 G DE CAROTTES, TAILLÉES EN TRIANGLES ARRONDIS, CUITS À L'EAU SALÉE
75 G DE CÉLERI TAILLÉ EN TRIANGLES ARRONDIS, CUITS À L'EAU SALÉE
6 CERCLES DE PÂTE FEUILLETÉE DE 12 CM DE DIAMÈTRE
18 RONDELLES DE TRUFFES NOIRES

POUR LA DUXELLES DE CHAMPIGNONS
120 G DE BEURRE
180 G DE CÈPES
120 G DE MOUSSERONS
120 G DE GIROLLES
40 G D'ÉCHALOTES
180 G DE CHAMPIGNONS DE PARIS
15 G DE SEL
7 TOURS DE MOULIN À POIVRE
10 G D'ESTRAGON
15 G D'AIL
10 CL DE CRÈME FRAÎCHE
1,5 CUILLERÉE À SOUPE DE FARINE
1,5 CUILLERÉE À SOUPE DE PORTO
75 G DE DÉS DE TRUFFES

POUR LE BRAISAGE DES RIS DE VEAU
6 NOIX DE RIS DE VEAU
1,5 CUILLERÉE À SOUPE D'HUILE D'ARACHIDE
150 G D'OIGNONS
150 G DE CAROTTES
30 G DE QUEUES DE CHAMPIGNONS
1 BOUQUET GARNI COMPLET
9 GOUSSES D'AIL
15 CL DE VIN BLANC
7,5 CL DE PORTO
SEL ET POIVRE
9 FEUILLES DE SAUGE
30 CL DE FOND DE VOLAILLE

POUR LA FINITION DE LA SAUCE
120 G DE BEURRE
30 CL DE CRÈME FRAÎCHE
150 G DE MOUSSERONS
1 GROSSE POINTE DE NOIX DE MUSCADE RÂPÉE
30 CL DE JUS DE TRUFFES

La veille, faites dégorger les ris de veau dans de l'eau glacée. Plongez les ris dans une casserole d'eau froide salée. Portez à ébullition, laissez frémir pendant 5 minutes et débarrassez dans une bassine d'eau froide. Parez ensuite les ris à l'aide d'un couteau fin et mettez-les sous presse pendant au moins 3 heures, sous un poids de 3 kilos environ.
Préparez les légumes du fond de braisage ; faites-les revenir dans une casserole avec l'huile d'arachide et déposez les ris de veau par-dessus. Déglacez avec le vin blanc et le porto, puis laissez réduire de moitié. Ajoutez le fond de volaille, couvrez et laissez cuire pendant environ 30 minutes.
Débarrassez, laissez refroidir et passez le fond de braisage au chinois fin. Réservez ce fond. Coupez les ris de veau en tranches de 3 mm ; assaisonnez-les légèrement de sel et poivre.
Pour la duxelles, nettoyez tous les champignons. Faites fondre dans le beurre l'échalote et l'ail hachés. Ajoutez les champignons, mélangez et laissez mijoter pendant 10 minutes pour que l'eau de végétation s'évapore entièrement. Poudrez de farine, ajoutez la crème et faites cuire le tout pendant 10 à 15 minutes en remuant souvent. Salez et poivrez, ajoutez le porto et l'estragon ; laissez cuire encore 5 minutes et ajoutez les truffes.
Versez le tout dans une terrine et passez au mixeur ; laissez refroidir. Faites chauffer le fond de braisage, ajoutez la crème, le beurre et la noix de muscade. Rectifiez l'assaisonnement et incorporez les mousserons. Tenez cette sauce au bain-marie.
Pour la construction des « tatins » : disposez le papier de cuisson au fond des moules, intercalez par-dessus les tranches de ris de veau, les carottes et le céleri en formant un cercle. Sur le dessus et jusqu'au bord du cercle, étalez la duxelles de champignons, puis recouvrez avec les rondelles de truffes.
Dans le four préchauffé à 220 °C, disposez sur une plaque les moules garnis de ris de veau et de duxelles ; placez à côté les ronds de feuilletage. Faites cuire jusqu'à ce que la pâte feuilletée soit bien dorée. À la sortie du four, posez chaque feuilletage sur un moule de ris de veau. Retournez le tout délicatement comme une tarte Tatin. Placez sur une assiette et entourez de sauce. Arrosez le dessus avec quelques gouttes d'arôme de truffes.

ENTRÉE_PLAT_

DESSERT

POIRE RÔTIE ET SABAYON AU JURANÇON, GLACE AU PRALINÉ

6 BELLES POIRES BIEN MÛRES, PELÉES
75 G DE BEURRE
75 G DE SUCRE
40 CL DE GLACE PRALINÉE (ACHETÉE CHEZ VOTRE PÂTISSIER)

POUR LE SABAYON
25 G DE PEAUX DE CITRON CONFITES AU SUCRE
1/2 BOUTEILLE DE JURANÇON DOUX
3 JAUNES D'ŒUFS
1 PINCÉE DE SUCRE

Versez le jurançon dans un récipient résistant à la chaleur. Ajoutez les jaunes d'œuf et battez au fouet. Placez le récipient au bain-marie sur eau frémissante et laissez cuire en fouettant sans arrêt pendant 12 minutes environ. La préparation doit doubler de volume et épaissir en devenant mousseuse. Incorporez les peaux de citron hachées en fin de cuisson.
Dans une poêle (de préférence en Téflon), versez le beurre et le sucre. Faites fondre doucement et posez les poires dans ce mélange.
Laissez cuire doucement jusqu'à caramélisation blonde.
Pour servir, disposez les poires caramélisées dans un plat, le sabayon dans un saucier et la glace dans un compotier givré.

ET LE CHEF A DIT

« VOICI UN DESSERT FACILE À RÉALISER (À CONDITION D'AVOIR UN BON COUP DE POIGNET POUR FOUETTER LE SABAYON !) ET QUI RAVIRA VOS CONVIVES. BIEN ÉVIDEMMENT, JE VOUS CONSEILLE DE L'ACCOMPAGNER AVEC LE MÊME JURANÇON DANS LES VERRES. »

LE POINT BAR

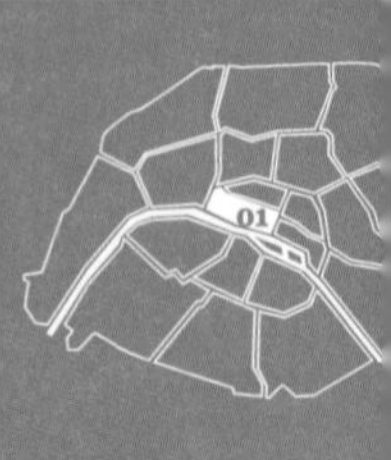

MÉTRO PYRAMIDES
40, PLACE DU MARCHÉ-SAINT-HONORÉ
75 001 PARIS
01 42 61 76 28

ALICE BARDET

FERMÉ DIMANCHE ET LUNDI

PRIX : MENU-CARTE À 38 €

MENU À 26 € AU DÉJEUNER (ENTRÉE AU CHOIX + PLAT DU JOUR + DESSERT AU CHOIX + 1 VERRE DE VIN)

La place du Marché Saint-Honoré, très agréable notamment en été, est plutôt bien pourvue en restaurants, c'est le moins que l'on puisse dire. Malheureusement, il faut dire aussi que parmi ces établissements, qui remportent tous un franc succès (surtout le midi), très peu méritent le détour. L'arrivée ici en mars 2004 d'Alice Bardet, digne fille de son père Jean (grand chef à Tours), a donc été un véritable événement. Car ce « Point Bar » est tout simplement l'un des bistrots les plus séduisants de ces dernières années, dans la tradition des « mères », mais en plus jeune, bien sûr. Alice Bardet, omniprésente, met le feu aussi bien en salle que dans les assiettes. Cette charmante brune est une parfaite maîtresse de maison, radieuse et énergique, pleine de peps et de gentillesse. Elle a très bien revu le cadre de ce petit bistrot sur deux étages (une trentaine de couverts, plus l'immanquable terrasse en été), en imaginant un décor contemporain tout simple, sobre et chic, dans les tons beige et rouge, avec de jolies banquettes, de la vaisselle et un mobilier modernes, des murs ornés de beaux dessins. Alice a également su créer une superbe ambiance au sein de son établissement. On sent que tout le monde est ravi d'être là, aussi bien les clients que l'équipe en salle, jeune, détendue, professionnelle, en synchronie parfaite avec la cuisine. Venons-y justement, à la cuisine : elle est vive, enlevée, classique dans l'esprit mais très moderne dans l'exécution, très légère, complètement dans son époque. La carte des vins est courte et très pertinente, le café est excellent et le pain de campagne vient de chez Poujauran (le meilleur boulanger de Paris à mes yeux). Enfin, cerise sur le gâteau, les tarifs sont d'une grande douceur, que ce soit le soir avec le menu-carte, ou à midi, avec des formules malignes conçues autour du plat du jour : elles font d'ailleurs un véritable « carton » dans ce quartier où il est difficile de trouver un rapport qualité/prix de ce niveau. Voici donc un véritable petit bijou que je fréquente régulièrement avec toujours le même plaisir. Tout y est toujours impeccable, précis et de bon goût : l'accueil délicieux, le service adorable et efficace (malgré l'affluence), l'ambiance gaie, les assiettes sans fausse note. Belle réussite signée Alice Bardet : l'endroit est toujours bondé et il faut à tout prix réserver plusieurs jours à l'avance.

“Un des bistrots les plus séduisants de ces dernières années.”

QUELQUES EXEMPLES DE PLATS : **fines tranches de magret de canard au foie gras / potage glacé de tomates et billes de melon / rognon de veau à la diable / jambon de Vendée poêlé et déglacé au vin blanc / daurade royale pochée à la marocaine / étuvée de figues fraîches au Maury et glace vanille / moelleux au chocolat / élixir exotique aux fruits frais, infusion vanille gingembre et épices.**

POUR EN SAVOIR PLUS SUR ALICE BARDET

Pour une fois, je ne vais pas vous raconter la biographie de cette fille de grand chef tourangeau multi-étoilé. Je vais tout simplement lui laisser la parole. Voici ce qu'elle tient à mettre en exergue : « Après avoir travaillé dans les médias, la passion familiale de la gastronomie a fini par l'emporter. Existe-t-il un métier plus agréable ? Soigner ses hôtes afin de leur apporter du bonheur autour d'un repas, un moment partagé entre amis dont nous sommes les chefs d'orchestre, faire découvrir de nouvelles saveurs, des condensés de vie. De mon père, j'ai appris le culte et le respect des beaux produits, la rigueur en cuisine, le travail sans esbroufe. Il m'a montré que les plats simples sont souvent les plus complexes à réaliser. De ma mère, j'ai hérité la bonne humeur communicative, l'amour des relations humaines et la gestion d'entreprise. Toujours avec de solides bases classiques, j'aime cuisiner en liberté en m'inspirant des jardins du monde entier, qui possèdent tant de richesses. Mon plus grand plaisir est de réussir à travailler dans une ambiance familiale aussi bien avec mes clients qu'avec mon équipe, j'aime que les gens se sentent comme chez eux. Mon plus grand souci ? Qu'ils repartent avec le sourire ». Que peut-on ajouter après une telle profession de foi ?

ENTRÉE _PLAT _DESSERT

CRÈME DE LENTILLES AU FOIE GRAS POÊLÉ

300 G DE FOIE GRAS DE CANARD TAILLÉ EN ESCALOPES (6 ESCALOPES DE 50 G)
2 OIGNONS
3 CAROTTES
6 GOUSSES D'AIL
2 CUILLERÉES À SOUPE DE GRAISSE DE CANARD
3 CUILLERÉES À SOUPE DE CRÈME FRAÎCHE
2 BRINS DE THYM
6 BRANCHES DE PERSIL
2 FEUILLES DE LAURIER
75 CL DE CRÈME LIQUIDE
375 G DE LENTILLES VERTES DU BERRY
1 BOUQUET DE CIBOULETTE CISELÉE
GROS SEL, FLEUR DE SEL ET POIVRE

La veille, faites tremper les lentilles dans 1,2 litre d'eau froide. Le lendemain, égouttez-les et rincez-les.
Faites chauffer la graisse de canard dans une grande casserole, ajoutez les carottes et les oignons pelés et émincés ; faites-les revenir doucement.
Ajoutez les lentilles, couvrez d'eau froide et salez au gros sel, puis ajoutez les brins de thym, les branches de persil et les feuilles de laurier ficelés ensemble.
Laissez cuire doucement en remuant de temps en temps jusqu'à ce que les lentilles s'écrasent entre les doigts. Ajoutez alors la crème et mélangez intimement.
Après environ 30 minutes de cuisson, mixez et passez au chinois inox. Salez et poivrez, réservez.
Saisissez les escalopes de foie gras dans une poêle bien chaude. Assaisonnez-les de fleur de sel et parsemez-les de ciboulette ciselée.
Disposez les escalopes de foie gras dans les assiettes et versez délicatement par-dessus la crème de lentilles.

ET LE CHEF A DIT

« CETTE PETITE ENTRÉE QUI SENT BON LE TERROIR EST PLEINE DE FINESSE. VOUS POUVEZ PRÉPARER LA CRÈME DE LENTILLES LA VEILLE. UN CONSEIL : AVANT DE CUIRE VOTRE FOIE GRAS, METTEZ-LE AU RÉFRIGÉRATEUR, IL FAUT EN EFFET QU'IL SOIT TRÈS FROID QUAND VOUS LE POSEZ DANS LA POÊLE, SINON IL SE RAMOLLIT À LA CUISSON. POUR ACCOMPAGNER CETTE ENTRÉE, JE VOUS CONSEILLE UN VOUVRAY "LE MONT" DE CHEZ HUET. »

ENTRÉE_**PLAT**_DESSERT

THON ROUGE POÊLÉ AU SATAY

6 PAVÉS DE THON ROUGE DE 150 G CHACUN ET DE 2,5 CM D'ÉPAISSEUR
SATAY EN POUDRE (MAGASIN DE PRODUITS EXOTIQUES)
HUILE D'OLIVE

POUR LA SAUCE
1 CUILLERÉE À CAFÉ D'HUILE D'OLIVE
1 CUILLERÉE À SOUPE DE PÂTE DE CURRY ROUGE
5 G DE SUCRE SEMOULE
1 BOITE DE LAIT DE COCO
1 TRAIT DE VINAIGRE BLANC OU DE VINAIGRE DE RIZ
4 CUILLERÉES À SOUPE DE SATAY EN POUDRE
10 CL DE CRÈME LIQUIDE
10 G DE BEURRE

Pour la sauce, faites chauffer l'huile d'olive dans une casserole à bain-marie, ajoutez la pâte de curry rouge et faites chauffer doucement en remuant pendant 2 minutes.
Ajoutez la poudre de Satay, mélangez, déglacez avec le vinaigre et faites réduire.
Versez la lait de coco, ajoutez une pincée de sucre et faites cuire en remuant jusqu'à ce que liquide se mette à frémir.
Dès que des perles de gras orange remontent à la surface, incorporez la crème et le beurre en mixant. Passez au chinois et réservez.
Pour les pavés de thon, badigeonnez-les d'huile d'olive, puis poudrez-les de Satay.
Faites-les cuire doucement dans une poêle, pendant 2 minutes de chaque côté, en veillant à ce que le Satay ne brûle pas.
Déposez-les sur des assiettes de service et ajoutez la sauce.

ET LE CHEF A DIT

« JE VOUS CONSEILLE DE SERVIR CE PLAT AVEC UN RIZ BLANC ET DE L'ACCOMPAGNER D'UN SANCERRE "LES MOUSSIÈRES" D'ALPHONSE MELLOT. »

ENTRÉE_PLAT_DESSERT

PANNA COTTA À LA VANILLE BOURBON

1 L DE CRÈME LIQUIDE
110 G DE SUCRE SEMOULE
1 BELLE GOUSSE DE VANILLE BOURBON
7 G DE GÉLATINE EN FEUILLES

Réunissez dans une casserole la crème, le sucre et la gousse de vanille fendue en deux. Faites chauffer jusqu'à ce que le liquide se mette à frémir.
Ajoutez la gélatine et mélangez intimement.
Laissez infuser hors du feu à couvert.
Retirez la gousse de vanille, répartissez la crème dans des verres et laissez refroidir dans le réfrigérateur environ 4 heures.

ET LE CHEF A DIT

« VEILLEZ À CHOISIR UNE VANILLE DE PREMIÈRE QUALITÉ. VOUS POUVEZ GARNIR LA PANNA COTTA AVEC LE COULIS ET LE SORBET DE VOTRE CHOIX. C'EST UN DESSERT TRÈS FRAIS. VOUS POUVEZ LE PRÉPARER LA VEILLE, POUR NE PAS ÊTRE DÉBORDÉ AU MOMENT DU DÎNER, MAIS NE LE FAITES PAS PLUS À L'AVANCE, CAR LA CRÈME RISQUERAIT DE PRENDRE LE GOÛT DE VOTRE RÉFRIGÉRATEUR. ACCOMPAGNEZ PAR EXEMPLE CE DESSERT D'UN JURANÇON DOUX DE CHEZ CHARLES HOURS "LA CUVÉE MARIE", VRAIMENT SPLENDIDE. »

02
05

02e

ANGL'OPÉRA

GILLES CHOUKROUN

MÉTRO OPÉRA OU PYRAMIDES
39, AVENUE DE L'OPÉRA
75 002 PARIS
01 42 61 86 25

FERMÉ SAMEDI ET DIMANCHE

PRIX : MENU-CARTE À 40 € SERVI MIDI ET SOIR

Pouvez-vous imaginer le restaurant d'un palace quatre étoiles avec des sets et des serviettes en papier ? Difficilement, non ? C'est pourtant le cas au sein du très chic hôtel Edouard VII. Et cela ne vous étonnera pas, pourtant, si je vous dis qu'il s'agit du restaurant de Gilles Choukroun, porte-drapeau de la «jeune cuisine française ». Et qui, depuis son arrivée à Paris en 2001, a littéralement dynamité tous les codes connus jusque-là. Après le « Café des Délices » dans le 6ème arrondissement, c'est donc désormais près de l'Opéra que l'on peut continuer à découvrir le talent, et la folie douce, de ce surdoué de la cuisine. Un mot d'abord de la salle : vaste, moderne, très colorée, impressionnante de sobriété zen, dotée d'un beau parquet et de magnifiques luminaires. Le service ensuite : il est effectué par de jolies jeunes filles en treillis marron, tee-shirt orange et rangers (je vous assure, on est toujours dans un hôtel quatre étoiles). Elles sont toutes adorables, naturellement souriantes, et, qui plus est, très professionnelles, vraiment contentes d'être là et de participer à cette aventure avec Gilles, capables de vous expliquer la carte, les vins et les plats servis (qu'elles connaissent vraiment très bien, ce qui n'est pas évident !). L'atmosphère maintenant : le midi, c'est plutôt une ambiance de déjeuners entre collègues, repas d'affaires ou entre copines (la formule « light » a beaucoup de succès), et c'est souvent presque plein. Le soir, c'est un peu moins bondé et un peu plus « branché », avec une clientèle plus « people » et, en fond sonore, de l'excellente musique, entre lounge, trip-hop et jazz-rock. Enfin et surtout, venons-en aux assiettes. Chaque plat est peaufiné, ciselé : un petit chef-d'œuvre alliant

"De toute évidence, cette cuisine ne peut laisser indifférente."

technicité, imagination et exotisme. De toute évidence, cette cuisine ne peut laisser indifférente (c'est déjà une qualité). Impossible de s'ennuyer avec de telles « créations ». On s'amuse énormément, ne serait-ce que dans les intitulés des plats qui se lisent à l'envers. C'est souvent déroutant, voire « déjanté » : Gilles aime jouer avec les produits, les saveurs insolites, les contre-pieds et les mélanges inattendus. Mais c'est toujours réussi. Qu'on ne s'y méprenne pas, pourtant : tout cela reste très sérieux. Loin du « gadget », on a là affaire à de la grande cuisine, réalisée avec de beaux produits et parfaitement exécutée, avec une grande précision dans les cuissons et les assaisonnements. Il s'agit tout simplement d'une cuisine libre, impertinente, audacieuse, baladeuse, sans frontières, sans complexes, beaucoup moins « mode » et facile qu'elle n'en a l'air. Derrière le côté ludique et décalé se cachent justesse, savoir-faire et près de vingt ans d'expérience, pour un chef qui semble avoir tout compris de ce que pourrait être « le » restaurant du XXIe siècle.

QUELQUES EXEMPLES DE PLATS : **carpaccio, vodka, piment, salade... et betteraves / tartare, fruits de la Passion, oignons, cumin... et Saint-Jacques / bouillon chaud, herbes, gingembre, « œuf coque »... et foie gras / vapeur, pavot, agrumes, fenouil... et raie / rôti, rattes du Touquet, ail doux, coriandre, thaï... et bœuf / grillé, Vache qui Rit®, arabica, soja, châtaignes... et veau / pané, fruits, légumes, sauce soja, amandes... et camembert / Il était une fois... trois Petits Suisses / soupe pop-corn caramélisés, thé, Carambar® et... chocolat.**

POUR EN SAVOIR PLUS SUR GILLES CHOUKROUN

Gilles Choukroun, personnage atypique de la cuisine contemporaine, est devenu aujourd'hui absolument indispensable. Un rapide coup d'œil en arrière s'impose. Commis dans plusieurs grandes maisons (dont « la Côte Saint-Jacques », établissement triplement étoilé), il arrive à la fin des années 1980 chez « Apicius », la grande table parisienne de Jean-Pierre Vigato. Il garde un souvenir ému de son passage chez ce grand chef et en retient plusieurs principes essentiels : le choix des bons produits, une technique hors-pair, le mélange du rustique et du contemporain, et la passion des vins de vignerons. Il quitte « Apicius » pour ouvrir avec son épouse une auberge dans l'Eure-et-Loir. Dix-huit mois plus tard, malgré une notoriété vite gagnée et des efforts acharnés, l'auberge ferme ses portes. Gilles ouvre en 1993 une autre adresse, cette fois à Chartres, nommée « La Truie qui File », dans un cadre classique et un registre « gastronomique ». Il reçoit des récompenses (étoile Michelin, 16/20 au GaultMillau), avec de nombreux articles dans la presse spécialisée. Sa renommée devient alors nationale. Pourtant, les inventions culinaires du jeune Choukroun ne séduisent pas complètement une clientèle habituée à des repas « traditionnels » dans une ambiance de « grand-messe ». Et sept ans après l'ouverture, c'est l'échec financier, la fermeture : un coup dur. Il décide de revenir à Paris, d'abandonner le « gastronomique » pur et dur, et ses carcans. Il veut changer de décor, d'ambiance, de tarifs, et surtout suivre ses envies à 100%, sans se préoccuper des critiques gastronomiques. C'est dans cet esprit de totale liberté qu'ouvre en mars 2001 « Le Café des Délices », dans le 6e arrondissement. La cuisine que Gilles y propose est à l'image du lieu : intelligente, libre, différente, ludique. Les clés de sa réussite ? Des produits excellents, un savoir-faire de haute volée et une créativité époustouflante, reposant sur l'assimilation du terroir français, avec des influences nord-africaines, sud-américaines et asiatiques (notamment une utilisation instinctive des épices). Dire que cette table obtient immédiatement un grand succès est un euphémisme. Fort de cette réussite, Gilles ouvre alors en février 2004 sa deuxième adresse parisienne « Angl'Opéra » (le restaurant du très chic hôtel Edouard VII), dont la philosophie est proche de celle de son établissement de la rue d'Assas, mais déclinée différemment, dans un registre plus technique. Cette ouverture médiatique déclenche nombre de sollicitations : on demande à Gilles des missions de consulting, d'écrire des livres, outre de nombreux voyages. Petit à petit, ses envies se modifient. Après quatre ans d'un franc succès, il ferme au printemps 2005 « Le Café des Délices », qui n'est plus en phase avec ses idées, pour se consacrer entièrement à « Angl'Opéra », décidé à faire franchir à cette adresse un autre palier.

Gilles Choukroun est précurseur d'un mouvement que l'on pourrait qualifier de « néo-libertaire ». C'est un exemple pour la génération des jeunes chefs qui envisagent la cuisine comme une liberté de ton et d'esprit, qui veulent décomplexer le moment du restaurant. Conscient de son rôle, il a même créé récemment, avec d'autres restaurateurs qui partagent sa vision, une association appelée « Génération. C » (pour Cuisine et Culture), destinée à faire évoluer et promouvoir un métier passionnant, mais qu'il considère en perte de vitesse dans l'Hexagone. Voilà un homme curieux et indépendant, qui énerve aussi parfois certains, mais qui avant tout ose, gamberge, refuse le sur-place et cherche à faire avancer les choses. Indispensable, en quelque sorte…

ENTRÉE _PLAT _DESSERT

TARTARE DE SAINT-JACQUES AUX FRUITS DE LA PASSION

18 NOIX DE SAINT-JACQUES
2 OIGNONS BLANCS
6 FEUILLES DE BRICK DE 10 CM SUR 10 CM
75 CL DE JUS DE FRUITS DE LA PASSION
75 CL DE CRÈME LIQUIDE FOUETTÉE
SEL FIN, POIVRE DU MOULIN
ET CUMIN EN POUDRE
1 CUILLERÉE À SOUPE ET DEMIE D'HUILE D'OLIVE

ET LE CHEF A DIT

« TOUS LES CONTRASTES MAIS TOUTES LES COMPLÉMENTARITÉS QUI FONT MA CUISINE, VIVANTE, ET QUE J'AIME SENSUELLE... »

Émincez finement les oignons et faites-les fondre doucement avec l'huile d'olive jusqu'à consistance de compote. Salez, poivrez et ajoutez une pincée de cumin.
Faites frire les carrés de brick.
Taillez les noix de Saint-Jacques en dés réguliers, assaisonnez-les de sel et de poivre.
Mixez le jus des fruits de la passion avec la crème liquide, salez et poivrez.
Répartissez la fondue d'oignon dans le fond des assiettes.
Déposez dessus un carré de feuille de brick, ajoutez les Saint-Jacques et recouvrez avec l'émulsion au jus de fruits de la passion. Décorez selon votre inspiration.

ENTRÉE_ PLAT _DESSERT

SAUMON À LA PLANCHA, « CONDIMENT » HUÎTRES/CACAHUÈTES

300 G DE RIZ ARBORIO
1,5 L DE BOUILLON DE VOLAILLE
6 PAVÉS DE SAUMON DE 120 G CHACUN
24 HUÎTRES FINES DE CLAIRE N°3
1 CUILLERÉE À SOUPE DE CACAHUÈTES CONCASSÉES
2 CUILLERÉES À CAFÉ DE CIBOULETTE CISELÉE
15 CL DE LAIT DE COCO
15 CL DE LAIT
1 CITRON
15 CL D'HUILE D'OLIVE

Préparez un risotto classique avec le riz Arborio en le mouillant avec le fond de volaille. Réservez.
Mélangez les cacahuètes et la ciboulette, répartissez ce mélange dans 24 petites cuillères en porcelaine et déposez dans chacune d'elles une huître crue.
Mixez le lait, le lait de coco et le jus de citron ; répartissez cette préparation dans six petits verres.
Saisissez les pavés de saumon sur une plancha (à défaut dans une poêle) avec l'huile d'olive en les laissant encore crus à cœur.
Répartissez le risotto sur les assiettes de service, ajoutez les pavés de saumon et servez en même temps les cocktails au lait de coco et les cuillères d'huîtres.

ET LE CHEF A DIT

« LE SAUMON EST LE PRÉTEXTE À LA RENCONTRE DE L'HUÎTRE ET DE LA CACAHUÈTE... ENCORE LE JEU DES CONTRASTES, DES TEXTURES, ET LE MARIAGE D'UN PRODUIT DE FÊTE AVEC UN PRODUIT "DE COMPTOIR".... »

ENTRÉE_PLAT_DESSERT

GASPACHO DE MELON PHILIBON, CRÈME FOUETTÉE

150 G DE SUCRE SEMOULE
3 ZESTES DE CITRON VERT
1 GOUSSE DE VANILLE
2 MELONS
30 CL DE CRÈME LIQUIDE
1 CUILLERÉE À SOUPE ET DEMIE DE SUCRE SEMOULE
3 QUARTS DE CUILLERÉE À CAFÉ DE PIMENT D'ESPELETTE EN POUDRE

Faites bouillir 1,5 litre d'eau avec le sucre semoule, les zestes de citron vert et la gousse de vanille.
Pelez les melons, retirez les graines et taillez la chair en gros cubes, mettez-les dans une terrine et versez la préparation précédente dessus ; laissez infuser jusqu'à refroidissement.
Mixez puis passez le tout dans une passoire fine et gardez ce « gaspacho » au frais.
Mélangez la crème liquide avec le sucre semoule. Fouettez le mélange comme une chantilly jusqu'à consistance bien ferme, puis ajoutez le piment d'Espelette.
Répartissez le gaspacho dans six verres assez larges et déposez sur le dessus une cuillerée de crème fouettée au piment.
Vous pouvez également servir ce gaspacho avec quelques petits cubes de melon embrochés sur des piques en bois.

ET LE CHEF A DIT

« CETTE RECETTE ÉVOQUE POUR MOI LE SOLEIL, LA CHALEUR, L'ENVIE DE SE RAFRAÎCHIR EN APPORTANT À NOTRE QUOTIDIEN UN "AILLEURS". AVEC LE MELON PHILIBON DES ANTILLES, ET PUIS CETTE NOTE DE PIMENT D'ESPELETTE, POUR CONTREBALANCER LA DOUCEUR ET LE SUCRÉ.... »

LE MESTURET

MÉTRO BOURSE
77, RUE DE RICHELIEU
75 002 PARIS
01 42 97 40 68

ALAIN FONTAINE ET PASCAL BROT

FERMÉ SAMEDI MIDI ET DIMANCHE

PRIX : MENU À 25 € SERVI MIDI ET SOIR

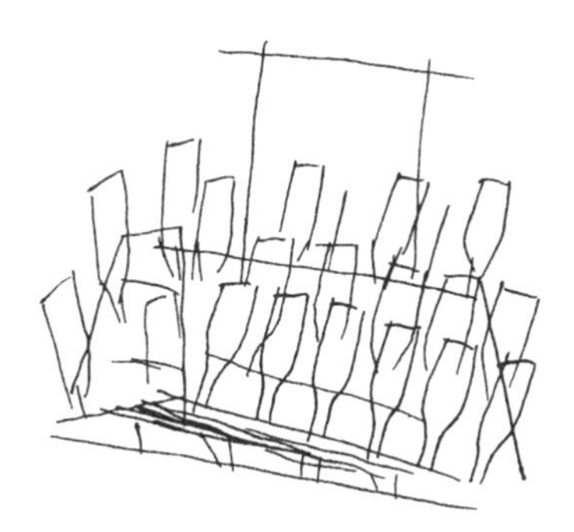

Entre la Bourse et le Palais-Royal, voilà la quintessence du « bistrot de quartier » dont beaucoup feraient bien de s'inspirer. J'ai souvent fréquenté cet endroit, mais à chaque fois avec le même enthousiasme. Certes, ce n'est pas ici que se joue l'avenir de la cuisine française, mais on s'y sent tellement bien et les ondes y sont tellement positives qu'on y revient instinctivement. C'est vraiment le « troquet du coin » (en nettement mieux !), très bien pensé dans sa conception, avec une cohérence parfaite. Le décor est plutôt rustique : banquettes en moleskine, miroirs et jolis lustres, beaucoup de bois et de pierres, des objets chinés ici et là (moulins à café, cafetières, ardoises, boîtes à biscuits). Mais tout est de bon goût. L'accueil et le service (de la réservation au téléphone jusqu'à votre sortie sur le trottoir) sont sans aucun reproche : tout le monde est de bonne humeur, avec un enthousiasme communicatif, doublé d'un grand professionnalisme et d'une rare efficacité. L'ambiance est bondée, agitée (voire bruyante, surtout le midi), mais avant tout bon enfant. La clientèle est très variée, de tout âge et des deux sexes, de toute origine sociale (aussi bien des cadres des banques du quartier que des ouvriers des chantiers voisins). Mais tous les clients ont une chose en commun : le sourire aux lèvres ! La carte fait la part belle aux producteurs, en mettant fortement en avant l'origine des produits (tel le fameux poulet fermier de M. Rassinoux) : la traçabilité n'est pas ici un vain mot. C'en est presque une obsession ! Le chef ne travaille que des produits de saison et réalise une cuisine traditionnelle revisitée au goût du jour, avec souvent de jolies idées, une ardoise qui change très régulièrement et des tarifs plus que compétitifs, compte tenu de la générosité des assiettes et leur qualité. Côté carte des vins, c'est le même esprit : le but d'Alain Fontaine est de faire découvrir un maximum de petits vignerons, de toutes les régions de France, et sa courte sélection (avec une belle sélection au pichet et au verre) est tout simplement « extra ». Voilà une maison plus que sympathique et hautement recommandable, où traçabilité rime avec sincérité, et qui pétille à tout petits prix.

“Tout le monde est de bonne humeur, avec un enthousiasme communicatif, doublé d'un grand professionnalisme et d'une rare efficacité.”

QUELQUES EXEMPLES DE PLATS : **gaspacho andalou à la menthe fraîche / tarte fine aux sardines en escabèche et thym citronné / aubergine confite à la tomate fraîche et à la tome de Savoie fermière / sauté de lapin au romarin et gratin de chou-fleur / magret de canard des Landes aigre-doux aux fruits, penne / pavé de sandre, fricassée de légumes et vinaigrette balsamique / selle d'agneau grillée à la provençale, haricots verts au thym / véritable Paris-Brest, crème pralinée / compote de rhubarbe, gâteau au citron, crème Chantilly.**

POUR EN SAVOIR PLUS SUR

ALAIN FONTAINE ET PASCAL BROT

le Mesturet
restaurant
ouvert de 8h30 à 22h15
fermé le samedi midi et le dimanche

Alain Fontaine, originaire du Sud-Ouest, commence très jeune dans la restauration. Après six années d'apprentissage à l'Ecole Hôtelière de Bordeaux, son destin est scellé : il sera restaurateur ou ...fermier. Une alternative pas étonnante, quand on voit l'amour qu'Alain porte encore aujourd'hui aux producteurs. Dans les années 80, il monte à Paris, y rencontre Marcel Baudis, avec lequel il s'associe quelques années plus tard pour fonder « Baracane » dans le 4e (également présenté dans cet ouvrage), puis « L'Oulette », qui s'impose vite comme la meilleure table du 12e arrondissement dans le registre « grande table gastronomique ». Après onze ans d'un franc succès à la tête de ces deux établissements, Alain décide de se retirer, il revend ses parts à son associé, pour donner naissance à un concept qui le titille depuis pas mal de temps, celui d'une « auberge de ville », un lieu de vie ouvert toute la journée, avec un côté province franchement assumé et revendiqué. Il s'entoure pour cela d'une équipe solide et qui partage ses idées, avec notamment Pascal Brot, à l'époque chef des cuisines de « Baracane ». C'est ainsi qu'ouvre en 2003 « Le Mesturet », parfait aboutissement de ce qu'Alain Fontaine avait en tête depuis bien longtemps : un endroit constamment animé, un comptoir, une salle au décor rustique, des produits de saison, une cuisine traditionnelle revisitée avec justesse, la mise en valeur des producteurs et des vignerons, une traçabilité à toute épreuve, des tarifs étudiés au plus juste (difficile de faire mieux avec de tels produits !), des clients pas stressés, mais complètement mis en confiance... Et Alain Fontaine qui est toujours là, en salle, avec ses jolies serveuses, virevoltant de table en table, le sourire aux lèvres, un mot gentil pour les nouveaux, une attention pour les habitués, toujours ouvert à la discussion, aux suggestions, voire aux critiques (c'est si rare). On le sent tout simplement heureux de la réussite de « son » établissement et de l'osmose qu'il a obtenue avec son chef Pascal Brot et toute son équipe. De plus, Alain Fontaine est quelqu'un de vraiment sympathique : tous ceux qui ont eu la chance de travailler à ses côtés (ou sous ses ordres) sont unanimes. Une grande partie d'entre eux ont d'ailleurs créé leur propre établissement (comme Maryse Lalanne à la « Cerisaie » dans le 14e). Mais tous mettent en avant sa gentillesse et son professionnalisme. Dépêchez-vous d'aller rencontrer Alain dans son restaurant, avant qu'il ne se décide à repartir dans son Sud-Ouest natal pour chausser ses bottes de fermier !

ENTRÉE _PLAT _DESSERT

AUBERGINES CONFITES À LA TOMATE ET AU CHÈVRE FRAIS

2 AUBERGINES BIEN FERMES
2 OIGNONS
8 TOMATES
3 CUILLERÉES À SOUPE D'HUILE D'OLIVE
1 BRIN DE THYM
1 PINCÉE DE SUCRE
300 G DE CHÈVRE FRAIS
1 GOUSSE D'AIL
20 CL D'HUILE
UN PEU DE SALADE VERTE ET DE LA VINAIGRETTE

ET LE CHEF A DIT

« POUR ACCOMPAGNER CETTE ENTRÉE ESTIVALE, JE VOUS PROPOSE UN QUINCY OU UN REUILLY BLANC. C'EST UN ACCORD PARFAIT. »

Ébouillantez et pelez les tomates. Pelez et émincez les oignons. Faites-les suer dans une poêle avec 2 cuillerées à soupe d'huile d'olive.
Quand ils sont tendres, ajoutez les tomates en quartiers, le thym, la pincée de sucre et une demi-gousse d'ail hachée. Laissez cuire 20 minutes et réservez.
Pelez les aubergines et taillez-les en tranches de 1,5 cm d'épaisseur. Passez ces tranches dans l'huile d'olive, poudrez-les de thym et d'ail haché, salez et poivrez. Rangez-les ensuite sur une plaque allant au four et faites-les cuire pendant 20 minutes. à 180 °C. Quand les tranches d'aubergines sont cuites, recouvrez-les avec la concassée de tomate.
Découpez le chèvre frais en tranches et déposez une tranche de fromage sur chaque tranche d'aubergine recouverte de tomate.
Remettez la plaque dans le four, en position gril, pendant 3 minutes.
Servez ces tranches d'aubergines sur un lit de salade variée et assaisonnée.

ENTRÉE_ **PLAT** _DESSERT

BLANQUETTE DE VEAU

2 KG DE POITRINE DE VEAU, TAILLÉE EN GROS CUBES DE 80 G
2 CAROTTES
3 OIGNONS
1 BOUQUET GARNI
1 CITRON
400 G DE CHAMPIGNONS DE PARIS
400 G DE PETITS OIGNONS GRELOT
2 ŒUFS
500 G DE CRÈME FRAÎCHE
2 CUILLERÉES À SOUPE DE FARINE
100 G DE BEURRE
SEL, SUCRE ET POIVRE

Pelez les carottes et les oignons, taillez-les en gros cubes.

Faites bouillir 2,5 l d'eau dans une marmite. Quand elle bout, plongez les morceaux de veau dedans, puis comptez 3 minutes à partir de la reprise de l'ébullition. Ensuite, égouttez les morceaux et rafraîchissez-les à l'eau froide. Remettez la viande dans un grand faitout, ajoutez les carottes et les oignons, puis le bouquet garni, salez et poivrez ; couvrez d'eau. Portez à la limite de l'ébullition et laissez cuire doucement pendant 1 h 30 à 2 h.

Épluchez et lavez les champignons ; pelez les petits oignons.Faites sauter doucement les champignons avec 15 g de beurre et le jus du citron ; par ailleurs faites glacer les petits oignons avec un peu d'eau, du sel, du sucre et 15 g de beurre. La cuisson ne devrait pas dépasser 15 à 20 minutes. Réservez les deux garnitures.

Quand la viande est cuite, égouttez les morceaux (réservez-les au chaud) et passez le jus de cuisson au chinois fin. Dans une grande casserole, faites fondre le reste de beurre, ajoutez la farine et mélangez pour faire un roux blond. Quand il est bien homogène, délayez ce roux avec le jus de cuisson et laissez cuire 20 minutes. Ajoutez la crème et portez à ébullition. La sauce est prête.

Hors du feu, ajoutez les jaunes d'œufs, mélangez intimement, puis ajoutez les champignons, les petits oignons et la viande. Ajoutez quelques gouttes de jus de citron, goûtez et rectifiez l'assaisonnement et servez dans un plat creux bien chaud.

ET LE CHEF A DIT

« UNE PETITE ASTUCE : JE PRÉFÈRE LA POITRINE À L'ÉPAULE DE VEAU, CAR CETTE VIANDE UN PEU GRASSE ET GÉLATINEUSE EST PLUS MOELLEUSE. VOUS POUVEZ SERVIR CE PLAT AVEC UN RIZ PILAF OU DES POMMES VAPEUR ET DES CAROTTES, SELON LES GOÛTS. COMME VIN, UN BEAUJOLAIS VILLAGES SERA LE BIENVENU : JE RECOMMANDE EN PARTICULIER UN ÉTONNANT BEAUJOLAIS VILLAGES 2004, COMTE HENRY DE LA TAILLE, QUE J'AI DÉGUSTÉ RÉCEMMENT. »

ENTRÉE_PLAT_DESSERT

TERRINE AUX AGRUMES ET À LA GELÉE DE MIEL

5 ORANGES
3 MANDARINES OU CLÉMENTINES
1 PAMPLEMOUSSE JAUNE OU ROSE
1 CITRON JAUNE
80 G DE SUCRE SEMOULE
25 CL DE VIN MOELLEUX (PACHERENC DE VIC-BILH, SI POSSIBLE)
5 FEUILLES DE GÉLATINE
2 BRANCHES DE MENTHE
POIVRE DU MOULIN
80 G DE MIEL D'ACACIA LIQUIDE

Prélevez des zestes de chaque agrume afin de remplir une grosse cuillère à soupe de tous ces zestes. Pelez ensuite les fruits à vif, coupez-les en morceaux et récupérez le jus qui a coulé.
Mettez les morceaux de fruits dans un saladier et le jus à part.
Ajoutez la cuillerée de zestes dans ce jus et donnez deux bons coups de moulin à poivre.
Faites par ailleurs tremper les feuilles de gélatine dans un grand bol d'eau froide pendant 5 à 6 minutes.
Faites bouillir le vin moelleux pendant 4 minutes. À la fin de l'ébullition, hors du feu, ajoutez le jus de fruit, le sucre, le miel et les feuilles de gélatine égouttées.
Remettez sur le feu et remuez pendant quelques instants pour faire dissoudre la gélatine. Versez le tout dans un saladier.
Dans un moule à cake légèrement humide, versez 1 cm de gelée et mettez le moule 10 minutes au réfrigérateur. Une fois la gelée prise, rangez tous les morceaux d'agrumes dans le moule et versez le reste de la gelée dessus. Laissez au réfrigérateur pendant 12 heures.
Quelques instants avant de servir, plongez le fond du moule dans de l'eau chaude quelques secondes, puis retournez le moule sur un plat de service et démoulez délicatement.
Disposer quelques feuilles de menthe sur le dessus de cette terrine.

ET LE CHEF A DIT

« JE VOUS CONSEILLE D'ACCOMPAGNER CE DESSERT DE PETITES TUILES AUX AMANDES OU BIEN D'UN CAKE AU CITRON. LE VIN QUI L'ACCOMPAGNERA LE MIEUX SERA UN PACHERENC DE VIC-BILH MOELLEUX, ÉVIDEMMENT. »

03

03e

AU BASCOU

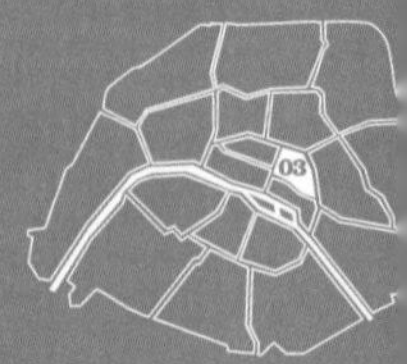

MÉTRO ARTS ET MÉTIERS
38, RUE DE RÉAUMUR
75 003 PARIS
01 42 72 69 25

BERTRAND GUÉNERON

FERMÉ SAMEDI ET DIMANCHE

PRIX : MENU-CARTE À 33 € SERVI MIDI ET SOIR

Voici LE véritable repaire de la cuisine basque à Paris, sans doute la seule et unique ambassade de ce pays dans la capitale. C'est ici, et nulle part ailleurs, qu'il faut venir goûter aux savoureuses spécialités de cette belle région : les pimientos, les chipirons, le fabuleux jambon (avec, pour comble de bonheur, le pain de campagne de chez Poujauran, un Basque lui aussi), la piperade, l'axoa, le grandiose boudin noir (accompagné d'une purée onctueuse et d'un délicat feuilleté pommes/oignons), le fromage de brebis, et des desserts aussi succulents que le reste (c'est rare) : la tourtière, la dacquoise et surtout l'exquis baba à la manzana. Le chef-patron Bertrand Guéneron est fidèle aux artisans producteurs de ce pays. Tout est rigoureusement authentique dans les assiettes, 100% pur basque, respectueux de la tradition, tout en étant moderne dans les préparations. C'est une très belle cuisine de terroir, dans le bons sens du terme, préparée avec amour et finesse, certes roborative, mais pas seulement. C'est avant tout une cuisine gorgée de soleil, haute en goûts et en couleurs, nette, sans bavure, qui mêle avec brio les meilleurs produits de ce coin de France. Mais il n'y pas que la cuisine qui soit ici rigoureusement authentique. Ainsi, dès la devanture, le ton est donné, avec en vitrine, une carte du pays basque et une vielle affiche expliquant les règles de la pelote basque. Le cadre ensuite : un décor sympathique de vieux bistro, un brin provincial, chaleureux et confortable (les tables sont bien dressées et bien espacées), avec carrelage en mosaïque au sol, poutres apparentes, vieilles pierres, mais aussi avec des piments qui sèchent aux murs, des chisteras, des vieilles photos et des affiches qui évoquent le pays. Le service

« Tout est rigoureusement authentique dans les assiettes, cent pour cent pur basque, respectueux de la tradition, tout en étant moderne dans les préparations. »

également est « du pays », effectué généralement par des jeunes hommes de là-bas, discrets et efficaces. Enfin, la carte des vins : courte mais d'une grande intelligence, notamment dans la sélection, riche de presque tous les grands vins du Sud-Ouest (dont un incroyable choix d'Irouléguy et un Marmandais « Chante Coucou » à ne surtout pas manquer), le tout à des tarifs très abordables. Cette adresse est un endroit que j'aime retrouver régulièrement, avec toujours autant de bonheur : c'est une table chaleureuse, conviviale, rassurante, immuablement sincère, la meilleure enclave basque de la capitale, en tout cas un véritable mètre étalon, doté d'un rapport qualité/prix irréprochable.

QUELQUES EXEMPLES DE PLATS : **salade koskera / fricassée d'escargots au jambon et patxaran / jambon de race basque au couteau / piperade basquaise / pimientos del piquillo farcis / pintade à la bayonnaise / chipirons sautés au piment d'Espelette / axoa de veau comme à Espelette / daube de bœuf aux anchois / boudin de pays / « Ardi Gasna » et sa confiture de cerises / parfait glacé au touron / tourtière pommes-pruneaux / baba à la manzana et son sorbet pomme / béret basque / ananas caramélisé, crème au rhum.**

POUR EN SAVOIR PLUS SUR BERTRAND GUÉNERON

AU BASCOU

Attention : total respect pour ce sympathique garçon, resté humble et modeste malgré un parcours remarquable. Bertrand Guéneron naît à Dinan à la fin des années 50. Son père est « marchand de bestiaux » et sa mère tient la boucherie du village. Tous deux travaillent très dur toute la semaine, mais chaque dimanche midi, c'est un rituel, ils aiment se détendre au restaurant avec leur fils. Et c'est au cours de ces déjeuners dominicaux que le petit Bertrand attrape le virus de la restauration. C'est donc tout naturellement qu'il rentre après la 3e au lycée hôtelier de Dinard. Trois ans plus tard, ses diplômes en poche, il trouve son premier poste de commis de cuisine au « Restaurant du Palais », la table étoilée de Rennes. Puis, après douze mois passés dans le cadre du service militaire sur un bateau de la Marine Nationale, Bertrand arrive à Paris en 1979 pour intégrer les cuisines du reconnu « Galant Vert », rue de Verneuil dans le 7e, face à l'hôtel particulier de Serge Gainsbourg. En 1980, il arrive en tant que chef de partie au « Bistro 121 » de la rue de la Convention dans le 15e (une étoile au guide rouge). Surtout, en 1981, il parvient à rentrer au sein de l'établissement parisien le plus en vue à l'époque, « L'Archestrate » du génialissime Alain Senderens, déjà détenteur de trois étoiles. Petit à petit, il va gravir tous les échelons aux côtés du maître de la « Nouvelle Cuisine » (un courant fondamental, révolutionnaire, qui a complètement bouleversé le paysage gastronomique français et mondial à la fin des années 70) : commis, chef de partie, second. Et enfin, en 1985 (à 27 ans !), il se hisse au top en prenant la place de chef des cuisines, devenant ainsi le véritable bras armé d'Alain Senderens le créateur. Et ce juste avant que toute l'équipe ne déménage de la rue de Varenne pour le prestigieux « Lucas Carton », place de la Madeleine. Cette aventure hors du commun dure jusqu'en 1997. À l'approche de la quarantaine, Bertrand éprouve le besoin de souffler un peu (gérer les cuisines d'un trois étoiles pendant douze ans, maintenir un tel niveau, cela use, forcément...). Il change alors complètement de cap en acceptant un poste de « responsable de la mise au point des produits » chez « Carrefour ». Bertrand prend énormément de plaisir dans cette nouvelle fonction, enrichissante, techniquement très ardue, et qui lui apporte une vision complètement nouvelle du produit. Mais au bout de huit ans, les fourneaux et surtout la pression du « coup de feu » lui manquent. Fin 2005, il se met donc à la recherche d'un établissement à reprendre. Ce sera « Au Bascou », alors mis en vente par le célèbre moustachu Jean-Guy Lousteau, pas peu fier de léguer son « bébé » à une telle pointure, avant de rejoindre pour une retraite bien méritée son Saint-Jean-Pied-de-Port natal. Depuis son premier service ici en avril 2006, Bertrand s'inscrit dans la continuité (mêmes producteurs, mêmes cultivateurs, mêmes bergers, mêmes produits, mêmes vignobles, mêmes recettes), gérant avec talent (je dirais même que les assiettes y ont gagné en précision technique) le bel héritage de son prédécesseur, tout en tentant ici où là, par petites touches presqu'imperceptibles, d'imposer son propre style. En tout cas, plus que jamais, je vous invite fortement à visiter cette adresse qui reste incontestablement la référence de la cuisine basque à Paris.

ENTRÉE _PLAT _DESSERT

PIPERADE BASQUAISE AU JAMBON

15 PETITS PIMENTS VERTS FRAIS
6 TOMATES
2 OIGNONS
3 GOUSSES D'AIL
9 ŒUFS
6 TRANCHES DE JAMBON DE BAYONNE
HUILE D'OLIVE, PERSIL PLAT, SEL

Lavez et essuyez les piments, coupez-les en deux et retirez les pépins ; émincez les piments. Faites-les dorer sur feu doux dans l'huile d'olive tiède avec l'ail et les oignons ciselés.
Ébouillantez et pelez les tomates. Ajoutez-les dans la poêle, mélangez et faites mijoter à découvert pendant 30 minutes.
Battez les œufs en omelette avec une pincée de sel et le persil haché. Versez-les sur la préparation précédente et laissez cuire sur feu doux pour bien brouiller les œufs.
Faites poêler rapidement les tranches de jambon et recouvrez-en la piperade.

ET LE CHEF A DIT

« ON DIT DE LA SOULE, L'UNE DES TROIS PROVINCES DU PAYS BASQUE NORD, QU'ELLE EST LE BERCEAU DE LA PIPERADE, INVENTÉE PAR LES BERGERS DANS LE "KAYOLAR" (ABRI DANS LEQUEL ILS VIVENT ET FABRIQUENT LE FROMAGE DE BREBIS DURANT L'ESTIVE). C'EST LA RAISON POUR LAQUELLE ILS AJOUTAIENT À LA PIPERADE DE LA MIE DE PAIN QU'ILS HUMECTAIENT DE LAIT, QU'ILS ESSORAIENT ET HACHAIENT POUR LES AJOUTER EN MÊME TEMPS QUE LES TOMATES : UNE FAÇON D'OBTENIR UN PLAT PLUS COPIEUX...
EN GÉNÉRAL, ON UTILISE LES PIMENTS VERTS D'ANGLET (VILLE SITUÉE ENTRE BAYONNE ET BIARRITZ), QUI SONT TRÈS GOÛTEUX ET QUI N'EMPORTENT PAS LE PALAIS. POUR ACCOMPAGNER CE PLAT TYPIQUEMENT BASQUE, JE VOUS CONSEILLE UN IROULÉGUY BLANC DE CHEZ JEAN BRANA, LA CUVÉE ILORI, QUI AVEC SES SAVEURS D'ANIS ET DE FENOUIL SOULIGNERA PARFAITEMENT CE PLAT TYPIQUE. »

ENTRÉE_ **PLAT** _DESSERT

CHIPIRONS SAUTÉS A LA NAVARRAISE

1,6 KG DE CHIPIRONS
300 G DE CHORIZO
10 CL D'HUILE D'OLIVE
2 CUILLERÉES À SOUPE DE PERSIL CISELÉ
SEL ET PIMENT D'ESPELETTE

Nettoyez les chipirons et égouttez-les soigneusement. Coupez le chorizo en très fines rondelles.
Versez 5 cl d'huile d'olive dans une poêle et faites sauter sur feu vif les chipirons pendant 1 minute 30 environ. Égouttez-les.
Faites réduire le jus de cuisson pour obtenir 2 cuillerées à soupe et réservez.
Remettez la poêle sur feu vif avec le reste d'huile d'olive. Ajoutez les chipirons et le chorizo en rondelles. Faites revenir en remuant pendant une minute. Assaisonnez de sel et de piment d'Espelette.
Versez le jus de cuisson réduit et ajoutez le persil ciselé. Vérifiez l'assaisonnement et servez bien chaud.

ET LE CHEF A DIT

« UN PEU D'AUDACE DANS CETTE RECETTE OÙ L'ON N'HÉSITE PAS À MARIER LES PRODUITS DE LA MER ET DE LA CAMPAGNE (TOUT COMME PAR EXEMPLE DANS UNE DAUBE DE BŒUF AUX ANCHOIS). À SERVIR PAR EXEMPLE AVEC UN RIZ SAFRANÉ. POUR ACCOMPAGNER CE PLAT, JE CONSEILLE UN ROSÉ DE MICHEL RIOUSPEYROUS DU DOMAINE ARRETXEA : AVEC 60% DE TANNAT, 20% DE CABERNET FRANC ET 20% DE CABERNET SAUVIGNON, IL POSSÈDE UNE PUISSANCE, UNE VINOSITÉ AVEC UNE FINALE FRAÎCHE, FRUITÉE, ÉPICÉE DUE À UNE MACÉRATION DE 24 H AVEC ÉLEVAGE SUR LIES.»

ENTRÉE_PLAT_DESSERT

GÂTEAU BASQUE AUX CERISES

275 G DE FARINE
2 ŒUFS ENTIERS
1 JAUNE D'ŒUF
200 G DE BEURRE
200 G DE SUCRE
1 CITRON
1 POT DE CONFITURE DE CERISES NOIRES DE 300 G
SEL, BEURRE ET FARINE POUR LE MOULE

Versez la farine dans une terrine et ménagez une fontaine au milieu. Ajoutez-y deux jaunes d'œuf, un œuf entier, le beurre en parcelles, le sucre, une pincée de sel et un peu de zeste de citron râpé.
Travaillez tous les ingrédients pour obtenir une pâte homogène et ferme. Formez une boule et laissez reposer au frais dans un linge pendant 3 à 4 heures.
Préchauffez le four à 200 °C.
Abaissez au rouleau les deux tiers de la pâte. Déposez-la dans un moule à manqué, préalablement beurré et fariné, en formant un gros bourrelet sur tout le pourtour. Versez par-dessus la confiture de cerises noires.
Abaissez le reste de la pâte et placez-la en couvercle sur la confiture. Joignez les deux parties de pâte en les humectant d'eau et en les pinçant.
Étalez le blanc d'œuf restant au pinceau sur la pâte et striez le dessus à l'aide d'une fourchette. Faites cuire pendant 35 minutes, laissez refroidir puis démoulez.

ET LE CHEF A DIT

« LA CRÈME PÂTISSIÈRE QUI « FOURRE » DE PLUS EN PLUS LES GÂTEUX BASQUES AU PAYS EST UNE CRÉATION ASSEZ RÉCENTE. TRADITIONNELLEMENT, ON FOURRAIT LE GÂTEAU DE PRUNES OU DE CERISES NOIRES EN SAISON. CETTE CONFITURE DE CERISES NOIRES, ORIGINAIRE DU VILLAGE D'ITXASSOU, ACCOMPAGNE AUSSI TRADITIONNELLEMENT LE FROMAGE DE BREBIS QUAND IL PREND UN PEU D'ÂGE.
POUR CE DESSERT (ET MÊME D'AILLEURS AVEC LE FROMAGE DE BREBIS " ARDI GASNA " QUI LE PRÉCÉDERA), JE VOUS CONSEILLE UN JURANÇON MOELLEUX " CLOS UROULAT " DE CHARLES HOURS, QUI VOUS GARANTIT UN MARIAGE IDÉAL ET ORIGINAL. C'EST UN CLIN D'ŒIL À NOS VOISINS ET NÉANMOINS AMIS BÉARNAIS : LE JURANÇON A LA PARTICULARITÉ DE NOUS RAVIR AVEC SON GRAS, SA LONGUEUR EN BOUCHE ET SA FINALE DÉLICATE, SANS POUR AUTANT DONNER L'IMPRESSION D'ALOURDIR ET DE FATIGUER. »

LES DON JUAN

MARC ALVAREZ ET MEIR DANON

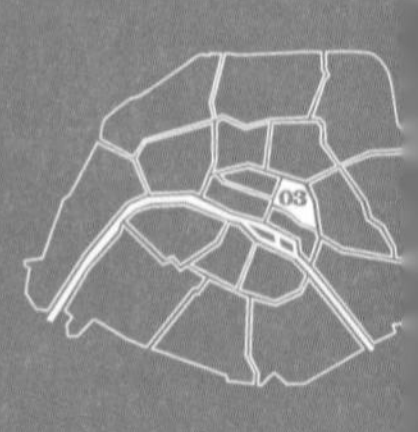

MÉTRO ARTS ET MÉTIERS
OU FILLES DU CALVAIRE
19, RUE DE PICARDIE
75 003 PARIS
01 42 71 31 71

FERMÉ SAMEDI MIDI ET DIMANCHE

PRIX : MENU-CARTE À 31 €
MENU DÉJEUNER À 14,8 €

Il y a des jours où la première impression est la bonne. Dès la réservation au téléphone, on est sûr de passer une bonne soirée. La première fois où j'ai décidé de me rendre dans ce tout nouvel établissement du Marais, j'ai aussitôt senti la bonne humeur et les sourires à travers le combiné, un signe qui trompe rarement. L'accueil délicieux qui me fut réservé a largement conforté ce pressentiment. Les lieux s'inspirent d'un design contemporain très réussi : un loft sur deux étages, avec une déco brute et dépouillée. L'espace non fumeur est en bas : une petite salle d'une quinzaine de couverts, béton brut au sol, murs en pierres apparentes, banquettes et chaises en cuir, tables de bois marron foncé, jolis éclairages et mobilier épuré. En haut, l'espace fumeur occupe une grande mezzanine : toujours le sol en béton, des poutres peintes en blanc, des boiseries marron assorties aux tables, éclairages tamisés et bougies sur les tables. Personnellement, je trouve le niveau supérieur plus sympa, plus intime, avec de l'espace entre les tables. Une mention particulière pour les tables près des fenêtres, et notamment (petit tuyau en passant) la 12. Parlons aussi de l'excellente musique que j'ai pu entendre, éclectique, mais de très bon goût : techno, trip hop, lounge, soul, funk, Daho, Voulzy, Trenet, jazz, un grand bravo pour ce mélange des styles. L'ambiance est détendue, juste un peu branchée mais pas trop. Et quel service ! Effectué par deux ou trois jeunes gens très compétents, tout sourires et pleins d'attentions. Mais le meilleur reste à venir : les assiettes ! L'essentiel réside finalement dans l'habile cuisine du chef, au service des « voluptés de la Méditerranée », de l'Espagne à la

"Mais le meilleur reste à venir : les assiettes !"

Sardaigne, en passant par la Camargue, la Provence, le Maroc ou le Liban. Un parti pris très astucieux que je n'avais encore jamais vu pratiquer. Au final, c'est vif, net, plein de tonus, techniquement irréprochable (vu le parcours des garçons en cuisine), avec un joli supplément d'âme. Vous allez sans doute trouver que j'exagère, mais même les assiettes, ici, semblent sourire... Pour les vins, même choix : uniquement des vins méditerranéens (Côtes du Rhône, Provence, Languedoc, Espagne, Italie), facturés, comme la cuisine, à prix tout doux. La carte est précise, un brin pédagogique (pour chaque référence sont indiquées les caractéristiques du vin, la robe, le nez, la bouche) ; elle propose aussi un bon choix au verre. Vous êtes convaincu ? Des adresses d'une telle cohérence, d'un tel enthousiasme, d'une telle gentillesse (de la réservation au téléphone jusqu'à votre sortie de l'établissement, sans oublier l'alcool de pomme « manzana » offert en digestif), d'un tel professionnalisme à tous niveaux, ce n'est pas si fréquent.

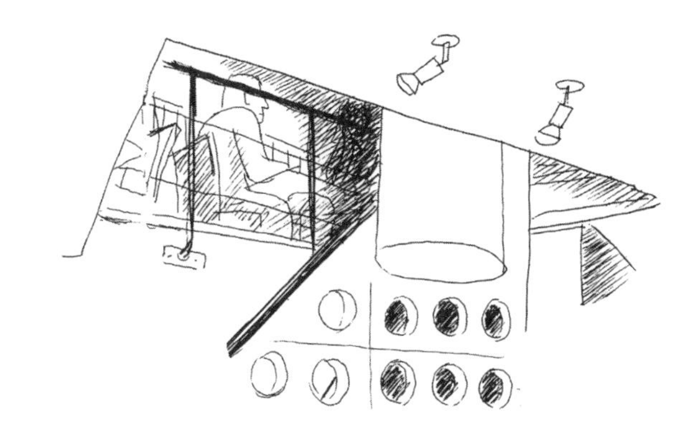

QUELQUES EXEMPLES DE PLATS : coquillages farcis à la marseillaise / velouté de potiron au vieux Comté / thon rouge cru mariné / petits farcis de piquillos au thon et au piment d'Espelette / filet de rascasse juste poêlé / gâteau niçois aux tomates confites / fricassée de penne, gambas, supions et jambon cru / morue fraîche chemisée de Serrano, haricots coco et tomates / cabillaud en croûte de tapenade, gnocchis et tomates cerises rôties / tip-top au chocolat Jivara et cardamome / Bacio bianco aux marrons, crème glacée pruneaux-armagnac / galettes de semoule dorées et poire rôtie au miel de châtaignier.

POUR EN SAVOIR PLUS SUR MARC ALVAREZ ET MEIR DANON

Empreint de la tradition familiale, la « bonne cuisine » et le « bien-recevoir » font très tôt partie du quotidien de Marc Alvarez. Excellent à l'école, Marc poursuit des études supérieures. Depuis qu'il est étudiant, il a toujours pris énormément de plaisir à recevoir ses amis, même dans son petit studio. Un plaisir qui ne le quittera plus et sera même renforcé avec le temps. Diplômé de l'ESSEC, il suit alors une belle carrière de quinze ans en tant que cadre supérieur dans le secteur médico-social. Et puis, en 2003, à 37 ans, une « fenêtre de tir » s'ouvre pour lui : il a le temps, l'envie, l'énergie, pour s'essayer au métier de restaurateur. Ce projet le titille depuis longtemps. S'il n'essaie pas maintenant, se dit-il, sans doute pourrait-il le regretter à jamais. Pour apprendre les bases du métier, il se fait embaucher pendant un an comme serveur dans un bistrot près du canal Saint-Martin. Dans le même temps, il affine son projet. Son but est d'arriver à sortir de l'alternative que proposent, a-t-il constaté, la majorité des tables parisiennes : soit « c'est bon, mais il faut être droit comme un I », soit « on est détendu, on s'affale, mais le service et les assiettes suivent la même pente ». Pour résumer encore mieux : son projet de restaurant, c'est tout simplement celui « d'agrandir sa propre salle à manger ». Ouvrir un établissement décontracté, tout en étant professionnel, dans l'accueil, le service, et bien entendu les assiettes. En ce qui concerne la cuisine, il veut s'orienter vers la Méditerranée, au sens large du terme, car sa culture est de là-bas (il est d'origine espagnole). Il recrute sa petite équipe, principalement sur annonce, en testant avant tout l'envie et la motivation de chacun à s'investir dans ce projet, qu'il veut avant tout évolutif, dans un esprit collectif. (Par exemple, c'est toute l'équipe du restaurant, pas seulement lui et le chef, qui décide toutes les deux semaines de l'évolution de la carte.) Il rencontre alors Meir Danon, chef israélien dont le parcours éloquent le rassure quant à son bagage technique : « Bruno » à Bruxelles, « Le Jardin des Sens » des frères Pourcel à Montpellier, « Le Grand Véfour » dans le 1er arrondissement et surtout « Les Elysées Vernet » dans le 8ème, aux côtés d'Alain Soliveres, le meilleur grand chef parisien pour la cuisine du soleil. Meir est le chef de cuisine qu'il lui faut : ses deux dernières expériences comme chef à part entière (d'abord chez « Ailleurs » dans le 8e, puis au « Moulin de la Galette » dans le 18e) finissent de le convaincre. Marc sent chez ce trentenaire une grande envie de liberté, une énergie énorme, avec un petit brin de folie douce. Ensemble, ils persuadent ensuite deux excellents éléments du « Jules Vernes » (le célèbre restaurant de la Tour Eiffel) de compléter l'équipe en cuisine. Et c'est ainsi qu'ouvre début 2005 « les Don Juan », avec Meir Danon derrière les fourneaux et Marc Alvarez en salle, qui s'occupe également des vins, du décor, du mobilier, de la musique et de la scénographie de la table en général. Le succès est immédiat, dans un quartier où il est très difficile de manger (très) bon, sympa, et pas cher. Cette adresse compte sans hésiter parmi mes gros coups de cœur de ces derniers mois.

ENTRÉE_PLAT_DESSERT

CRÈME DE CÈPES AU LARD FUMÉ

1 KG DE CÈPES
1,5 L DE FOND DE VOLAILLE
250 G DE CRÈME LIQUIDE
200 G DE LARD FUMÉ COUPÉ EN LARDONS
3 ÉCHALOTES
QUELQUES BRINS DE PERSIL
1 BOUQUET DE CIBOULETTE
HUILE D'OLIVE
30 G DE BEURRE
SEL ET POIVRE

Nettoyez les cèpes et coupez-les en morceaux. Faites-les sauter dans un peu d'huile d'olive avec les échalotes hachées, un peu de persil et de ciboulette ciselés.
Ajoutez les lardons et poursuivez la cuisson jusqu'à évaporation de l'eau de végétation.
Versez le fond de volaille et faites cuire pendant 20 minutes sur feu doux. Rectifiez l'assaisonnement.
Mixez le tout et incorporez la crème.
Au moment de servir, faites réchauffer doucement, puis incorporez le beurre bien froid en parcelles sans cesser de fouetter.
Servez avec de la ciboulette ciselée.

ET LE CHEF A DIT

« LES PLUS BEAUX PRODUITS N'ONT PAS BESOIN DE BEAUCOUP D'ATOURS. LE GOÛT DU CÈPE EST COMPLEXE, SUBTIL ET LONG EN BOUCHE. PROPOSÉ "NATURE", COMME DANS CETTE RECETTE, IL EST DÉJÀ UN PLAT DE FÊTE. LA BELLE TEXTURE DE CETTE CRÈME ET SA COULEUR SUBTILE OUVRENT LE REPAS SUR UN MODE CONTEMPORAIN, À LA FOIS RUSTIQUE ET SOPHISTIQUÉ. »

ENTRÉE_PLAT_DESSERT

DAUBE DE SANGLIER À LA CATALANE

2 KG D'ÉPAULE DE SANGLIER COUPÉE EN MORCEAUX D'ENVIRON 70 G
150 G D'OIGNONS
100 G DE CAROTTES
1 BRANCHE DE CÉLERI
1 L DE VIN BLANC SEC
1 CITRON
20 CL DE VINAIGRE DE VIN BLANC
1 TÊTE D'AIL
1 BOUQUET GARNI
2 L DE FOND DE VEAU
10 CL DE COGNAC
20 CL D'HUILE D'OLIVE
UNE COUENNE DE PORC FUMÉE
100 G D'OLIVES DE NICE DÉNOYAUTÉES
500 G DE TOMATES PELÉES ET CONCASSÉES
SEL, POIVRE NOIR EN GRAINS

Préparez une marinade avec les oignons, les carottes, le céleri, l'ail, le bouquet garni, le vin blanc, le cognac, le vinaigre, le jus du citron et l'huile, sel et poivre. Ajoutez les morceaux de viande dans cette marinade et laissez reposer toute la nuit.
Égouttez les morceaux de viande et conservez la marinade avec ses ingrédients. Faites colorer les morceaux de viande dans une sauteuse avec un peu d'huile d'olive (en plusieurs fois si la sauteuse n'est pas assez grande pour tout contenir).
Dégraissez la sauteuse, puis ajoutez les légumes de la marinade égouttés. Faites-les rissoler quelques minutes.
Déglacez avec la marinade, puis faites réduire de moitié.
Ajoutez le fond de veau, les tomates, la couenne, puis les morceaux de viande ; portez lentement à ébullition.
Faites cuire dans le four à couvert à 210 °C pendant 2 ou 3 heures, jusqu'à ce que la viande soit bien moelleuse.
Retirez délicatement les morceaux de viande et déposez-les dans une belle cocotte. Réservez au chaud.
Passez la sauce au chinois, puis faites-la réduire à point.
Ajoutez les olives noires et versez cette sauce sur la viande.
Dans l'idéal, servez avec une macaronade au manchego (macaronis cuits liés avec de la crème et poudrés de manchego fraîchement râpé, un fromage espagnol de brebis à pâte cuite).

ET LE CHEF A DIT

« LA VRAIE NATURE DE LA CUISINE MÉDITERRANÉENNE EST DE PROPOSER DES SAVEURS QUI EXPLOSENT EN BOUCHE : LA VIVACITÉ DES PLATS NE SE DÉMENT PAS, MÊME EN HIVER ! CETTE DAUBE PEUT BIEN SÛR ÊTRE PRÉPARÉE À L'AVANCE, LES SAVEURS N'EN SERONT QUE PLUS LIÉES. »

ENTRÉE_PLAT_DESSERT

PANNA COTTA À LA LAVANDE, FRUITS ROUGES EN SALADE

550 G DE CRÈME LIQUIDE
200 G DE MASCARPONE
120 G DE SUCRE
3 FEUILLES DE GÉLATINE
1 CUILLERÉE À SOUPE DE FLEURS DE LAVANDE SÉCHÉES
750 G DE PETITS FRUITS ROUGES MÉLANGÉS

Faites tremper les feuilles de gélatine dans une jatte d'eau froide.

Par ailleurs, mélangez dans une casserole la crème et le mascarpone ; ajoutez la sucre et la lavande. Portez à ébullition.
Égouttez la gélatine et ajoutez-la dans la casserole. Remuez jusqu'à parfaite dissolution.
Passez cet appareil au chinois pour éliminer les fleurs de lavande. Versez dans des verres ou des récipients individuels.
Mettez au réfrigérateur pendant au moins 4 heures.
Préparez une salade de fruits rouges de saison en coupant les plus gros fruits en petits dés. Répartissez la salade de fruits sur chaque récipient et servir aussitôt.

ET LE CHEF A DIT

« CETTE PANNA COTTA NOUS PROMÈNE ENTRE ITALIE ET PROVENCE. TEL EST LE PROJET DE CUISINE AUX " DON JUAN " : DES ÉVOCATIONS, DES PROMENADES DANS LES TERRES DE LA MÉDITERRANÉE, QUI AUTORISENT LES RAPPROCHEMENTS ET LA CRÉATION. »

LE PAMPHLET

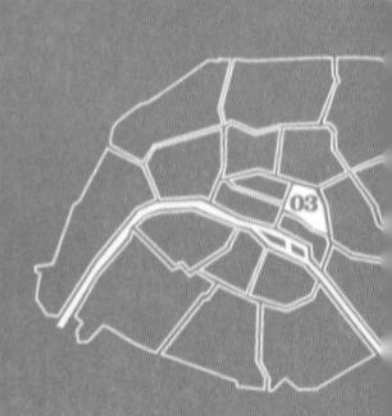

ALAIN CARRÈRE

MÉTRO FILLES DU CALVAIRE
38, RUE DEBELLEYME
75 003 PARIS
01 42 72 39 24

FERMÉ SAMEDI MIDI, DIMANCHE ET LUNDI MIDI

PRIX : MENU À 33 €
MENU DÉGUSTATION À 55 €

« Le Pamphlet » est situé dans une rue tranquille à l'orée du Marais. Impossible de manquer sa large devanture qui rappelle ces bons restaurants bourgeois de province, avec leurs grosses tentures et leurs fenêtres à petits carreaux. Mais rien n'indique en fait que vous êtes devant la plus belle affaire de tout l'arrondissement ! La salle principale est assez cossue, avec boiseries, moquette rouge au sol et murs jaunes, tables bien espacées et bien dressées (nappes et sur-nappes jaunes ou rouges, belle argenterie), poutres apparentes au plafond, jolis luminaires, beaux fauteuils et quelques peintures aux murs. L'ensemble fonctionne plutôt bien, dans un style cosy un peu provincial, non sans évoquer l'Espagne et la tauromachie, dans les couleurs et sur les murs. Mais surtout, on s'y sent bien, c'est confortable, chaleureux, avec des petits plus très appréciables : de nombreuses tables rondes et une véritable salle non-fumeur. La salle, c'est bien sûr le domaine de Frédéric, l'associé du chef, souvent secondé en soirée par sa femme et une jeune fille, tous très sympathiques, souriants et détendus, mais efficaces et professionnels. Pas le moindre reproche à leur adresser. C'est également Frédéric qui s'occupe de la carte des vins, concise mais intelligente, basée uniquement sur ses coups de cœur. On sent une carte bâtie avec passion, sachant mettre en avant les propriétaires qui comptent actuellement, à des tarifs intéressants. Venons-en aux assiettes. On entre là dans le pré carré du chef Alain Carrère, qui réalise une très belle cuisine, à la fois traditionnelle et recherchée, avec un penchant affirmé pour le Sud-Ouest et le pays Basque. Il ne travaille que les produits les plus frais (le menu-carte change presque tous les jours) et sa cuisine mérite vraiment le qualificatif de « gastronomique », tant les cuissons sont précises, les assaisonnements millimétrés, les mariages de saveurs et de textures originaux, le travail sur les légumes remarquable. Parvenir à sortir de telles assiettes à de tels tarifs, c'est vraiment très grand (et cela demande surtout beaucoup de sacrifices). Ici, on est généreux, on ne rechigne pas sur les petites attentions, comme le panier de charcuteries apporté avec le menu ou la mise en bouche. Vous en connaissez beaucoup, vous, des adresses où pour moins de 200 de nos anciens francs, votre vin est carafé, vous mangez sur des tables parfaitement dressées (et espacées !), avec une telle porcelaine et une telle argenterie ? Vous aurez donc compris ce qui fait l'attrait de cet établissement de charme : son incroyable rapport qualité + confort + prestations / prix...

"Vous êtes devant la plus belle affaire de tout l'arrondissement !"

QUELQUES EXEMPLES DE PLATS : **tian tiède de tomates, fondue d'oignons, sardines à la plancha, éclats d'olive et d'oeuf / aubergines farcies d'un confit d'agneau, salade du moment, pistou aux pignons de pin / terrine ménagère au foie gras de canard, mêlée de salade, cerises au vinaigre / dos de thon rouge de nos côtes, piperade basquaise et jambon serrano / meunière de filet de dorade version espagnole, miettes de pommes de terre / côte de cochon cuisinée au sautoir, pommes grenaille, oignons nouveaux, girolles au jus / faux-filet de bœuf poêlé, piquet de rognons, légumes de saison au beurre d'escargots / biscuit tiède et coulant au chocolat guanaja / assiette de fruits frais du moment, brocciu sucré vanillé / clafoutis aux cerises cuit minute, crème glacée vanille / tartelette aux fraises gariguettes, sorbet fraise, sangria à boire.**

POUR EN SAVOIR PLUS SUR ALAIN CARRÈRE

Le solide barbu Alain Carrère naît à Pau en 1963 (son sympathique accent ne trompe pas). De son enfance, il aime se souvenir des week-ends passés dans les champs avec son grand-père agriculteur et de leur retour pour le déjeuner, dans la maison familiale envahie des bonnes odeurs des plats que mitonnait sa grand-mère « bigourdane », odeurs à jamais gravées dans sa mémoire. Très vite, il sait qu'il est fait pour être cuisinier. À l'âge de 15 ans, il entre à l'école hôtelière de Pau. Au cours de cette formation, il effectue plusieurs stages chez « Casau », un grand chef palois de l'époque, qui prend le jeune Alain sous son aile et lui apprend les rudiments de ce métier, pas aussi facile qu'il avait pu le croire. Il le persuade surtout de monter le plus rapidement possible à Paris. Ainsi, toujours avec l'aide de M. Casau, Alain, juste après son service militaire, trouve à 18 ans une belle place chez Dessirier, dans le 17e arrondissement. Quatre ans plus tard, il entre au « Royal-Monceau », l'un des plus beaux palaces du 8e, avec comme patron Gabriel Biscay : première très grande table et une expérience inoubliable qui dure plus de trois ans. La suivante est à la hauteur : un poste de chef de partie chez « Ledoyen », alors repris par Jacques Maximin. Il y reste près d'un an avant de rejoindre en 1990 « Le Chou farci », à Levallois-Perret : là-bas, et pour la première fois, c'est lui le chef, enfin. En 1992, retour à Paris intra-muros, dans le 17e, où il prend la tête des cuisines de « La Table de Pierre » pendant six ans, avec un franc succès. Puis, en 1998, Alain rencontre un certain Frédéric Arniaud, véritable professionnel de la salle. Le courant passe immédiatement. Ils décident de s'associer et recherchent une adresse « à eux », avec Alain aux fourneaux et Frédéric en salle. Ils tombent alors sur cette adresse du Marais, qu'ils rénovent entièrement à leur goût, pour l'ouvrir en décembre 1998. Leur credo : proposer de beaux produits, de la grande cuisine, de la créativité, du confort, de belles prestations, le tout dans une ambiance relax (mais pas relâchée, nuance importante), à portée de toutes les bourses. Sept ans plus tard, force est de reconnaître que ces deux-là avaient tout compris. La réussite de cet établissement, c'est le fruit du talent de ces deux hommes, chacun dans son domaine, et de leur expérience accumulée « à bonne école », mise au service de leur jolie maison. « Le Pamphlet », c'est le restaurant que j'aimerais avoir en bas de chez moi : n'est-ce pas le plus beau compliment que je puisse leur faire ?

ENTRÉE _PLAT_DESSERT

PRESSÉ DE POIREAUX, FOIES DE VOLAILLE PARFUMÉS AU VIN DE NOIX, SALADE DE BETTERAVES, CÉLERI ET MOULES DE BOUCHOT

1,4 KG DE BLANCS DE POIREAUX
500 G DE FOIE DE VOLAILLE
150 G DE BEURRE POMMADE
50 CL DE VIN DE NOIX
20 CL D'HUILE DE NOIX
50 G DE CERNEAUX DE NOIX
SALADE VERTE
200 G DE MOULES DÉCOQUILLÉES
100 G CÉLERI-RAVE TAILLÉ EN JULIENNE
100 G DE BETTERAVE CUITE EN JULIENNE
FLEUR DE THYM
3 ÉCHALOTES
SEL, POIVRE

Faites cuire les blancs de poireaux à l'eau bouillante salée, puis rafraîchissez-les et égouttez-les.

Faites revenir au beurre les foies de volaille en les gardant très roses. Ajoutez quelques pincées de fleur de thym et les échalotes ciselées, mélangez, puis versez le contenu de la poêle dans une terrine.
Versez le vin de noix dans la poêle de cuisson et faites réduire sur feu vif pendant 2 minutes, puis versez ce jus sur les foies.
Ajoutez les cerneaux de noix et le beurre en pommade.
Mixez le tout pour obtenir une purée assez fine.
Chemisez un moule à cake légèrement huilé avec les blancs de poireaux, puis remplissez-le en alternant le reste des poireaux et la purée de foie. Pressez légèrement sur le dessus et laissez reposer au frais à couvert pendant 24 heures.
Démoulez la terrine et découpez-la en tranches régulières.
Servez avec de la salade, la julienne de betterave et le céleri, ainsi que les moules en garniture.

ET LE CHEF A DIT

« POUR ACCOMPAGNER CETTE ENTRÉE, JE CHOISIRAIS UN VIN DU PAYS D'OC, PAR EXEMPLE UN " AUBAÏ MEMA " DE LA MAISON MARC HAYNES. »

ENTRÉE_PLAT_DESSERT

STEAK HACHÉ AU COUTEAU DE MAGRET DE CANARD ET SON FOIE RÔTI

900 G DE MAGRET DE CANARD
150 G DE MOUSSE DE FOIE DE CANARD
2 ŒUFS
6 FINES ESCALOPES DE FOIE GRAS
80 G D'ÉCHALOTES
2 BOTTES DE CIBOULETTE
SEL ET POIVRE
FLEUR DE SEL, POIVRE MIGNONETTE

Dégraissez et dénervez les magrets de canard, puis hachez-les au couteau.
Mélangez dans un cul-de-poule les magrets hachés, la ciboulette et les échalotes ciselées, la mousse de foie et enfin les œufs. Salez et poivrez.Façonnez les steaks dans des cercles à tarte de 10 cm de diamètre et laissez-les reposer dans le haut du réfrigérateur pendant 30 minutes.
Faites cuire les steaks dans une poêle et retirez-les dès qu'ils sont bien saisis. Déposez ensuite dans la poêle les escalopes de foie gras et faites-les dorer de chaque côté.
Disposez dans les assiettes de service un steak de magret avec le foie gras par-dessus.
Assaisonnez de fleur de sel et de poivre mignonette.

ET LE CHEF A DIT

« VOUS POUVEZ ACCOMPAGNER CE PLAT AVEC DES POMMES DE TERRE CHARLOTTE AU POÊLON ET DES POUSSES DE TÉTRAGONES. POUR LE VIN, JE VOUS CONSEILLE SOIT UN COTEAUX DU LANGUEDOC (CHÂTEAU PUECH HAUT DE LA MAISON GÉRARD BRU), SOIT UN CÔTES DU ROUSSILLON (CELUI DE LA MAISON CACHAU PAR EXEMPLE). »

ENTRÉE_PLAT_DESSERT

BISCUIT MI-CUIT AU CHOCOLAT GUANAJA ANISÉ

200 G DE CHOCOLAT GUANAJA À 70% DE CACAO
200 G DE BEURRE
8 OEUFS
200 G DE SUCRE
100 G DE FARINE
1 CUILLERÉE À SOUPE D'ANIS VERT EN GRAINS
BEURRE ET FARINE POUR LES MOULES

ET LE CHEF A DIT

« VOUS POUVEZ, À LA SORTIE DU FOUR, AJOUTER UN PEU DE FLEUR DE SEL SUR LE DESSUS, AFIN DE REHAUSSER LE GOÛT DU CHOCOLAT. DANS L'IDÉAL, SERVEZ CE DESSERT AVEC UN BEAU PORTO ROUGE. »

Faites fondre le chocolat cassé en petits morceaux et le beurre dans une casserole placée au bain-marie.
Par ailleurs, travaillez les oeufs avec le sucre dans une terrine jusqu'à ce que le mélange blanchisse.
Lorsque le chocolat est fondu (mais pas trop chaud), ajoutez-le au mélange sucre et oeufs, puis incorporez la farine.
Mélangez intimement en ajoutant les grains d'anis vert.
Beurrez et farinez 6 ramequins. Répartissez la préparation au chocolat dedans et faites cuire dans le four à 210 °C pendant 7 minutes. Servez tiède.

04

04e

BARACANE

MÉTRO CHEMIN VERT
38, RUE DES TOURNELLES
75 004 PARIS
01 42 71 43 33

MARCEL BAUDIS

SAMEDI MIDI ET DIMANCHE

PRIX : MENU À 32 € (ET 42 € VIN ET CAFÉ COMPRIS)

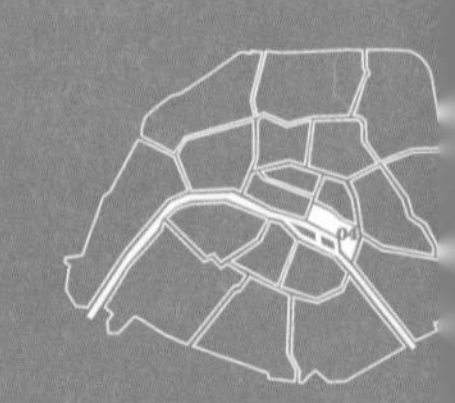

Cette table, qui existe déjà depuis 18 ans, vient d'atteindre sa majorité. Entre la Bastille et la place des Vosges, pour le plus grand plaisir des riverains, étudiants ou touristes, mais plus généralement pour tous ceux qui aiment la vraie gastronomie du Sud-Ouest, cette adresse de poche (une trentaine de places) est littéralement prise d'assaut, surtout le soir. Rares en effet sont les haltes de qualité (surtout dans ce quartier !), aussi respectueuses des traditions occitanes, où les maîtres mots sont fraîcheur des produits et souci maniaque des cuissons. Si vous voulez redécouvrir les grands classiques de cette région, parfois malmenés, réapprendre ce qu'est un vrai cassoulet, ce que peut avoir de formidable un confit de canard bien traité (craquant à l'extérieur, moelleux à l'intérieur) ou encore savourer un beau magret (tendre et bien cuit), c'est ici qu'il faut venir. Outre ces spécialités immuables qui ont fait la renommée du lieu, le chef propose également une palette de plats de saison inventifs, mais toujours réalisés dans les règles de l'art : exécution soignée et résultat toujours goûteux. En dessert, je vous recommande particulièrement son interprétation du gâteau basque, un pur délice de gourmand. Parlons aussi des vins : la carte est concise (une trentaine de références) et privilégie les crus du Sud-Ouest (fronton, gaillac, madiran, cahors), proposés à des prix très attractifs (en gros une vingtaine d'euros). Comptez par ailleurs sur un accueil bienveillant, un service jeune, cool mais efficace, l'excellent pain de chez Poujauran, un cadre sobre mais pimpant, la belle carte de Bas-Armagnacs de chez Francis Darroze, une ambiance chaleureuse, des tarifs amicaux, et vous aurez alors réuni tous les éléments du succès de cet établissement. Souhaitons tout simplement que ce succès perdure, car des tables qui jouent la carte du Sud-Ouest avec autant de brio et de sincérité sont plutôt rares dans la capitale, où l'on a malheureusement plutôt l'habitude de tomber sur des tables qui maltraitent la gastronomie de cette région et font du tort à sa réputation.

“Exécution soignée et résultat toujours goûteux.”

QUELQUES EXEMPLES DE PLATS : **tarte fine croustillante aux asperges et vinaigrette au citron / escargots petits-gris aux fonds d'artichauts et bouillon à l'estragon / tartine de moelle, sauce au vin rouge / foie gras de canard cuit en terrine et pain de châtaigne / rillettes de maquereaux frais à la crème de raifort / filet de rouget à la plancha et crème aux radis sauvages / filet de dorade grillé avec fenouil braisé et bouillon d'étrilles / magret de canard rôti / confit de canard et pommes de terre persillées / croustade au cantal et aux épinards / colvert : cuisse et manchons braisés au genièvre, filet rôti, purée de patate douces / parfait glacé au miel et romarin / millefeuille croustillant et crème pralinée / mousse au chocolat à l'anis, tuile à l'anis.**

POUR EN SAVOIR PLUS SUR MARCEL BAUDIS

Baracane
BISTROT
DE
L'Oulette
Marcel Baudis
38, RUE DES TOURNELLES
75004 PARIS - TÉL. 0142714333

Marcel Baudis, 45 ans aujourd'hui, est originaire de Montauban. Adolescent, il entre à l'école hôtelière, sans savoir quelle branche il choisira par la suite, la cuisine, la salle ou les vins. C'est à la fin des années 70 qu'il a la révélation, en lisant dans le magazine GaultMillau les articles consacrés aux grands chefs de l'époque, Michel Guérard, Alain Senderens, Paul Bocuse, les « apôtres » de ce courant révolutionnaire baptisé « nouvelle cuisine ». Il se rend compte alors que tout est en train de changer : « chef » n'est plus synonyme de « ringard » et peut au contraire rimer avec modernité. Très clairement, Marcel décide « d'en être ». Il se promet qu'un jour, il sera lui aussi à la « une ». Le défi est lancé : non seulement il veut être cuisinier, mais un cuisiner reconnu. Dès lors son parcours est balisé de belles adresses, avec deux très grandes maisons qu'il tient à citer. D'abord près de deux années passées aux côtés d'Alain Senderens, puis près de quatre ans passés avec Alain Dutournier (alors déjà doublement étoilé au « Trou Gascon »). C'est avec cet homme qu'il a le déclic, c'est lui (« un vrai humaniste ») qui lui donne l'envie d'ouvrir un jour son propre restaurant. C'est encore ce dernier qui lui prouve que l'on peut faire partie des plus grands établissements de l'Hexagone, sans forcément imposer une ambiance militaire au sein de sa brigade (« En quatre ans, jamais un mot plus haut que l'autre… »). Fort du solide bagage technique acquis au cours de ces expériences, et après un petit périple en Afrique du Sud, Marcel décide d'ouvrir avec sa femme sa propre adresse. C'est chose faite en 1987 avec la naissance de « Baracane », un restaurant consacré au Sud-Ouest, proposant une cuisine de grande qualité (qu'il s'agisse de produits ou de la réalisation) dans un cadre et à des prix de bistro. Marcel Baudis est alors clairement (à 27 ans seulement !) un précurseur de cette tendance « bistronomique » qui va éclore une dizaine d'années plus tard. Très vite, le succès est au rendez-vous. La boucle est bouclée lorsque Christian Millau en personne vient lui rendre visite et lui consacre une pleine page dans GaultMillau magazine : le rêve de Marcel est devenu réalité. Près de vingt ans plus tard, « Baracane » est toujours là, fidèle au poste et aux origines du chef. Même si par ailleurs Marcel Baudis a ouvert une seconde table, « L'Oulette », dans le 12e arrondissement, plus ambitieuse, vite devenue la meilleure table de tout l'Est parisien, mais dans un registre gastronomique nettement plus poussé (si vous avez en avez les moyens, n'hésitez pas, les assiettes valent franchement le déplacement).

ENTRÉE _PLAT _DESSERT

TARTE FINE AUX SARDINES, CUMIN ET TOMATES CONFITES

300 G DE PÂTE FEUILLETÉE
1 KG DE SARDINES (ÉCAILLÉES ET LEVÉES EN FILETS PAR VOTRE POISSONNIER)
1 KG DE PETITES TOMATES EN GRAPPES
4 CUILLERÉES À SOUPE D'HUILE D'OLIVE
4 BRINS DE THYM FRAIS OU 2 CUILLERÉES À CAFÉ DE THYM SÉCHÉ
2 CUILLERÉES À CAFÉ DE CUMIN
1 CUILLERÉE À CAFÉ DE CURRY
SEL ET POIVRE

Allumez le four à 90 °C. Ebouillantez et pelez les tomates, coupez-les en deux et rangez-les sur une plaque de cuisson, salez et poivrez, poudrez de thym et arrosez avec 2 cuillerées à soupe d'huile d'olive. Faites cuire pendant 2 heures à 2 heures 30 minutes.
Faites mariner les filets de sardines avec du sel, le cumin, le curry et le reste d'huile d'olive pendant 30 minutes.
Découpez 6 rectangles de pâte feuilletée d'un demi-centimètre d'épaisseur, de 15 cm x 10 cm. Piquez-les avec une fourchette et faites-les cuire dans le four à 200 °C jusqu'à ce qu'ils soient bien dorés.
Disposez sur ces rectangles de feuilletage cuit les tomates confites égouttées, puis par-dessus les filets de sardines bien serrés.
Enfournez le tout pendant encore 1 minute à 190 °C.
Les sardines sont meilleures quand elles sont à peine cuites.
Servez à la sortie du four pour que la pâte ne se ramollisse pas.

ET LE CHEF A DIT

« JE VOUS CONSEILLE DE RÉALISER CETTE RECETTE UNIQUEMENT SI VOUS PARVENEZ À TROUVER DES TOMATES QUI ONT VRAIMENT DU GOÛT. AU NIVEAU DE L'ACCORD DU VIN, JE VOUS RECOMMANDE PAR EXEMPLE UN BORDEAUX AOC CHÂTEAU DU CHAMP DES TREILLES DE CORINNE 2003. »

ENTRÉE_ **PLAT** _DESSERT

PAVÉ DE QUASI DE VEAU POÊLÉ, JUS AUX ÉCHALOTES ET GALETTE DE POMMES DE TERRE AUX ÉPINARDS

6 PAVÉS DE QUASI DE VEAU DE 150 G CHACUN ENVIRON
10 ÉCHALOTES (GRISES DE PRÉFÉRENCE)
25 CL JUS DE VEAU (À RÉALISER, POUR PLUS DE SIMPLICITÉ, AVEC DU JUS LYOPHILISÉ)
20 CL DE VIN BLANC
300 G DE POMMES DE TERRE À CHAIR FARINEUSE
500 G D'ÉPINARDS EN BRANCHE
4 ŒUFS
10 CL DE CRÈME
1 CUILLERÉE À SOUPE DE FARINE
50 G DE BEURRE
1 CUILLERÉE À SOUPE D'HUILE D'ARACHIDE
SEL ET POIVRE

ET LE CHEF A DIT

« LE VIN QUI ACCOMPAGNERA IDÉALEMENT CE PLAT POURRAIT ÊTRE UN FAUGÈRES AOC CHÂTEAU HAUT-LIGNIÈRES "LE 1ER" 2003. »

POUR LA SAUCE
Pelez les échalotes et coupez-les en quatre, faites-les blondir dans une casserole avec 25 g de beurre. Ajoutez le vin blanc et faites réduire aux trois quarts. Ajoutez ensuite le jus de veau et faites cuire sur feu doux pendant 6 à 10 minutes. Réservez au chaud.

POUR LES GALETTES
Pelez les pommes de terre, faites-les cuire, égouttez-les et réduisez-les en purée.
Equeutez et lavez les épinards, faites-les fondre dans le beurre restant, puis égouttez-les, pressez-les et hachez-les.
Lorsque les pommes de terre et les épinards sont refroidis, mélangez-les dans un saladier en ajoutant les œufs, la crème et la farine, salez et poivrez.
Faites chauffer une poêle antiadhésive, légèrement beurrée.
Prenez une cuillerée à soupe bien remplie de pâte et formez plusieurs petits tas pour obtenir des petites galettes.
Laissez-les colorer 2 à 3 minutes avant de les retourner avec une spatule.
Poursuivez la cuisson pendant 1 minute de l'autre côté.
(Si vous désirez des galettes plus grandes, utilisez une louche et laissez cuire 2 minutes de plus.)

POUR LA VIANDE
Salez et poivrez les pavés de quasi de veau à votre convenance.
Faites-les poêler pendant 2 à 3 minutes de chaque côté dans l'huile d'arachide. Laissez-les reposer pendant 5 minutes environ, enveloppés dans une feuille d'aluminium, avant de les servir avec les petites galettes et la sauce à part.

ENTRÉE_PLAT_DESSERT

FIGUES POCHÉES RÔTIES ET JUS PRIS EN GRANITÉ

2 KG DE FIGUES

POUR LE SIROP
1 L D'EAU
400 G DE SUCRE
2 GOUSSES DE VANILLE OUVERTES ET GRATTÉES
2 CUILLERÉES À CAFÉ DE « CINQ PARFUMS »
1 BÂTON DE CANNELLE

ET LE CHEF A DIT

« VOICI UN BEAU ET BON DESSERT, OÙ LE CONTRASTE CHAUD-FROID MET PARFAITEMENT EN EXERGUE LA SAVEUR DE LA FIGUE. POUR L'ACCOMPAGNER, VOUS POURREZ SERVIR UN MAYDIE "TANNAT VINTAGE", VIN DE LIQUEUR DE PIERRE LAPLACE 2002. »

Faites bouillir tous les ingrédients du sirop pendant 3 minutes. Plongez les figues dedans. Lorsque l'ébullition reprend, retirez les figues du feu. Laissez-les mariner dans le réfrigérateur pendant 24 h puis égouttez-les.
Par ailleurs, faites prendre le sirop au congélateur (il faut au moins 6 heures).

AU MOMENT DE SERVIR
Faites chauffer les figues dans le four préchauffé à 180 °C pendant 5 minutes.
Sortez le sirop du congélateur et grattez-le avec une fourchette pour former le granité.
Présentez le granité dans des petits verres et servez les figues tièdes dans une assiette.

MON VIEIL AMI

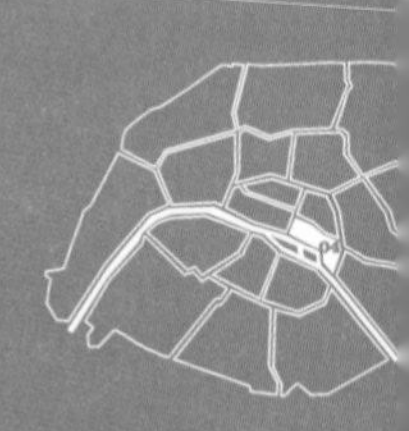

MÉTRO PONT MARIE
69, RUE SAINT-LOUIS-EN-L'ÎLE
75 004 PARIS
01 40 46 01 35

ANTOINE WESTERMANN ET FRÉDÉRIC CROCHET

FERMÉ LUNDI ET MARDI

PRIX : MENU À 39 €

> "C'est vraiment de la très grande gastronomie."

Lorsque vous recevez un « vieil ami », que faites-vous pour lui faire vraiment plaisir ? Selon le grand chef alsacien Antoine Westermann, créateur en 2004 de cette adresse de l'île Saint-Louis, les réponses sont simples : «Un : on lui offre ce que l'on a de meilleur et que l'on peut partager copieusement. Deux : la cuisine est spontanée et s'inspire des produits du jour. Trois : on sort immédiatement les verres et l'on partage ses derniers coups de cœur ». Convaincant, comme profession de foi, non ? Il est vrai qu'ici, le scénario est exactement le même. Dès que vous êtes installé à votre table, on vous offre en guise de bienvenue un excellent pinot blanc bien frais, perlant et léger. Mais il n'y a pas que l'accueil de réussi. Tous les éléments qui font le succès d'un restaurant d'aujourd'hui sont réunis. La salle d'abord, petite (une quarantaine de couverts), avec une décoration contemporaine (bois et noir omniprésents, fauteuils chic, miroirs résolument modernes), qui a néanmoins intégré l'esprit du passé (la hauteur sous plafond, la valorisation des vieilles poutres apparentes, les pierres blanchies). C'est très réussi, à la fois sobre et chaleureux, comme une petite auberge new-look, « rustico-design ». Outre deux tables rondes pour trois couverts et une dizaine de tables pour deux, il y a aussi une grande table d'hôtes conviviale permettant aux conversations de s'engager facilement. Quant au service, il a tout compris de ce que l'on en attend aujourd'hui : attentif, aux petits soins, jeune, détendu mais dynamique, et avant tout soucieux du bien-être des convives. Passons au meilleur : la cuisine, bien sûr ! Elle est tout bonnement splendide, et je pèse mes mots. C'est une cuisine puissante, relevée, parfumée, dans un registre classico-bourgeois (presque nostalgique même), modernisé et impeccablement interprété, techniquement infaillible (quelle rigueur dans les cuissons !) : c'est vraiment de la très grande gastronomie. Avec une fraîcheur toujours omniprésente et des produits de toute première qualité, au service de plats d'autrefois très joliment relookés. À noter en particulier le magnifique travail sur les légumes (issus du potager du désormais fameux Joël Thiebault), souvent cités en tête sur la carte, avant le poisson ou la viande. Enfin, la carte des vins est à l'image de tout ce qui précède : courte, habile, faite de coups de cœur, avec notamment une solide palette de vins au verre et une belle sélection de crus alsaciens. Voilà finalement l'un des bistrots les plus malicieux de la capitale, l'un des plus beaux aussi, une réussite dont le succès mérité ne se dément pas depuis son ouverture. Tout y est pensé pour donner le maximum de plaisir à la clientèle du XXIe siècle. Absolument for-mi-dable...

QUELQUES EXEMPLES DE PLATS : **Radis et pommes de terre en salade, filets de maquereaux poêlés / tartare de légumes, chipirons poêlés aux herbes, vinaigrette aux épices / terrine de viande, volaille et foie gras de canard, céleri façon rémoulade et compote d'oignons rouges / mijotée tiède de légumes de saison aux raisins et aux amandes, tartine de champignons du moment / fricassée de petits pois et morilles, dos de lieu jaune rôti / légumes confits en tarte fine et filet de daurade royale poêlé / poireaux étuvés, filet de merlan et œuf poché aux aromates / navets braisés, semoule aux fruits secs et suprême de canard rôti / fèves, blettes et carottes au jus, poitrine de veau confite et croustillante / oignons nouveaux au vinaigre, pomme purée et rognons de veau poêlés à la moutarde / baba au rhum / compote de rhubarbe, biscuit pistache et sorbet fruit rouge / tarte au chocolat / glace et gelée au café, sablé au citron.**

POUR EN SAVOIR PLUS SUR FRÉDÉRIC CROCHET

Frédéric Crochet naît le 3 mai 1979 à Sancerre dans une famille de viticulteurs. Son père, son grand-père, ses oncles : tout le monde est vigneron, sauf lui... et son perroquet Felix ! Il obtient son brevet professionnel de cuisine en 1998. Sa première expérience sur le terrain : le restaurant réputé « La Tour » à Sancerre, où il fait son apprentissage. Quatre en cuisine, et le souvenir d'avoir eu la chance de tout y faire : personne n'avait de poste fixe, chacun devait mettre la main à la pâte. En 1998, il arrive à « La Côte d'Or », chez le regretté Bernard Loiseau, à Saulieu, en Bourgogne. C'est évidemment un grand bouleversement dans sa vie professionnelle : à 19 ans, le voici qui travaille dans une grande maison, aux côtés d'un tel cuisinier ! Cette expérience lui donne définitivement l'amour de son métier. Deux ans plus tard, en 2000, après son CAP/BEP, il entre au « Buerehiesel » chez Antoine Westermann, une autre star de la planète gastronomique. Il commence comme commis aux entremets, pour devenir sous-chef de cuisine. Avec Antoine Westermann, il dit avoir appris à glisser son grain de sel quand il y a un plat à mettre à la carte. Avec lui, il s'est senti immédiatement à l'aise pour s'exprimer, il s'est toujours senti écouté et respecté. Et puis, courant 2005, Antoine Westermann décide de confier les fourneaux (et tous les amis) de « Mon Vieil Ami » à Frédéric : une belle marque de confiance pour ce jeune homme de 27 ans. Depuis lors, il perpétue à la lettre l'esprit qui a forgé le succès de cet établissement, fait d'un répertoire ménager revu au goût du jour. Sa petite touche personnelle : la mise en avant encore plus poussée des légumes et le renforcement de la présence des fruits dans les desserts. Et puis son credo, tout simple, mais qui fait du bien à entendre : « J'ai le goût de tout, j'aime la vie, les rencontres, la fête.»

ENTRÉE _PLAT _DESSERT

RADIS BLANCS ET POMMES DE TERRE EN SALADE GOUTEÛSE, FILETS DE MAQUEREAU POÊLÉS

360 G DE POMMES DE TERRE CHARLOTTE
225 G DE RADIS BLANC
6 FILETS DE GROS MAQUEREAUX
HUILE D'OLIVE
SEL, POIVRE

POUR LA VINAIGRETTE
3 CUILLERÉES À SOUPE DE VINAIGRE MELFORT
6 CUILLERÉES À SOUPE D'HUILE D'OLIVE
3 ÉCHALOTES
30 G DE CÂPRES
2 CUILLERÉES À SOUPE DE PERSIL HACHÉ
SEL, POIVRE

Faites cuire les pommes de terre à l'eau pendant environ 30 minutes, refroidissez-les sous un filet d'eau froide, puis coupez-les en dés de 3 cm environ. Préparez la vinaigrette avec l'huile, le vinaigre, les échalotes pelées et hachées, les câpres et le persil, salez et poivrez. Détaillez les radis blancs en tranches fines et mélangez-les avec les pommes de terre. Assaisonnez le tout avec la vinaigrette.
Salez et poivrez les filets de maquereaux, puis saisissez-les dans une poêle avec de l'huile d'olive bien chaude. Disposez les pommes de terre et les radis au fond d'un plat, puis placez les filets de maquereaux par-dessus.

ET LE CHEF A DIT

« UNE SALADE DE RACINES POUR ACCOMPAGNER UN POISSON BRETON LONGTEMPS DÉLAISSÉ. C'EST UN PEU DE L'ALSACE ET DE LA BRETAGNE DANS L'ASSIETTE. ASSOCIER DES TRADITIONS DANS MES PLATS, ET LES CUISINER DE FAÇON MÉNAGÈRE C'EST MON APPROCHE DE LA CUISINE CHEZ "MON VIEIL AMI". »

ENTRÉE_ **PLAT** _DESSERT

POMMES DE TERRE MIJOTÉES AU CITRON CONFIT, AROMATES ET LIEU JAUNE POÊLÉ AUX CÂPRES ET CROÛTONS

6 TRANCHES OU FILETS DE LIEU JAUNE DE 150 G CHACUN
600 G DE PETITES POMMES DE TERRE CHARLOTTE
6 TOMATES EN GRAPPE DE TAILLE MOYENNE
3/4 D'UN CITRON CONFIT
225 G DE JUS DE VOLAILLE
30 G DE CÂPRES HACHÉS
30 G DE CROÛTONS
HERBES FRAÎCHES MÉLANGÉES (PERSIL, CERFEUIL, CIBOULETTE)
HUILE D'OLIVE, SEL ET POIVRE

Pelez les pommes de terre, lavez-les, essuyez-les et faites-les revenir à l'huile d'olive jusqu'à légère coloration. Salez et poivrez. Ajoutez le jus de volaille, puis couvrez et laissez cuire pendant 15 minutes.
Plongez les tomates dans l'eau bouillante pendant 3 à 10 secondes. Égouttez-les, pelez-les, coupez-les en quartiers, puis retirez les pépins.
Ajoutez les quartiers de tomate aux pommes de terre 5 minutes avant la fin de leur cuisson.
Faites chauffer de l'huile d'olive dans une poêle. Posez les filets de poisson dedans et faites-les cuire doucement pendant environ 3 minutes.
Répartissez les pommes de terre aux tomates dans les assiettes. Posez un filet de poisson dessus, ajoutez les fines herbes mélangées, les câpres, les croûtons et le citron confit haché.

ET LE CHEF A DIT

« J'AI VOULU ICI FUSIONNER LES SAVEURS DÉTONANTES DU CITRON CONFIT ET DES CÂPRES, JOUER SUR LES TEXTURES ENTRE LE CROQUANT DES CROÛTONS ET LE MOELLEUX DE LA POMME DE TERRE MIJOTÉE. LE PRODUIT VEDETTE, LE LIEU, SE LAISSE AINSI COURTISER SANS PROBLÈME. »

ENTRÉE_PLAT_DESSERT

CRÈME RENVERSÉE À L'ORANGE

6 JAUNES D'ŒUFS
240 G DE SUCRE SEMOULE
50 CL DE CRÈME LIQUIDE
15 G DE BEURRE
1 GOUSSE DE VANILLE
3 ORANGES

Fouettez les jaunes d'œuf avec 90 g de sucre semoule jusqu'à ce que le mélange blanchisse, puis ajoutez la crème liquide.
Fendez la gousse de vanille en deux dans la longueur pour en extraire les graines en les raclant avec le dos d'un couteau. Incorporez-les à la crème.
Beurrez 6 ramequins et répartissez la crème dedans. Placez-les dans un grand plat profond à demi-rempli d'eau. Couvrez d'un papier d'aluminium et faites cuire dans le four à 90 °C pendant 30 minutes. Sortez du four et laissez refroidir.
Pendant ce temps, pelez les oranges avec un couteau économe, puis taillez les zestes d'écorce en julienne et faites-les blanchir pendant 2 minutes à l'eau bouillante.
Faites bouillir 15 cl d'eau et le reste de sucre semoule (150 g) pour obtenir un sirop. Plongez les zestes d'oranges pour les confire pendant 15 minutes. Retirez du feu et laissez refroidir.
Démoulez les crèmes renversées au milieu des assiettes et décorez avec les zestes d'orange confits.

ET LE CHEF A DIT

« C'EST LA SIMPLICITÉ D'UN DESSERT DE MÉMOIRE. MES PREMIÈRES CRÈMES RENVERSÉES, JE LES FAISAIS EN RENTRANT DE L'ÉCOLE, DÈS MES 8 ANS : CE SONT MES VIEILLES AMIES DU GOÛTER. C'EST UN DESSERT RASSURANT, UN DESSERT DE REPAS ENTRE AMIS, AUQUEL L'ORANGE DONNE SA POINTE D'EXOTISME. »

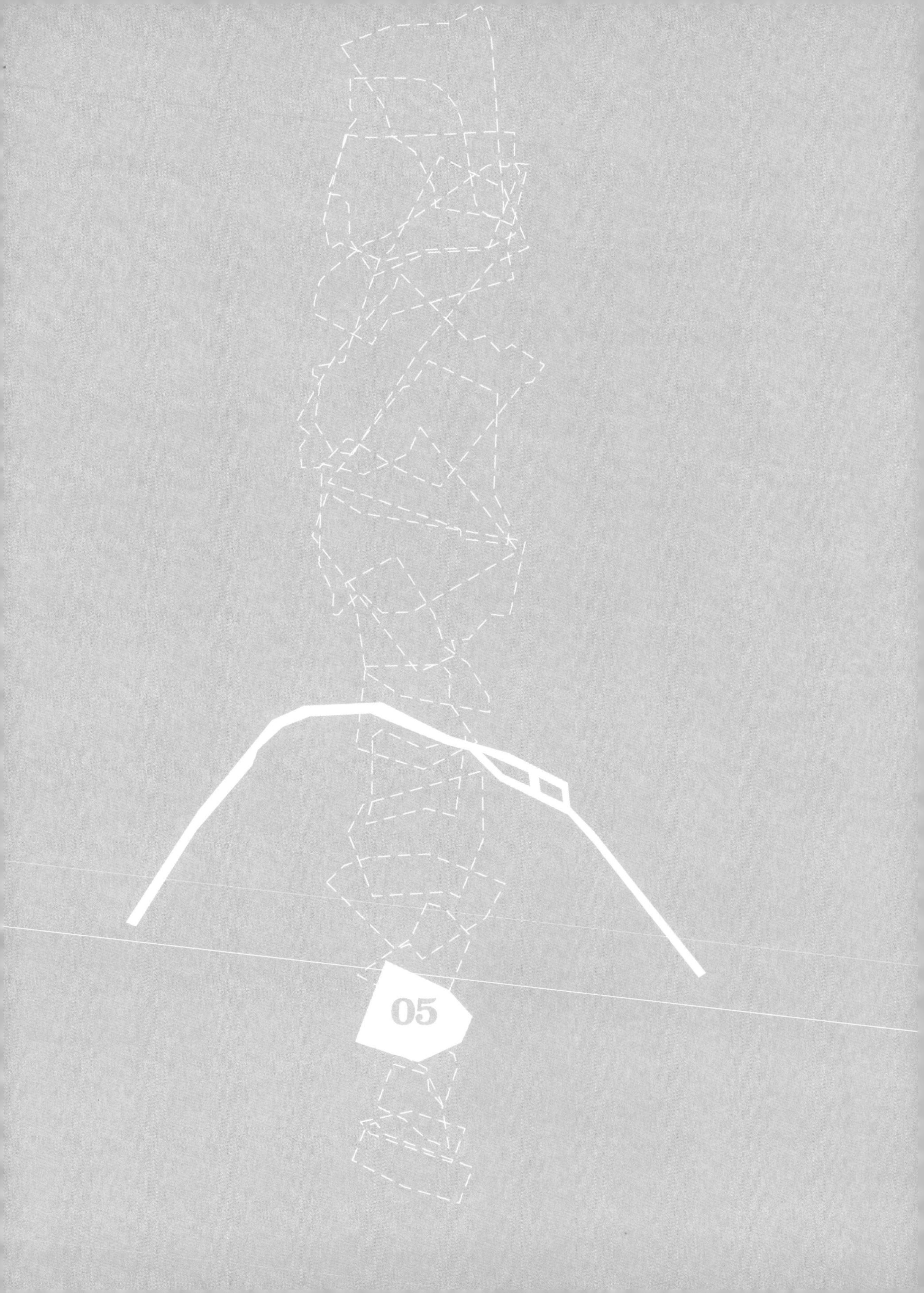

05

05e

LE BUISSON ARDENT

PHILIPPE DUCLOS

MÉTRO JUSSIEU
25, RUE JUSSIEU
75 005 PARIS
01 43 54 93 02

FERMÉ SAMEDI MIDI, DIMANCHE

PRIX : MENU-CARTE À 29 €
MENU DÉJEUNER À 16 €

"Le service est jeune, efficace et souriant, en parfaite osmose avec la cuisine du chef."

Quel sympathique bistro que voilà ! C'est tout bonnement le meilleur rapport qualité-prix du quartier « Jussieu. ». Pourtant, si elle a fait beaucoup parler d'elle à son ouverture en 1998, cette adresse ne fait plus vraiment l'actualité aujourd'hui. À tort, bien entendu. Car franchement, il n'y a rien à reprocher à cette table. Voyez le cadre pour commencer. Un ancien relais de poste, avec un beau carrelage au sol, de magnifiques fresques d'origine, de superbes moulures, des boiseries, des miroirs, des luminaires des années 30, un bar en bois et deux couleurs qui dominent : le vert pâle et le rouge vif, notamment pour les banquettes. L'impression visuelle qui s'en dégage est très agréable. L'ensemble est pimpant, clair et net, avec une âme véritable qui dénote une authenticité certaine. L'ambiance est détendue, joyeuse et bon enfant, tous âges confondus. Le midi, ce sont surtout des universitaires, des professeurs, des étudiants, des scientifiques, des journalistes (j'y ai souvent croisé Edwy Plennel du « Monde »). Le soir, plutôt des riverains qui savent tenir là le meilleur « plan » du quartier. Le service est jeune, efficace et souriant, en parfaite osmose avec la cuisine du chef, Philippe Duclos, basée avant tout sur les produits du marché (la carte varie donc très souvent), mariant habilement la tradition avec des touches personnelles, actuelles et exotiques. In fine, cela donne des assiettes « rustico-chic », à la fois charpentées, contemporaines, raffinées et imaginatives, avec un excellent rapport qualité-prix, quel que soit le menu choisi. Pour parfaire le tableau, sachez aussi que l'excellent pain est cuit et pétri maison, et que la courte carte des vins (environ 30 références) est également bien dans son époque, très accessible, avec une belle sélection de vins au pichet ou au verre. Réservez vite votre table au « Buisson Ardent » : tous les moments que j'ai moi-même passés ici restent d'excellents souvenirs, tant par la qualité des assiettes que par l'accueil, le service ou l'atmosphère.

QUELQUES EXEMPLES DE PLATS : **ravioles de Saint-Jacques, bouillon aux épices créole et julienne de courgettes / tarte fine de boudin noir aux pommes et confiture d'oignons rouges / crème brûlée au foie gras et sa petite salade / noix de Saint-Jacques d'Erquy poêlées avec julienne de légumes étuvés au cumin / pastilla de gigot d'agneau de sept-heures aux épices et fruits secs, aubergines confites / noix de ris de veau rôtie, sauce morilles et purée de pommes de terre à l'ancienne / jarret de porcelet, sauce gingembre au citron confit, poêlée de pommes de terre grenailles au shiitake / craquant de ganache au chocolat blanc et dattes / figues rôties à la cardamome et glace vanille Bourbon / terrine de pain d'épice à la mousse pralinée et fruits secs, crème anglaise à la lavande.**

POUR EN SAVOIR PLUS SUR PHILIPPE DUCLOS

S'il y a un jeune chef représentatif du courant que je désire mettre en valeur, c'est bien Philippe Duclos. Son parcours parle pour lui, je ne m'étendrai pas longuement dessus. Il commence sa carrière au « Mercure Galant » comme apprenti, puis passe trois ans à la fin des années 80 au « Lucas Carton », l'une des plus grandes tables françaises (et même peut-être la plus grande à l'époque), aux côtés d'Alain Senderens, l'un des papes de la Nouvelle Cuisine. Une expérience inoubliable pour le tout jeune Philippe, fondamentale pour toute la suite de son existence. Après son service militaire et quelques années passées comme cuisinier particulier du ministre de l'Intérieur (très enrichissantes sur le plan humain), il entre au milieu des années 90 en tant que second de cuisine chez le grand Jacques Cagna, dans une maison extrêmement réputée du 6e arrondissement. C'est indéniablement à cette époque que Philippe affine sa technique et son savoir-faire, il perfectionne ses « classiques » tout en développant sa créativité, il apprend à gérer les fournisseurs, à manager une équipe, il approfondit ses connaissances sur le monde du vin... Et c'est tout naturellement que quelques années plus tard, en 1998 précisément, Philippe ouvre, avec son frère en salle, son propre établissement, « Le Buisson Ardent », en plein cœur du 5e arrondissement. Son credo : mettre en application les leçons de grande gastronomie apprises lors de ses diverses expériences dans un endroit convivial, abordable, en utilisant les meilleurs produits du marché, mais tout en imprimant son propre style, moderne et enlevé. Le succès est aussitôt au rendez-vous, tant du côté des critiques que du public. Huit ans plus tard, même si la presse a un peu délaissé cette adresse au profit d'endroits plus banchés, il est toujours quasi impossible d'y obtenir une place à l'improviste. La clientèle est en effet toujours restée fidèle à cette table d'une régularité exemplaire, à découvrir sans tarder.

ENTRÉE_PLAT_DESSERT

TERRINE DE CONCOMBRE AU FROMAGE BLANC ET CORIANDRE

4 CONCOMBRES
1 POIVRON VERT
1 POIVRON ROUGE
50 G D'ÉCHALOTE
550 G DE FROMAGE BLANC À 40% DE MATIÈRE GRASSE
8 FEUILLES DE GÉLATINE
1 BOTTE DE CORIANDRE
SEL, POIVRE
TABASCO®

Pelez et râpez les concombres, faites-les dégorger avec un peu de gros sel dans une passoire.
Coupez le poivron en petits dés, hachez la coriandre et les échalotes.
Faites tremper les feuilles de gélatine dans l'eau froide jusqu'à ce qu'elles soient fondues, puis essorez-les.
Mélangez le concombre, les poivrons, la coriandre, les échalotes et le fromage blanc. Assaisonnez avec sel, poivre et un peu de Tabasco®.
Incorporez la gélatine à la préparation au fromage blanc et mélangez intimement.
Mettez en terrine et laissez prendre au réfrigérateur pendant au moins 4 heures. Servez frais.

ET LE CHEF A DIT

« DANS MON RESTAURANT, J'ACCOMPAGNE SOUVENT CE PLAT AVEC UN COULIS DE TOMATES. JE TROUVE QUE C'EST UNE BELLE ENTRÉE POUR L'ÉTÉ, FRAÎCHE ET LÉGÈRE, IDÉALE POUR SE METTRE EN APPÉTIT. »

PASTILLA D'AGNEAU AUX ÉPICES, AUBERGINES ET FRUITS SECS

1 ÉPAULE D'AGNEAU
8 AUBERGINES
3 OIGNONS
6 FEUILLES DE BRICK
1 TÊTE D'AIL
1 CUILLERÉE À SOUPE DE FIGUES SÉCHÉES
1 CUILLERÉE À SOUPE D'ABRICOTS SECS
1 CUILLERÉE À SOUPE DE RAISINS SECS
THYM ET ROMARIN
CANNELLE ET CURRY EN POUDRE
HUILE D'OLIVE
SEL, POIVRE

Placez au fond d'un plat du papier aluminium et posez dessus l'épaule d'agneau. Salez et poivrez, poudrez avec un peu de curry. Coupez la tête d'ail en deux ajoutez-la avec une branche de thym et arrosez d'huile d'olive. Refermez avec une autre feuille d'aluminium. L'épaule doit être bien enveloppée.
Faites cuire dans le four à 100 °C pendant 7 heures. L'épaule doit être confite.
Coupez en petits dés les aubergines et les oignons.
Faites-les cuire dans une cocotte à l'huile d'olive. Salez et poivrez. Ajoutez un peu de curry.
Une fois l'épaule confite, détachez la viande de l'os et émiettez-la.
Ajoutez les aubergines et les fruits secs, mélangez intimement.
Rectifiez l'assaisonnement et rajoutez un peu de cannelle.
Répartissez la farce sur les feuilles de brick. Formez une bourse et refermez à l'aide d'un pic en bois.
Placez les pastillas sur un plat. Faites cuire au four à 200 °C juste pour les faire colorer (5 à 8 minutes).

ET LE CHEF A DIT

« JE VOUS RECOMMANDE D'ACCOMPAGNER CE PLAT AVEC UNE PETITE SALADE. JE TROUVE QUE L'AGNEAU SE MARIE REMARQUABLEMENT AVEC CE MÉLANGE DE SAVEURS ÉPICÉES ET SUCRÉES. L'AUBERGINE LUI APPORTE UNE TOUCHE DE FINESSE SUPPLÉMENTAIRE. »

ENTRÉE _ PLAT _ **DESSERT**

CROUSTILLANT DE DATTES ET GANACHE AU CHOCOLAT BLANC

POUR LA GANACHE
225 G DE CHOCOLAT BLANC
110 G DE BEURRE
150 G DE CRÈME LIQUIDE

6 FEUILLES DE PÂTE À FILO
30 G DE BEURRE FONDU
75 G DE SUCRE GLACE
30 DATTES SÉCHÉES

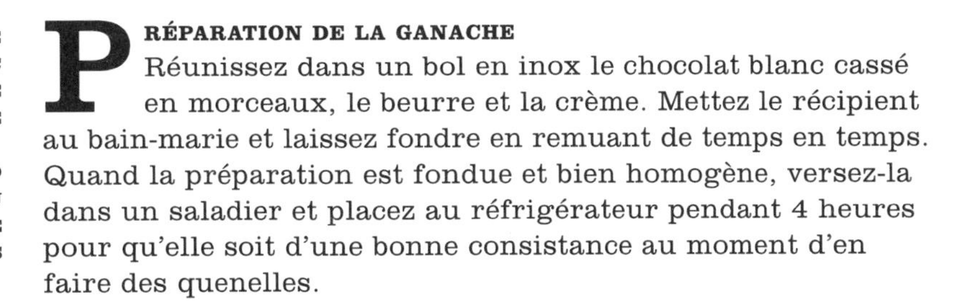

PRÉPARATION DE LA GANACHE
Réunissez dans un bol en inox le chocolat blanc cassé en morceaux, le beurre et la crème. Mettez le récipient au bain-marie et laissez fondre en remuant de temps en temps. Quand la préparation est fondue et bien homogène, versez-la dans un saladier et placez au réfrigérateur pendant 4 heures pour qu'elle soit d'une bonne consistance au moment d'en faire des quenelles.

PRÉPARATION DES CROUSTILLANTS
Faites fondre le beurre.
Disposez deux feuilles de pâte à filo dans le sens de la longueur face à soi.
Beurrez un quart de la longueur, pliez en deux, beurrez à nouveau, repliez en deux et terminez en beurrant toute la surface.
Poudrez de sucre glace et coupez en 6 morceaux égaux.
Répétez les opérations précédentes avec les deux dernières feuilles pour obtenir finalement 12 morceaux.
Enfournez pendant 4 minutes à 200 °C et laissez refroidir.

POUR SERVIR
Disposez une noisette de ganache au milieu de l'assiette, placez un croustillant dessus.
Faites une quenelle de ganache à l'aide d'une cuillère à soupe trempée dans de l'eau chaude.
Ajoutez la quenelle et cinq dattes sur le croustillant. Placez sur l'ensemble un autre croustillant. Poudrez de sucre glace.

ET LE CHEF A DIT

« UN TRÈS BEAU DESSERT OÙ SE MÊLENT LE CRAQUANT DES CROUSTILLANTS, LE MOELLEUX DES DATTES ET L'ONCTUOSITÉ DE LA GANACHE AU CHOCOLAT BLANC. »

L'ÉQUITABLE

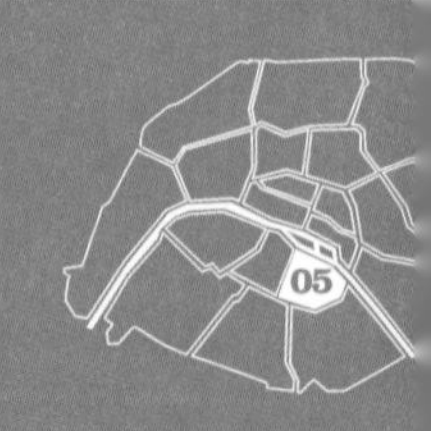

MÉTRO SAINT-MARCEL
OU CENSIER DAUBENTON
1, RUE DES FOSSÉS-SAINT-MARCEL
75 005 PARIS
01 43 31 69 20

YVES MUTIN

FERMÉ LUNDI ET MARDI MIDI

PRIX : MENU-CARTE 30,5 € SERVI MIDI ET SOIR
MENU DÉJEUNER EN SEMAINE À 22 €

En ouvrant sa table mi-bistro, mi-gastro, dans un quartier pas forcément gâté à l'époque en bonnes adresses, Yves Mutin fit sensation en 1999. Le succès fut aussitôt au rendez-vous. Pourquoi ? Parce que c'était l'une des premières tables parisiennes à proposer une cuisine de cette qualité sous forme d'un astucieux menu-carte à prix réduit. Les habitués, et ils sont nombreux, savent qu'ils tiennent ici la meilleure affaire du coin, indiscutablement. La cuisine, à la fois modeste et ambitieuse, s'appuie sur des produits remarquables, parfaitement travaillés (on sent qu'il est allé à bonne école, car les cuissons et les assaisonnements sont irréprochables). Elle propose un répertoire qui tient du rustique et du canaille, revisité au goût du jour, allégé, modernisé. La créativité est revendiquée sans complexe, avec un astucieux mélange des saveurs et des ingrédients, toujours de bon aloi. Le décor est un peu celui d'une pimpante auberge de province (ce n'est pas péjoratif), avec vieilles pierres, tomettes et poutres apparentes. Les tables bien dressées sont assez bien espacées. Mais on remarque aussi une touche de sophistication due en partie aux nombreuses toiles contemporaines accrochées aux murs. C'est en fait très agréable et chaleureux, confortable et cosy.
Passons à la carte des vins : très bien présentée, claire, équilibrée et moderne, elle permet de se faire plaisir sans trop débourser et offre par ailleurs plusieurs particularités intéressantes. D'abord une sélection importante de demi-bouteilles, ensuite la possibilité d'emporter « à la maison » une bouteille qui n'a pas été terminée à table, enfin la présence d'une douzaine de références issues de l'Agriculture Biologique.

“Une cuisine, à la fois modeste et ambitieuse.”

Vus les tarifs pratiqués, vous penserez peut-être que l'accueil et le service sont ceux d'un bistro : détrompez-vous. À « L'Equitable », vous avez droit à un véritable service de belle maison, détendu, sympathique, d'une extrême gentillesse, mais très professionnel et efficace. En conclusion, une jolie petite adresse de quartier. On en parle peu, elle n'est pas très « fashion », mais plus que recommandable, dans le registre « bistronomique » qui nous intéresse, avec l'un des meilleurs rapports qualité + confort + service / prix de notre sélection.

QUELQUES EXEMPLES DE PLATS : mille-feuille d'aubergine au poivron rouge et feta à la chair de tourteau / langoustines rôties, purée de topinambour, vinaigrette de xères aux aromates / barigoule d'artichauts, crème de mascarpone à la cuillère, parmesan et bouquet de roquette / jarret de veau en pot-au-feu à la crème de cerfeuil / magret de canard en croûte de coriandre, semoule parfumée au genièvre et à l'orange / croustillant de pied de porc à la fourme d'Ambert / filet de dorade, rattes rôties à la tapenade et anchois de Collioure / filet de carrelet en feuille de bananier retour des îles Bourbon / sandre aux asperges vertes mousseline au vin jaune / douceur chocolat à la crème brûlée au safran / glace au miel de châtaignes et tuile craquante au pamplemousse / arlettes et pommes caramélisées au beurre salé, mousse de chocolat noir / mille-feuille de pain d'épices, sorbet orange, confiture de lait.

POUR EN SAVOIR PLUS SUR YVES MUTIN

Yves naît dans les Vosges au début des années 60. Très vite, ses parents et lui déménagent dans un village de Bourgogne, non loin de Dijon. Dès l'âge de 11 ans, Yves passe toutes ses vacances dans le restaurant de ses grands-parents. Il prend vite conscience qu'il est fait pour ce métier et qu'il possède un talent certain derrière les fourneaux. Il entre donc dès 15 ans à l'école hôtelière et obtient son CAP à l'âge de 18 ans. Il décide alors immédiatement de tenter l'aventure à Paris. À partir de 1980, il se perfectionne ainsi dans de nombreuses belles adresses comme « L'Ambassade d'Auvergne » ou « Le Vert Galant ». Mais il convient que c'est avant tout au « Jules Verne », le célèbre et prestigieux restaurant du 2e étage de la Tour Eiffel qu'il affine son savoir-faire, apprend à sélectionner les produits, à imaginer de nouveaux accords. Cette dernière expérience est celle qui l'aura le plus marqué et le plus enrichi. À la fin des années 90, il se considère comme prêt pour faire le grand saut : ouvrir son propre établissement. Il rachète une adresse sur le déclin, effectue quelques travaux pour rafraîchir l'endroit et ouvre en septembre 1999 sous l'enseigne « L'Équitable ». Il est alors l'un des premiers à Paris à proposer un menu-carte de qualité à prix attractif, dans un registre « rustico-chic », tout en fournissant des prestations (accueil, service, confort) d'un très bon niveau. Je vous encourage vivement à aller lui rendre visite. C'est une adresse en tout point irréprochable, avec à sa tête un véritable professionnel, un homme discret mais attachant, sérieux et honnête, et qui a su fédérer autour de lui une équipe fidèle, tant en cuisine qu'en salle.

ENTRÉE _PLAT _DESSERT

ŒUFS COCOTTE À LA CRÈME DE MOUSSERONS ET MOUILLETTES DE FOIE GRAS

12 ŒUFS FRAIS MOYENS
40 G D'ÉCHALOTES ÉMINCÉES
100 G DE CHAMPIGNONS MOUSSERONS
20 CL DE FOND BLANC
20 CL DE CRÈME LIQUIDE
80 G DE BEURRE
6 TRANCHES DE PAIN DE CAMPAGNE
180 G DE FOIE GRAS MI-CUIT
SEL ET POIVRE DU MOULIN

POUR LES MOUILLETTES DE FOIE GRAS
Toastez les tranches de pain de campagne, tartinez-les de foie gras, puis coupez-les en bâtonnets.

POUR LA SAUCE
Dans une casserole, faites suer les échalotes au beurre sans coloration. Ajoutez les champignons, salez, poivrez et faites cuire 2 minutes.
Mouillez avec le fond blanc et laissez réduire d'un tiers.
Ajoutez la crème et laissez mijoter 5 minutes.
Passez au mixeur, goûtez et rectifiez l'assaisonnement.

POUR LES ŒUFS COCOTTE
Beurrez 6 ramequins et assaisonnez-les de sel et de poivre.
Cassez 2 œufs par ramequin.
Répartissez la crème de mousseron par-dessus.
Faites cuire au bain-marie au four pendant 10 minutes à 60 °C.
Servez aussitôt

ET LE CHEF A DIT

« CETTE ENTRÉE EST DÉLICIEUSEMENT RÉGRESSIVE. QUI N' A PAS TREMPÉ SON BOUT DE PAIN DANS L'ŒUF ÉTANT PETIT ? »

ENTRÉE_ **PLAT** _DESSERT

ROGNONS DE VEAU À LA MOUTARDE ET AUX ENDIVES

3 ROGNONS DE VEAU ENTIERS
9 PETITES ENDIVES
4 ÉCHALOTES ÉPLUCHÉES ET ÉMINCÉES
3 CUILLERÉES À SOUPE D'HUILE D'ARACHIDE
120 G DE BEURRE
1 CITRON
500 G DE FOND DE VEAU
10 CL DE VIN BLANC
50 G DE MOUTARDE DE MEAUX
SEL FIN ET POIVRE DU MOULIN

ET LE CHEF A DIT

« CHOISISSEZ DE PRÉFÉRENCE DES ROGNONS PAS TROP GROS ET SURTOUT CLAIRS. DEMANDEZ À VOTRE BOUCHER DE LES DÉGRAISSER À L'INTÉRIEUR TOUT EN LAISSANT UNE FINE PELLICULE DE GRAS À L'EXTÉRIEUR. LE GRAS NOURRIT ET ÉVITE QUE LE ROGNON NE SE DESSÈCHE DURANT LA CUISSON. »

POUR LES ENDIVES

Lavez les endives, rangez-les côte à côte dans une marmite. Salez et ajoutez 30 g de beurre en petits morceaux. Ajoutez le jus d'un demi-citron et laissez cuire à couvert environ 15 minutes à petit feu.
Égouttez les endives en les pressant légèrement pour en extraire l'eau de cuisson.
Faites mousser dans une poêle 50 g de beurre et ajoutez les endives coupées en deux dans le sens de la longueur. Salez, poivrez et faites colorer sur les deux faces.

POUR LA SAUCE

Faites suer les échalotes avec le reste du beurre (40 g).
Déglacez avec le vin blanc et faites réduire de moitié.
Ajoutez le fond de veau et laissez cuire doucement pendant 15 minutes.
Passez au chinois et incorporez la moutarde.

POUR LES ROGNONS

Assaisonnez les rognons de sel et de poivre.
Saisissez-les dans une cocotte à fond épais dans de l'huile d'arachide fumante.
Dorez les rognons sur toute les faces et mettez-les au four à 200 °C pendant 10 minutes. Mettez-les ensuite dans un plat et laissez reposer pendant 5 minutes.

POUR SERVIR

Rangez les endives sur le plat de service. Émincez les rognons. Disposez-les à côté des endives et nappez de sauce.

ENTRÉE_PLAT_DESSERT

GARIGUETTES RÔTIES ET SORBET FRAISE, JUS CARAMÉLISÉ AU VINAIGRE BALSAMIQUE

1 KG DE FRAISES GARIGUETTES
6 CL DE VINAIGRE BALSAMIQUE DE MODÈNE
30 G DE BEURRE DOUX
30 G DE BEURRE DEMI-SEL
100 G DE SUCRE EN POUDRE
120 G DE CRÈME LIQUIDE
20 G DE PISTACHES ÉMONDÉES (HACHÉES GROSSIÈREMENT AU COUTEAU)
6 BOULES DE SORBET À LA FRAISE
POIVRE NOIR DU MOULIN

POUR LE CARAMEL
Portez à ébullition la crème liquide avec 4 cl d'eau.
Dans une casserole sur feu doux, faites fondre le sucre à sec, petit à petit et laissez caraméliser.
Retirez du feu et ajoutez le beurre demi-sel en remuant avec un fouet puis incorporez progressivement la crème liquide.
Réservez.

POUR LES FRAISES
Faites fondre le beurre doux dans une poêle.
Ajoutez les fraises et faites-les rôtir pendant environ 1 minute.
Donnez un tour de moulin à poivre.
En les manipulant délicatement, déglacez avec le vinaigre balsamique.
Ajoutez le caramel, puis retirez la poêle du feu.

POUR SERVIR
Placez une boule de sorbet au centre de chaque assiette.
Disposez les fraises tout autour et nappez de sauce. Décorez avec les pistaches.

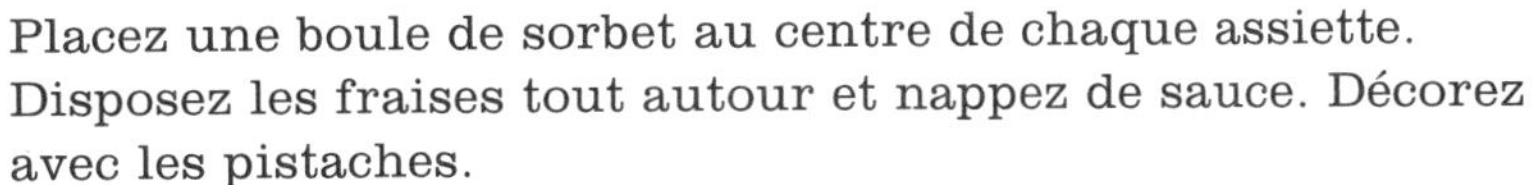

ET LE CHEF A DIT

« N'ÉQUEUTEZ PAS LES FRAISES, ELLES GARDERONT AINSI UNE MEILLEURE TENUE À LA CUISSON. LE VINAIGRE BALSAMIQUE DE MODÈNE (ISSU D'UNE SÉLECTION DE RAISINS DE QUALITÉ VIEILLIS EN FÛTS DE CHÊNE, CHÂTAIGNIER ET MÛRIER) POSSÈDE UN ARÔME TRÈS PARTICULIER. IL EST TRÈS CONCENTRÉ, UN PEU SIRUPEUX, TRÈS DOUX SANS ÊTRE TROP SUCRÉ. IL EST PARFAIT POUR ACCOMPAGNER LES FRAISES CHAUDES, QUE JE VOUS CONSEILLE DE CROQUER AVEC LES DOIGTS. C'EST UN PUR RÉGAL ! »

L'ESTRAPADE

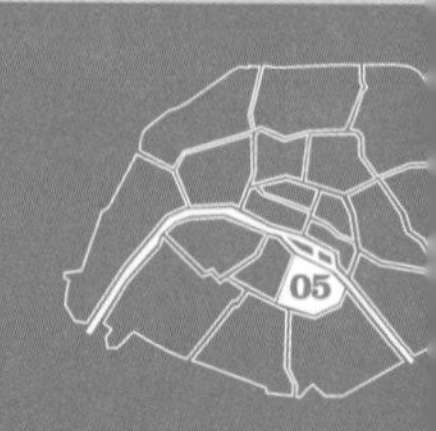

MÉTRO PLACE MONGE
15, RUE DE L'ESTRAPADE
75 005 PARIS
01 43 25 72 58

FRÉDÉRIC CHALETTE

FERMÉ SAMEDI, DIMANCHE

PRIX : MENU À 28 €

Le quartier Panthéon-Mouffetard est sans doute l'un des plus beaux de Paris. En revanche, si les mauvais restaurants y pullulent, les bonnes tables, malheureusement, y sont nettement plus rares. La meilleure adresse de tout le 5e arrondissement est, selon moi, indiscutablement « La Truffière », mais elle joue dans une catégorie clairement « gastronomique », à la fois pour l'accueil, le cadre, le service, les assiettes, la carte des vins et… les prix. Cette magnifique table est donc hors-compétition pour le propos qui nous occupe. Mais à quelques dizaines de mètres de là, vous trouverez un endroit plus discret, à la devanture toute mignonne (jolie collection de carafes en vitrine), qui a pour nom « L'Estrapade ». Il s'agit de la maison de monsieur et madame Chalette, un couple charmant installé ici depuis 2002 pour le plus grand bonheur des riverains. Vous y trouverez, comme on dit, « Monsieur en cuisine et Madame en salle », et cela suffit à régaler la vingtaine de convives qui ont pris place autour des jolies tables en bois. Madame Chalette, seule en salle donc, sympathique, enjouée, et très professionnelle, est aux petits soins avec tous ses clients, quels qu'ils soient. L'accueil et le service sont particulièrement réussis. Le cadre ? On a l'impression que rien pratiquement n'a bougé depuis les années 50. C'est un minuscule bistro de « grand-mère », avec un vieux carrelage au sol, de beaux miroirs, des photos encadrées ou des tableaux aux murs, quelques carafes en décor et des tentures rouges. On se sent ici comme dans un écrin préservé. De plus, même si c'est tout petit, les tables ne sont pas trop rapprochées et l'on peut éviter le coude à coude, ce qui ajoute au confort. Parlons de Monsieur maintenant : seul dans son petit local, il mitonne des plats

> "La sincérité, la curiosité et la générosité."

bistrotiers typiques, une cuisine de ménage à peine revisitée. Tout ce qu'il réalise est frais, varié (l'ardoise change très souvent, au gré du marché et de ses envies), à base de très bons produits. Sa cuisine n'est pas très sophistiquée, mais elle est précise et rigoureuse, techniquement irréprochable, très séduisante par sa qualité et sa générosité dans les goûts et les portions. Cette excellente cuisine traditionnelle est facturée à un tarif d'une douceur inouïe. Surtout si l'on tient compte du fait que, dans l'écrasante majorité des restaurants aux alentours, pour le même prix ou presque, on vous sert un œuf mayonnaise, du navarin d'agneau (réchauffé au micro-ondes) et un dessert qui sort du congélateur. Enfin, la carte des vins est un autre atout indéniable de cette séduisante adresse : elle est courte (une quarantaine de références) et sélectionne des vins de très bons vignerons (en majorité des amis du Sud de la France du chef), avec pertinence et talent, et à des prix tout aussi sages. « L'Estrapade » est un véritable petit bijou, un peu planqué, c'est vrai, mais dont les habitués gardent jalousement l'adresse rien que pour eux. Un endroit un brin nostalgique, mais tout sauf ringard, chargé de bonnes ondes. Comme quoi, même dans un registre « ménager », il est possible de trouver un établissement « dans le coup ». Ce qui compte, finalement, c'est la fidélité à ce que l'on est, le refus de la routine, l'intérêt porté aux fournisseurs et aux vignerons, l'attention portée à la clientèle. Bref, la sincérité, la curiosité et la générosité.

QUELQUES EXEMPLES DE PLATS : **crème de céleri et lard paysan grillé / salade de lentilles aux magrets fumés, vinaigrette à l'huile de truffes / terrine de lapereau et foie gras aux fèves / rémoulade de tourteau et pommes granny smith / civet de marcassin à l'ancienne / éventail de bœuf grillé, beurre rouge / rougets entiers poêlés, sauce vierge / crème renversée à la châtaigne / faisselle fermière et miel des Vosges / riz au lait à la marmelade de mirabelles / gâteau aux épices et crème anglaise à l'orange.**

SUR COMMANDE OU À EMPORTER : **choucroute, potée lorraine, baeckeoffe alsacien, cassoulet, poule au pot.**

POUR EN SAVOIR PLUS SUR FRÉDÉRIC CHALETTE

Bistrot
L'estrapade
« cuisine traditionnelle »
Fermé Samedi - Dimanche
15, rue de l'Estrapade
75005 Paris
Tel : 01 43 25 72 58
(M) Cardinal Lemoine ou Monge

Frédéric Chalette naît il y a un peu plus de quarante ans en Alsace-Lorraine, dans une grande famille d'agriculteurs. Après la 3e, il entre dans un lycée agricole, espérant poursuivre des études d'agronomie. Mais comme il l'avoue aujourd'hui : « Ça ne l'a pas fait... » Conscient qu'il s'est trompé de voie, il décide de se tourner vers sa grande passion : la cuisine. Car le petit Frédéric a toujours aimé cela, habitué qu'il est à aider ses parents et ses grands-parents derrière les fourneaux lors des grands repas du dimanche. Il intègre donc une école hôtelière et obtient sans problème son CAP. Commence alors un parcours parsemé de fort jolies tables, à la fois au Luxembourg et en Belgique. C'est durant ces années que Frédéric parfait son tour de main et précise sa technique en cuisine. Il rentre en France à la fin des années 80 et parcourt le Sud, d'Ouest (la Dordogne) en Est (Marseille). Quelques années passent et Frédéric change alors complètement de cap : il déménage à Paris pour devenir directeur d'exploitation d'un groupe d'hospitalisation privée. Cette expérience enrichissante lui permet de découvrir l'envers du décor, d'approcher les fournisseurs, d'apprendre à gérer une affaire, du personnel. Surtout, c'est à cette époque et dans le cadre de cette activité qu'il rencontre celle qui est alors assistante de chirurgien, et qui devient son épouse. Bien vite, l'envie d'ouvrir un restaurant avec sa femme le tente énormément : il pense être assez mûr pour cela, certain de son savoir-faire et rassuré dans sa capacité à diriger une affaire. Le projet évolue petit à petit pour finalement aboutir en 2002, lorsque les deux époux tombent sous le charme de cette minuscule adresse proche du Panthéon, alors en vente. C'est pour eux un véritable coup de cœur, et on peut les comprendre tant cet endroit possède du cachet. Ils s'installent rapidement, retouchent le décor, jettent les four à micro-ondes et les barquettes de congélation (vous aurez compris qu'avant eux, ici, c'était un pur attrape-touristes) et deviennent en quelques semaines une référence dans le quartier en proposant sur ardoise une cuisine du marché, instinctive, décidée en fonction des achats effectués tous les jours par Frédéric. Dans un quartier pauvre en bonnes tables peu onéreuses, ce restaurant est une véritable aubaine. C'est très bon, pas cher, chaleureux, accueillant. Mme Chalette est vraiment d'une immense gentillesse et d'une prévenance remarquable : son ancien métier n'y est sans doute pas pour rien. Le but qu'ils s'étaient fixé est largement atteint : créer un lieu de vie, un lieu d'échanges, avec ce supplément d'âme qui fait défaut à tant d'adresses. De nombreux clients sont ainsi devenus leurs amis, les gens se parlent de table en table, se conseillent tel plat ou tel vin, commandent trois jours à l'avance le baeckeoffe (très rare à Paris), viennent chercher leur choucroute (remarquable) à emporter. On a vraiment l'impression que les sympathiques époux Chalette reçoivent comme à la maison. Un repas chez eux est toujours un excellent moment qui respire le bonheur. Certes les assiettes ne sont pas d'une folle originalité : c'est simplement de l'excellente cuisine ménagère, très savoureuse, réalisée avec beaucoup de passion, de savoir-faire et de talent. N'hésitez pas à leur rendre visite et, en attendant, essayez les recettes que Frédéric vous confie gentiment (exceptionnellement, une entrée et deux plats).

ENTRÉE_PLAT_DESSERT

PÂTÉ LORRAIN EN CROÛTE

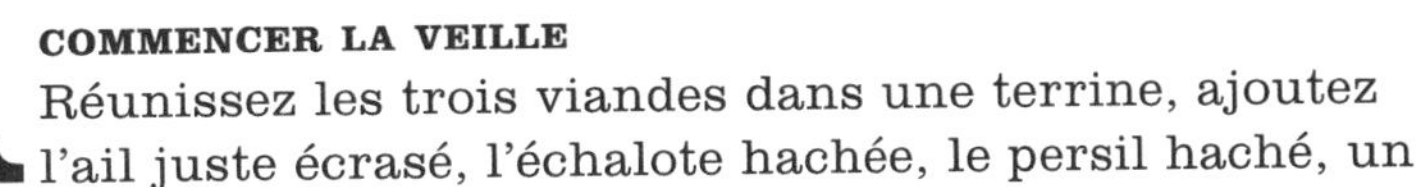

250 G D'ÉCHINE DE PORC SANS OS DÉTAILLÉE EN CUBES
250 G DE NOIX DE VEAU DÉTAILLÉE EN CUBES
250 G DE RÂBLE DE LAPIN DÉTAILLÉ EN CUBES
2 ÉCHALOTES
1 GOUSSE D'AIL
3 CUILLÈRES À SOUPE DE PERSIL HACHÉ
THYM ET LAURIER
1 VERRE DE VIN BLANC SEC
1 PETIT VERRE DE D'EAU DE VIE DE MIRABELLE
500 G DE PÂTE FEUILLETÉE
1 JAUNE D'ŒUF
SEL, POIVRE

À COMMENCER LA VEILLE
Réunissez les trois viandes dans une terrine, ajoutez l'ail juste écrasé, l'échalote hachée, le persil haché, un brin de thym, 2 feuilles de laurier, le vin blanc et la mirabelle, salez et poivrez. Mélangez, couvrez et laissez mariner au frais jusqu'au lendemain.

LE JOUR DU SERVICE
Étalez les deux tiers de la pâte pour obtenir un rectangle d'environ 40 cm sur 20 cm. Badigeonnez le pourtour avec du jaune d'œuf.
Égouttez les viandes et placez-les au centre du rectangle. Laissez 5 à 6 cm de pâte libre tout autour, puis rabattez la pâte sur la farce.
Étalez le tiers de pâte restant, dorez les bords au jaune d'œuf et placez cette abaisse sur la farce pour former le couvercle du pâté ; soudez soigneusement tout le tour en pinçant les deux épaisseurs de pâte.
Disposez une cheminée en carton ou une douille sur le dessus du couvercle, au milieu du pâté.
Faites cuire dans le four à 200 °C pendant 45-60 minutes.
Servez très chaud dès la sortie du four avec une salade verte.

ET LE CHEF A DIT

« CE PLAT EST À JAMAIS ASSOCIÉ AU DÉBUT DES REPAS DU DIMANCHE MIDI DANS MA RÉGION NATALE. »

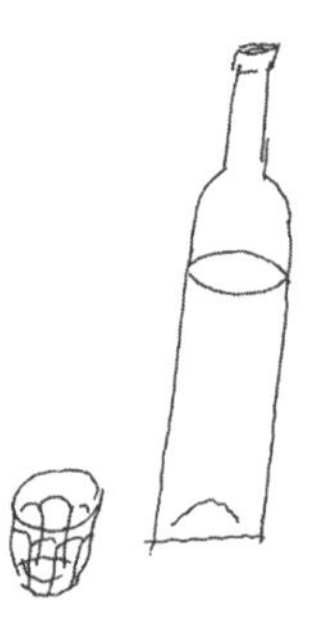

CRÉPINETTES DE PIEDS DE COCHON, JUS AU PERSIL PLAT

1 POIREAU
1 CAROTTE
3 BRANCHES DE CÉLERI
1 BOUQUET GARNI
1 OIGNON PIQUÉ DE 2 CLOUS DE GIROFLE
20 CL VIN BLANC SEC
6 PIEDS DE COCHON
225 G DE CHAIR DE VEAU HACHÉ
UNE GRANDE CRÉPINE
150 G DE BEURRE
1 BOTTE DE PERSIL PLAT
1 PETIT VERRE DE MADÈRE
SEL ET POIVRE

À COMMENCER LA VEILLE

Lavez et émincez le poireau, la carotte et les branches de céleri.
Remplissez un faitout d'eau froide, mettez-y les légumes, les pieds de cochon, l'oignon clouté, le bouquet garni et le vin blanc ; portez à ébullition.
Faites cuire à petits bouillons pendant environ 4 heures en écumant de temps en temps.
Laissez refroidir dans le bouillon toute une nuit.

LE JOUR DU SERVICE

Désossez les pieds de cochon et hachez grossièrement la chair obtenue.
Mélangez ce hachis avec la viande de veau et un tiers du persil haché. Salez et poivrez.
Rincez et essorez la crépine, posez-la à plat sur le plan de travail. Partagez la farce en six portions et emballez-les séparément dans des morceaux de crépine.
Poêlez les crépinettes dans une poêle anti-adhésive avec une noix de beurre.
Faites bouillir fortement le bouillon de cuisson pour le faire réduire, ajoutez le madère et le reste du persil haché, puis incorporez le beurre froid en parcelles en fouettant régulièrement.
Déposez une crépinette au centre de chaque assiette chaude et nappez de sauce.

ET LE CHEF A DIT

« C'EST UN PUR PLAT "CANAILLE" COMME JE LES ADORE, QUE VOUS POUVEZ ACCOMPAGNER D'UNE CHICORÉE FRISÉE AROMATISÉE À L'HUILE DE TRUFFE. »

ENTRÉE_ **PLAT** _DESSERT

POITRINE DE VEAU CONFITE AU ROMARIN, JUS AU MIEL

1,2 KG DE POITRINE DE VEAU DÉSOSSÉE
3 BRANCHES DE ROMARIN
7 BRINS DE CIBOULETTE
7 BRINS DE PERSIL PLAT
3 BANCHES D'ESTRAGON
60 CL DE FOND DE VEAU
2 CUILLERÉES À SOUPE DE MIEL
SEL, POIVRE

ET LE CHEF A DIT

« C'EST VÉRITABLEMENT UN TRÈS BON PLAT AU MOMENT DU PRINTEMPS, QUE VOUS POUVEZ ACCOMPAGNER IDÉALEMENT D'UNE RATATOUILLE DE LÉGUMES. »

Préchauffez le four à 140 °C.
Étalez la viande à plat sur le plan de travail, salez et poivrez ; posez par-dessus les branches de romarin.
Roulez la viande hermétiquement dans du papier aluminium en enfermant le romarin.
Mettez au four dans un plat avec un peu d'eau pendant 6 heures.
Rajoutez si besoin un peu d'eau en cours de cuisson.
Lorsque la poitrine est cuite, retirez le papier aluminium qui l'entoure et laissez reposer 10 minutes.
Portez le fond de veau à ébullition, ajoutez le miel et la moitié des fines herbes hachées. Goûtez et rectifiez l'assaisonnement.
Tranchez la poitrine. Disposez deux tranches dans chacune des assiettes chaudes, nappez de la sauce au miel et aux fines herbes et parsemez avec le reste des fines herbes ciselées.

LES PAPILLES

RER LUXEMBOURG
30, RUE GAY-LUSSAC
75 005 PARIS
01 43 25 20 79

BERTRAND BLUY

FERMÉ DIMANCHE

PRIX : MENU UNIQUE (ENTRÉE DU JOUR + PLAT DU JOUR + FROMAGE DU JOUR + DESSERT DU JOUR) À 28,5 €

05

Splendide ! C'est le qualificatif qui m'est venu immédiatement à l'esprit la première fois que je suis rentré ici. Oui, vraiment splendide, ce décor : un restaurant-cave-épicerie fine où le bois domine, pimpant de fraîcheur, avec des couleurs vives, des jolies photos de paysage, des tableaux contemporains, un magnifique bar. Et puis les produits mis en vente, tous de grande qualité, qui font partie intégrante du décor : outre les bouteilles de vin dans leurs jolis casiers, vous pourrez acheter et emporter en vrac de l'eau-de-vie, du thon, des sardines, de l'huile d'olive, des terrines, de la charcuterie, des confits, du foie gras, du sel, des jus de fruits, des confitures, des caramels. Voilà pour le cadre, un peu à l'ancienne, mais d'un bon goût absolu. Je reviens un instant sur le vin. Ici, pas de carte : chacun se lève et vient choisir directement sa bouteille parmi les quelques centaines de flacons disponibles, pour un simple droit de bouchon de 6 €. Et je peux vous assurer que vous pourrez y dénicher des choses admirables (surtout dans le Sud) sans trop bourse délier et saisir ainsi l'occasion de déguster de belles bouteilles sans vous ruiner. Cette cave est une vraie caverne d'Ali Baba... Le propriétaire des lieux, Bertrand Bluy, n'a pas son pareil pour vous accueillir avec chaleur et simplicité en vous expliquant le fonctionnement de la maison : le soir, c'est menu unique imposé (entrée, plat, fromage ET dessert!), qui change tous les jours au gré de la saison et du marché. Comme Bertrand le dit si bien : « Quand on va dîner chez des amis, on ne choisit pas ce que l'on va manger... ». Faites-lui confiance les yeux fermés et n'ayez aucune inquiétude : tous les repas sans exception que j'ai pris ici ont été irréprochables, dans un registre bistrotier largement amélioré, avec des assiettes nettes et percutantes, de l'entrée au dessert. Sachez également que la plupart des produits travaillés ici proviennent des mêmes fournisseurs que ceux de la très grande maison « Taillevent » (le patron y travaillait en cuisine avant de s'installer ici), sauf que, là-bas, c'est cinq fois plus cher. On a finalement là affaire à une adresse d'une grande cohérence, où tout se tient : l'épicerie de qualité, les vins magnifiques, les assiettes pleines d'allant, l'accueil et le service d'une gentillesse toute provinciale, le beau décor, l'ambiance de copains, les prix doux... Tout est parfait, juste, bien dans l'époque. Une très belle réussite, parfaite illustration de notre propos « bistronomique ».

"Tout est parfait, juste, bien dans l'époque."

QUELQUES EXEMPLES DE PLATS : **bisque de homard servie froide, croûtons de pain rissolés, ciboulette, crème de mascarpone au piment d'Espelette / lomo de thon rôti aux quatre épices, sésame grillé et mélange de salades / poitrine de porc braisée en cocotte, penne au jus, tomates fraîches et olives et son jus au vin rouge et aux échalotes / chèvre frais, croûtons, tapenade, mélange de salade / suprême d'agrumes en gelée de campari et crème battue aux zestes / capuccino au chocolat « pur Caraïbes » et crémeux au café.**

POUR EN SAVOIR PLUS SUR BERTRAND BLUY

LES PAPILLES Paris

Bertrand Bluy, c'est avant tout un physique : un grand gaillard de 33 ans, de prime abord un peu rugueux, avec chemise ouverte, chaîne en or, teint halé, et un pur accent du Sud-Ouest comme je l'aime. Ses passions ? Le rugby, les amis, les fêtes, le bon vin et la bonne bouffe. Son parcours ? Après avoir fait l'ouverture de l'établissement de Marc Veyrat à Annecy, il rejoint rapidement la maison Troisgros à Roanne, pour ensuite faire la rencontre de sa vie : elle a lieu à Carcassonne, au sein du plus bel établissement de la ville (« La Barbacane »), avec Michel Del Burgo. Fidèle, Bertrand suit ce grand chef lorsque celui-ci monte à Paris pour prendre en main les cuisines du palace « Le Bristol », puis quelques années plus tard lorsque Michel Del Burgo devient le chef de l'une des plus célèbres institutions parisiennes : « Taillevent ». Bref, comme vous pouvez le constater, Bertrand Bluy possède un CV en or massif, parsemé d'étoiles… Mais il commence légèrement à se fatiguer de cette vie de « grande maison ». Et puis, il passe de nombreux week-ends avec ses amis Yves Camdeborde (le fondateur de « La Régalade »), Thierry Faucher (« L'Os à moelle » dans le 15e), Sylvain Jego (« L'Ami Jean » dans le 7e), Thierry Breton (« Chez Michel » dans le 10e), tous « à leur compte ». L'envie d'ouvrir son adresse le titille de plus en plus. Il franchit le pas en 2003, en rachetant ce qui n'était alors qu'une simple épicerie, pour en faire un lieu qui lui ressemble, pour se faire plaisir, de façon un peu égoïste. Il y effectue d'importants travaux, installe notamment en sous-sol une table d'hôtes et un écran géant (pour les retransmissions des matchs de rugby), et il ouvre au printemps 2004 l'endroit qu'il avait en tête : un restaurant-cave-épicerie fine. Le succès est immédiat. Ce qui compte le plus à ses yeux, c'est bien sûr que l'on mange (très) bien chez lui, mais avant tout que son établissement ait une âme, qu'il s'y passe quelque chose. Croyez-le, c'est exactement le cas.

ENTRÉE _PLAT _DESSERT

VELOUTÉ DE PETITS POIS FRAIS À LA MENTHE FRAÎCHE

200 G DE PETITS POIS FRAIS
2 OIGNONS
1 CAROTTE DE TAILLE MOYENNE
25 G DE BEURRE
1 BRIN DE THYM
1 BRANCHE DE LAURIER
1 BOTTE DE MENTHE

Émincez la carotte et les oignons.
Faites-les revenir au beurre dans une casserole sans coloration.
Ajoutez le thym et le laurier, puis les petits pois. Mélangez intimement.
Ajoutez 1,5 litre d'eau et laissez cuire 45 minutes à faible ébullition.
Mixez puis passez au chinois.
Ajoutez les feuilles de menthe à chaud et mixez à nouveau.

ET LE CHEF A DIT

« CETTE ENTRÉE PEUT ÊTRE SERVIE FROIDE OU CHAUDE. JE VOUS CONSEILLE DE LA PRÉSENTER COMME UN CAPPUCCINO, AVEC UNE CRÈME MONTÉE AU FOND DE L'ASSIETTE AVANT D'Y VERSER LE VELOUTÉ. »

ENTRÉE_ PLAT _DESSERT

CARRÉ D'AGNEAU À LA PROVENÇALE

900 G DE CARRÉ D'AGNEAU
3 COURGETTES
2 AUBERGINES
1 FENOUIL
1 POIVRON ROUGE
1 POIVRON VERT
2 POIVRONS JAUNES
6 TOMATES RONDES
2 OIGNONS
1 TÊTE D'AIL
1 BOTTE DE BASILIC
THYM ET LAURIER
8 CL D'HUILE D'ARACHIDE
SEL ET POIVRE

ET LE CHEF A DIT

« POUR LA PRÉSENTATION, JE VOUS CONSEILLE DE DRESSER LES CARRÉS ENTIERS AVEC 3 CÔTES PAR PERSONNE. »

Faites colorer le carré d'agneau dans une cocotte sur feu vif avec un filet d'huile d'olive en le retournant souvent, puis laissez reposer.
Coupez en quatre dans le sens de la longueur les courgettes, les aubergines et le fenouil ; émincez-les.
Coupez les tomates en quatre et coupez-les en rondelles.
Épépinez les poivrons et émincez-les.
Émincez les oignons et l'ail.
Faites revenir dans l'huile d'olive l'oignon et l'ail sans coloration. Ajoutez le fenouil et remuez pendant 2 minutes.
Ajoutez les courgettes et les aubergines, faites cuire aux trois quarts, puis ajoutez les tomates, le thym et le laurier ; couvrez et laissez mijoter doucement.
Mettez le carré d'agneau au four à 160 °C pendant 16 minutes.
Émincez le basilic.
Sortez le carré du four et découpez-le par côtes.
Stoppez la cuisson des légumes, retirez le thym et le laurier ; ajoutez le basilic. Servez le carré d'agneau garni de sa « provençale ».

ENTRÉE_PLAT_DESSERT

GELÉE D'AGRUMES AU CAMPARI®

8 ORANGES
8 PAMPLEMOUSSES
50 CL DE JUS D'ORANGE FRAÎCHEMENT PRESSÉ
20 CL DE CAMPARI®
50 G DE SUCRE
7 FEUILLES DE GÉLATINE
20 CL DE CRÈME FLEURETTE

Pelez les agrumes et dégagez les quartiers, pelez-les et réservez-les dans le réfrigérateur. Taillez quelques zestes en fines languettes et faites-les bouillir.
Mettez les feuilles de gélatine à tremper dans l'eau froide.
Dans une casserole, réunissez le sucre, le jus d'orange et le Campari®. Faites chauffer sur feu vif en fouettant régulièrement.
Dès que le mélange se met à bouillir, incorporez les feuilles de gélatine bien essorées et fouettez vivement sur le feu.
Répartissez les quartiers d'agrumes dans de grands verres à pied et versez par-dessus les trois quarts du mélange précédent. Mettez au frais.
Au moment de servir, fouettez vivement le quart du mélange au Campari® avec la crème et nappez le dessus des verres.
Ajoutez les zestes d'agrumes pour le décor.

ET LE CHEF A DIT

« EVENTUELLEMENT, EN SAISON, VOUS POUVEZ REMPLACER LES AGRUMES PAR DES FRUITS ROUGES. DANS CE CAS, UTILISEZ À LA PLACE DU CAMPARI® UNE LIQUEUR DE FRUITS ROUGES (CRÈME DE CASSIS OU DE MYRTILLES). »

LE PRÉ VERRE

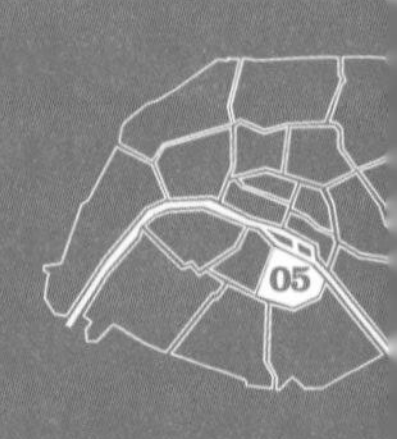

MÉTRO MAUBERT MUTUALITÉ
8, RUE THENARD
75 005 PARIS
01 43 54 59 47

PHILIPPE DELACOURCELLE

FERMÉ DIMANCHE ET LUNDI

PRIX : MENU-CARTE À 25,5 € SERVI MIDI ET SOIR

En plein cœur du Quartier Latin, l'ouverture de cette table fut sans nul doute l'un des événements de l'année 2003 dans l'arrondissement, et même dans la capitale. Je me souviens de ma première visite ici, deux ou trois jours plus tard : nous étions à peine une dizaine de clients déjà au courant de la nouveauté. Certes, dans ces conditions, je fus choyé, chouchouté même, ce qui n'est jamais désagréable, mais je ne pouvais m'empêcher d'être déçu pour l'équipe en voyant cette jolie salle désespérément vide. Car la « claque » que je pris ce soir là est restée dans ma mémoire. Quelques semaines plus tard, en passant dans le quartier, je fis un petit détour par la rue Thenard : j'étais rassuré, c'était plein à craquer, les gens qui tentaient d'entrer sans avoir réservé ressortaient penauds. Le bouche à oreille avait fonctionné, quelques articles élogieux et mérités avaient fait le reste. Depuis plus de trois ans maintenant, le succès ne se dément pas. Impossible d'arriver ici à l'improviste. De plus, je tiens à le souligner, de tous les établissements présents dans ce livre, « Le Pré Verre » est sans nul doute celui qui attire le plus de jeunes, voire de très jeunes (même si les retraités du quartier le fréquentent également). Quelles sont donc les raisons de ce triomphe ? D'abord un cadre de néo-bistro, dans les tons rouges et noirs, assez épuré mais très réussi. Impossible de ne pas voir l'énorme horloge de style baroque, les nombreuses ardoises et les pochettes de 33 tours de jazz qui tapissent les murs. Ensuite une ambiance décontractée, agitée (voire bruyante) où se mélangent dans un formidable brassage les conversations animées d'une clientèle hétéroclite, de tous âges, de toutes nationalités, de toutes origines. Avec en fond sonore, une excellente musique de jazz ou de blues. Jeune et enthousiaste, l'équipe de salle, dirigée par Marc, le frère du chef, commente avec verve la cuisine réalisée par le talentueux Philippe Delacourcelle. Celui-ci fut l'un des premiers chefs français (voire le premier) à oser incorporer des épices asiatiques et orientales dans la cuisine française. C'était à l' époque au « Clos Morillons », table gastronomique ouverte dans le 15e arrondissement en 1984 à son retour d'Asie, où il était parti durant plusieurs années après avoir été formé chez le regretté Bernard Loiseau. Désormais installé donc près du Panthéon, il continue à élaborer des assiettes qui sortent des sentiers battus, percutantes et nettes, toujours passionnantes. Sa surprenante cuisine est faite de mariages harmonieux de saveurs, avec une utilisation des épices toujours bien vue, jamais « gadget ». Bien évidemment, tous ses plats témoignent d'un savoir-faire remarquable : respect des produits du marché, •••

> “ Philippe Delacourcelle fut l'un des premiers chefs français à oser incorporer des épices asiatiques et orientales dans la cuisine française. ”

QUELQUES EXEMPLES DE PLATS : **soupe de châtaigne à la badiane / blanc-manger de chèvre aux asperges / hure de cochon aux artichauts / huîtres crues marinées au gingembre et pavot / vinaigrette de poireaux au curry / maquereau laqué et galette de riz / potimarron confit de foie et argan / cochon de lait fondant aux épices et chou croquant / onglet de veau à la purée d'amande / rognon de veau échalotes et gingembre / morue rôtie au bois de casse avec purée fumée / rumsteck en croûte d'épices et nem / ris de veau au caviar de quinoa / pralin mousseux au sésame grillé / crème caramel poivre et sel / figues confites aux olives et glace à l'huile d'olive / fraises marinées au persil / ananas et banane au caramel d'épices.**

••• précision des cuissons, justesse des assaisonnements, subtil dosage des épices. Tout est ici original, audacieux, savoureux, tout simplement excellent.
Et les vins dans tout cela ? La sélection présentée sur ardoises, élaborée par Marc Delacourcelle, vaut le détour : avec un seul bordeaux (« pour les étrangers »), elle est très pointue, dotée de jolies trouvailles, surtout auprès de petits propriétaires du Sud, avec un large choix de vins au verre, au compteur ou au pichet, le tout commenté avec passion. En conclusion, cet établissement peut sans nul doute être considéré comme l'un des meilleurs rapport qualité + plaisir / prix de la capitale. Le menu-carte est imbattable. Et ne croyez pas qu'ils se « rattrapent » sur les vins : les tarifs sont du même tonneau, si j'ose dire. Signalons également la formule du déjeuner digne d'une opération philanthropique (un conseil : n'hésitez pas à y rajouter un dessert). Si vous aimez la (très) bonne cuisine, les bons vins, le jazz, les prix angéliques et les ambiances animées, courez au « Pré Verre », cet endroit est fait pour vous...

POUR EN SAVOIR PLUS SUR
PHILIPPE DELACOURCELLE

Formé à Saulieu par Bernard Loiseau, Philippe Delacourcelle part ensuite en Asie durant près de 6 ans (Japon, Malaisie, Singapour, Inde, Chine). C'est là-bas que naît chez lui une véritable passion pour les épices, et sans aucun doute un talent certain pour les utiliser avec bonheur. Au retour de ce périple en 1984, il ouvre (avec son frère Marc en salle) dans le 15e arrondissement le « Clos Morillons », une table gastronomique qui va vite connaître un franc succès. Sa marque de fabrique : la découverte de nouveaux arômes grâce à l'ajout d'épices dans une cuisine bien française, sans pour autant dénaturer celle-ci. Inutile de vous dire qu'à l'époque, c'est une petite révolution dans la capitale. Cette belle aventure durera près de 20 ans. Mais en 2003, les deux frères en ont assez des inévitables carcans liés à une table gastronomique, ils ont envie de se faire plaisir, tout simplement. Ils cherchent donc à ouvrir un endroit plus simple, moins guindé, plus direct, où ils pourraient travailler en écoutant leurs disques de jazz préférés. C'est ainsi que naît le « Pré Verre » un beau jour de printemps... Philippe Delacourcelle m'en voudra peut-être de révéler qu'il est le chef le moins jeune de ma sélection. Mais cela n'empêche pas son établissement d'attirer une foule de (très) jeunes gens, qui découvrent que l'on peut manger de la « grande » cuisine dans une ambiance sympathique, tout sauf solennelle, et sans débourser plus que dans n'importe quel mauvais restaurant de « chaîne ». À mon sens, « Le Pré Verre » est l'un des endroits les plus modernes de la capitale, à tout point de vue (cadre, ambiance, cuisine et vins bien dans leur époque, prix). Philippe Delacourcelle est un grand chef et je vous encourage vivement à essayer les recettes qu'il a la gentillesse de vous confier : elles sont étonnantes.

ENTRÉE_PLAT_DESSERT

ŒUFS FAÇON « ONSEN », CHAMPIGNONS SAUVAGES SAUTÉS AU GINGEMBRE

150 G DE GIROLLES
150 G DE TROMPETTES DES MORTS
150 G DE PIEDS DE MOUTON
6 ŒUFS FERMIERS
30 G D'ÉCHALOTE
30 G DE GINGEMBRE
40 G DE BEURRE
1 BOTTE DE CIBOULETTE
6 CUILLÈRES À SOUPE DE VINAIGRE BALSAMIQUE
SEL ET POIVRE

Pelez et hachez l'échalote. Pelez le gingembre, coupez-le en rondelles, puis en bâtonnets et finalement en petits dés. Ciselez finement la ciboulette.
Coupez le pied des champignons. Lavez-les à grande eau. Essorez-les comme de la salade.
Mettez les œufs entiers au four préchauffé à 65°C pendant 25 minutes sans les casser.
Dans une casserole, faites réduire le vinaigre balsamique de moitié.
Chauffez une poêle avec tous les champignons sans matière grasse.
Couvrez 2 minutes, puis filtrez le jus.
Remettez les champignons à cuire avec le beurre, les échalotes et le gingembre.
Faites sauter à feu vif pendant 2 minutes. Salez et poivrez.
Répartissez les champignons dans des assiettes creuses.
Cassez chaque œuf délicatement sur les champignons, parsemez de ciboulette et versez sur l'ensemble le vinaigre réduit avec une cuillère.

ET LE CHEF A DIT

« AU JAPON, LES SOURCES CHAUDES (" ONSEN " EN JAPONAIS) SONT NOMBREUSES. IL N'EST PAS UN JAPONAIS QUI NE SE SOIT PAS ADONNÉ AU PLAISIR INCOMPARABLE DE PLONGER SON CORPS DANS LES EAUX SOUFREUSES D'UN ÉTABLISSEMENT THERMAL. CEUX-CI PROPOSENT SOUVENT LA DÉGUSTATION D'ŒUFS AYANT SÉJOURNÉ DANS LES EAUX CHAUDES À LEURS CLIENTS, QU'ON APPELLE " ONSEN TAMAGO " (TAMAGO = ŒUF EN JAPONAIS). UN LÉGER GOÛT DE SOUFRE AGRÉMENTE LEUR SAVEUR. JE VOUS CONSEILLE DE CUIRE UN ŒUF POUR ESSAYER VOTRE FOUR. SI L'ŒUF EST TROP LIQUIDE, LAISSEZ LE CUIRE CINQ MINUTES SUPPLÉMENTAIRES. »

ENTRÉE_ **PLAT** _DESSERT

CURRY DE LAPIN AUX CACAHUÈTES

1 LAPIN COUPÉ EN DIX MORCEAUX
1 GOUSSE D'AIL
1 TUBERCULE DE GINGEMBRE
2 CUILLERÉES À SOUPE DE POUDRE DE CURRY
1 OIGNON
1 CAROTTE
50 G DE CACAHUÈTES
50 G D'ABRICOTS SECS
3 CUILLERÉES À SOUPE DE CRÈME FRAÎCHE
10 CL D'HUILE
CORIANDRE FRAÎCHE
SEL FIN

Pelez et hachez finement la gousse d'ail et l'oignon.
Pelez et râpez le gingembre.
Pelez la carotte et coupez-la en dés de 1 centimètre.
Coupez les abricots en cubes.
Dans un grand faitout faites chauffer de l'huile d'olive, posez les morceaux de lapin dedans et faites-les dorer.
Ajoutez tous les légumes et laissez cuire pendant 1 minute.
Salez et poudrez de curry, faites cuire encore 1 minute.
Couvrez avec de l'eau et ajoutez les abricots. Laissez cuire pendant 45 minutes à feu très doux.
Ajoutez la crème fraîche et laissez cuire 5 minutes.
Ciselez la coriandre avec des ciseaux et parsemez celle-ci sur le curry. Ajoutez les cacahuètes et servez.

ET LE CHEF A DIT

« TOUTE L'ASIE PRATIQUE LE CURRY SOUS DE MULTIPLES FORMES, MAIS JE N'AI JAMAIS MANGÉ DE LAPIN DANS CETTE PARTIE DU MONDE. C'EST DONC UN PARADOXE QUE DE CUISINER LE LAPIN EN CURRY, MAIS LE RÉSULTAT EST À LA HAUTEUR DU DÉFI. »

ENTRÉE_PLAT_DESSERT

NEMS DE FIGUES AUX AMANDES

12 FEUILLES DE RIZ POUR NEMS
24 FIGUES
4 CUILLERÉES À SOUPE DE MIEL
7 CUILLERÉES À SOUPE D'AMANDES HACHÉES
7 CUILLERÉES À SOUPE D'HUILE D'ARACHIDE
1 CUILLERÉE À CAFÉ ET DEMIE DE POUDRE DE MASSALA
30 G DE BEURRE

Coupez les figues en quatre.
Faites chauffer le miel dans une casserole. Quand il prend une couleur caramélisée, ajoutez les figues et le beurre, laissez mijoter à couvert 5 minutes, puis poudrez de massala et ajoutez les amandes.
Mélangez l'ensemble et mettez au froid quelques heures.
Trempez les feuilles de riz une par une dans de l'eau tiède pour les ramollir.
Répartissez la compote de figues aux amandes sur les feuilles de nems. Roulez-les à moitié, rabattez les deux bouts et finissez de les rouler.
Faites chauffer l'huile dans une poêle et faites-y dorer les nems. Dégustez aussitôt.

ET LE CHEF A DIT

« C'EST UN DESSERT QUI RÉUNIT PLUSIEURS INFLUENCES : LE VIETNAM, L'INDE ET LE MAGHREB POUR FAIRE VOYAGER LES PAPILLES SANS FRONTIÈRES... »

LE RÉMINET

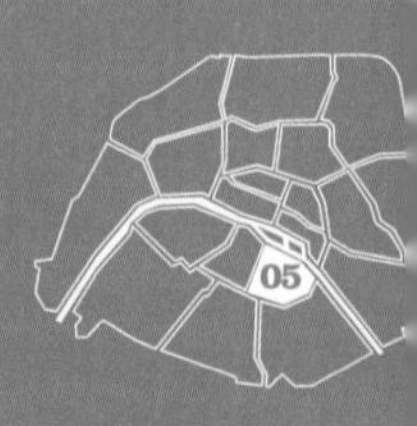

HUGUES GOURNAY

MÉTRO MAUBERT MUTUALITÉ
3, RUE DES GRANDS-DEGRÉS
75 005 PARIS
01 44 07 04 24

FERMÉ MARDI, MERCREDI

PRIX : À LA CARTE, COMPTER ENVIRON 35 €
MENU DÉJEUNER EN SEMAINE À 13 €
MENU GASTRONOMIQUE À 50 € (2 ENTRÉES, 2 PLATS, FROMAGE, PANACHÉ DE DESSERTS)

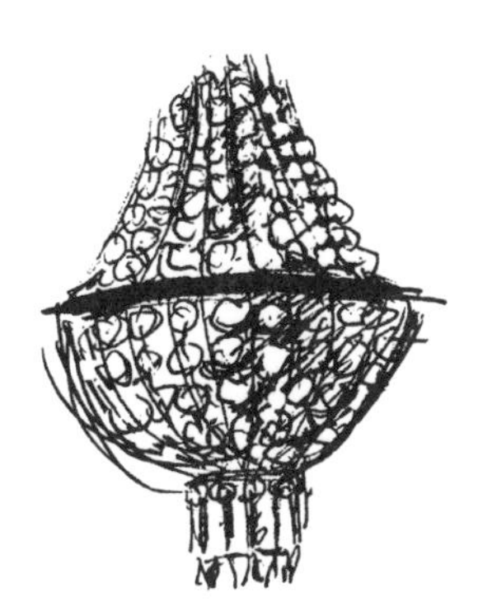

Il y a neuf ans, lors de son ouverture, cette table a connu son quart d'heure de gloire, puis elle est retombée dans un certain anonymat. Il faut dire que le chef est d'une discrétion absolue (vous ne risquez pas de le voir faire un jour le paon à la télé). Il a su parfaitement se faire oublier, y compris de la plupart des critiques gastronomiques. Et pourtant ! Dans cet historique et ô combien sympathique quartier Maubert-Saint-Michel-Notre Dame, littéralement squatté par des hordes de touristes, combien y a-t-il d'adresses de ce niveau, avec, en tout cas, ce rapport qualité-prix ? Seules deux adresse tirent leur épingle du jeu : « Le Pré Verre » (également présenté dans cet ouvrage) et « Le Réminet ». Prenons les choses dans l'ordre. D'abord la devanture, face aux quais, avec Notre Dame-de-Paris en arrière-plan (il y a pire comme environnement) : assez étroite et anodine, quoique peinte en violet flashy.

"Une sensation permanente de grande fraîcheur, de grande précision et de grande vivacité"

Rien, franchement, ne distingue cet endroit des dizaines d'autres gargotes aux alentours. L'accueil est courtois, gentil, parfois par le chef en personne. Le cadre ? Attention, il y a deux salles. La première au rez-de-chaussée est une sorte d'écrin décoré avec recherche, mais sans ostentation, petite, toute en longueur avec des tables bien dressées et un décor plutôt baroque : rideaux de velours rouge, lustres de style vénitien, chandeliers avec bougies, grands miroirs qui agrandissent la salle et créent d'intéressants jeux de lumière. L'ensemble possède un charme indéniable, dans une atmosphère détendue et conviviale. La deuxième salle est une belle cave voûtée au sous-sol, avec pierres apparentes, plus tranquille, intimiste même, vraiment très cosy. Vous l'aurez compris : pour un repas entre amis, c'est en haut qu'il faudra réserver, mais pour un dîner en tête à tête, privilégiez plutôt la salle du bas. Un mot aussi sur l'ambiance musicale, avec en fond sonore un excellent jazz, ce qui me ravit au plus haut point. Passons à l'essentiel : la cuisine. Vu le cadre et le quartier, vous pourriez vous attendre à des assiettes de facture purement classique. Détrompez-vous ! Il s'agit en réalité d'une cuisine qui, en prenant certes appui sur la tradition, est surtout fine, vive, percutante, originale, moderne, avec des associations de textures et de saveurs très bien vues, et une utilisation des épices à bon escient. Le tout basé sur des produits dans l'ensemble modestes (ce qui permet de rester dans un rapport qualité-prix serré), mais d'une fraîcheur ultime. Ce qui vous donne une cuisine intelligente et contemporaine, colorée, recherchée, faite par un chef de •••

QUELQUES EXEMPLES DE PLATS : **profiteroles d'andouilles au pommeau normand, salade à la pomme verte / terrine de gibier marinée au cognac, chutney poires et figues / huîtres chaudes, fondue d'aubergines fumée et chorizo belota ibérique / salade de foie et rognons de lapin, râpée de carottes au miel et au romarin / raviolis de gambas au lait de coco et tandoori / côtelette d'agneau grillée, croûte au poivron et cumin, patate douce à l'ail / travers de porc aux épices BBQ, nappés de caramel de cidre, patates écrasées à la ciboulette / filet de bœuf, purée d'échalotes, moelle et câpres, persillade de topinambours et salsifis / Saint-Jacques rôties aux champignons secs, fettuccine et foie gras / filet de dorade à la peau croustillante au gros sel et poivre vert, purée de céleri au parmesan / quenelle au café, sabayon au vieux Calvados, sablés / mille-feuille au thé Earl Grey, purée de menthe fraîche / mini babas au rhum, poêlée d'ananas et mangues à la passion, poivre maniguette / charlotte tiède aux pommes et poires à la cannelle, caramel au beurre salé.**

••• talent, ambitieux et inventif, à la technique irréprochable. Avec, je me répète mais c'est important, une sensation permanente de grande fraîcheur, de grande précision et de grande vivacité. Terminons par un autre atout majeur de la maison : la carte des vins. Contrairement à la plupart des cartes qui ont mes faveurs dans ce recueil, vous ne trouverez pas ici beaucoup de vins du Sud ou de petits propriétaires du Languedoc-Roussillon comme je les aime tant, mais principalement des grands crus de bordeaux et de bourgogne. A priori, rien de bien folichon, me direz-vous. Sauf que ! Ici, vous ne trouverez que de très belles choses (la carte est courte, mais quelle qualité !), et surtout facturées à des prix incroyablement accessibles. C'est simple : les derniers grands bordeaux que j'ai pu m'offrir dans un restaurant, c'était ici. Alors si un jour vous êtes dans le quartier et que vous préférez réserver dans l'un des attrape-touristes du coin, fermez ce livre, il n'est pas pour vous…

POUR EN SAVOIR PLUS SUR HUGUES GOURNAY

Hugues naît en 1964 en Normandie. Dans sa famille, bien manger est important : on aime les bons repas, souvent préparés par sa grand-mère, à partir des bons produits du potager de son père. Très vite, Hugues le surdoué comprend que sa vie sera derrière les fourneaux. Ainsi, il rentre à 16 ans à l'école hôtelière et obtient facilement son CAP. Dès lors, son parcours ne sera jalonné que de belles maisons reconnues et « étoilées » : en Normandie (« La Marine »), à Londres (au « Hyatt », la plus grosse brigade qu'il ait connue), mais surtout à Paris (« L'Ambassade d'Auvergne », « Port Alma », « Le Bristol »). Ce qu'il retient de toutes ces expériences : un réel savoir-faire, une grande maîtrise technique (cuissons, assaisonnements), faire tout avec trois fois rien, savoir identifier les bons produits, découvrir les vignerons intéressants. En 1996, fort de ces atouts, il estime être définitivement prêt pour ouvrir sa propre adresse. Après quelques mois de recherches, il décide finalement de racheter avec son épouse (rencontrée à Londres) « Le Réminet », qui renaît après quelques travaux début 1997. Depuis cette date, Hugues Gournay est là, présent du matin au soir, avec un seul credo : donner aux gens un maximum de plaisir, tarifé au minimum. Il se bat ainsi tous les jours auprès de ses fournisseurs favoris pour obtenir les meilleurs produits au prix le plus bas possible. Il procède de même avec sa carte des vins : il parvient, grâce à un très bon réseau, à dénicher des grands crus de bordeaux et bourgogne à des prix défiant toute concurrence. Et comme il applique un « facteur multiplicateur » (comme disent les professionnels) très raisonnable, vous dégusterez chez lui des flacons merveilleux que vous ne pourrez jamais vous offrir ailleurs. Ils seront parfaits pour accompagner cette cuisine teintée d'exotisme, une cuisine de bistro chic et moderne, bien dans son époque, maligne et enlevée. Hugues Gournay est un garçon attachant, travailleur, très discret, serein, pas forcément « introduit » dans les réseaux parisiens, mais dont l'établissement mérite franchement le détour dans un quartier où l'arnaque pullule. Ne laissez pas le privilège de cette table aux touristes étrangers bien avisés.

ENTRÉE _PLAT _DESSERT

RAVIOLIS D'ESCARGOTS TERRE-MER, CRÈME DE CHAMPIGNONS À L'AIL ET JUS DE PERSIL

1 PAQUET DE PÂTE À RAVIOLIS CHINOIS (COMPTER 4 RAVIOLIS PAR PERSONNE)
200 G D'ESCARGOTS BULOTS CUITS (POIDS NET SANS COQUILLE)
200 G D'ESCARGOTS DE BOURGOGNE (POIDS NET SANS COQUILLE)
100 G DE CAROTTES
100 G DE CÉLERI-RAVE
100 G DE FENOUIL
100 G DE POIREAUX
300 G DE CRÈME FLEURETTE
1 BOUQUET DE CERFEUIL
1 BOUQUET DE PERSIL PLAT
1 GOUSSE D'AIL DÉGERMÉE
1 ŒUF
1 CITRON
300 G DE CHAMPIGNONS
HUILE D'OLIVE
SEL, POIVRE

Faites un hachis très fin avec les deux variétés d'escargots. Salez et poivrez.
Taillez les légumes en petits dés très fins et faites-les suer rapidement à l'huile d'olive en les gardant croquants. Salez et poivrez ; laissez refroidir.
Émincez les champignons, mélangez avec le jus de la moitié d'un citron et la gousse d'ail. Ajoutez la crème et faites cuire 10 minutes. Mixez.
Plongez le persil équeuté dans une casserole d'eau bouillante pendant 30 secondes et rafraîchissez dans un saladier avec de la glace. Une fois qu'il est froid, mixez le persil afin d'obtenir un jus bien vert.
Prenez un ravioli, déposez une cuillerée à café de légumes au centre, ainsi qu'une cuillerée à café de hachis d'escargots (une petite quantité suffit de façon à ce qu'on puisse plier le ravioli en deux pour le fermer).
Passez sur les bords du ravioli de l'œuf battu avec un pinceau.
Rabattez les bords et appuyez dessus pour souder le ravioli.
Recommencez les trois dernières opérations jusqu'au nombre voulu de raviolis (comptez 4 raviolis par personne). Réservez au frais.
Faites cuire les raviolis dans une grande casserole d'eau bouillante salée 1 à 2 minutes (ne pas en cuire trop à la fois). Égouttez sur du papier absorbant.
Chauffez des assiettes creuses, puis saucez le fond des assiettes avec de la sauce champignons. Déposez les raviolis et décorez avec quelques touches de jus de persil et des pluches de cerfeuil.

ET LE CHEF A DIT

« CETTE BELLE ENTRÉE ALLIE LA TERRE ET LA MER. ELLE EST DÉLICATEMENT PARFUMÉE AU JUS DE CHAMPIGNONS ET REHAUSSÉE D'UNE INFUSION DE PERSIL. CELA FONCTIONNE PARFAITEMENT. »

ENTRÉE_ PLAT _DESSERT

SAINT-JACQUES POÊLÉES, TOMBÉE DE CAROTTES AU MIEL ET AIL, SÉSAME GRILLÉ

24 GROSSES COQUILLES SAINT-JACQUES
1 BOTTE DE CIBOULETTE
1 KG DE CAROTTES
3 GOUSSES D'AIL
150 G DE SÉSAME BLANC
3 CUILLERÉES À SOUPE DE MIEL
2 CITRONS
400 G DE CRÈME FLEURETTE
BEURRE
HUILE D'OLIVE
SEL, POIVRE

Faites griller les graines de sésame dans une poêle à sec sur feu modéré et réservez.

Décoquillez les Saint-Jacques et gardez les barbes qui entourent les noix.

Lavez les barbes et mettez-les à cuire avec la crème fleurette et 15 cl d'eau. Faites bien réduire la sauce afin qu'elle s'épaississe et passez-la au chinois. Mixez et réservez.

Râpez les carottes (grosse grille) ou coupez-les en rondelles de 3 mm. Faites-les suer dans 50 g de beurre et 2 cuillerées à soupe d'huile d'olive. À mi-cuisson ajoutez le miel, le jus d'un ou deux citrons selon le goût, et finissez la cuisson jusqu'à ce qu'elles deviennent bien fondantes. Assaisonnez et remuez au cours de la cuisson.

Faites cuire les Saint-Jacques à l'huile d'olive dans une poêle anti-adhésive à peine 1 ou 2 minutes de façon à les garder « saignantes ».

Répartissez les carottes dans des assiettes creuses, puis ajoutez les noix de Saint-Jacques. Saucez avec le fumet de barbes bien mixé, parsemez de sésame grillé et décorez avec des brins de ciboulette.

ET LE CHEF A DIT

« PRÉFÉREZ DES SAINT-JACQUES SANS CORAIL : LEUR GOÛT ET LEUR TEXTURE SONT BIEN MEILLEURS. MAIS ATTENTION LORS DE LEUR CUISSON, CAR ELLES DEVIENNENT RAPIDEMENT CAOUTCHOUTEUSES.»

ENTRÉE_PLAT_DESSERT

FEUILLETINE CRAQUANTE, COMPOTÉE DE RHUBARBE, FRAISES GARIGUETTES ET MENTHE FRAÎCHE

1 PAQUET DE PÂTE À FILO
1 KG DE RHUBARBE
1 KG DE FRAISES GARIGUETTES
1 BOTTE DE MENTHE
300 G DE SUCRE SEMOULE
500 G DE SUCRE GLACE
150 G DE BEURRE

Pelez les tiges de rhubarbe, tronçonnez-les et faites-les cuire avec le sucre semoule de façon à obtenir une compote bien épaisse.
Étalez une feuille de pâte à filo sur une plaque à pâtisserie déjà recouverte d'une feuille de papier siliconé. Beurrez la feuille avec du beurre fondu et poudrez de sucre glace sur toute la surface. Recommencez l'opération deux fois afin de superposer trois feuilles de pâte. Prédécoupez dans la pâte avec un couteau bien tranchant des rectangles de 5 cm sur 13 cm. Recouvrez le tout d'une feuille de papier siliconé. Posez une autre plaque à pâtisserie sur le tout afin de bien aplatir la pâte pendant la cuisson. Faites cuire au four à 180 °C pendant 6 minutes. Retirez la plaque du dessus pour vérifier la cuisson, faites cuire encore 6 minutes : la pâte doit être blonde et bien dorée.
Lorsque la cuisson est atteinte, sortez les rectangles de pâte (feuilletines) du four et laissez refroidir dans un endroit sec.
Sur une assiette, faites deux petits tas avec la compote de rhubarbe, puis déposez une feuilletine dessus (pour caler), puis quatre ou cinq fraises (selon la grosseur) sur la feuilletine, puis de la compote, puis une autre feuilletine. Recommencez une deuxième fois pour obtenir deux hauteurs de superposition.
Décorez l'assiette avec un peu de fraises écrasées à la fourchette et quelques feuilles de menthe fraîche.

ET LE CHEF A DIT

« VOICI UN DESSERT LÉGER ET DÉLICAT, CONJUGUANT PARFAITEMENT FRAISES, RHUBARBE ET FINES FEUILLES CROUSTILLANTES. VOUS POUVEZ REMPLACER LA MENTHE PAR DU BASILIC. »

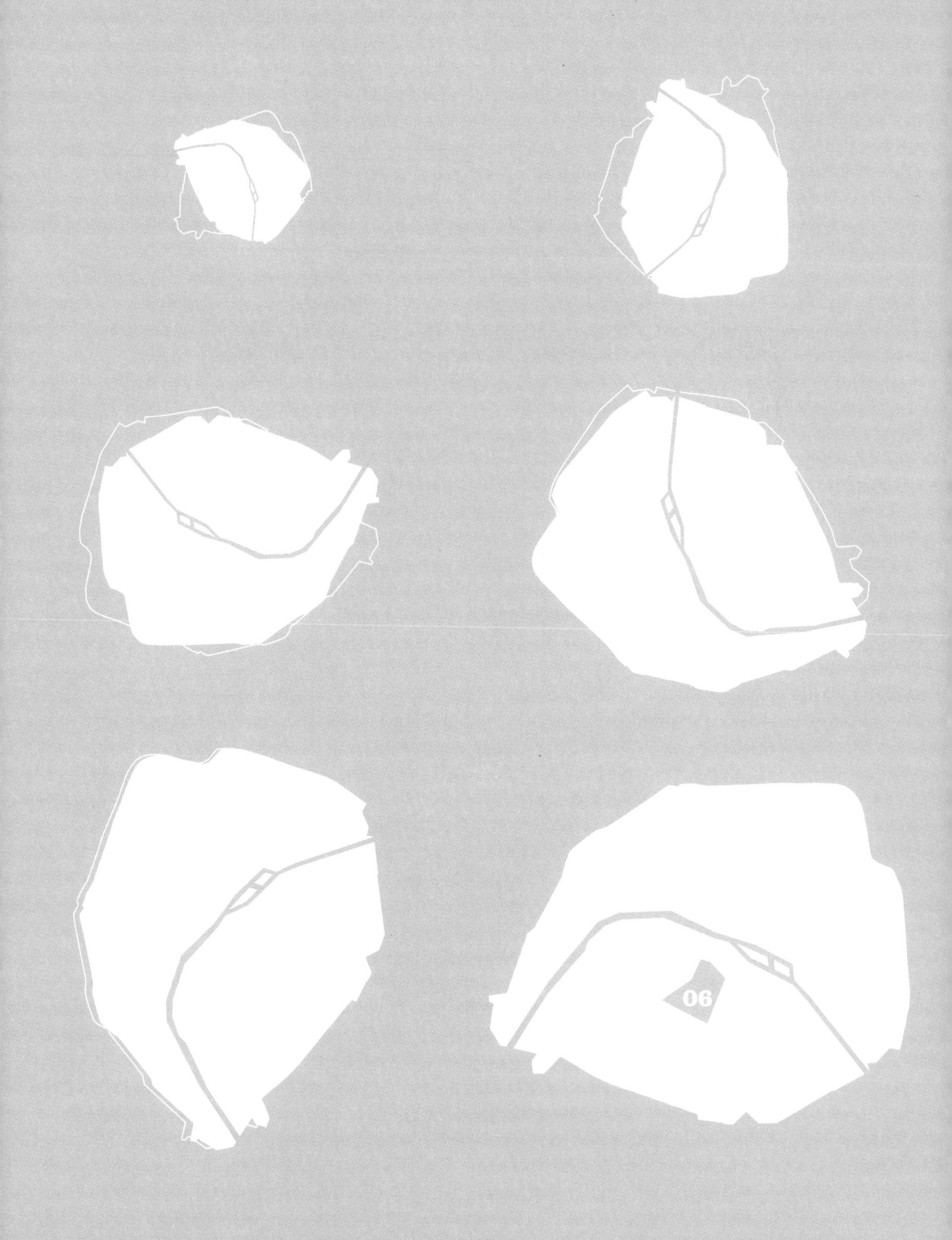
06

06e

LA BASTIDE ODÉON

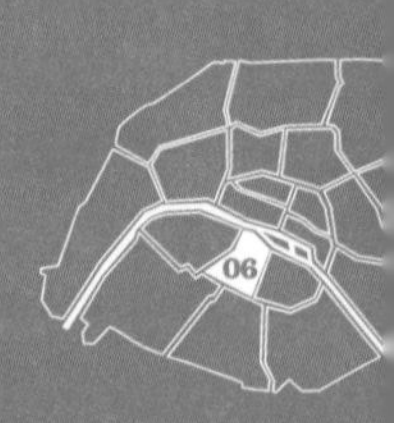

MÉTRO ODÉON
7, RUE CORNEILLE
75 006 PARIS
01 43 26 03 65

GILLES AJUELOS

FERMÉ DIMANCHE ET LUNDI

PRIX : MENU-CARTE À 37,9 € SERVI MIDI ET SOIR
MENU DÉJEUNER À 26 €

Vous avez certainement remarqué que, depuis quelques années, en gros depuis la fin des années 90, la mode de l'huile d'olive et des restaurants méditerranéens a littéralement envahi la capitale. Surfant sur cette vague, le plus souvent avec une absence totale de sincérité dans la démarche, de nombreuses adresses dans le « style provençal » ont ainsi vu le jour. Il est donc essentiel de rappeler que « La Bastide Odéon » a tout simplement été la première table de Paris à mettre en avant la cuisine méditerranéenne, sans tricherie, sans folklore inutile. C'était en 1994. Depuis, beaucoup ont suivi, mais cette adresse reste la référence absolue en la matière, première raison pour laquelle « La Bastide Odéon » peut être considérée comme un endroit précurseur. Deuxième raison : en compagnie des Faucher, Breton, Pasteau ou Camdeborde, Gilles Ajuelos fut l'un des premiers à proposer une cuisine « gastronomique » sous la forme d'un menu-carte bon marché et bien étudié. Son parcours exemplaire est littéralement illuminé d'étoiles. Aucun doute à avoir sur son savoir-faire, son tour de main ou sa créativité. Gilles Ajuelos offre une cuisine « néo provençale » imaginative, colorée, punchy, pleine de chaleur et de saveurs, techniquement irréprochable. Une cuisine qui suit les saisons en s'appuyant sur des produits parfaitement sélectionnés. Je l'avoue : c'est ici que j'ai compris toute la richesse et la diversité de la cuisine provençale, depuis les entrées et jusqu'aux desserts, car j'ai fait ici des fins de repas peu banales. Troisième raison de considérer cette adresse comme avant-gardiste : Gilles Ajuelos fut aussi le premier, dès l'ouverture de son

" C'est ici que j'ai compris toute la richesse et la diversité de la cuisine provençale. "

mettre en valeur les vins méridionaux (je peux vous assurer qu'en 1994 il fallait oser) : il continue aujourd'hui en proposant une séduisante sélection de vins de propriétaires (issus de Provence, du Languedoc, du Roussillon ou du Rhône) à des prix très accessibles, dont une dizaine au verre. Tous ces arguments vous auront convaincu, je l'espère, de visiter cette agréable bastide, dont il faut aussi évoquer le décor, celui d'une vieille maison de campagne sur deux étages. La salle du bas est entièrement non-fumeur, mais j'ai une préférence pour le premier étage, avec vue sur le théâtre de l'Odéon. Tomettes au sol, tons jaunes et oranges aux murs, tables bien dressées et espacées, tableaux d'inspiration provençale : c'est sobre mais gai, sans fioritures inutiles, et surtout très confortable. Je tenais vraiment à mettre en valeur cette adresse, car on a un peu tendance à oublier les mérites de Gilles Ajuelos et ceux de sa resplendissante cuisine (j'insiste), offerte à un prix attractif, servie très professionnellement dans un cadre élégant et confortable. Vous ne serez donc pas étonnés d'apprendre que cette table proche du jardin du Luxembourg est très courue, notamment par les écrivains, éditeurs, hommes politiques, journalistes et acteurs qui hantent le quartier. N'hésitez pas à vous joindre à eux, vous ne le regretterez pas.

QUELQUES EXEMPLES DE PLATS : **mille-feuille tiède aux aubergines grillées façon « Riviera » / crème glacée de carottes nouvelles au pamplemousse, chèvre frais et huile d'argan / sardines marinées, mascarpone fruité et acidulé, artichauts émincés / filet de julienne cuit au four, pistou de légumes aux pignons de pins haricots cocos / rascasse poêlée, barigoule d'artichauts aux olives / dorade royale, poêlée de champignons et gnocchi parfumés à l'huile de noix / pieds et paquets d'agneau à la provençale / magret de canard à l'orange, purée de dattes, polenta grillée, asperges sauvages et radis noirs /grenadin de veau de Corrèze, conchiglioni aux olives vertes et anchois / poire pochée à la vanille, glace au caramel, beurre salé et chapelure de pain d'épice / gelée légère à la fraise, ricotta et rhubarbe / mille-feuille traditionnel fait minute à la vanille Bourbon / soupe glacée au lait de coco et tapioca, melon en tranches et son sorbet.**

POUR EN SAVOIR PLUS SUR GILLES AJUELOS

La Bastide Odéon

Quel parcours impressionnant que celui de ce sympathique garçon ! Dès 18 ans il intègre une énorme brigade, celle du « Royal Monceau » à Paris, où il se perfectionne dans tous les grands classiques du répertoire français. Après son service militaire (aux fourneaux du ministère de la Culture avec Jack Lang), il passe dans plusieurs maisons parisiennes, comme « La Ferme Saint-Simon » (le restaurant du mari de Denise Fabre) ou « Le Manoir de Paris », adresse de la galaxie Robuchon. Mais il s'ennuie rapidement au sein de ces établissements. Sa soif d'apprendre est énorme, mais surtout il nourrit un rêve : travailler un jour avec le grand Jacques Maximin, le chef du « Negresco » à Nice. Il voue en effet une immense admiration à ce personnage et dévore ses livres de recettes avec passion. Son rêve devient réalité début 1986 : à l'âge de 20 ans, il parvient (après moult difficultés) à rejoindre les équipes du célèbre palace de la Côte d'Azur. En arrivant là-bas, il a la révélation : définitivement, la cuisine qui l'intéresse, c'est celle du Sud, de la Provence, de la Méditerranée. Les produits, les couleurs, la joie de vivre, tout l'enchante. Ce quelque chose d'ancré en lui depuis toujours (il a des origines espagnoles) lui apparaît alors comme évident, naturel, quasi-génétique. Aux côtés de Maximin, il va développer tout son talent dans ce registre, prenant rapidement des responsabilités de plus en plus importantes. Quatre ans plus tard, il décide de remonter à Paris et, après quelques aventures sans lendemain, devient en 1990 le bras droit du chef multi-étoilés Michel Rostang. Celui-ci laisse en fait à Gilles les coudées franches à la tête de son restaurant gastronomique. Le voilà donc aux commandes, pour la première fois, d'une grande maison. Il « dépoussière » alors la carte (en retirant notamment quelques classiques du maître), il crée de nombreux plats, il met en pratique ses idées, il découvre le contact avec les fournisseurs, le management des hommes. Bref, il apprend, durant quatre ans, à gérer un établissement, avec un vif succès et en parfaite entente avec Michel Rostang. La suite est toute naturelle : à 29 ans, il se considère comme mûr pour s'installer à son compte. C'est ainsi que Gilles ouvre en 1994 « La Bastide Odéon », persuadé qu'il est possible de proposer une cuisine quasi-gastronomique, avec un confort, un accueil et un service de qualité, le tout à des tarifs accessibles. Il est le premier à proposer à Paris la vraie cuisine provençale, avant qu'elle ne soit galvaudée ou trahie en de nombreux autres endroits. Le succès de son établissement est constant depuis plus de 12 ans. Loin d'être gagné par la morosité, Gilles continue à se faire plaisir, à créer de nouveaux plats, à découvrir et faire découvrir de jolis vins du Sud. En toutes saisons, un repas dans sa « bastide » est un véritable enchantement, malin et ensoleillé.

ENTRÉE _PLAT _DESSERT

CANNELLONI FROIDS DE LÉGUMES À L'HUILE D'OLIVE, GASPACHO ANDALOU

POUR LE GASPACHO
400 G DE TOMATES EN GRAPPES
2 TRANCHES DE MIE DE PAIN
5 CL DE VINAIGRE DE VIN
10 CL D'HUILE D'OLIVE
1 PETITE BRANCHE DE CÉLERI
2 GOUSSES D'AIL
1 DEMI-OIGNON
1 CUILLERÉE À SOUPE DE CONCENTRÉ DE TOMATE
SEL ET POIVRE

POUR LES CANNELLONI
100 G DE COURGETTES
100 G DE CAROTTES
100 G DE CÉLERI-RAVE
1 BULBE DE FENOUIL
100 G DE FÈVES
100 G DE HARICOTS VERTS
1 BOTTE DE BASILIC
6 FEUILLES DE PÂTE À LASAGNE (MARQUE DE CECCO®)

PRÉPARATION DES LÉGUMES
Faites cuire les haricots verts et les fèves à l'eau bouillante.
Taillez les courgettes, les carottes et le céleri-rave en fins bâtonnets.
Coupez le fenouil en deux, enlevez le cœur puis émincez-le finement.
Faites chauffer un filet d'huile d'olive et faites cuire tous les légumes ensemble.
Quand ils sont légèrement croquants, salez et poivrez.
Laissez refroidir et mélangez-les aux haricots verts et aux fèves en ajoutant un peu de basilic ciselé.
Faites cuire les feuilles de pâte à lasagne en suivant le mode d'emploi. Égouttez-les et épongez-les.

RÉALISATION DU GASPACHO
Réunissez dans un récipient tous les ingrédients du gaspacho, puis mixez afin de les réduire en soupe. Ajoutez un peu d'eau si le mélange est trop épais.
Passez le gaspacho au chinois, ajouter un bon filet d'huile d'olive, le vinaigre et rectifiez l'assaisonnement. Mettez au frais.

POUR SERVIR
Roulez les légumes dans les feuilles de pâte à lasagne cuites. Serrez-les afin de former des petits rouleaux. Servez avec le gaspacho bien frais.

« POUR CETTE RECETTE, IL ÉTAIT INTÉRESSANT DE PARTIR D'UNE RECETTE CLASSIQUE DE GASPACHO ET DE LA DÉCLINER EN ESSAYANT DE LUI APPORTER QUELQUE CHOSE DE PLUS PERSONNEL. LES LÉGUMES, FRAIS ET CROQUANTS QUAND ILS SONT CUITS AL DENTE, ME SEMBLAIENT ÊTRE LA BONNE ASSOCIATION. J'AIME BEAUCOUP PARTIR D'UN PLAT CLASSIQUE ET LE PERSONNALISER EN LUI APPORTANT UNE VISION ET UN GOÛT DIFFÉRENTS. »

ENTRÉE_PLAT_DESSERT

DOS DE CABILLAUD CUIT SUR LA PEAU, HARICOTS COCOS DE PAIMPOL AU CHORIZO

6 TRANCHES DE CABILLAUD AVEC PEAU DE 150 G CHACUNE
500 G DE COCOS FRAIS DE PAIMPOL
200 G DE CONCASSÉE DE TOMATES
1 BOTTE DE SAUGE OU DE SARRIETTE
20 CL D'HUILE D'OLIVE
1 CAROTTE
1 OIGNON
1 TÊTE D'AIL
1 BOTTE DE THYM
1 BOTTE DE LAURIER
1 CHORIZO MOELLEUX
10 CL DE JUS DE VEAU
GROS SEL SEL FIN, POIVRE

Faites cuire les haricots cocos frais de Paimpol dans beaucoup d'eau avec la carotte, l'oignon, le thym, le laurier, la tête d'ail coupée en deux et une poignée de gros sel.
Retirez le boyau qui enveloppe le chorizo et taillez celui-ci en fines rondelles.Une fois cuits, égouttez les cocos et mélangez-les avec la concassée de tomate et les rondelles de chorizo, ajoutez la sauge (ou la sarriette) hachée finement.
Faites compoter le tout environ 10 minutes avec un peu de jus de cuisson des haricots et rectifiez l'assaisonnement.
Faites cuire les pavés de cabillaud uniquement sur la peau dans une poêle anti-adhésive avec un filet d'huile d'olive.
Servez dans des assiettes creuses. Nappez avec le jus de veau réduit, dans lequel on aura laisser infuser quelques tranches de chorizo.

ET LE CHEF A DIT

« J'ADORE LES COCOS FRAIS DE PAIMPOL ! DÈS QUE LA SAISON COMMENCE, ILS NE QUITTENT PLUS LA CARTE DU RESTAURANT, CAR JE NE LES AIME QUE FRAIS. LE CHORIZO EST UN CLIN D'ŒIL À MES ORIGINES ESPAGNOLES. LE MÉLANGE VIANDE (CHARCUTERIE)–POISSON N'EST D'AILLEURS PAS POUR ME DÉPLAIRE. »

ENTRÉE_PLAT_DESSERT

TRANCHE D'ANANAS AU PAIN D'ÉPICES ET GINGEMBRE, GLACE AU LAIT DE COCO

1 ANANAS DE 1,760 KG
150 G DE GINGEMBRE FRAIS
2 CITRONS
250 G DE PAIN D'ÉPICES
2 ÉTOILES DE BADIANE
2 BÂTONS DE CITRONNELLE
400 G DE SUCRE
10 CL DE MIEL
GLACE AU LAIT DE COCO

ET LE CHEF A DIT

« UN PEU D'EXOTISME DANS CETTE RECETTE AVEC LA NOIX DE COCO, L'ANANAS, LE GINGEMBRE. JE TROUVE AMUSANT DE PANER LES TRANCHES D'ANANAS DANS DE LA CHAPELURE DE PAIN D'ÉPICE. CELA FONCTIONNE PARFAITEMENT BIEN AVEC LES AUTRES INGRÉDIENTS. »

Épluchez l'ananas, coupez-le en six tranches régulières, puis retirez le cœur de celles-ci.
Épluchez le gingembre, râpez-le finement, puis ébouillantez-le trois fois pour l'adoucir.
Coupez le pain d'épices en petits morceaux et laissez-le sécher entièrement, puis broyez-le en chapelure fine.
Mettez 2 litres d'eau à bouillir avec les épices, le miel, le jus des citrons, le gingembre et le sucre.
Ajoutez les tranches d'ananas et laissez cuire 30 minutes à feu doux. Égouttez-les et laissez refroidir.
Pendant ce temps, faites réduire la cuisson aux trois quarts pour obtenir un jus sirupeux.
Roulez chaque tranche d'ananas dans la chapelure de pain d'épices.
Disposez-les au centre de chaque assiette, ajoutez une boule de glace (achetée chez un glacier de qualité) et nappez avec le jus de gingembre aux épices.

L'ÉPI DUPIN

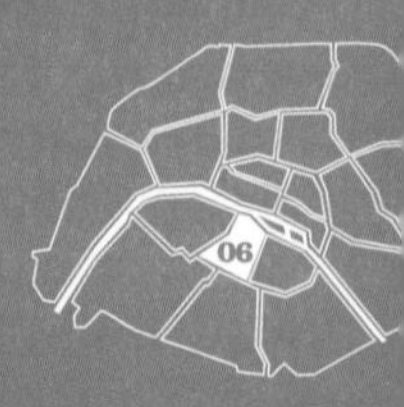

FRANÇOIS PASTEAU

MÉTRO SÈVRES BABYLONE
11, RUE DUPIN
75 006 PARIS
01 42 22 64 56

FERMÉ SAMEDI, DIMANCHE ET LUNDI MIDI

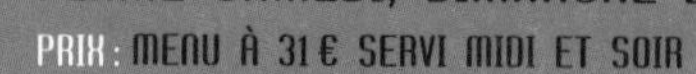

> "Voilà une cuisine littéralement pétillante et savoureuse, jamais ennuyeuse."

Attention, table historique ! Elle figure en effet parmi les premières adresses véritablement emblématiques de la tendance «bistronomique», née à Paris au milieu des années 90. François Pasteau fut, en compagnie des Camdeborde, Faucher (« L'Os à moelle » dans le 15e), Breton (« Chez Michel » dans le 10e), ou encore Ajuelos («La Bastide Odéon » dans le 6e), le premier à proposer de la « grande » cuisine dans le cadre d'un bistro avec une ambiance conviviale et à des prix serrés. Avant tout le monde, il a compris qu'il fallait réduire les coûts sans pour autant sacrifier la qualité. L'ouverture de « l'Épi Dupin » en 1995 à Sèvres-Babylone fit l'effet d'une petite bombe, dans un quartier alors faiblement doté en bonnes tables accessibles. Il faut dire qu'à l'époque, à Paris, déguster une telle cuisine à un tel prix, c'était du jamais vu. Depuis, d'autres tables du même registre ont vu le jour (c'est d'ailleurs tout le propos de cet ouvrage), mais cet endroit occupe toujours les premières places sur la liste des meilleurs rapports qualité-prix de la capitale. D'ailleurs le succès ne se dément pas : toujours aussi difficile d'y réserver une table, aussi bien le midi que le soir. Il vous faudra vous y prendre une bonne semaine à l'avance pour avoir la chance de manger parmi une clientèle très 6e arrondissement, bobos rive gauche, acteurs, journalistes, écrivains ou hommes politiques. Des personnalités installées là comme à la maison, très contentes de se retrouver dans une ambiance survoltée (le coude à coude est presque inévitable, sauf si parvenez à obtenir l'une des tables rondes) pour déguster l'étonnante cuisine du chef sans trop se faire mal au portefeuille. Car, d'abord, ici on se sent bien. Le cadre est celui d'une vieille auberge de province avec tomettes au sol, murs en pierres et poutres apparentes : un décor rustique et de caractère, chaleureux et sympathique. Mais avouons-le, c'est surtout pour la merveilleuse cuisine de François Pasteau que tout ce beau monde se déplace. Il possède l'art de faire du très bon avec du simple (ce qui, vous en conviendrez, est beaucoup plus difficile que de faire du bon avec du cher), en ne choisissant que des produits du marché, sélectionnés au jour le jour. Technicien hors pair, il est aussi un formidable créatif. À partir d'une base classique parfaitement maîtrisée, François Pasteau a su imprimer son propre style, pour délivrer une cuisine amusante, légère, raffinée, bien dans l'air du temps (mais qui ne sacrifie jamais à la mode), discrètement exotique et métissée, avec une utilisation très intelligente des épices et des aromates, des associations surprenantes de textures et de saveurs (en particulier le sucré-salé). Voilà une cuisine littéralement pétillante et savoureuse, jamais ennuyeuse. Reste à mentionner la courte carte des vins, finaude, passionnante, avec tous les noms qui comptent actuellement (et à des prix aussi abordables que ceux des mets). Ajoutons aussi le délicieux pain fait maison et signalons la bonne humeur du service, jeune et efficace, malgré l'agitation qui sévit ici quotidiennement. Autant d'arguments qui vous inciteront à vite réserver votre table : la meilleure affaire du quartier Sèvres-Babylone, idéale après une petite virée au « Bon Marché » !

QUELQUES EXEMPLES DE PLATS : moules en coque de sésame avec purée de patates douces et émulsion de curry / langoustines façon tempura, chutney d'ananas au gingembre / pastilla d'escargots aux noisettes et fruits secs / râble de lapin « retour des Indes », tagliatelle de courgette et betterave / moelleux de joue de cochon et foie gras poêlé avec chou au cumin / queue de lotte aux poivrons confits et céleri à l'anis vert / filet de dorade et boudin noir façon mille-feuille / cannelloni au chocolat tiède et orange confite, sorbet pamplemousse / blanc-manger au lait d'orgeat, arlettes caramélisées et sorbet fraise.

POUR EN SAVOIR PLUS SUR FRANÇOIS PASTEAU

François Pasteau, c'est d'abord un grand sourire. Un homme que l'on sent heureux, avec une joie de vivre communicative. Cette bonne humeur et cette gentillesse participent d'ailleurs au succès de son établissement et expliquent sans nul doute la grande fidélité de sa clientèle. Mais revenons quelques années en arrière, en 1978 exactement : c'est cette année-là que le jeune François décroche son CAP. Ensuite, il fait son bonhomme de chemin au sein d'établissements réputés, prestigieux souvent (comme « Le Duc d'Enghien », multi-étoilés), originaux parfois (comme les fourneaux de « L'Automobile Club de France », place de la Concorde, où il parfait ses grands classiques). Au bout de quelques années, il décide d'intégrer l'École Supérieure de Cuisine Française (il est de la même promotion que William Ledeuil, également cité dans ce livre). Son diplôme en poche, il part durant quatre ans à New-York, où il découvre que la cuisine peut être aussi ludique, fusionnante, exotique, sans pour autant trahir les bases classiques d'Escoffier. À son retour en France, il devient le second de François Clerc à Maisons-Laffite, mais avec la volonté de vite trouver son propre établissement, afin de mettre à profit toutes les expériences qu'il a accumulées. Au bout de quelques mois de recherche, il s'installe finalement en mars 1995 près de Sèvres-Baylone pour ouvrir « L'Épi Dupin », avec le succès que l'on connaît désormais, jamais démenti depuis, bien au contraire. Car François Pasteau est un travailleur acharné, amoureux de son métier, il aime bichonner sa clientèle et transmettre son savoir (Sylvain Danière de « L'Ourcine » est passé par ici). Un modèle de stabilité et de rigueur, de dynamisme et de malice (son menu est vraiment bien troussé). Et puis, encore une fois, quelle gentillesse pour tant de talent ! François Pasteau : un grand chef, oui, mais surtout, quelqu'un de bien.

ENTRÉE_PLAT_DESSERT

SALADE DE FENOUIL ACIDULÉE, VINAIGRETTE D'AGRUMES AUX CREVETTES ROSES

4 BULBES DE FENOUIL
5 ORANGES
2 CITRONS
25 G DE SUCRE
1 BÂTON DE CANNELLE
1 ÉTOILE DE BADIANE
10 GRAINES CORIANDRE
5 CL DE BALSAMIQUE
25 CL D'HUILE D'OLIVE
1 BOTTE DE CORIANDRE FRAÎCHE
300 G DE CREVETTES ROSES
SEL ET POIVRE

POUR LA VINAIGRETTE D'AGRUMES
Prélevez les zestes de citrons et des oranges à l'aide d'un zesteur.
Mettez-les dans une casserole avec le jus des oranges et des citrons, le sucre, l'étoile de badiane, le bâton de cannelle et les graines de coriandre.
Faites réduire le tout à feu doux afin d'obtenir un sirop épais.
Versez le sirop dans un récipient et laissez-le refroidir hors du réfrigérateur.
Ajoutez le vinaigre balsamique au sirop refroidi, puis l'huile d'olive pour obtenir une émulsion.
Enfin, au dernier moment, ajoutez la coriandre fraîche finement ciselée.

POUR LES CREVETTES ET LA SALADE DE FENOUIL
Décortiquez les crevettes en retirant les têtes et le corps en laissant un petit bout de queue pour faire « plus joli » dans le plat.
Faites mariner les crevettes dans un peu d'huile d'olive avec du poivre et un peu de coriandre fraîche finement ciselée.
Lavez et coupez les fenouils en quatre, retirez le cœur du fenouil et émincez-les très finement (avec un couteau bien affûté ou avec une mandoline).

POUR SERVIR
Assaisonnez le fenouil une demi-heure avant de passer à table avec la vinaigrette d'agrumes.
Disposez le fenouil dans un plat et déposez les crevettes roses décortiquées sur le dessus.

ET LE CHEF A DIT

« LE FENOUIL EST ÉMINCÉ FINEMENT AFIN DE LE GARDER CRU : AINSI IL RESTE CROQUANT ET CONSERVE UN VÉRITABLE GOÛT ANISÉ. LA VINAIGRETTE D'AGRUMES SE MARIE PARFAITEMENT AVEC LA CORIANDRE CISELÉE ET LES CREVETTES, ET DONNE UNE TOUCHE ACIDULÉE AU FENOUIL. »

FILETS DE MAQUEREAU EN CROÛTE DE NOISETTES ET CORIANDRE, COMPOTÉE DE FENOUIL AUX FRUITS SECS

6 MAQUEREAUX DE 250 G CHACUN
200 G DE NOISETTES ENTIÈRES (MONDÉES)
20 G DE GRAINES DE CORIANDRE
2 ŒUFS
5 CL D'HUILE D'OLIVE
10 CL DE VINAIGRE BALSAMIQUE
50 G DE BEURRE
5 FENOUILS
50 G DE FIGUES SÈCHES
50 G D'ABRICOTS SECS
1 CUILLERÉE À SOUPE DE CURRY
10 CL D'HUILE D'OLIVE

PRÉPARATION DES MAQUEREAUX

Faites lever les filets des maquereaux par le poissonnier et retirez les arêtes.
Hachez finement au robot les noisettes puis ajoutez les graines de coriandre.
Battez les œufs en omelette. Trempez-y les filets de maquereau côté peau, puis étalez-les sur la chapelure noisette-coriandre. Réservez dans le réfrigérateur

PRÉPARATION DE LA GARNITURE ET DE LA SAUCE

Coupez en deux les fenouils et émincez-les finement. Taillez les abricots et les figues en petits dés.
Dans une casserole, mettez l'huile d'olive et les fenouils émincés ; faites cuire à feu doux pendant 20 minutes.
Ajoutez les fruits secs à mi-cuisson, ainsi que le curry.
Faites réduire le vinaigre balsamique de moitié et incorporez le beurre en fouettant.

CUISSON DES MAQUEREAUX ET DRESSAGE

Faites cuire les filets de maquereau dans une poêle anti-adhésive à feu doux, côté peau, en prenant garde à ne pas trop griller les noisettes ; contentez-vous de les faire juste dorer.
Ajoutez la garniture de fenouil aux fruits secs et nappez de sauce.

ET LE CHEF A DIT

« LE MAQUEREAU EST UN PRODUIT SOUVENT BOUDÉ, À TORT, PAR LES CONSOMMATEURS. J'AI VOULU ICI "L'ANOBLIR" EN LE PANANT AVEC UNE CHAPELURE DE NOISETTES ET CORIANDRE, QUI PROTÈGE SA PEAU ET LUI PERMET UNE CUISSON UNIFORME. LA CORIANDRE ET LA GARNITURE DE FRUITS SECS AU CURRY DONNENT À CE PLAT UNE PETITE TOUCHE ORIENTALE. »

ENTRÉE _ PLAT _ DESSERT

SABLÉ AUX CLÉMENTINES SAFRANÉES ET CUMIN

6 CLÉMENTINES

POUR LA SAUCE
100 G DE SUCRE
1 ORANGE
1 CUILLERÉE À CAFÉ DE CUMIN

POUR LA CRÈME DE SAFRAN
250 G DE CRÈME LIQUIDE
40 G DE LAIT
50 G DE SUCRE
3 JAUNES D'OEUFS
1 POINTE DE COUTEAU DE SAFRAN

POUR LA PÂTE SABLÉE
120 G DE FARINE
40 G DE SUCRE GLACE
2 JAUNES D'OEUFS
20 G DE POUDRE D'AMANDES
100 G DE BEURRE

POUR LA PÂTE SABLÉE
Mélangez les jaunes d'oeufs et le sucre glace, ajoutez le beurre en pommade, puis la farine et la poudre d'amande. Réservez au frais.
Étalez la pâte à la main sur la tôle du four (elle est trop friable pour être étalée au rouleau). Faites-la cuire à 180 °C pendant 15-18 minutes ; une fois cuite elle doit être légèrement blonde.

POUR LA CRÈME DE SAFRAN
Travaillez les jaunes d'oeufs avec le sucre jusqu'à ce que le mélange blanchisse. Versez la crème et le lait par-dessus, bien mélangez, puis ajoutez le safran.
Faites cuire au four dans une plaque sur 1 centimètre d'épaisseur pendant 20 minutes à 200 °C.
Une fois cuite la crème doit être tremblotante.

POUR LA SAUCE
Faites un caramel blond avec le sucre. Stoppez la cuisson en versant le jus d'orange.
Incorporez le beurre en fouettant, puis ajoutez le cumin.
Laissez infuser.

POUR SERVIR
Étalez une fine couche de crème safran sur le sablé, puis ajoutez les segments de clémentines. Ajoutez un cordon de sauce acidulée tout autour.

ET LE CHEF À DIT

« DANS CE DESSERT, LE SAFRAN, ÉPICE DOUCE, CONTRASTE AVEC LA CLÉMENTINE UN PEU ACIDE. J'AI VOULU ÉGALEMENT UN MÉLANGE DE TEXTURES EN BOUCHE EN MARIANT UN SABLÉ CROQUANT, UN FRUIT JUTEUX ET UNE CRÈME ONCTUEUSE. »

LA FERRANDAISE

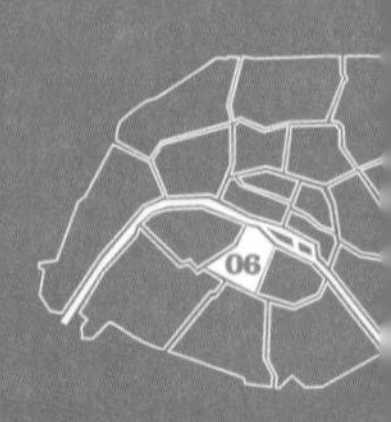

MÉTRO ODÉON
8, RUE DE VAUGIRARD
75 006 PARIS
01 43 26 36 36

NICOLAS DUQUENOY

FERMÉ SAMEDI MIDI, DIMANCHE ET LUNDI

PRIX : MENU À 30 €
MENU DÉGUSTATION À 38 €

Sachez avant toute chose que la « ferrandaise » est une race bovine française à vocation mixte, lait et viande, originaire du Puy-de-Dôme. Vous désirez en savoir plus ? Elle est appréciée pour sa fertilité et sa longévité. Elle est assez rustique et bien adaptée à la vie en montagne. Son lait sert notamment à la fabrication des fromages de saint-nectaire et de la fourme d'Ambert. Voilà qui vous évitera de poser des questions aux serveurs le jour où vous viendrez dans ce restaurant, qui porte donc le nom d'une race de vache de la région d'origine du patron, Gilles Lamiot. Ce sympathique Auvergnat, déjà propriétaire de « La Taverne de Nesle » rue Dauphine, a racheté en 2005 l'ancienne « Table d'Aude », située entre la Sorbonne et le théâtre de l'Odéon, pour en faire ce magnifique bistro néo-rustique. Le décor a été entièrement revu et corrigé pour mettre en valeur les poutres, les colombages et les pierres apparentes. Et l'on se sent presque en province, ici, avec, outre les poutres et les pierres centenaires, le beau carrelage au sol, les jolis boiseries bordeaux, la végétation rampante au plafond, les chaises en paille, les tables en bois sans nappe. Et puis, un peu partout, des photos ou des dessins de la star de la maison, la fameuse « ferrandaise », amenant une touche de fantaisie dans ce très agréable décor rive gauche. Aux fourneaux, Gilles a eu le génie de recruter un jeune (même pas trente ans) chef talentueux qui a fait ses armes dans deux ou trois grandes adresses de la haute gastronomie française : Nicolas Duquenoy. Il réalise une cuisine de base traditionnelle, remettant au goût du jour des recettes d'antan, mais avec le don de les revisiter (dans les sauces ou la présentation) d'une

> "Ses assiettes sont nettes, franches et directes, sans chichis inutiles."

façon très personnelle. La qualité des produits qu'il travaille est sans faille (les poissons, par exemple, arrivent directement de Saint-Malo) et le tour de main de Nicolas n'est jamais pris en défaut. Sa technique est sûre, précise, avec un soin maniaque du détail qui l'honore. Ses assiettes sont nettes, franches et directes, sans chichis inutiles : c'est tout simplement très bon. Ces assiettes sont servies par une équipe de salle jeune et dynamique, détendue et aimable, ultra-professionnelle, en osmose totale avec la cuisine du chef. Enfin, l'ambiance est à la bonne humeur, genre 6e décontracté. Voilà donc une adresse on ne peut plus intéressante et d'une grande cohérence, que je comparerais volontiers à « Mon Vieil Ami » dans le 4e (en un peu moins cher). Ce genre de table manquait vraiment dans le quartier, et vous ne serez pas surpris d'apprendre que c'est bourré à craquer midi et soir (vu le rapport qualité + plaisir / prix). Réservation absolument indispensable...

QUELQUES EXEMPLES DE PLATS : pressé de jarret et foie gras, réduction vin rouge / pommes de terre farcies aux escargots, crème de camembert / ravioles de foie gras, herbes fraîches et julienne de betteraves rouges / salade de coquillages et filets de lisettes marinés / onglet de bœuf, gratin de côtes de blettes / pièce de veau rôtie, blinis de potimarron et épinard / agneau de lait sauté minute, fine galette de courgettes / côte de cochon fermier, salsifis sautés au jus de truffe / risotto de blé aux coquilles Saint-Jacques / filet de bar, sauce vierge et fenouil confit / soupe froide de chocolat et bananes rôties au rhum / nage de clémentines, sorbet citron-romarin / cappuccino « tout » café / crème d'amandes aux fruits secs.

POUR EN SAVOIR PLUS SUR NICOLAS DUQUENOY

Le discret et non moins talentueux Nicolas Duquenoy naît à la fin des années 70 dans le Pas-de-Calais dans un milieu agricole qui lui inculque rapidement le culte du « bien manger ». Après des études classiques, il entre en 1994 au fameux lycée hôtelier du Touquet. Deux ans plus tard, son BEP en poche, il intègre les cuisines du « Relais Saint-Josse », dans sa région d'origine, pour travailler aux côtés du chef Étienne Delmer. C'est véritablement ce cuisinier trentenaire qui fait découvrir à Nicolas les réalités du métier, qui lui met le pied à l'étrier et lui transmet la passion de la cuisine. En 1998, il rejoint en tant que chef de partie la réputée « Auberge Picarde », à Chepy, dans la Somme : son chef, monsieur Henocque, lui apprend durant deux ans à travailler les produits frais, il lui enseigne la technique et la gestion. Plus globalement, il lui transmet la façon de bien s'organiser en cuisine. Cette expérience extrêmement valorisante permet à Nicolas d'accéder en 2000 à l'une des plus belles tables de la Rive Gauche, à Paris : « Le Relais Louis XIII » de Manuel Martinez. Il y entre au départ comme chef de partie, puis obtient rapidement, grâce à son savoir-faire et son implication, la place de second. En 2001, il participe fièrement et pleinement à l'acquisition de la deuxième étoile de ce bel établissement. Naturellement, Nicolas admire vivement Manuel Martinez, un pur « Meilleur Ouvrier de France », ainsi que sa cuisine dont il respecte entièrement l'esprit : de beaux produits travaillés à la perfection, sans tralalas inutiles, avec un soin méticuleux apporté aux cuissons et aux assaisonnements. En 2004, Nicolas saisit l'opportunité de partir exercer chez Pierre Gagnaire, l'une des adresses les plus courues de la capitale (trois étoiles au Guide Rouge). Il y reste près de huit mois, sans cependant adhérer vraiment à la cuisine du « poète des fourneaux », trop délurée à son goût. Il préfère donc revenir au bercail, rappelle Manuel Martinez et réintègre « Le Relais Louis XIII ». C'est quelques mois plus tard, durant l'été 2005, que Gilles Lamiot lui propose la place de chef des cuisines du restaurant qu'il s'apprête à racheter rue de Vaugirard. Nicolas est d'emblée séduit par le lieu, mais surtout par la possibilité qui lui est offerte de sortir de l'ombre, de réaliser enfin « sa » propre cuisine, de montrer au grand jour ce dont il se sait capable. Gilles Lamiot a véritablement eu du flair en repérant ce jeune chef et en lui laissant carte blanche dès l'ouverture, en septembre 2005 : « La Ferrandaise » a constitué cette année-là l'un des évènements majeurs du paysage « bistronomique » parisien. Depuis, il se taille un joli succès, tant public que critique.

ENTRÉE _PLAT _DESSERT

FILETS DE LISETTE MARINÉS

18 FILETS DE LISETTE (OU PETITS MAQUEREAUX)
1 POIREAU
1 OIGNON
1 CAROTTE
1 ÉCHALOTE
50 CL DE VIN BLANC
25 CL DE VINAIGRE BLANC
100 G DE SUCRE
THYM, LAURIER, CORIANDRE FRAÎCHE
SEL ET POIVRE

Retirez les arêtes des filets de lisette. Rangez-les ensuite sur un plat creux allant dans le four, bien à plat et côté chair dessus.
Coupez les carottes en quatre dans la longueur, puis émincez-les finement. Faites de même avec l'oignon, l'échalote et le poireau.
Portez à ébullition le vin blanc mélangé avec 50 cl d'eau, le vinaigre et le sucre. Ajoutez les légumes, le thym et le laurier. Salez et poivrez légèrement.
Lorsque les légumes sont cuits, versez la marinade bouillante sur les filets de lisette.
Laissez refroidir, puis mettez au réfrigérateur pendant au moins 12 heures à couvert.
Ajoutez la coriandre fraîche hachée sur les filets avant de servir.

ET LE CHEF A DIT

« VOUS POUVEZ SERVIR CES FILETS DE LISETTES AVEC UNE SALADE OU MÊME DES LÉGUMES SECS, HARICOTS BLANCS OU LENTILLES, CUITS, PUIS LÉGÈREMENT TIÉDIS DANS UNE VINAIGRETTE, OU ENCORE UNE SIMPLE POMME DE TERRE CUITE VAPEUR. À DÉGUSTER AVEC UN VIN BLANC BIEN SEC, COMME LE RIESLING KATZENTHAL DE CHRISTIAN BINNER EN 2001. »

ENTRÉE_ PLAT _DESSERT

POT-AU-FEU DE CANARD

3 CANARDS CROISÉS
1 BOTTE DE PERSIL PLAT
FLEUR DE SEL ET POIVRE DU MOULIN

POUR LE BOUILLON
2 CLOUS DE GIROFLE
1 GROS OIGNON
2 ÉCHALOTES
2 CAROTTES
1 BRANCHE DE CÉLERI
1 FEUILLE DE LAURIER

POUR LA GARNITURE
1 DEMI-BOULE DE CÉLERI-RAVE
4 CAROTTES
6 PETITS RUTABAGAS OU NAVETS
6 TOPINAMBOURS
2 PANAIS
4 COURGETTES
12 PETITES POMMES DE TERRE ROSEVAL

ET LE CHEF A DIT

« CE PLAT DOIT ÊTRE DÉGUSTÉ TRÈS CHAUD. C'EST UNE FAÇON INTÉRESSANTE DE " REVISITER " LE POT-AU-FEU TRADITIONNEL. LES LÉGUMES PEUVENT BIEN SÛR VARIER SELON LA SAISON. JE VOUS SUGGÈRE DE DÉGUSTER CE PLAT AVEC UN VIN DU PAYS DE L'ARDÈCHE, COMME LA SYRAH DE HERVÉ SOUHAUT EN 2004. »

Prélevez les cuisses et les filets des canards, récupérez les abats. Hachez le persil.

Préparez les légumes du bouillon : oignon pelé et piqué, échalotes pelées, carottes et céleri tronçonnés.
Préparez un bouillon avec les carcasses des canards, les légumes précédents et la feuille de laurier. Salez et faites cuire pendant une heure.
Passez le bouillon au chinois. Dans la moitié du bouillon, faites cuire les morceaux de canards et les abats pendant 2 heures sur feu doux.
Vérifiez la cuisson : n'hésitez pas à la prolonger un peu plus longtemps si nécessaire pour que le canard soit bien tendre.
Dans le reste de bouillon, faites cuire les légumes de la garniture : les carottes taillées en gros morceaux, le céleri-rave en quartiers, les rutabagas en quatre ; les courgettes fendues en deux dans la longueur, épépinées et coupées en trois ; les panais coupés en quatre dans la longueur, débarrassés du coeur et coupés en morceaux.
Selon leur taille, faites cuire les pommes de terre et les topinambours entiers ou coupés en deux. Faites cuire de préférence les légumes séparément, pour qu'ils soient tous cuits de la même façon, à savoir bien cuits.
Dans une soupière ou six assiettes creuses, déposez les légumes, puis les morceaux de canard dessus.
Arrosez avec quelques louches de bouillon bien chaud, parsemez de persil haché, assaisonnez de fleur de sel et poivre du moulin.

ENTRÉE_PLAT_DESSERT

SOUPE AU CHOCOLAT

250 G DE CHOCOLAT NOIR À 70% DE CACAO
40 CL DE LAIT
20 CL DE CRÈME FRAÎCHE

Coupez le chocolat en menus morceaux.
Versez lait et la crème dans une casserole, mélangez et faites bouillir, puis versez le tout sur le chocolat.
Fouettez pour bien faire fondre le chocolat.
Laissez refroidir à température ambiante (ne mettez pas la « soupe » au réfrigérateur, sinon elle deviendrait trop dure et épaisse).

ET LE CHEF A DIT

« UN DESSERT TRÈS FACILE À RÉALISER ET POURTANT SUCCULENT ! VOUS POUVEZ DÉGUSTER CETTE "SOUPE" ACCOMPAGNÉE DE CHANTILLY OU, POUR LES FINS GOURMETS, D'UN FRUIT, BANANE, POIRE OU CLÉMENTINE, DE PRÉFÉRENCE LÉGÈREMENT RÔTI ET CHAUD SELON LE FRUIT. VOUS POUVEZ ÉGALEMENT AROMATISER LA SOUPE D'UN TRAIT DE GRAND-MARNIER® OU DE LIQUEUR DE FRUIT ROUGE. PERSONNELLEMENT, JE LA DÉGUSTE AVEC UN "JET" DE WHISKY ÉCOSSAIS DE "SPEYSIDE". »

ZE KITCHEN GALERIE

MÉTRO ODÉON
OU ST-MICHEL
4, RUE DES GRANDS
AUGUSTINS
75 006 PARIS
01 44 32 00 32

WILLIAM LEDEUIL

FERMÉ SAMEDI MIDI ET DIMANCHE

PRIX : À LA CARTE, COMPTER 40/45 €
MENU DÉJEUNER À 34 €, VIN ET CAFÉ COMPRIS

“Peu de chefs savent manier avec talent les influences « worldisantes. »”

Autant vous prévenir d'emblée : cette adresse est, en tout cas le soir, (légèrement) plus onéreuse que les autres présentées dans cet ouvrage. Néanmoins, je ne trouve pas l'addition vraiment élevée au regard de la qualité des assiettes et de la magie qui se dégage de cet endroit, finalement d'un excellent rapport qualité + originalité / prix.
Au cœur de Saint-Germain-des-Prés, William Ledeuil, ancien de chez Guy Savoy, a ouvert en 2001 cette sorte de néo-galerie façon loft new-yorkais, avec cuisine ouverte. Le décor très moderne est signé du peintre et jazzman Daniel Humair. Le mobilier est de Léopold Gest, tandis que des toiles d'artistes contemporains tels Soulié ou Autard sont régulièrement exposées. Sur les tables de métal couleur chocolat, la vaisselle et les couverts sont signés Philippe Starck. Voilà pour le cadre, épuré et lumineux, gai et chaleureux, unique en son genre à Paris.
Passons à la cuisine. Comment la définir ? On pourrait avancer le mot de « fusion », un terme qui peut inquiéter, vu le nombre de ratages constatés en ce domaine ces dernières années. Peu de chefs savent manier avec talent les influences « worldisantes ». Mais ici (et dans deux ou trois autres adresses de la capitale, il faut le reconnaître), c'est totalement abouti et réussi. Rien à voir, je vous le certifie, avec une autre « branchouillerie » de plus pour gogos. William Ledeuil a parfaitement assimilé les meilleures qualités de la cuisine « fusionnante ». Il parvient à détourner, toujours harmonieusement, les produits de l'Hexagone avec des épices, des herbes, des condiments et des fruits venus principalement d'Asie. Mais il se réclame clairement de la tradition française et compose en utilisant les richesses des deux continents. Comme il le dit lui-même : « Nous avons en Europe, et surtout en France, les meilleurs produits. L'Asie a souvent de bonnes idées pour mettre en valeur des produits plus pauvres ». Cela donne in fine des assiettes d'une grande pureté qui font virevolter les papilles dans tous les sens, en présentant des accords originaux et des contrastes de saveurs étonnants. Cette cuisine fine, savoureuse et légère n'oublie cependant jamais la netteté et la rigueur dans l'exécution (énorme précision des cuissons et des assaisonnements). C'est tout bonnement insolite, subtil et délicieux.
Ajoutons à tout cela un service des deux sexes aussi séduisant que professionnel, en osmose totale avec la cuisine du chef. Et bien sûr une carte des vins à l'image de l'adresse : moderne et intelligente, avec une jolie sélection de vins au verre. Autant vous l'avouer, c'est l'une de mes adresses favorites de la capitale. Car Paris, finalement, ne compte pas tant de tables aussi cohérentes, sur le fond et la forme. La personnalité du chef, le cadre, les assiettes et le service sont ici sur une même ligne, un même axe. J'espère sincèrement que vous allez adhérer comme moi à l'état d'esprit mis en exergue par « Ze Kitchen Galerie », une adresse moderne, sans œillères, enthousiaste, imaginative et ouverte sur le monde. Une très belle table du XXIe siècle pour ainsi dire. Un petit tuyau en prime : si vous n'êtes que deux et que vous souhaitez être un peu « tranquilles », pensez à réserver la table 19.

QUELQUES EXEMPLES DE PLATS : **minestrone de crustacés au miso, basilic thaï et algue nori / bouillon artichaut citronnelle, croquettes escargots-volaille au curcuma / onglet de veau jus tamarin, oignon rouge et poivre vert / lotte grillée condiment papaye-gingembre et purée à l'huile de lime / sorbet orange sanguine-citronnelle jus rhubarbe-combawa / financier châtaigne et olives confites avec sorbet mostardelle et fruits secs / glace cacahuète macaron fleur de sel et sauce pistache.**

POUR EN SAVOIR PLUS SUR WILLIAM LEDEUIL

Cet élégant et très sympathique quadragénaire a un parcours assez atypique. Résumons-le rapidement pour surtout nous concentrer sur son actualité. À l'âge de 20 ans, William obtient un BTS de gestion des entreprises qui lui sera fort utile pour sa carrière professionnelle. Trois ans plus tard, passionné depuis toujours par la cuisine, il entre à l'École Supérieure de Cuisine Française. En 1991, il intègre la « galaxie » Guy Savoy. Durant 10 ans aux côtés du grand chef, il va parfaire sa technique, étendre sa créativité, découvrir de nouveaux horizons (l'Asie surtout) et perfectionner son sens du management (il ira jusqu'à gérer trois restaurants et cinquante personnes). Mais depuis longtemps, l'envie d'ouvrir un lieu qui lui ressemble titille cet amateur d'art contemporain (peinture, sculpture), d'architecture et de voyages. C'est ainsi qu'il quitte son mentor en 2001 pour ouvrir « Ze Kitchen Galerie ». Pour bien comprendre la philosophie qui anime cet artiste talentueux, le plus simple est de lui laisser la parole : « Toute mon âme d'enfant se trouve dans mes plats. Voilà comment je pourrais résumer symboliquement ma cuisine. Pour moi la cuisine a été, est et sera toujours un jeu. Un jeu qui est devenu une passion dévorante. La règle en est simple : laisser libre cours à son imagination et à sa sensibilité, tout en respectant les principes des recettes. Ayez toujours en vous cette âme d'enfant. Enthousiasmez-vous sur la couleur, la texture, l'odeur d'un produit, sur le contact avec votre marchand de légumes… Ça n'a l'air de rien, mais c'est l'une de ces simples attention du cœur qui peuvent nourrir le quotidien. Mon jeu comporte trois éléments : la nature (le produit et ses saveurs), la peinture (les couleurs naturelles des produits) et l'architecture (les formes naturelles des produits et les formes géométriques des contenants). Grâce à la lecture d'ouvrages, aux voyages que j'ai faits en Thaïlande et au Japon, grâce aussi à de délicieux repas, la culture et la cuisine de l'Asie du Sud-Est m'ont fasciné. Ce fut un véritable coup de cœur. J'ai donc décidé il y a cinq ans de découvrir, d'expérimenter les rhizomes, les herbes et différents ingrédients venant de Thaïlande, du Vietnam et du Japon. Ces produits (quasiment inconnus pour moi à l'époque) sont aujourd'hui à la disposition du public. Ces saveurs totalement nouvelles m'ont permis de réinterpréter de nombreuses recettes, d'élaborer et d'élargir une nouvelle palette de saveurs. Les couleurs du goût sont un jeu sans fin. Je m'y complais. Comment vais-je marier tel produit avec tel produit ? Comment vais-je faire ressortir leurs subtilités olfactives et gustatives ? J'aime jouer en permanence sur l'interactivité du mode de cuisson, des saveurs, des textures et des cultures. Le but n'est pas de perdre ses sens dans une confusion olfactive et gustative. L'intérêt est de jouer avec les produits et de les voir réagir. Comment, dans une union des saveurs, ces produits arrivent à garder leur authenticité et leur unité gustative. Ce jeu des saveurs et des couleurs vous permettra avec une grande liberté d'interpréter telle ou telle recette, avec telle herbe, telle racine, tel condiment. La cuisine deviendra pour vous un jeu très ludique, permettant d'adapter n'importe quelle recette avec des saveurs et des ingrédients venus d'ailleurs. Alors, à vous de jouer maintenant ! »

Après une telle profession de foi, je n'ai plus grand chose à rajouter. Courez donc visiter son établissement hors-norme et tentez l'aventure avec les trois recettes que William vous livre gentiment. Elles ne sont pas faciles à réaliser, mais sont parmi les plus étonnantes.

ENTRÉE _PLAT _DESSERT

RAVIOLI DE CANARD ET FOIE GRAS, JUS THAÏ MOSTARDELLE

6 CUISSES DE CANETTE
12 TRANCHES DE FOIE GRAS DE 30 G CHACUNE ENVIRON
1 PAQUET DE PÂTE À RAVIOLI CHINOIS
2 TIGES DE CITRONNELLE COUPÉES EN DEUX
3 CUILLERÉES À SOUPE DE MOUTARDE VIOLETTE

POUR LA MARINADE
2 GOUSSES D'AIL ÉMINCÉES
2 PIMENTS OISEAUX ÉPÉPINÉS
3 TIGES DE CITRONNELLE ÉMINCÉS
1 BULBE DE GINGEMBRE ÉPLUCHÉ ET HACHÉ
4 TOMATES
2 CUILLERÉES À CAFÉ DE POUDRE SATAY
80 G DE MOSTARDELLE
25 CL DE VINAIGRE DE RIZ
HUILE D'OLIVE

POUR LES RAVIOLI
6 OIGNONS FANES ÉPLUCHÉS
1 BULBE DE GINGEMBRE ÉPLUCHÉ ET HACHÉ
8 SHIITAKE COUPÉS EN DEUX
3 TIGES DE CORIANDRE FRAÎCHE ÉMINCÉES
100 G DE FOIE GRAS
POIVRE CUBÈBE
HUILE D'OLIVE
SEL DE CÉLERI

GARNITURE
6 PANAIS ÉPLUCHÉS
12 ASPERGES ÉPLUCHÉES
1 GOUSSE D'AIL PELÉE
2 TIGES DE CITRONNELLE COUPÉS EN DEUX
5 CL DE BOUILLON DE VOLAILLE
SEL ET POIVRE

ET LE CHEF A DIT

« DANS MON RESTAURANT, BEAUCOUP DE PLATS SONT À BASE DE FARCE. CETTE MÉTHODE DE PRÉPARATION PERMET D'EXPRIMER PLEINEMENT LES SAVEURS ET LES PARFUMS DES RHIZOMES ET DES HERBES D'ASIE. »

POUR LA MARINADE
Dans une casserole, faites suer l'ail, le piment, la citronnelle, le gingembre et la poudre de satay pendant 3 à 4 minutes.
Ajoutez les tomates coupées en morceaux, la mostardelle et le vinaigre de riz.
Portez à ébullition et mixez, puis passez au chinois.

CUISSON DU CANARD
Faites dorer les cuisses de canette à la poêle, côté peau.
Disposez-les dans une cocotte en fonte, ajoutez le jus de la marinade, les deux tiges de citronnelle coupés en deux et faites cuire au four à 200 °C pendant 1heure et 15 minutes.
Laissez reposer 20 minutes, puis désossez les cuisses de canette et émincez finement la chair avec la peau.
Filtrez le jus, laissez frémir 2 minutes et ajoutez la moutarde violette pour obtenir le jus thaï.

PRÉPARATION DES RAVIOLI ET DE LA GARNITURE
Dans une poêle, faites suer les oignons fanes émincés, le gingembre, les shiitake à l'huile d'olive pendant 10 minutes.
Ajoutez le canard émincé et une louche de jus de canard.
Laissez compoter 5 minutes et ajoutez la coriandre fraîche émincée hors du feu.
Assaisonnez avec le poivre cubèbe et le sel de céleri.
Faites refroidir et ajoutez le foie gras coupé en petits dés.
Confectionnez les ravioli avec les carrés de pâte à ravioli chinois.
Dans une sauteuse, faites cuire séparément les asperges et les panais avec le bouillon de volaille, l'ail et la citronnelle.

FINITION
Faire cuire les raviolis pendant 4 minutes à la vapeur dans un couscoussier ou un panier en bambou. Retirez-les lorsqu'ils sont bien brillants et tendres sous la pointe du couteau.
Pendant ce temps, poêlez les tranches de foie gras et égouttez-les sur du papier absorbant.
Disposez sur chaque assiette les ravioli, le foie gras (2 tranches par personne), les panais (1 par personne) et les asperges (2 par personne).
Nappez les ravioli et le foie gras avec le jus thaï.

ENTRÉE_PLAT_DESSERT

RIZ BASMATI-SAUVAGE SAUTÉ AUX ENCORNETS ET CREVETTES, BOUILLON CURCUMA

POUR LE RIZ BASMATI-SAUVAGE
300 G DE RIZ BASMATI
300 G DE RIZ SAUVAGE
1 OIGNON PELÉ ET CISELÉ
2 TIGES DE CITRONNELLE COUPÉS EN DEUX
1 FOIS ET DEMI VOLUME DU RIZ BASMATI DE BOUILLON DE VOLAILLE
HUILE D'OLIVE
SEL, POIVRE

POUR LA GARNITURE
2 ENCORNETS (300 G)
6 GROSSES CREVETTES CUITES
80 G DE CHORIZO
2 FEUILLES D'ALGUE NORI
2 TIGES DE CORIANDRE CHINOISE CISELÉES
1 TIGE D'AIL ÉMINCÉE
SET ET POIVRE
HUILE D'OLIVE

POUR LE BOUILLON CURCUMA
3 GOUSSES D'AIL ÉPLUCHÉES
2 PIMENTS OISEAU ÉPÉPINÉS
2 TIGES DE CITRONNELLE COUPÉS EN DEUX
2 BULBES DE CURCUMA ÉPLUCHÉS
6 FEUILLES DE LIME
15 CL DE JUS DE CITRON
12 CL D'ALCOOL DE RIZ
12 CL DE LAIT DE COCO
25 DE BOUILLON DE CREVETTES
SEL

ET LE CHEF A DIT

« J'ADORE ADAPTER LE RIZ ESPAGNOL CUIT FAÇON "PAELLA" ET LE PARFUMER AVEC LES INGRÉDIENTS D'ASIE, QUI DONNENT BEAUCOUP DE LONGUEUR EN BOUCHE. »

PRÉPARATION DU RIZ BASMATI-SAUVAGE
Faites chauffer l'huile d'olive dans une cocotte en fonte, ajoutez l'oignon ciselé et la citronnelle, laissez suer en remuant pendant 2 minutes.
Ajoutez le riz basmati et mélangez pendant 2 minutes.
Versez le bouillon de volaille bouillant, salez et poivrez ; couvrez et faites cuire dans le four à 200 °C pendant 18 minutes.
Sortez du four lorsque le riz a absorbé tout le liquide et laissez reposer 10 minutes.
Égrenez le riz à l'aide d'une fourchette en incorporant un filet d'huile d'olive.
Dans une grande casserole, portez à ébullition 3 litres d'eau avec 15 g de gros sel et faites cuire le riz sauvage pendant environ 1 heure. Égoutter et refroidissez. Le riz sauvage doit garder une certaine consistance.

PRÉPARATION DE LA GARNITURE
Nettoyez les encornets, coupez-les en deux dans le sens de la longueur et taillez-les en fines lanières de 3 mm, ainsi que les tentacules.
Dans une poêle anti-adhésive, faites chauffer l'huile d'olive, ajoutez les encornets et faites-les sauter vivement pendant 30 secondes.
Égouttez et réservez.
Décortiquez les crevettes et émincez-les.
Taillez le chorizo en rondelles de 3 mm et retaillez-les en lanières de 3 mm.
Coupez dans les feuilles d'algue nori des petits rectangles au ciseau.

PRÉPARATION DU BOUILLON CURCUMA
Émincez l'ail, la citronnelle, le piment oiseau, le curcuma et les feuilles de lime ; mixez le tout avec le jus de citron et l'alcool de riz.
Faites chauffer dans une casserole et réduisez de moitié, ajoutez le lait de coco et le bouillon de crevettes. Laissez cuire pendant 30 minutes pour obtenir un bouillon très parfumé.
Filtrez et assaisonnez, gardez au chaud

FINITION
Dans une grande poêle anti-adhésive chaude, versez un filet d'huile d'olive, faites sauter le riz basmati et le riz sauvage pendant 2 minutes.
Ajoutez les crevettes, les encornets, le chorizo et 2 petites louches du bouillon curcuma.
Lorsque le riz est bien enrobé de jus, ajoutez l'algue nori, la coriandre, la tige d'ail et assaisonnez.
Servez dans des assiettes creuses avec le bouillon curcuma tout autour.

ENTRÉE_PLAT_DESSERT

CAPPUCCINO DE FRAISES-CITRONNELLE, ÉMULSION WASABI

900 G DE FRAISES TRÈS PARFUMÉES ET SUCRÉES
60 G DE SUCRE GLACE
2 TIGES DE CITRONNELLE COUPÉES EN DEUX
150 G DE MASCARPONE
15 CL DE CRÈME LIQUIDE
1/3 DE TUBE DE WASABI EN PÂTE
1 L DE GLACE À LA PISTACHE

Lavez 750 g de fraises sans les équeuter, égouttez-les, retirez le pédoncule et coupez-les en quatre.
Passez-les au mixeur avec la citronnelle émincée, filtrez et réservez au frais. Réalisez cette préparation 3 heures avant le repas au maximum pour conserver tout le parfum du fruit.
Pendant ce temps, fouettez le mascarpone avec la crème liquide, six cuillerées à soupe de la préparation précédente et le wasabi.
Dès que vous obtenez une consistance onctueuse, incorporez le sucre glace.
Lavez le reste des fraises et taillez-les en petits quartiers.
Prenez six beaux verres assez larges et remplissez-les au tiers avec la soupe de fraises à la citronnelle.
Déposez par-dessus une cuillerée à soupe de petits dés de fraises.
Versez délicatement l'émulsion wasabi sur les fraises.
Déposez enfin délicatement une boule de glace à la pistache sur le dessus.

ET LE CHEF A DIT

« J'AI DÉCOUVERT L'ASSOCIATION DU SUCRE ET DU WASABI LORS D'UN DÎNER DANS UN SUSHI-BAR À TOKYO. LE VIEUX "MAITRE SUSHI" NOUS AVAIT PRÉPARÉ UN CONDIMENT À BASE DE MISO SUCRÉ ET DE WASABI. J'AI TRANSPOSÉ L'IDÉE SUR CE DESSERT. »

07

07e

L'AFFRIOLÉ

MÉTRO LA TOUR MAUBOURG
17, RUE MALAR
75 007 PARIS
01 44 18 31 33

THIERRY VÉROLA

FERMÉ DIMANCHE ET LUNDI

PRIX : À LA CARTE ENVIRON 35 €

MENUS AU DÉJEUNER À 19 € ET 29 €

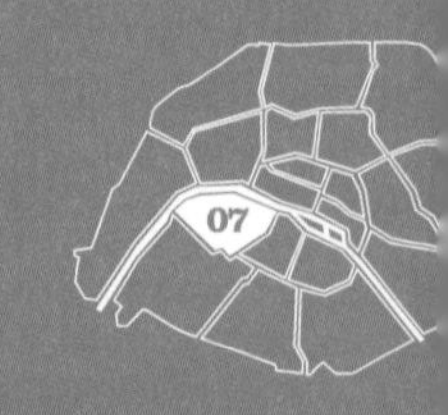

La rue Malar est une petite rue située dans l'un des coins les plus sympa du 7e arrondissement. Elle a surtout la chance énorme de compter deux pépites bistronomiques à son actif : « L'Ami Jean » et « L'Affriolé », toutes aussi indispensables l'une que l'autre, et finalement très complémentaires. C'est cette seconde adresse qui nous occupe ici. Passons rapidement sur le décor de bistro, sans prétentions, mais net et confortable. On en retiendra essentiellement les très jolies et inédites tables nues en céramique colorée, les beaux luminaires et les vieux objets chinés çà et là (un poste TSF, des moulins à café, un appareil photo, des anciens guides Michelin). Intéressons-nous plutôt à l'essentiel : la qualité de ce qui arrive à table. Tout commence en général par d'excellents radis à croquer avec le non moins excellent pain de chez Poujauran (attention les doigts, il est servi très chaud !), à tartiner de beurre aux olives. Et tout se termine souvent, après le dessert, avec des petits pots de crème (vanille, pistache, café) et des cerises, apportées avec l'addition. Vous en connaissez beaucoup, des endroits à ce tarif-là, qui prodiguent autant d'attentions à l'égard de leurs clients ? Entre ces deux moments délicieux, vous aurez la chance de goûter à la brillante cuisine de Thierry Vérola : produits excellents, assiettes vives et percutantes, « affriolantes », bien présentées et techniquement parfaites. Avec des idées originales, d'une inventivité parfaitement maîtrisée. Ne vous fiez surtout pas aux intitulés un brin austères de certains plats : derrière un « travers de porc laqué aux épices » ou un « pigeon rôti aux petits pois » se cachent des trésors de bonheur inattendu. Autre point remarquable : les desserts, qui auraient parfaitement leur place sur une table de palace ! Je garde ainsi le souvenir ému d'un « suprême au chocolat guanaja, gelée de café d'Éthiopie » de très haute volée. Tout cela est en outre servi avec une grande gentillesse, dans une ambiance chic et relax, très 7e arrondissement, mais qui reste surtout bon enfant. Décidément, les habitants du quartier ont bien de la chance d'avoir à leur disposition deux telles réussites « bistronomiques ». Il ne tient qu'à vous d'en profiter.

" Des idées originales, d'une inventivité parfaitement maîtrisée. "

QUELQUES EXEMPLES DE PLATS : **haricots tarbais, en crème froide, en salade de chorizo, farcis en piquillos / truite de mer marinée à l'orange et coriandre / croquettes de pied de porc, sauce tartare / acras de lieu à la marjolaine, tartare de tomates / courgette-fleur farcie au fenouil, sauce vierge / thon poêlé aux olives, canneloni d'aubergines / saumon « fumé-minute » aux aromates et pommes au sel / poitrine de poulet en viennoise et petits pois / selle d'agneau rôtie au thym, macaron de champignons / cappucino chocolat café / crumble aux framboises et rhubarbe / blanc-manger aux pêches caramélisées / soupe de fraises au vin rouge, glace vanille.**

POUR EN SAVOIR PLUS SUR THIERRY VÉROLA

Thierry Vérola naît en 1967 dans la ville chère au cœur d'un ancien Président de la République, Chamalières. Tout petit déjà, il est passionné par les métiers de la restauration. Il arrête ses études en fin de 3ème pour intégrer un lycée hôtelier et passe son CAP à Rouen, avec un maître d'apprentissage, monsieur José Rato, un chef « à l'ancienne », qui lui met véritablement le pied à l'étrier. En 1984, Thierry arrive à Paris pour être placé chez le mari de Denise Fabre, Francis Vandenhende, à «La Ferme Saint-Simon », beau restaurant du 7e arrondissement proche de l'Assemblée Nationale. Un an plus tard, il part pour deux ans effectuer son service militaire comme chef des cuisines dans l'infanterie de marine en Nouvelle-Calédonie : excellent souvenir pour lui ! En 1987, c'est le retour en métropole. Il se « remet dans le bain » pendant quelques mois au « Del Monico », le nom à l'époque du restaurant de l'hôtel Edouard VII, avenue de l'Opéra. Pour déménager ensuite place de la Madeleine, afin d'intégrer la brigade du prestigieux « Lucas Carton », auprès de l'un des papes de la « nouvelle cuisine », Alain Senderens. Il passe pendant un an par tous les postes ou presque, il apprend la rigueur et l'exigence : une expérience très formatrice, bien que rigoureuse. En 1989, il rejoint le chef Philippe Groult dans son établissement du 17e, « Amphyclès » (aujourd'hui fermé, mais à l'époque doublement étoilé), dont il retient essentiellement l'énorme technique, très épurée. Puis arrive son expérience la plus longue, la plus marquante, celle qu'il va vivre en compagnie de monsieur Duquesnoy dans son magnifique restaurant de l'avenue Bosquet. Il reste pendant plus de 5 ans le second de ce grand chef et c'est là qu'il acquiert véritablement toutes les bases qui lui servent aujourd'hui. En 1994, il devient chef pour la première fois aux « Bouchons de François Clerc », dans le 5e arrondissement. Il y reste un peu plus d'un an et prend conscience qu'il est possible de faire de la grande cuisine en tirant les prix au plus bas : un vrai déclic. Il est alors démarché pour diriger les cuisines du restaurant de la tour de la « Société Générale » à la Défense. Une excellente expérience de quatre ans, très formatrice, au cours de laquelle il a entièrement carte blanche, ce qui lui permet aussi d'appréhender les notions de gestion et de management. Des compétences qui lui sont indispensables quand enfin, en 2000, il s'installe à son compte en rachetant à Alain Atibard cet « Affriolé » de la rue Malar. Ce qui l'amuse alors – et encore aujourd'hui d'ailleurs –, c'est le décalage entre la modestie de la salle et l'ambition clairement revendiquée dans les assiettes. Des assiettes franchement épatantes, fruit du travail de Thierry durant toutes ces années, auprès des grands maîtres dont il a retenu les meilleures leçons.

ENTRÉE _PLAT _DESSERT

CROQUETTES DE PIEDS DE PORC SAUCE TARTARE

12 PIEDS DE PORC CUITS
300 G D'ÉCHALOTES
200 G DE RILLETTES
300 G DE CHAMPIGNONS DE PARIS
1 TRAIT DE VINAIGRE DE XÉRÈS
300 G DE MIE DE PAIN
SEL ET POIVRE
50 CL DE MAYONNAISE BIEN FERME
CÂPRES, PERSIL PLAT ET CORNICHONS

Hachez les pieds de porc désossés et mettez-les dans une casserole
Ajoutez les champignons nettoyés et émincés, ainsi que les échalotes pelées et finement ciselées. Faites chauffer sur feu doux et ajoutez le vinaigre de Xérès.
Retirez du feu et incorporez les rillettes.
Étalez cette préparation sur une tôle en veillant à obtenir une épaisseur uniforme de 1,5 cm d'épaisseur ; réservez au réfrigérateur pour raffermir.
Lorsque l'ensemble a bien pris, découpez la préparation en gros bâtonnets.
Émiettez finement la mie de pain et roulez les bâtonnets dedans ; faites-les frire à 170 °C pendant 3 à 4 minutes.
Mélangez la mayonnaise avec du persil plat ciselé, des câpres et des cornichons hachés. Servez les croquettes de pied de porc avec cette sauce tartare.

ET LE CHEF A DIT

« J'AI RÉALISÉ CE PLAT EN DÉCOMPOSANT LE PIED DE PORC CLASSIQUE QUE NOUS VENDENT LES CHARCUTIERS-TRAITEURS, PUIS JE L'AI TRAVAILLÉ D'UNE MANIÈRE TOTALEMENT DIFFÉRENTE, TOUT EN GARDANT LA BASE ET LE GOÛT. »

ENTRÉE_ **PLAT** _DESSERT

THON POÊLÉ AUX OLIVES ET CANNELLONI D'AUBERGINES

1 KG DE THON FRAIS ROUGE, DÉTAILLÉ EN MORCEAUX DE 80 G
150 G D'OLIVES NOIRES DÉNOYAUTÉES
6 GROSSES AUBERGINES
200 G DE CARRÉS DE PÂTE À LASAGNE
HUILE D'OLIVE
SEL ET POIVRE

Faites sécher les olives dans le four à basse température. Mixez-les avec de l'huile d'olive pour obtenir un coulis épais.
Faites cuire les aubergines dans du papier d'aluminium au four pendant 1 heure à 180 °C. Récupérez la pulpe avec une cuillère, puis montez-la à l'huile d'olive comme une mayonnaise ; salez et poivrez.
Faites cuire à l'eau bouillante salée les carrés de pâtes à lasagne, puis garnissez-les de caviar d'aubergine et roulez-les pour en faire des cannelloni.
Saisissez les morceaux de thon à la poêle avec un peu de coulis d'olives noires à feu très bas (cuisson rapide).
Coupez les cannelloni en deux et disposez les morceaux de thon par-dessus ; ajoutez pour finir un trait de coulis d'olives noires froid.

ET LE CHEF A DIT

« J'AI CHOISI POUR CE PLAT UNIQUEMENT DES PRODUITS DU SUD. L'OLIVE NOIRE SÉCHÉE EST ASSEZ FORTE, MAIS L'AUBERGINE ADOUCIT LE TOUT. VOUS POUVEZ CE PLAT AVEC UNE SAUCE VIERGE (TOMATES CONCASSÉES, BASILIC CISELÉ, HUILE D'OLIVE) ET DES DENTELLES DE PARMESAN. ENFIN, JE VOUS SUGGÈRE COMME ACCOMPAGNEMENT UN VIN CORSE, COMME UN PATRIMONIO ROUGE DU DOMAINE LECCIA. »

ENTRÉE_PLAT_DESSERT

PETS DE NONNE, MI-GELÉE D'AGRUMES

POUR LA PÂTE À CHOUX
2 CUILLERÉES À CAFÉ DE SUCRE
200 G DE BEURRE
270 G DE FARINE
7 ŒUFS
SEL FIN ET EAU DE FLEUR D'ORANGER

POUR LA MI-GELÉE D'AGRUMES
6 ORANGES
6 PAMPLEMOUSSES ROSES
2 FEUILLES DE GÉLATINE
1 GROSSE CUILLERÉE À SOUPE DE MIEL
HUILE D'ARACHIDE
SUCRE SEMOULE

Pelez à vif les oranges et les pamplemousses en récupérant tout leur jus. Versez ce jus dans une petite casserole et faites-le réduire de moitié sur feu vif. Ajoutez la gélatine et le miel.
Disposez les quartiers d'agrumes dans des assiettes creuses et recouvrez-les avec le jus d'agrumes.
Réservez au réfrigérateur.
Préparez la pâte à choux : versez 50 cl d'eau dans une casserole, ajoutez le beurre coupé en morceaux, une pincée de sel et le sucre ; portez à ébullition, versez la farine et remuez énergiquement jusqu'à ce que la pâte se détache de la casserole ; hors du feu, incorporez les oeufs un par un en mélangeant bien, puis parfumez avec un peu d'eau de fleur d'oranger.
Mettez la pâte à choux dans une poche à douille. Faites chauffer un bain d'huile d'arachide dans une bassine et faites frire la pâte en petites boulettes.
Égouttez-les et roulez-les dans le sucre semoule.
Servez les pets de nonne avec la gelée d'agrumes à part.

ET LE CHEF A DIT

« J'AI TROUVÉ INTÉRESSANT DE REMETTRE LES " PETS DE NONNE " DE MON ENFANCE AU GOÛT DU JOUR. DE PLUS, L'ACIDITÉ DES AGRUMES ET DE LEUR JUS SE MARIE PARFAITEMENT AVEC LE SUCRE CROUSTILLANT DES BEIGNETS DE PÂTE. »

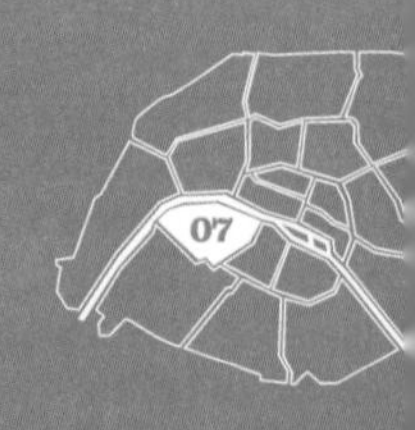

L'AMI JEAN

MÉTRO LA TOUR MAUBOURG
OU INVALIDES
27, RUE MALAR
75 007 PARIS
01 47 05 86 89

STÉPHANE JÉGO

FERMÉ DIMANCHE ET LUNDI MIDI

PRIX : MENU À 30 €

Il faudrait sans doute un jour dresser la liste des établissements parisiens de la galaxie « Régalade ». On frôlerait sans doute la quinzaine d'enseignes. Et celle-ci en ferait incontestablement partie : elle viendrait même en tête. En effet, son chef, Stéphane Jégo, a plus de dix durant secondé le grand Yves Camdeborde dans son adresse cultissime de la porte de Châtillon. Avant de reprendre cette vielle gloire de la rive gauche, temple de l'Ovalie (Roger Couderc était un habitué), convaincu comme son maître qu'il était possible de servir de la cuisine « étoilée » sur des tables en bois, dans une ambiance de bistro. Et c'est effectivement le cas. Cette table est une parfaite réussite. Toutes mes incursions dans ce bistro typique toujours bondé, bien dans son jus, voire confit dans le passé (la devanture est même limite fripée), ont été de véritables moments de bonheur culinaire, tout proches de ceux que j'ai eu la chance de vivre à la « Régalade » (que je vous encourage une fois encore à visiter). Les raisons ? D'abord l'ambiance joyeuse et bigarrée, détendue, franche et conviviale (attention, ne venez pas ici pour une soirée tranquille en amoureux…). Puis un service jeune, sympathique et efficace, monté sur ressorts. Enfin et surtout les assiettes : quel bonheur ! La cuisine de Stéphane Jégo se veut la plus personnelle possible, s'amusant des extrêmes, sans limites, inclassable même, aussi convaincante avec une blanquette de veau ou une raie toute simple qu'avec des recettes (beaucoup) plus imaginatives. Une cuisine à la fois ménagère et bien dans son temps, rugueuse, solide, et pourtant d'une extrême finesse, dans un registre aussi bien marin (le chef est d'origine bretonne) que d'inspiration basco-béarnaise (l'influence « régaladesque »). Le résultat est franchement remarquable, avec une mention toute particulière pour les desserts, à tomber à la renverse. La carte des vins quant à elle est du meilleur tonneau, claire, pas trop longue, avec de vrais bon plans, surtout dans le Sud-Ouest (précipitez-vous sur les irouléguy ou sur les blancs du béarn). Bref, une adresse pleine d'entrain comme je les adore, où l'on sent qu'il se passe réellement quelque chose : la parfaite illustration de notre propos « bistronomique ». Chapeau Monsieur Jégo !

"Enfin et surtout les assiettes : quel bonheur !"

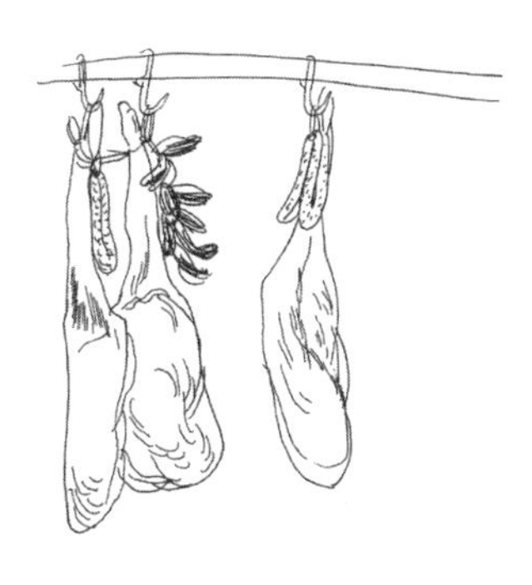

QUELQUES EXEMPLES DE PLATS : mousseline de chou fleur, moules d'Espagne et caviar de hareng, servi glacé / rôties de filets de caille en granité de vin rouge à l'anis, chou rouge / maquereaux de Bretagne en croûte de parmesan, salade de tomates noires de Crimée / vinaigrette de haddock, radis roses et noirs à la coriandre / thon rouge mariné puis cuisiné bleu, coco râpé / mignon de porc rôti, girolles, trompettes, ail et thym / rognon de veau cuisiné entier, carottes au lard paysan / lapin fermier en fricassée, poivrade de tomates à la sauce / joue de bœuf au bouillon, moelle et pommes boulangères / fraîcheur de reines-claudes au beurre demi-sel, glace au miel / pêche pochée travaillée façon melba / chocolat, café : deux bonnes raisons d'oublier les vacances / crémeux citron jaune, noix et pistaches en nougatine / croustillant de figues et amandes minute.

POUR EN SAVOIR PLUS SUR STÉPHANE JÉGO

Stéphane Jégo est un Breton pur souche, né à Lorient en 1971. Son père est boucher-charcutier, et sa mère restauratrice. Tous deux sont surtout de gros bosseurs, dotés d'une capacité de travail dont héritera notre ami Stéphane. Le moins que l'on puisse dire, en revanche, c'est que l'école ne passionne pas vraiment le garçon, beaucoup plus intéressé par les fourneaux dès son plus jeune âge. C'est donc naturellement qu'il passe son CAP à Vannes en 1986, avant de découvrir pendant les trois années qui suivent quelques maisons classiques de sa région d'origine. En 1990, il effectue son service militaire à Saint-Germain-en-Laye et décide ensuite de chercher à s'installer à Paris. Un peu par hasard, il fait alors LA rencontre de sa vie : celle d'Yves Camdeborde, sur le point de quitter les ors du « Crillon » pour créer sa « Régalade », à la recherche d'un jeune « qui en veut » pour le seconder en cuisine. Ce sera donc Stéphane. Ensemble, ils font en 1991 l'ouverture de cette adresse, qui, comme vous le savez, va devenir le maître étalon de la vague « bistronomique ». L'association avec Yves Camdeborde dure près de douze ans. Douze années fabuleuses d'un succès aussi délirant qu'inattendu, au cours desquelles Stéphane va s'imprégner de tout le savoir-faire, de l'exigence, de l'état d'esprit et de l'humanité de son maître : « Je lui dois tout. J'ai eu la chance de découvrir tous les styles de cuisines avec un seul chef, Yves, qui sait absolument tout faire, il est monstrueux dans tous les registres. » C'est aussi Yves qui le pousse en 1994 à se présenter au concours du « meilleur jeune chef de l'année », organisé par le magazine « Chef », que Stéphane remporte haut la main. Enfin, c'est Yves qui prodigue à son second tous les conseils avisés dont celui-ci a besoin lorsqu'il décide de s'installer à son compte en 2003 (son but avoué depuis toujours). Stéphane Jégo rachète cette institution gourmande de la rue Malar et effectue son premier service en mars 2003, remportant aussitôt tous les suffrages critiques, rameutant une nouvelle clientèle de gourmands raffinés. Ce qui amuse ce dingue de travail, c'est le contraste entre d'un côté le cadre, le service, l'ambiance caractéristiques d'un bistro, et de l'autre la qualité « gastronomique » des assiettes. Une nouvelle fois, je vous encourage vivement à découvrir la cuisine de ce déjà grand chef au style impossible à cataloguer, et pourtant formidablement attachant.

ENTRÉE_PLAT_DESSERT

CRÈME D'ENDIVES « PLEINE TERRE » AU MALT TORREFIÉ

3 KG D'ENDIVES DE PLEINE TERRE
4 OIGNONS
120 G DE BEURRE
3 L DE CRÈME LIQUIDE
1,5 L DE BOUILLON DE POULE
1 L DE BIÈRE BRUNE

POUR LA GARNITURE
JAMBON DE TRUIE (OU PATA NEGRA)
MORCEAUX D'ENDIVES CRUES
CROÛTONS DE PAIN SEC

Coupez en morceaux les endives et les oignons. Faites-les suer au beurre dans une sauteuse sans coloration pendant 5 à 6 minutes, puis versez le bouillon de poule et ensuite la crème.
Laissez cuire pendant 1 heure sur feu doux. En fin de cuisson, ajoutez la bière.
Faites bouillir à nouveau, puis mixez le tout et passez au chinois fin.
Remettez sur feu doux en réserve.
Préparez la garniture : taillez les endives en petits dés, passez les croûtons au beurre et taillez le jambon en copeaux.
Mixez à nouveau la crème d'endives juste avant de la verser dans une soupière.
Répartissez la garniture dans les assiettes de service et servez bien chaud.

ET LE CHEF A DIT

**« MUSICIEN HORS-PAIR ET FIN GOURMET, MON AMI FRANÇOIS HADJI AZZARO M'A CONFIÉ CETTE RECETTE.
VOUS POUVEZ MARIER CETTE ENTRÉE AVEC UN MORGON DE CHEZ MARCEL LAPIERRE. »**

ENTRÉE_ **PLAT** _DESSERT

BOUILLON DE TRIPES ET HARICOTS TARBAIS RELEVÉS AUX PIMIENTOS

600 G DE TRIPES (PIED DE VEAU, NID D'ABEILLE, QUEUE DE VEAU, PANSE DE BŒUF)
4,5 L DE BOUILLON DE POULE
8 CAROTTES
5 OIGNONS
3 BOUQUETS GARNIS
300 G DE HARICOTS TARBAIS SECS
60 G DE PIMIENTOS
CROÛTONS À L'AIL
BEURRE
HUILE D'OLIVE
SEL ET POIVRE

La veille, mettez les haricots tarbais à tremper dans de l'eau froide.
Faites cuire les tripes au bouillon selon le principe d'un pot-au-feu (4 carottes, 3 oignons, 1 tête d'ail et 2 bouquets garnis) en mouillant d'eau à hauteur. Laissez cuire à petits bouillons pendant 5 à 6 heures.
Égouttez le tout sur une plaque.
Désossez le pied et le queue de veau.
Réunissez le tout et moulez l'ensemble en prenant bien soin de répartir les différents éléments. Réservez pendant 24 heures au réfrigérateur.

LE JOUR MÊME
Pelez et émincez finement les carottes et les oignons restants.
Faites-les suer doucement au beurre et à l'huile d'olive.
Égouttez les haricots, versez-les dans une casserole avec le bouillon de poule et ajoutez le bouquet garni (ne salez pas).
Faites cuire pendant 1 heure 30 en veillant à bien écumer à la première ébullition.
À mi-cuisson, incorporez les tripes, préalablement taillées en fines lanières (elles auront durci, ce qui facilite le taillage).
Finissez la cuisson en prenant garde que tout reste bien mouillé (n'hésitez pas à rajouter un peu d'eau).
Rectifiez l'assaisonnement.

POUR SERVIR
Taillez les pimientos en petits dés.
Au moment de servir, placez-les avec les petits croûtons au fond d'une assiette creuse chaude.
Servez le bouillon avec un filet d'huile d'olive.

ET LE CHEF A DIT

« SI VOUS N'AVEZ PAS LE TEMPS DE CUIRE LES TRIPES, VOUS POUVEZ DEMANDER À VOTRE TRIPIER DU GRAS DOUBLE ET SUIVRE LE MÊME PRINCIPE. JE VOUS CONSEILLE D'ACCOMPAGNER CE PLAT D'UN PINOT "FRANÇOIS 1ER" DE CHEZ M. GASTON RIVIÈRE. »

ENTRÉE _ PLAT _ DESSERT

CRÈME CITRON

135 G D'OEUFS
85 G DE SUCRE
6 G DE CITRON PRESSÉ
165 G DE BEURRE
1 L DE CRÈME CHANTILLY

Mélangez dans une casserole les œufs, le sucre et le citron. Faites monter sur feu vif en fouettant continuellement jusqu'à ce que le mélange devienne onctueux et quadruple de volume.
Retirez du feu. Ajoutez le beurre en remuant jusqu'à ce qu'il soit fondu.
Versez dans une jatte et réservez au frais.
Une fois que la préparation est froide, ajoutez deux cuillerées de crème Chantilly non sucrée et une cuillerée de crème citron.
Mélangez avec délicatesse pour obtenir une mousse légère.

ET LE CHEF A DIT

« VOUS POUVEZ ACCOMMODER CETTE CRÈME DE CITRON JAUNE DE PLUSIEURS FAÇONS : NATURE, DANS UN PETIT FOND DE TARTE AVEC UNE FINE GELÉE DE PISTACHE, OU SIMPLEMENT AVEC UNE CRÈME ANGLAISE LÉGÈRE ET UN PETIT BISCUIT CROUSTILLANT. À SERVIR AVEC UN CERDON BUGEY (VIN PÉTILLANT FRAIS ET LÉGER) DE CHEZ ALAIN RENARDAT .»

LE CLOS DES GOURMETS

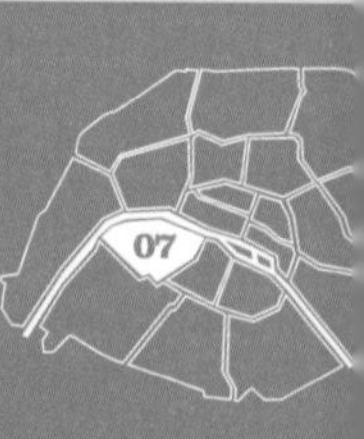

MÉTRO ALMA MARCEAU
OU ÉCOLE MILITAIRE
16, AVENUE RAPP
75 007 PARIS
01 45 51 75 61

ARNAUD PITROIS

FERMÉ DIMANCHE ET LUNDI

PRIX : MENU À 33 € (LE MÊME MENU À 29 € AU DÉJEUNER EN SEMAINE)

Un critique gastronomique a écrit un jour à propos de cet endroit : « Voici une adresse étincelante qui réussit à faire oublier, ce qui est coton, le nom de son enseigne. » Car franchement, quoi de plus banal que « Le Clos des Gourmets » ? Pourquoi pas « La taverne des gastronomes » ou « L'auberge des gourmands » ? Passons donc sur l'enseigne sans intérêt. Passons également sur la devanture qui n'arrive guère à égayer la morose avenue Rapp. On ne s'arrêtera pas non plus très longtemps sur le décor de la salle d'une quarantaine de places, sans attrait particulier, si ce n'est l'atout d'être claire et confortable (moquette bleue au sol, murs jaunes avec boiseries, tables bien dressées), dans un style Louis XVI revisité. Alors pourquoi vous recommander chaudement, très chaudement même, cette adresse discrète, dont on parle peu, bien qu'elle fasse le plein à chaque service ? Tout simplement parce qu'il y a ici aux fourneaux un jeune chef au parcours éblouissant et au talent spectaculaire. Il se situe dans la lignée des chefs qui travaillent le « néo bistro », en possédant l'art du faire du bon, de l'excellent même, avec du simple, ce qui lui permet de pratiquer des prix modérés. Arnaud Pitrois est passé parmi les plus belles maisons de la capitale et il a appris son métier aux côtés des plus grands avant de s'installer ici avec son épouse. Le moins que l'on puisse dire, c'est qu'il a bien retenu ses leçons. Ses assiettes sont joliment présentées, bien dans leur époque, très fines, techniquement irréprochables et d'une régularité exemplaire. Le chef évolue dans plusieurs registres, en faisant mouche à chaque coup : rustique, canaille, chic, inventif... Tout est excellent, hautement savoureux, et mérite que l'on fasse fi du décor passe-partout et de l'ambiance un peu empruntée. Pour vous mettre l'eau à la bouche, voici quelques-uns de mes souvenirs : un original et estival « mille-feuille d'omelette froide, concassée de tomates à la marjolaine et chèvre frais aux dattes », ou encore une grandiose « tête de cochon croustillante, vinaigrette d'herbes fraîches, pommes rattes écrasées au beurre demi-sel » (un grand plat canaille, onctueux, savoureux), pour terminer par un inventif « macaron au chocolat, melon charentais et crème fouettée à l'anis étoilé ». Sage en apparence, cette table est tout sauf conventionnelle ou ennuyeuse dans l'assiette. Le rapport qualité + confort / prix est très compétitif pour la capitale et se révèle en tout cas une véritable aubaine pour ce coin du 7e. D'ailleurs, les riverains ne s'y trompent pas et se ruent ici en masse. Vraiment, si un jour vous êtes dans le quartier, ou dans le 8e et que vous en avez assez de vous faire « assassiner » dans les restos « branchouilles » du triangle d'or, traversez le pont de l'Alma, courez ici, vos papilles (et votre porte-monnaie) m'en diront des nouvelles !

"L'art du faire du bon, de l'excellent même, avec du simple."

QUELQUES EXEMPLES DE PLATS : persillé de pieds et langue d'agneau aux légumes croquants, sauce ravigote aux piquillos / décortiqué de tourteau à l'aneth, cappuccino de fenouil à la badiane / gaspacho andalou au fumet de langoustines, brunoise de légumes d'été au basilic / filet de dorade à la plancha, semoule de blé aux légumes croquants, jus de ratatouille épicé / filet de thon rôti sur sa tarte pissaladière aux éclats d'olives noires et feuilles de roquette sauvage / risotto « Arborio » au parmesan, petits pois au jus et copeaux de jambon Serrano de Trevelez / poulette du Gers rôtie au jus corsé, pommes grenaille et feuilles de moutarde / cœur de rumsteck en tartare « au couteau », foie gras de canard poêlé, chips d'Agria et petite salade / compote d'abricots, croquet au romarin, glace huile d'olive / fenouil confit aux épices douces, sorbet citron et basilic frais / poêlée de cerises au vin rouge épicé, glace à la cardamome.

POUR EN SAVOIR PLUS SUR ARNAUD PITROIS

Arnaud Pitrois voit le jour en 1971 à Paris, de parents bouchers dans le 7e arrondissement. Il a la chance d'avoir des grands-parents agriculteurs en Bourgogne, chez qui il se rend pour les vacances scolaires. Ces séjours à la ferme le marquent profondément : le travail dans les champs et l'élevage des bêtes avec son grand-père, sans oublier, même si c'est un lieu commun, les repas préparés avec sa grand-mère. Rapidement, son choix est fait : si son grand-père élève les bêtes, si son père les tue et les vend, et bien lui, Arnaud, il va les cuisiner : il sera chef. Il entre donc dans une belle école de cuisine parisienne, « Ferrandie », où il obtient CAP, BEP et BAC pro. Il réalise son apprentissage de 1988 à 1990 chez « Morot-Gaudry », table étoilée du 15e, puis il devient commis chez Guy Savoy (« un homme avec un cœur gros comme ça »), au moment de son installation rue Troyon. En 1992, il arrive en tant que chef de partie chez le grand Alain Passard, à « l'Arpège » rue de Varenne, où il y reste un peu plus de six mois : il en retient avant tout l'esprit de recherche du maître et son génie pour associer un produit de base avec ce « petit quelque chose » qui va le sublimer (tel un « saint-pierre au laurier » qui émeut encore Arnaud aujourd'hui). En 1993, il a la chance d'intégrer l'équipe de Christian Constant, à la quête de sa troisième étoile au « Crillon ». Il y passe près de trois années exceptionnelles, découvre l'organisation d'un tel paquebot (30 personnes en cuisine !), le « no limit » sur le choix des produits, tous sublimes (« rien n'est trop beau : ça c'est Palace ! ») et surtout le registre « terroir-chic » du grand chef montalbanais, complètement novateur à l'époque. En 1995, fort de ces belles expériences, il accepte une place de sous-chef à « L'Appart », dans le 8e. Il s'amuse beaucoup pendant presque deux ans, en appliquant les leçons apprises dans les grands restaurants à un établissement qui sert 500 couverts par jour : une période enrichissante, qui lui permet aussi de se frotter à la gestion et au management. En 1996, il retrouve Éric Frechon (rencontré au « Crillon ») pour devenir son sous-chef dans le restaurant « La Verrière » qu'il s'apprête à ouvrir dans le 19e : Arnaud va seconder Eric Frechon, avec un succès considérable, durant plus de trois ans. Mais en 1999, son chef patron part prendre la tête des cuisines du « Bristol ». Arnaud pense que c'est alors le bon moment pour se jeter à l'eau et ouvrir sa propre table. Il visite plusieurs endroits, mais son choix s'arrête sur « Antoine et Antoinette », une affaire à reprendre avenue Rapp, dans un arrondissement qu'il connaît bien pour y avoir passé toute sa jeunesse. Sa femme quitte son poste de comptable dans le BTP, ils rachètent l'établissement, changent l'enseigne, réalisent quelques travaux et ouvrent ensemble « leur » adresse. En se faisant la promesse de ne jamais tricher avec leurs clients : « Faire venir un client c'est facile, le faire revenir c'est plus dur. » Ils récoltent rapidement les fruits de cette démarche et surtout du savoir-faire acquis par Arnaud tout au long de ces années de « grandes » maisons : le succès est fulgurant, notamment auprès des riverains, ravis de pouvoir enfin très bien manger à des prix « démocratiques ». Aujourd'hui, Arnaud, serein et épanoui, n'a qu'un seul regret : n'avoir jamais quitté la capitale pour une grande table provinciale, ce qui peut sembler étrange, vu les « pointures » qu'Arnaud a côtoyées durant son parcours parisien…

ENTRÉE _PLAT _DESSERT

BOUILLON DE CHÂTAIGNES AU QUATRE-ÉPICES, LARD CROUSTILLANT, CROÛTONS ET CIBOULETTE

1 BOCAL DE CHÂTAIGNES AU NATUREL
2 L DE BOUILLON DE VOLAILLE
1 L DE CRÈME FLEURETTE
SEL, POIVRE ET QUATRE-ÉPICES
6 TRANCHES DE LARD FUMÉ D'ALSACE
UNE DEMI-BOTTE DE CIBOULETTE
3 TRANCHES DE PAIN DE MIE

Versez le bouillon et la crème dans une casserole, ajoutez les châtaignes et assaisonnez.
Faites cuire pendant 45 minutes à petite ébullition, puis mixez et passez au chinois.
Taillez les tranches de pain de mie en croûtons de 5 mm de côté, faites-les frire dans une poêle et réservez.
Ciselez la ciboulette.
Faites revenir les tranches de lard dans une poêle, puis égouttez-les et détaillez-les en losanges.
Répartissez dans le fond des assiettes creuses de service les croûtons, la ciboulette et le lard.
Présentez la soupe à part dans une soupière.

ET LE CHEF A DIT

« UNE BELLE ENTRÉE POUR L'HIVER. ON PEUT ÉGALEMENT AJOUTER DES BLANCS DE POULE FAISANE JUSTE MI-CUITS ET ESCALOPÉS FINEMENT. JE VOUS SUGGÈRE DE L'ACCOMPAGNER D'UN PULIGNY-MONTRACHET 1er CRU CLAVOILLON DOMAINE LEFLAIVE 2000. »

NOIX DE SAINT-JACQUES À LA MOELLE, BOUILLON DE BŒUF CORSÉ AUX LÉGUMES CROQUANTS ET HERBES THAÏ

30 NOIX DE COQUILLES SAINT-JACQUES D'ERQUY
6 CANONS DE MOELLE DE BŒUF
1 L DE CONSOMMÉ DE BŒUF
2 CAROTTES
1/4 DE CÉLERI-BOULE
250 G DE RACINES DE PERSIL
5 G DE GINGEMBRE FRAIS
1 BÂTON DE CITRONNELLE
1/2 BOTTE DE BASILIC THAÏ

ET LE CHEF A DIT

« JE VOUS CONSEILLE D'ACCOMPAGNER CE PLAT PARFUMÉ ET ORIGINAL D'UNE TARTINE DE PAIN DE CAMPAGNE TOASTÉE ET FROTTÉE À L'AIL. COMME BOISSON, JE VOUS SUGGÈRE UN VÉRITABLE VIN DE SAKÉ, QUI SE MARIERA PARFAITEMENT AVEC LES ARÔMES ASIATIQUES DE LA RECETTE. »

Détaillez la moelle en rondelles de 5 mm d'épaisseur. Faites-les blanchir dans une casserole d'eau bouillante, égouttez-les, rafraîchissez-les et déposez-les sur les noix de Saint-Jacques crues, rangées sur une plaque allant dans le four.
Pelez les légumes et taillez-les en petits dés ; faites-les cuire à l'eau bouillante en les gardant al dente.
Versez le bouillon dans une casserole, ajoutez le gingembre, la citronnelle et le basilic thaï ; portez à ébullition, retirez du feu, couvrez et laissez infuser.
Faites cuire les noix de Saint-Jacques sous le gril du four pendant 2 minutes en les gardant translucides.
Disposez les Saint-Jacques dans des assiettes creuses très chaudes, ajoutez en garniture les légumes croquants et arrosez à mi-hauteur de bouillon de bœuf aromatisé.

ENTRÉE_PLAT_DESSERT

RIZ AU LAIT FAÇON RISOTTO, TARTARE DE MANGUE AU CURRY

200 G DE RIZ ARBORIO
1 L DE LAIT
120 G DE SUCRE ROUX
200 G DE MASCARPONE
1 GOUSSE DE VANILLE DE TAHITI
2 MANGUES
1 PINCÉE DE CURRY DE MADRAS
10 CL DE LAIT COCO
LE JUS D'UN CITRON VERT

Faites cuire le riz sur feu très doux dans le lait avec le sucre et la gousse de vanille fendue en deux. Lorsque le riz a absorbé les quatre cinquièmes du lait, ajoutez le mascarpone, mélangez, versez le tout dans une terrine et réservez au frais.
Pelez les mangues. Taillez la chair de l'une en dés. Réduisez la chair de l'autre en coulis en lui ajoutant le lait de coco, le jus de citron et le curry.
Faites mariner les dés de mangue dans le coulis au frais pendant 1 heure.
Répartissez le riz refroidi dans des verres à cocktail, ajoutez le tartare de mangue avec son coulis en comptant un tiers de tartare pour deux tiers de riz.

ET LE CHEF A DIT

« CE DESSERT ME RAPPELLE MON ENFANCE, QUAND J'AI DÉCOUVERT LA CUISINE ÉPICÉE LORS D'UN VOYAGE AU VENEZUELA. SACHEZ-LE, ICI ET EN GÉNÉRAL, LES ÉPICES FONT BON MÉNAGE AVEC LES SAVEURS SUCRÉES. »

08

08e

LES SAVEURS DE FLORA

08

MÉTRO GEORGE V
36, AVENUE GEORGE-V
75 008 PARIS
01 40 70 10 49

FLORA MIKULA

FERMÉ SAMEDI AU DÉJEUNER ET DIMANCHE

PRIX : MENU À 36 € SERVI MIDI ET SOIR

Ne cherchez pas ailleurs le meilleur rapport qualité-prix de tout le 8e arrondissement : il s'agit du menu servi ici, midi et soir, face à deux grands palaces parisiens, le « George V » et le « Prince de Galles » : une pure aubaine dans ce quartier doré sur tranche. Un quartier où les bonnes tables abordables (surtout le soir) sont inexistantes, tandis que pullulent les petits lieux branchés sans grand intérêt, et si les très grandes tables sont, certes, formidables, elles sont inaccessibles au commun des mortels. Ici, pour juste un peu plus de 35 € (le prix d'un seul plat dans la plupart des autres établissements des alentours), c'est le rêve. La chef et patronne, Flora Mikula, ancienne seconde d'Alain Passard à « l'Arpège », n'a pas son pareil pour proposer une excellente cuisine, d'inspiration méditerranéenne au départ, mais superbement personnalisée et d'une rare élégance. Tous les repas ensoleillés que j'ai dégustés ici ont été d'une extrême précision, d'une grande finesse, d'une grande légèreté, bien dans leur époque, avec une belle inspiration créatrice qui colle toujours au plus près des saisons. Une cuisine en tout point remarquable. Et quelle bonne idée de proposer, midi et soir, un menu accessible dans un restaurant gastronomique du triangle d'or ! (Bien entendu, à la carte, c'est plus cher, alors cantonnez-vous à cet indispensable menu.) Et au cas où vous pensez, pour ce prix-là, manger sur des tables en bois dans une ambiance au coude à coude, détrompez-vous. Ici, ce n'est pas vraiment un bistro, mais un véritable restaurant, avec un accueil et un service (féminin et charmant) de

“ Une cuisine superbement personnalisée et d'une rare élégance ”

« grande » maison, un excellent confort dans un cadre feutré, élégant et recherché. Le restaurant est composé de plusieurs petites salles, qui font penser à la fois à une maison de poupées, un boudoir ou encore une bonbonnière. Un décor très féminin, coquet, fleuri et chaleureux, avec rideaux de perles, tapisserie rococo-british, miroirs en forme de papillon, lustres baroques et photophores, dans un tonalité d'ensemble rose et mauve. C'est plutôt romantique, idéal pour un dîner en amoureux dans un quartier chic sans se ruiner. Pour la prochaine Saint-Valentin ou un anniversaire de mariage, pourquoi pas ici?

QUELQUES EXEMPLES DE PLATS : **tarte fine de chèvre frais, petits légumes et pignons de pin / carpaccio de magret et foie gras fumé sur crème prise aux petits pois / nems de saumon fumé maison aux petits légumes, émulsion sésame / rillettes de lapin aux mousserons, pain grillé / lasagnes aux champignons des bois et volaille gratinées / rascasse grillée aux petits légumes printaniers arrosés au pistou / tête de cochon rôtie au miel et épices, pommes purée basilic / thon rôti au sésame, beignets de légumes et huile vierge / piccata de veau au chorizo grillée, riz rouge camarguais façon espagnole / abricots rôtis sur un biscuit pistache, sorbet abricot frais / « croustifondant » chocolat praliné et chocolat blanc, glace Nutella® Rice Crispies chocolat® / soupe glacée de pêches au jasmin, sorbet reine des prés, quelques mikados® / coupe glacée fraise framboise et pistache façon Melba / mille-feuille framboises et roses, glace violette / poêlée de cerises, sorbet fromage blanc et verveine, mini baba au pastis / fruits rouges et melon au sirop d'hibiscus, granité rouge.**

POUR EN SAVOIR PLUS SUR FLORA MIKULA

Flora Mikula naît à la fin des années 60 dans le Gard. Malheureusement, elle perd sa mère très jeune : elle est alors élevée par sa grand-mère, qui lui donne le goût de cuisiner. À partir de l'adolescence, c'est un peu par obligation qu'elle se retrouve derrière les fourneaux, à la maison, pour préparer les repas de son père, amateur de « bonne bouffe ». Mais rapidement, cela devient une véritable passion. Une passion qui la pousse à s'inscrire à l'école hôtelière d'Avignon où elle passe trois années pas très faciles, dans un milieu encore très macho (elle est la seule fille de sa promotion). Avec le recul, elle juge néanmoins que cette expérience a renforcé sa motivation et l'a endurcie : elle préfère d'ailleurs se souvenir de la grande qualité de ses professeurs. À la sortie de l'école, ses diplômes brillamment obtenus, elle entre pour quelques mois chez le chef Christian Étienne à Avignon. Mais Flora s'aperçoit rapidement que les grandes maisons françaises ne sont pas encore prêtes à faire confiance au sexe dit faible. Ayant décidé de partir pour Londres, elle intègre la brigade du restaurant de l'hôtel Méridien, dirigé depuis son fief de Joigny en Bourgogne par le très grand chef Jean-Michel Lorain (trois étoiles au guide rouge). Rapidement, cette star de la haute gastronomie décèle tout le potentiel de la pétillante jeune fille et la prend sous son aile. C'est lui qui lui permet, à son retour en France à l'âge de 20 ans, de travailler aux côtés de Jean-Pierre Vigato, l'un des plus grands chefs parisiens. Ensuite, à 23 ans, Flora part à New-York et exerce ses dons dans les meilleurs restaurants français de la ville, le « Bernardin » ou « L'Absinthe ». Deux ans plus tard, c'est la consécration : la voici qui devient la « seconde » du génial Alain Passard à « l'Arpège », l'un des deux ou trois meilleurs établissements de Paris. Une aventure de près de deux ans qui marque profondément Flora : elle avoue avoir tout réappris avec ce maître et reconnaît qu'assumer la pression d'un poste aussi stratégique (surtout quand on est une femme) ne fut pas chose aisée. Mais Flora a du caractère et un énorme talent. Elle fait mieux que se tirer d'affaire : elle s'impose en se montrant tout simplement brillante. Bien qu'il soit entièrement satisfait de son travail, Alain Passard la pousse à s'émanciper, à devenir elle-même « chef ». C'est ainsi que Flora accepte en 1994 de diriger les cuisines à la célèbre brasserie « La Rotonde », où elle a carte blanche pour redorer le blason de cette institution de Montparnasse. Surtout, cette expérience lui permet d'apprendre à gérer des fournisseurs, à manager des équipes. Une excellente transition vers le but ultime : s'installer à son propre compte. C'est chose faite en 1996 quand Flora ouvre dans le 7e arrondissement « Les Olivades », un bistro gastronomique consacré à la cuisine provençale. À l'époque, cette table est l'une des pionnières, avec « La Bastide Odéon », de la vague méditerranéenne qui va ensuite déferler sur la capitale (pour le meilleur et parfois pour le pire). Son établissement connaît un magnifique succès pendant six ans. Mais en 2002, Flora formule le souhait de changer : de quartier, de standing, de cuisine aussi. Elle a envie de travailler d'autres produits, sans se cantonner au répertoire du sud de la France. Elle achète alors avenue George V cette ancienne chemiserie pour hommes, effectue d'importants travaux et ouvre durant l'été. Depuis, le bel établissement qui porte son nom ne désemplit pas midi (avec surtout des repas d'affaires) et soir (plutôt des couples). Une clientèle chic, attirée par le charme et le confort de l'endroit et l'aubaine de pouvoir déguster à un tel prix en plein triangle d'or la cuisine gastronomique d'un(e) « grand chef ».

ENTRÉE _PLAT _DESSERT

TARTARE DE SAINT-PIERRE EN GELÉE D'ALGUE

1 SAINT-PIERRE DE 1,2 KG, LEVÉ EN FILETS, SANS LA PEAU
12 HUÎTRES N° 2
1,5 CUILLERÉE À SOUPE D'OLIVES NOIRES HACHÉES
2 CITRONS
1 BOTTE DE CIBOULETTE
3 FEUILLES D'ALGUE (DANS UNE ÉPICERIE ASIATIQUE)
3 CUILLERÉES À SOUPE D'HUILE D'OLIVE
6 CUILLERÉES À CAFÉ DE CAVIAR DE HARENG
SEL ET POIVRE

Ouvrez les huîtres et filtrez leur jus. Hachez les huîtres et réservez.
Faites frémir le jus des huîtres dans une casserole avec 20 cl d'eau.
Ajoutez les algues et laissez gonfler. Mixez au robot : le mélange doit être épais.
Répartissez cette préparation dans six verres à cocktail et laissez prendre au réfrigérateur pendant environ 30 minutes.
Détaillez les filets de saint-pierre en petits cubes de 0,5 cm d'épaisseur.
Ajoutez le jus des deux citrons et leurs zestes râpés, les olives noires, l'huile d'olive et la ciboulette ciselée. Assaisonnez et mélangez intimement. Ajoutez enfin les huîtres hachées.
Répartissez ce tartare dans les verres à cocktail sur la gelée d'algue.
Posez sur le dessus une cuillerée à café de caviar de hareng.

ET LE CHEF A DIT

« UNE ENTRÉE BIEN FRAÎCHE QUE JE VOUS CONSEILLE DE SERVIR AVEC DES TOASTS GRILLÉS. SI VOUS NE TROUVEZ PAS DE FEUILLES D'ALGUE, VOUS POUVEZ LES REMPLACER PAR UNE BRUNOISE DE PETITS LÉGUMES. »

ENTRÉE_ PLAT _DESSERT

CABILLAUD RÔTI, GALETTE DE BRANDADE DE MORUE, CAPPUCCINO BLANC

6 PAVÉS DE CABILLAUD DE 200 G CHACUN (AVEC LA PEAU)
1 FILET DE MORUE D'ENVIRON 2,2 KG
5 POMMES DE TERRE
8 GOUSSES D'AIL ÉPLUCHÉES
1 GROS BOUQUET GARNI
3 L DE LAIT
45 CL ENVIRON D'HUILE D'OLIVE POUR LA BRANDADE
HUILE D'OLIVE POUR LA CUISSON
1,5 CUILLERÉE À CAFÉ DE FLEUR DE THYM HACHÉ
PERSIL PLAT
POUTARGUE RÂPÉE (FACULTATIF)

Faites dessaler la morue à l'eau froide pendant 2 à 3 jours minimum, en changeant l'eau tous les jours. Épluchez les pommes de terre. Égouttez la morue et retirez les arêtes.
Coupez les pommes de terre et la morue en morceaux.
Faites-les cuire avec le lait, les gousses d'ail et le bouquet garni pendant 30 à 40 minutes sur feu doux.
Égouttez le contenu de la casserole en conservant le lait de cuisson. Passez au chinois.
Réunissez dans le bol mélangeur d'un robot la morue, les pommes de terre et l'ail. Tournez doucement en ajoutant petit à petit l'huile d'olive. Le mélange doit être homogène.
Réservez 5 cuillerées à soupe de brandade.
Formez avec le reste des galettes de 1 cm d'épaisseur, larges chacune comme une petite assiette à pain. Réservez au réfrigérateur.
Avec le lait de cuisson filtré, mixez les cuillerées de brandade réservées pour obtenir le cappuccino.
Faites rôtir à l'huile d'olive et au thym les pavés de cabillaud pendant 5 minutes dans une poêle, puis au four, jusqu'à ce qu'ils soient translucides.
Faites par ailleurs colorer les galettes de brandade de chaque côté dans une poêle à l'huile d'olive.
Émulsionnez le cappuccino.
Posez chaque portion de cabillaud sur une galette de brandade et arrosez de cappuccino.
Râpez par-dessus un peu de poutargue de mulet et garnissez avec quelques brins de persil frit.

ET LE CHEF A DIT

« ON PEUT ÉGALEMENT SERVIR LE CAPPUCCINO DANS UNE PETITE TASSE EN GUISE DE MISE EN BOUCHE, ACCOMPAGNÉ D'UNE CUILLERÉE DE CAVIAR DE HARENG. »

ENTRÉE_PLAT_**DESSERT**

POIRE RÔTIE SUR GAUFRE AVEC GRANITÉ AU THÉ VERT, CRÈME RÉGLISSE

8 POIRES
100 G DE SUCRE
2 GOUSSES DE VANILLE

POUR LA PÂTE À GAUFRES
25 CL DE LAIT
75 G DE BEURRE
2 G DE SEL
100 G DE SUCRE
125 G DE FARINE
5 ŒUFS
18 CL DE CRÈME LIQUIDE
1/2 GOUSSE DE VANILLE

POUR LE GRANITÉ
4 POIRES
2 CUILLERÉES À CAFÉ DE THÉ « OLD GREY »
1 YAOURT NATURE
2 CUILLERÉES À SOUPE DE MIEL
20 G DE SUCRE ROUX

POUR LA CRÈME RÉGLISSE
60 G DE CHOCOLAT BLANC
2 CUILLERÉES À SOUPE DE CRÈME LIQUIDE
13 CL DE CRÈME MONTÉE CHANTILLY
25 G DE SUCRE
1 CUILLERÉE À CAFÉ DE RÉGLISSE EN POUDRE
2 FEUILLES DE GÉLATINE
15 G D'ŒUFS
20 G DE JAUNES D'ŒUFS

RÉALISEZ LE GRANITÉ LA VEILLE
Faites bouillir le sucre avec 20 cl d'eau et le miel.
Faites infuser le thé et passez au chinois.
Mixez le tout avec les poires pelées et le yaourt.
Faites prendre dans un bac au congélateur pendant toute une nuit.

POUR LA PÂTE À GAUFRES
Faites bouillir le lait avec le beurre, le sel et le sucre. Ajoutez la farine et faites dessécher sur feu doux.
Incorporez les œufs petit à petit, puis ajoutez la crème liquide et les graines de la demi-gousse de vanille.
Laissez reposer au réfrigérateur pendant 2 heures.

POUR LA CRÈME RÉGLISSE
Mélangez au bain-marie le chocolat blanc, la crème liquide et les feuilles de gélatine.
Faites bouillir 10 cl d'eau avec le sucre jusqu'à 120 °C.
Mélangez au batteur les œufs et les jaunes d'œufs. Versez dessus le sucre bouilli, laissez monter et refroidissez pendant 15 minutes, puis ajoutez la réglisse.
Incorporez le chocolat fondu tiède et ensuite la crème montée.
Introduisez cette crème dans une poche à douille dotée d'une douille cannelée.

POUR SERVIR
Faites pocher les 8 poires pelées dans de l'eau sucrée avec les gousses de vanille fendues en deux. Coupez-les en deux et retirez le coeur avec les pépins. Remettez-les à pocher entre 15 et 20 minutes.
Coupez ensuite deux poires en petits cubes et répartissez-les au fond des verres de service. Ajouter le granité en le raclant avec une fourchette.
Couper les six autres poires en éventail et égouttez-les sur du papier absorbant.
Faites cuire six gaufres dans un gaufrier électrique. Nappez chaque gaufre de crème réglisse et posez les poires en éventail sur chaque gaufre.
Servez en même temps le granité dans les verres.

ET LE CHEF A DIT

« JE VOUS CONSEILLE DE SERVIR CE BEAU DESSERT AVEC UN THÉ GLACÉ. »

09

09e

CARTE BLANCHE

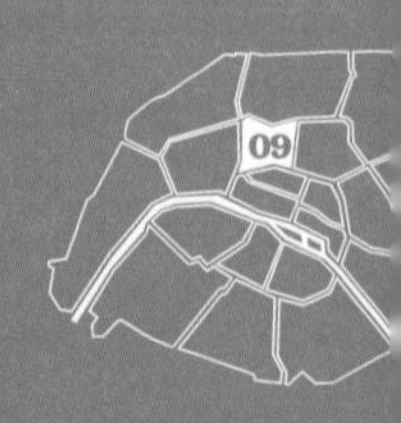

MÉTRO CADET
6, RUE LAMARTINE
75 009 PARIS
01 48 78 12 20

JEAN-FRANÇOIS RENARD ET CLAUDE DUPONT

FERMÉ SAMEDI MIDI ET DIMANCHE

PRIX : MENU-CARTE À 35 €

« Carte Blanche » est l'un des établissements les plus jeunes de cet ouvrage, mais il y trouve sa place sans aucune contestation. C'est à l'automne 2005 que deux très grands professionnels de la restauration, Claude Dupont et Jean-François Renard, se sont installés rue Lamartine en lieu et place de « Menthe et Basilic ». Ils ont refait le décor, désormais très « propret »: tommettes au sol et pierres apparentes, boiseries et teintes à dominantes beige et marron. Ce n'est pas follement original, mais clair et net, avec des tables bien dressées et bien espacées. La spécialité de Claude, l'homme aux lunettes et à la cravate, c'est la salle. Fort de son expérience de plusieurs années dans de prestigieuses adresses (notamment plus de 15 ans chez Pierre Gagnaire), il veille avec talent sur le bien-être de ses clients, tant au niveau de l'accueil que du service, irréprochable de gentillesse, de discrétion et d'efficacité. C'est également Claude qui s'occupe des vins : une sélection concise d'une douzaine de références intéressantes, sans cesse renouvelées, toutes proposées au verre, à des tarifs vraiment attractifs (à partir de 3 € le verre). Mais le meilleur reste à venir, avec les assiettes originales concoctées par Jean-François, lui aussi un habitué des grandes tables et des étoiles. Sa cuisine, toujours basée sur de beaux produits et techniquement parfaite, est très personnelle, inventive, riche de tempérament et de saveurs, profondément marquée par les nombreux voyages qu'il a eu l'occasion de faire. Surtout, elle cherche constamment à amuser, tant sur le fond (jetez un coup d'œil aux intitulés) que sur la forme. De gros efforts sont faits sur les présentations, très recherchées, surtout au niveau des « contenants », à la hauteur (c'est rare) du « contenu ». J'ai eu ainsi l'occasion de découvrir des poissons marinés servis en boîte de sardines, un granité de tomate dans une boîte de concentré, des (excellentes) brochettes dans une sorte d'écritoire, un mélange de légumes dans une mini-cocotte, des raviolis de légumes en panier vapeur asiatique ou encore des desserts servis en verrine... La très jolie vaisselle, rapportée d'Asie et d'Amérique du Sud par Jean-François, ne manquera pas de vous frapper. Impossible de s'ennuyer dans cette adresse très maligne. C'est très bon, très beau, esthétique et ludique, étonnant mais jamais gadget, et pas cher, vu la qualité de l'ensemble. À vous d'aller voir à quoi ressemble ce bistro chic, séduisant et intriguant. Et qui cherche en tout cas, malgré une façade anodine et un cadre un peu froid, à faire bouger les choses, grâce à la mise en scène singulière des assiettes et de ce qu'elles contiennent.

"Impossible de s'ennuyer dans cette adresse très maligne."

QUELQUES EXEMPLES DE PLATS : **ceviche de thon, saumon, œuf de caille en mimosa / chair de tourteau et avocat, pulpe de poivron / fishs and chips de calamars et escargots / crème brûlée de foie gras et arachide / barbecue individuel de gambas et bœuf / pissaladière de homard et boudin noir / cataplana de bar et marmelade de chorizo / Saint-Jacques à la plancha, minestrone de légumes / parmentier d'agneau de lait aux épices / Saint-Jacques et homard breton en feuilleté / gelée de manzana, tagliatelles de pommes vertes / souvenir d'enfance en crèmes brûlées / cheesecake à la cannelle et aux fruits rouges / riz à l'impératrice, coulis de fruits rouges.**

POUR EN SAVOIR PLUS SUR JEAN-FRANÇOIS RENARD ET CLAUDE DUPONT

Par lequel commencer ? Honneur au chef ! Jean-François Renard naît en 1965 en banlieue parisienne. Cela peut sembler incroyable, mais sa vie bascule à l'âge de cinq ans, le jour où, pour une soirée, ses parents le déguisent en…cuisinier : son destin est scellé, il décide dès cet instant qu'il sera chef. Et c'est sans aucune hésitation que Jean-François s'inscrit après la 3ème en école hôtelière. Son diplôme en poche, il travaille d'abord dans des établissements assez modestes, puis de plus en plus cotés : « La Safranée » (table marine réputée à la Défense), en 1988 le « Café de la Paix » face à l'Opéra, suivi du « Toit de Passy » en 1989, deux tables alors étoilées. Entre chacune de ces expériences, Jean-François part pour de longs séjours à l'étranger (Pérou, Bolivie, Thaïlande, Brésil, Indonésie), pour assouvir sa passion des voyages. Et c'est ainsi qu'au retour d'un trek au Népal, début 1990, il intègre comme chef de partie les cuisines du restaurant doublement étoilé de M. Duquesnoy avenue Bosquet. Il l'avoue, malgré le caractère difficile du personnage : « M. Duquesnoy, c'était la grande classe. Il faut voir ce qui sortait des cuisines, ça valait les trois étoiles ! Et puis, c'est celui qui m'a le plus appris». En 1991, il rentre, au départ comme chef de partie, chez « Beauvilliers », l'institution gourmande de Montmartre alors au fait de sa gloire (une étoile). Très vite, il obtient la place de sous-chef, et quelques temps plus tard celle de chef. À partir de 1997, Jean-François va souvent dîner chez Pierre Gagnaire, le meilleur chef parisien, et se lie d'amitié avec le génial « poète des fourneaux ». Ce dernier lui prouve qu'en cuisine, il faut savoir « oser ». Mais surtout il lui présente en 1999 (au cours d'un périple dans le désert africain) le directeur de salle de son restaurant 3 étoiles, Claude Dupont. Jean-François et Claude accrochent d'emblée et se trouvent complémentaires. L'idée d'une future association se met à germer. En 2000, Jean-François quitte les cuisines de « Beauvilliers » pour accepter une place de chef dans un magnifique établissement du Portugal, avec une liberté totale dans la conception de la carte. Une très belle aventure, dans des conditions exceptionnelles, qui dure cinq ans. Mais en 2005, sa femme a le mal du pays, et Jean-François décide de rentrer en France. Il pense alors que c'est le bon moment pour ouvrir sa propre adresse. Il recontacte Claude Dupont et les deux hommes se mettent en quête de leur futur établissement, pour finalement ouvrir « Carte Blanche » à la rentrée 2005… Place au distingué Claude Dupont. Il voit le jour la même année que son actuel associé et passe toute son enfance dans le Pas-de-Calais. Lors de son apprentissage à l'école hôtelière du Touquet, il hésite entre la salle et la cuisine, mais décide finalement de se spécialiser dans le métier de la salle. Son CAP en poche, il entre en 1981 comme commis dans un restaurant étoilé de Morangis. Deux ans plus tard, il a la chance d'obtenir la place de chef de rang chez Michel Lorrain, dans son magnifique établissement de « la Côte Saint-Jacques » à Joigny, alors doublement étoilé. Il y reste cinq ans et participe à l'obtention de la troisième étoile en 1986. En 1988, il quitte la Bourgogne pour Lyon et son réputé restaurant « Fedora ». Là, il rentre en contact avec un jeune chef prometteur de Saint-Etienne, Pierre Gagnaire, qui l'embauche en 1990 comme maître d'hôtel. En 1996, il suit l'artiste lorsque celui-ci « monte » à Paris pour s'installer rue Balzac, dans le 8e, et devient à ce moment le directeur de salle de la meilleure grande table de la capitale. Mais en 2005, après 15 ans de bons et loyaux services, il décide de s'émanciper et s'associe avec Jean-François Renard pour créer « Carte Blanche », avec la grande réussite que l'on connait aujourd'hui.

ENTRÉE _PLAT _DESSERT

« PIMIENTOS DEL PIQUILLO », CEVICHE DE THON ET SAUMON

12 PIMIENTOS DEL PIQUILLO ENTIERS (EN BOCAL AU NATUREL)
150 G DE ROQUETTE
200 G DE FILET DE THON ROUGE
200 G DE FILET DE SAUMON FRAIS
1/2 BOTTE DE BASILIC
1 CITRON
10 CL D'HUILE D'OLIVE
500 G DE GROS SEL

ET LE CHEF A DIT

« UNE ENTRÉE AUX INFLUENCES À LA FOIS ESPAGNOLES (AVEC LES PIMIENTOS) ET LATINO-AMÉRICAINES (CETTE FAÇON DE PRÉPARER LE POISSON EST TYPIQUE DU PÉROU ET DE LA BOLIVIE). À MARIER AVEC UN CÔTES DE THONGUE BLANC (TRÈS JOLI VIN DE PAYS DU LANGUEDOC), COMME LE DOMAINE DE L'ARJOLLE CUVÉE EQUINOXE 2004. »

Mettez les filets de poisson à macérer dans le gros sel (15 minutes pour le thon, 45 minutes pour le saumon) en les recouvrant bien sur toutes les faces.
Sortez les filets de poisson du gros sel, rincez-les, puis arrosez-les d'huile d'olive et du jus du citron.
Taillez-les en tranches fines.
Garnissez les pimientos de ces poissons mélangés.
Préparez la roquette et l'huile au basilic (mixez les feuilles de basilic avec huile d'olive).
Au moment de servir, tranchez les pimientos en deux.
Disposez-les sur la roquette assaisonnée à l'huile de basilic et proposez en même temps du pain grillé.

ENTRÉE_ PLAT _DESSERT

PIÈCE DE CABILLAUD, PALOURDES ET CHORIZO

6 PAVÉS DE CABILLAUD DE 150 G CHACUN
36 FINES LAMELLES DE CHORIZO
500 G DE PALOURDES
250 G DE COURGETTE
250 G DE CAROTTES
150 G DE POIREAUX
1 PIED DE CÉLERI BRANCHE
20 CL DE FUMET DE POISSON
1 DEMI-BOTTE DE CORIANDRE EFFEUILLÉE
10 CL D'HUILE D'OLIVE
SEL ET POIVRE

Rincez abondamment les palourdes et laissez-les dégorger à l'eau froide. Pendant ce temps, épluchez les légumes et taillez-les en dés.
Faites poêler les légumes à l'huile d'olive et réservez-les.
Faites cuire les pavés de cabillaud assaisonnés, en cocotte, avec les palourdes, le fumet et la coriandre fraîche.
Après 8 minutes de cuisson, ajoutez les légumes cuits et le chorizo.
Servez aussitôt dans la cocotte.

ET LE CHEF A DIT

« IL S'AGIT EN FAIT D'UN PLAT PORTUGAIS QU'ON APPELLE "CATAPLANA", DU NOM DE LA GROSSE COCOTTE EN CUIVRE OU ALUMINIUM QUI SERT À FAIRE CUIRE L'ENSEMBLE, AVEC UNE ASSOCIATION TERRE-MER QUI FONCTIONNE PARFAITEMENT. JE VOUS CONSEILLE UN CHORIZO BASQUE PLUTÔT QU'UN PORTUGAIS, TROP GRAS À MON GOÛT. À DÉGUSTER AVEC UN SAUMUR BLANC CUVÉE L'INSOLITE 2003 DE CHEZ THIERRY GERMAIN. »

ENTRÉE_PLAT_DESSERT

FRAISES, FRAMBOISES, ET FRAISES DES BOIS, GINGEMBRE ET SAUTERNES, TUILES NOIX DE COCO

200 G DE FRAISES
100 G DE FRAMBOISES
150 G DE FRAISES DE BOIS
50 CL DE SAUTERNES
15 G DE GINGEMBRE
QUELQUES FEUILLES DE MENTHE FRAÎCHE

POUR LES TUILES :
250 G DE SUCRE GLACE
250 G DE NOIX DE COCO EN POUDRE
250 G DE BLANCS D'ŒUFS
50 G DE FARINE
100 G DE BEURRE FONDU

Faites tiédir le sauternes dans une grande casserole avec la menthe et le gingembre, blanchi et haché. Ajoutez les fraises des bois, les framboises et les fraises, coupées en deux.
Laisser infuser quelques heures avant de servir très frais, avec les tuiles coco.

Pour les tuiles, mélangez les ingrédients dans l'ordre indiqué. Déposez la pâte obtenue sur une plaque en espaçant bien les petits tas et faites cuire à 180 °C pendant 5 minutes. Formez les tuiles en décollant les palets et en les plaçant sur un rouleau à pâtisserie encore tièdes.

ET LE CHEF A DIT

« UN DESSERT AU DÉPART CLASSIQUE, MAIS AVEC UNE POINTE D'EXOTISME GRÂCE AU GINGEMBRE QUI SE MARIE TRÈS BIEN AVEC LE SAUTERNES. DANS LES VERRES, AUCUNE HÉSITATION : LE MÊME SAUTERNES QUE CELUI AYANT SERVI POUR LA RECETTE. »

LE JARDINIER

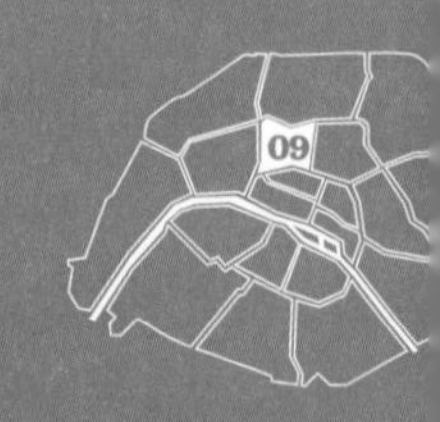

MÉTRO POISSONNIÈRE
OU BONNE NOUVELLE
5, RUE RICHER
75 009 PARIS
01 48 24 79 79

STÉPHANE FUMAZ

FERMÉ DIMANCHE

PRIX : MENU-CARTE À 30 €
MENU AU DÉJEUNER À 21 €

Cette table proche des fameuses « Folies Bergère » existe depuis longtemps, mais n'offre un véritable intérêt que depuis mai 2006, avec l'arrivée aux commandes d'un jeune chef qui a fait ses classes dans de magnifiques établissements de la capitale (après avoir passé quelques temps chez Marc Veyrat à Annecy). Stéphane Fumaz a en effet repris ce restaurant attenant à un hôtel 3 étoiles en compagnie de son épouse Catherine. Cette dernière a rafraîchi la décoration de la belle salle lumineuse de style haussmannien au cachet certain (boiseries, superbes moulures, grands miroirs, lustres d'époque) en y apportant quelques touches « bucoliques ». On n'est pas ici dans un bistro, mais dans un vrai restaurant confortable, aux tables bien espacées et à l'ambiance apaisée. L'accueil et le service y sont chaleureux (et cela se sent dès la prise de réservation au téléphone, ce qui trompe rarement). Surtout, les tarifs restent très raisonnables, vu la qualité des assiettes. Comme vous pourrez le constater en décryptant son parcours, le jeune chef a appris son métier au sein d'établissements prestigieux, auprès de très grands professeurs, pour lesquels l'erreur est impardonnable et inexcusable. Et c'est donc avec grand plaisir que les convives que nous sommes bénéficient aujourd'hui de cette exigence, de cette maîtrise, de ce savoir-faire accumulés au cours de ces années. À l'instar de son dernier « maître », Frédéric Anton (le chef du « Pré Catelan »), la cuisine que Stéphane réalise met surtout en valeur le produit, toujours le produit. Elle se révèle un très bon compromis entre tradition irréprochable (œufs meurette, magret de canard à l'orange, sole meunière, crêpes Suzette) et modernité de très bon aloi (carpaccio de betteraves et comté, mangue caramélisée et mousse à la badiane). C'est net, vif, sans « trucs » inutiles (deux ou trois saveurs dans l'assiette, pas plus), et surtout frais (le chef a appris à bien sélectionner ses fournisseurs) et très savoureux. Bref, « Le Jardinier » n'est certes pas une table « révolutionnaire », mais en tout cas très respectable, tenue par des gens qui connaissent bien leur métier et le font consciencieusement, professionnellement, en toute discrétion. Cette toute nouvelle adresse s'impose d'ores et déjà, quelques mois après son ouverture, comme une référence incontournable dans un coin du 9e très pauvre en « bons plans », à réserver pour des repas tranquilles et discrets.

“La cuisine que Stéphane réalise met surtout en valeur le produit, toujours le produit.”

QUELQUES EXEMPLES DE PLATS : tronçon de poireaux sauce vinaigrette, purée de céleri à l'huile de truffe / étrilles préparées en coques sur fine mousse d'asperges vertes / encornets farcis aux agrumes dans un jus de Banyuls / saumon mariné à la coriandre, gaufre de pommes de terre et crème légère au caviar de hareng / filets de merlan poêlés à la grenobloise, salade de pousses d'épinards / rouget doré sur sa peau, fine ratatouille citronnée et jus au balsamique / quasi de veau poêlé aux olives de haute Provence, mille-feuilles d'aubergines et tomates parfumé au basilic / magret de canard grillé à la coriandre, gratin de macaronis / velouté glacé d'ananas sur lit de mangue en gelée / soufflé chaud à la Williamine et son sorbet poire / crêpes Suzette caramélisées à l'orange et flambées au Grand Marnier®.

POUR EN SAVOIR PLUS SUR STÉPHANE FUMAZ

Stéphane Fumaz naît en Haute-Savoie en 1971. C'est sans aucun doute sa grand-mère, bouchère à Annecy, qui lui donne le goût des fourneaux lors des repas dominicaux de son enfance. Et comme il l'affirme : « Certains, à vingt-cinq ans, ne savent pas encore ce qu'ils veulent faire, moi à dix ans, j'étais certain que je serai cuistot.» Après un apprentissage dans sa région natale, un CAP de cuisinier, un deuxième de pâtissier, il monte à l'âge de dix-neuf ans sur Paris pour rejoindre la belle maison de Montparnasse « le Dôme », à mes yeux l'une des trois meilleures tables marines de la capitale. Un an plus tard, fort de cette première expérience, il a une opportunité qui ne se refuse pas : rentrer au pays, à Annecy, pour une place chez Marc Veyrat (à mon avis le plus grand chef français). Avec le recul, Stéphane se rend aujourd'hui compte de tout ce que cette aventure savoyarde a pu lui apporter : le travail sur les mélanges, les cuissons méticuleuses, les nouveaux parfums, sans parler de l'exigence paroxysmique de l'artiste au chapeau. En 1992, c'est le retour dans la capitale chez « Lasserre », grande institution parisienne. Certes, le changement de cap est énorme (entre la folie de Veyrat et le classique de « Lasserre », il y a vraiment plus qu'un fossé), mais Stéphane jette aujourd'hui un regard bienveillant sur cette période, qu'il trouve finalement très positive quinze ans plus tard. Il y travaille ses plats dans la grande tradition « Escoffier » et retient les grands principes d'un bon service (qu'il applique aujourd'hui à son équipe en salle). En 1994, il quitte « Lasserre » et ses deux étoiles au Michelin. S'ensuit alors pendant trois ans une série d'établissements tous aussi prestigieux les uns que les autres : Jacques Cagna (deux étoiles), « Amphyclès » (une étoile), « La Cantine des Gourmets » (une étoile, où il rencontre sa femme), « Ledoyen » (deux étoiles, aux côtés de la médiatique Ghislaine Arabian). Puis, en 1997, il est recruté en même temps que le chef Frédéric Anton (un ancien de Robuchon) pour seconder ce dernier au sein du prestigieux « Pré Catelan », dans le bois de Boulogne. L'objectif fixé par le propriétaire des lieux – passer de une à deux étoiles en moins de deux saisons – est atteint en 1999 à l'énorme satisfaction et la grande fierté de Stéphane. De cette époque, il retient le défi quotidien, l'exigence de tous les instants. Il aura surtout appris de Frédéric Anton son respect absolu du produit et son énorme talent pour mettre en valeur les légumes quels qu'ils soient : « Pour moi, Anton est le roi des légumes ». Deux grandes leçons qu'en tout cas il applique parfaitement aujourd'hui (son excellent carpaccio de betteraves et comté par exemple). En 2000, finie la place de second, il prend pour la première fois la tête des fourneaux, au « Petit Troquet », un très bon bistro du 7e arrondissement. C'est lui le chef cette fois, et c'est à lui désormais surtout de gérer au mieux, d'optimiser, de proposer la meilleure qualité au prix le plus bas possible. Puis, toujours en tant que chef, il exerce successivement ses talents au « Bistro de Paris » et au « Passage » dans le 15e. Fin 2005, l'envie de diriger enfin son propre établissement s'avère trop forte. Ainsi, c'est en mai 2006, après quelques mois de recherches, que Stéphane et son épouse Catherine assurent leur premier service au « Jardinier ». Dans ses cuisines aujourd'hui, Stéphane « s'éclate » véritablement, cherche à se faire plaisir et surtout à faire plaisir à ses clients, en appliquant notamment les grands principes appris au « Pré Catelan » : des très bons produits bien sélectionnés, au meilleur prix (il n'hésite pas à proposer homard, sole ou turbot avec un petit supplément à son menu-carte abordable), et des légumes mis en valeur de façon singulière. Stéphane et Catherine ont littéralement métamorphosé cette adresse jusque-là assez anecdotique, et je vous encourage vivement à venir goûter la très bonne cuisine du maître des lieux.

ENTRÉE_PLAT_DESSERT

CÈPES EN VELOUTÉ SUR UNE ROYALE DE CHOU VERT

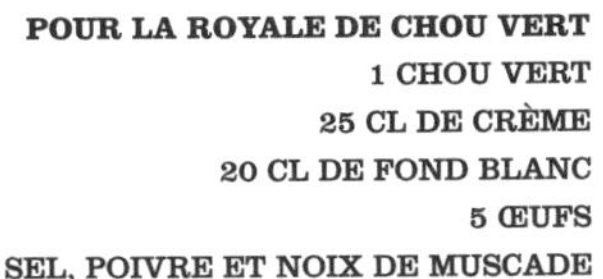

POUR LA ROYALE DE CHOU VERT
1 CHOU VERT
25 CL DE CRÈME
20 CL DE FOND BLANC
5 ŒUFS
SEL, POIVRE ET NOIX DE MUSCADE

POUR LE VELOUTÉ DE CÈPES
6 GROS CÈPES
300 G DE CHAMPIGNONS DE PARIS
300 G DE FOND BLANC
100 G DE CRÈME LIQUIDE
10 G DE MAÏZENA®
SEL ET POIVRE
BEURRE POUR LA FINITION

ET LE CHEF A DIT

« CE PLAT SURPRENDRA AGRÉABLEMENT VOS CONVIVES LORSQU'ILS DÉCOUVRIRONT LA TEXTURE CRÉMEUSE DE LA ROYALE SE FONDANT EN BOUCHE À LA DOUCEUR DU VELOUTÉ. POUR ACCOMPAGNER CETTE ENTRÉE, JE VOUS CONSEILLE UN MADIRAN, TEL CELUI D'ALAIN BRUMONT, AVEC UNE BELLE COULEUR NOIRE, UN NEZ DOUX, MAIS CONCENTRÉ ET PUISSANT, ET DES PARFUMS DE FRUITS NOIRS : UN VIN CHARPENTÉ ET CHARNU, À BOIRE DANS SA JEUNESSE. »

POUR LA ROYALE DE CHOU VERT

Effeuillez le chou vert, puis ôtez les côtes. Faites cuire les feuilles à l'eau bouillante salée (elles doivent s'écraser entre les doigts). Refroidissez-les à l'eau glacée et égouttez-les.
Mixez les feuilles de chou avec le fond blanc dans un blender.
Recueillez 75 cl de bouillon de chou, ajoutez la crème et les œufs.
Mixez le tout au blender et assaisonnez avec le sel, le poivre et la noix de muscade.
Remplissez de cette préparation 6 tasses à thé au tiers de leur hauteur et les posez-les dans la partie haute d'un couscoussier (où l'eau devra déjà être bouillante), en posant le couvercle de façon à ne pas entièrement le recouvrir.
Laissez chauffer de 5 à 7 minutes, puis sortez les tasses lorsque le bouillon a pris la consistance d'une crème homogène.

POUR LE VELOUTÉ DE CHAMPIGNONS

Lavez les cèpes, puis taillez de belles tranches épaisses dans la hauteur. Mettez les extrémités de côté. Lavez les champignons de Paris, puis émincez-les.
Faites bouillir le fond blanc. Ajoutez les champignons de Paris et les parures des cèpes. Faites cuire ce bouillon pendant 5 minutes.
Posez un couvercle dessus, coupez le feu et laissez infuser 30 minutes.
Passez ce bouillon au chinois. Ajoutez la crème liquide et faites chauffer. Liez avec la Maïzena®, puis vérifiez l'assaisonnement.

POUR SERVIR

Poêlez au beurre les belles tranches de cèpes.
Assaisonnez-les et disposez-les sur les royales de chou démoulées, placées dans les assiettes. Versez le velouté chaud de champignons par-dessus.

ENTRÉE_PLAT_DESSERT

CABILLAUD DORÉ AU JUS DE VIANDE, ASPERGES VERTES VAPEUR, SAUCE MOUSSELINE

1 CABILLAUD DE 1 KG (SANS LA PEAU ET LEVÉ EN FILETS)
10 CL D'HUILE D'OLIVE
10 CL DE JUS DE VIANDE

POUR LA GARNITURE
24 ASPERGES VERTES
20 G DE BEURRE

POUR LA SAUCE MOUSSELINE
6 JAUNES D'ŒUFS
400 G DE BEURRE
30 G DE CRÈME LIQUIDE
SEL ET POIVRE
1 CITRON

ET LE CHEF A DIT

« LE JUS DE VIANDE VA RELEVER LE GOÛT DU CABILLAUD ALORS QUE LA MOUSSELINE ET LES ASPERGES APPORTENT BEAUCOUP DE DOUCEUR. JE VOUS CONSEILLE UN SANCERRE BLANC, COMME "LE CHÊNE MARCHAND" DE LUCIEN CROCHET, À LA ROBE JAUNE, AU REFLET ÉMERAUDE ET AU NEZ FRANC. AVEC UN GOÛT VIF ET GRAS À LA FOIS, AU LÉGER PARFUM DE PÊCHE ET DE PAMPLEMOUSSE. »

POUR LA SAUCE MOUSSELINE
Clarifiez le beurre dans une casserole à fond épais sur feu doux.
Mettez les jaunes d'oeufs dans une autre casserole avec 5 cl d'eau, salez et poivrez.
Faites cuire ce sabayon (les jaunes avec l'eau) en fouettant les jaunes dans la casserole sur le bord du fourneau. La chaleur sous la casserole ne doit pas dépasser 40 °C. Le sabayon va épaissir et, tout en fouettant, vous allez commencer à voir le fond de la casserole.
Incorporez alors le beurre clarifié en le versant doucement dans le sabayon tout en continuant à fouetter. Ajoutez le jus du citron.
Montez la crème liquide au batteur, puis incorporez-le au sabayon. Réservez.

POUR SERVIR
Prévoyez des portions de cabillaud de 170 g chacun.
Épluchez les asperges et faites-les cuire à l'eau bouillante salée.
Rafraîchissez-les à l'eau glacée, puis égouttez-les quand elles sont refroidies. Épongez-les sur un torchon, puis taillez-les toutes de la même longueur.
Faites chauffer l'huile dans une poêle, puis ajoutez les pavés de cabillaud. Faites-les cuire sur feu doux des deux côtés ; déglacez en fin de cuisson avec le jus de viande.
Réchauffez les asperges dans un cuiseur à vapeur ou un couscoussier, puis répartissez-les au centre des assiettes.
Disposez dessus les pavés de cabillaud avec le jus de viande et ajoutez la sauce mousseline tout autour.

ENTRÉE_PLAT_DESSERT

LE CHOCOLAT, SON SOUFFLÉ ET SA BOULE DE GLACE

POUR LA CRÈME PÂTISSIÈRE
20 CL DE LAIT
2 JAUNES D'OEUFS
20 G DE SUCRE
15 G DE FARINE
45 G DE CACAO

POUR LE SOUFFLÉ
120 G DE SUCRE SEMOULE
30 CL DE BLANCS D'ŒUFS
1 L DE GLACE À LA VANILLE

POUR LES MOULES
100 G DE BEURRE POMMADE
100 G DE SUCRE

POUR LA CRÈME PÂTISSIÈRE AU CHOCOLAT
Faites bouillir le lait. Mélangez dans un récipient les jaunes d'œufs et le sucre en fouettant bien. Incorporez la farine et 35 g de poudre de cacao. Mélangez intimement en délayant avec le lait chaud.
Faites cuire la crème pendant 5 minutes dans la casserole en fouettant énergiquement, puis ajoutez le cacao restant. Mélangez à fond, puis versez la crème pâtissière dans une terrine pour la refroidir.

POUR LES SOUFFLÉS
Beurrez les moules à soufflé individuels, puis ajoutez le sucre semoule sur les parois et retournez ensuite les moules pour éliminer l'excédent de sucre.
Pesez 225 g de crème pâtissière froide au chocolat.
Montez les blancs d'oeufs au batteur ou au fouet électrique en leur incorporant progressivement le sucre semoule.
Les blancs ne doivent pas être trop fermes, plutôt crémeux.
Prenez un quart de la masse des blancs et mélangez-la avec la crème pâtissière, puis incorporez délicatement le reste des blancs.
Répartissez cette préparation dans les moules. Passez le pouce sur les rebords des moules pour bien décoller les soufflés. Faites-les cuire au four au bain-marie pendant 10 minutes à 220 °C.
À la sortie du four, faites une incision sur le chapeau du soufflé et posez une boule de glace dessus. Servez immédiatement.

ET LE CHEF A DIT

« LE CONTRASTE DE LA GLACE DANS LE SOUFFLÉ CHAUD EST TRÈS AGRÉABLE AU PALAIS. LE GOÛT DU CHOCOLAT S'EN TROUVE RENFORCÉ. JE VOUS CONSEILLE POUR ACCOMPAGNER CE DESSERT UN MAS AMIEL, COMME LA CUVÉE SPÉCIALE 10 ANS (VIEILLI EN BONBONNE DE VERRE DURANT UN AN PUIS EN FÛT DE CHÊNE PENDANT 9 ANS), UN MAURY AUX REFLETS CUIVRÉS ET AUX PARFUMS DE RÉGLISSE ET DE CACAO. »

JEAN

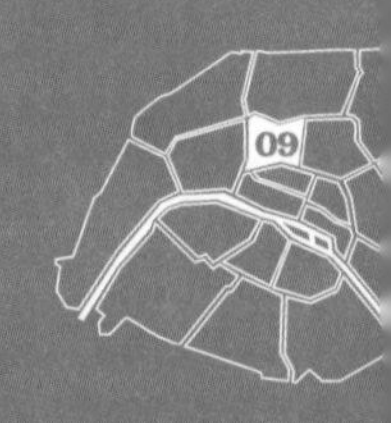

MÉTRO NOTRE-DAME
DE-LORETTE
8, RUE SAINT-LAZARE
75 009 PARIS
01 48 78 62 73

BENOÎT BORDIER

FERMÉ SAMEDI ET DIMANCHE

PRIX : MENU À 36 €

Benoît Bordier. Retenez bien ce nom. Vous risquez fort, dans les années à venir, d'entendre beaucoup parler de ce cuisinier, j'en fais le pari. Pour l'instant, cette adresse est encore relativement confidentielle et tous les guides ne s'en sont pas encore emparée. En revanche, c'est déjà un lieu où se retrouvent les connaisseurs, le petit landernau parisien gastronomique, les journalistes spécialisés, certains chefs, les gens du métier. Car c'est vraiment du beau travail que l'on y découvre, tant en salle qu'en cuisine : on peut parler d'un véritable tandem de choc. La salle, c'est l'affaire de Jean-Frédéric Guidoni. Ancien responsable de salle chez « Taillevent », étape emblématique de la grande gastronomie parisienne, ce pince sans rire dirige cette maison avec brio et professionnalisme (son équipe est parfaitement rodée). Il est de très bon conseil pour les vins (très belle carte, avec en particulier une sélection au verre très pointue) et se révèle un excellent « passeur » de la cuisine inédite de Benoît Bordier. Un chef iconoclaste, frondeur, provocateur (jetez un œil aux intitulés des plats !), toujours sur le fil, « jouant » avec le feu, au propre comme au figuré. Comment qualifier précisément sa cuisine, qui échappe complètement aux codes traditionnels ? On peut se risquer à parler d'atelier gourmand, de « jus de cerveau », de folie parfaitement maîtrisée, tant Benoît Bordier secoue les neurones et émoustille les papilles. C'est ludique, précis, original, toujours insolite, avec une harmonie des saveurs et des textures remarquable (et bien sûr une technique hors pair). Un repas chez Jean est une véritable expérience culinaire pleine d'esprit, de mouvement et d'idées. Ce registre « gastro-moderne un peu fou » est d'autant plus étonnant qu'il n'est pas en accord avec le décor, trop sage à mon goût. Il s'agit en fait d'une ancienne brasserie de quartier des années 50. Les volumes sont beaux (c'est profond et haut de plafond), avec des boiseries un peu partout (on se croirait dans un chalet, ou sur un yacht). Certes, le cadre est chaleureux et très confortable, mais, à mon avis, guère en adéquation avec la vitalité et la modernité des assiettes. Mais passons sur ce détail. D'ailleurs, cette différence entre le fond et la forme rend la table encore plus singulière (et explique sans doute qu'elle ne soit pas encore sous les feux de la rampe). Un conseil : allez vite découvrir ce jeune chef talentueux (et son parfait compère en salle) avant que la mode ne s'en empare.

“ Benoît Bordier secoue les neurones et émoustille les papilles. ”

QUELQUES EXEMPLES DE PLATS : **comptoir du bout du monde : bar et mimolette, bouillon café-morilles, coriandre / rana de chanchullos : cuisses de grenouilles, chipolatas, guacamole, menthe et arôme de pin / first lady : noix de Saint-Jacques, flan de persil, nougat-gingembre, betterave acidulée / monsieur cochon : poitrine de porc cuite 8 heures, carottes, abricots et citrons confits, sauge / saute-mouton : agneau rôti, gnocchi de haddock, kiwi et litchi au romarin / salvador de bahia : amandine noix de coco, airelles, pomelos / roi et reine : « frangipane », cerises amarena, sablé breton, feuilles vertes / pur plaisir : tarte au chocolat 56%, ananas et cardamome.**

POUR EN SAVOIR PLUS SUR BENOÎT BORDIER

Benoît Bordier naît au milieu des années 70 dans la région parisienne. Rapidement, à l'adolescence, il sait déjà qu'il deviendra cuisinier. Il poursuit des études hôtelières à Saint-Nazaire, puis, son BTS de restauration en poche, il part effectuer son service militaire à la Présidence de l'Assemblée Nationale, alors dirigée par Philippe Seguin : une expérience très enrichissante à ses yeux. À la sortie de l'armée, il a l'opportunité d'intégrer les cuisines du meilleur restaurant de la région lilloise : « L'Huîtrière », véritable institution de la préfecture du Nord, où il reste durant deux années très formatrices, puis, à 24 ans, il entre dans l'un des plus beaux établissements de Paris, le restaurant de l'hôtel Bristol, aux côtés du génial et imprévisible Michel Del Burgo, avec qui l'entente s'avère excellente. Mais les aléas de la vie font qu'il quitte cet endroit quelques mois plus tard pour travailler en tant que second dans les cuisines de l'ambassade de Grande-Bretagne à Paris, dans une ambiance plutôt familiale. En 1999, il fait partie de l'équipe avec laquelle Hélène Darroze ouvre son restaurant rue d'Assas : une époque difficile (comme toute ouverture d'ailleurs), mais que Benoît ne regrette absolument pas. En 2000, il arrive à « La Cantine des Gourmets », établissement étoilé des beaux quartiers de la rive gauche, en tant que chef de partie, sous la houlette de Jean-François Rouquette : c'est son expérience de loin la plus marquante. Mais à 27 ans, Benoît en a déjà assez de faire « la cuisine de ... ». Il éprouve le besoin d'être chef à part entière, il bouillonne d'énergie et foisonne d'idées. Lorsque Jean-Frédéric Guidoni, après 20 (vingt !) ans de bons et loyaux services en salle chez « Taillevent », contacte Benoît pour lui proposer de prendre la tête des fourneaux de l'affaire qu'il vient de racheter rue Saint-Lazare, Benoît n'hésite pas un seul instant. Ce « couple » fonctionne en parfaite osmose depuis plus de quatre ans maintenant. Jean-Frédéric autorise une liberté totale à Benoît, qui a carte blanche pour laisser libre cours à son imagination débridée. Le moins qu'on puisse dire, c'est qu'il ne s'en prive pas ! Allez vite découvrir sa cuisine en perpétuel mouvement, en constante progression, et surtout d'une parfaite sincérité, car comme l'avoue Benoît : « Je cuisine d'abord pour me faire plaisir. »

ENTRÉE _PLAT _DESSERT

BANANA FISH : SARDINES MOELLEUSES, GELÉE DE CORNICHONS, « MILK-SHAKE » BANANE-PERSIL

POUR LES SARDINES MOELLEUSES
230 G DE FILETS DE SARDINES À L'HUILE ÉGOUTTÉS
3 BLANCS D'ŒUFS
6 G DE GÉLATINE
SEL ET POIVRE

POUR LA GELÉE DE CORNICHONS
35 G DE CORNICHONS
2 G DE GÉLATINE

POUR LE MILK-SHAKE BANANE-PERSIL
10 CL D'EAU MINÉRALE
170 G DE BANANE
1 CUILLERÉE À SOUPE D'HUILE D'OLIVE
45 G DE PERSIL ÉQUEUTÉ

ET LE CHEF A DIT

« CETTE ENTRÉE CONÇUE DANS L'ESPRIT D'UNE ÎLE FLOTTANTE PEUT S'ACCOMPAGNER DE PAIN DE CAMPAGNE ET DE FINES LAMELLES DE RADIS ROSES. »

LES SARDINES MOELLEUSES

Réduisez les filets de sardines en purée fine au mixeur. Salez et poivrez.
Montez les blancs d'oeufs en neige ferme.
Incorporez à la purée de sardines la gélatine, préalablement ramollie dans de l'eau froide.
Passez 20 secondes au four à micro-ondes. Mélangez vivement et incorporez les blancs en neige.
Versez le tout dans le fond d'un plat tapissé de film alimentaire et laissez prendre au réfrigérateur.

LA GELÉE DE CORNICHONS

Mixez les cornichons avec 7,5 cl l'eau, puis filtrez le mélange dans une passoire fine.
Faites tiédir, puis incorporez la gélatine, préalablement ramollie dans de l'eau froide.
Versez le tout dans un bol et mettez dans le réfrigérateur pendant 4 heures.

LE MILK-SHAKE BANANE-PERSIL

Mixez ensemble tous les ingrédients indiqués et filtrez-les dans une passoire, salez et poivrez.

PRÉSENTATION

Déposez dans le fond d'une assiette une cuillerée à soupe de « milk-shake ». Disposez par-dessus des cubes de sardines moelleuses, surmontés de gelée de cornichons.

ENTRÉE_ **PLAT** _DESSERT

NOIX DE SAINT-JACQUES POÊLÉES, SOUBISE DE CHOU VERT, CRACOTTE AIL/CURRY

30 COQUILLES SAINT-JACQUES DÉCOQUILLÉES
1 CHOU VERT FRISÉ
3 OIGNONS
300 G DE LARD DE POITRINE FUMÉE
3 BISCOTTES AUX CÉRÉALES
3 GOUSSES D'AIL
3 CUILLERÉES À SOUPE DE PERSIL HACHÉ
CURRY ET FLEUR DE SEL
30 CL DE JUS DE POULET RÔTI
HUILE D'OLIVE, BEURRE

Rincez les noix de Saint-Jacques à l'eau claire et réservez-les sur un torchon.
Taillez les feuilles de chou en lanières et faites-les cuire dans une grande quantité d'eau bouillante salée. Égouttez-les.
Pelez et émincez finement les oignons ; faites-les cuire dans un filet d'huile d'olive à feu doux. Égouttez-les.
Taillez le lard de poitrine fumée en fins lardons, puis faites-les frire à sec jusqu'à ce qu'ils soient bien croustillants.
Réunissez dans la cuve d'un robot ménager le chou, les oignons et les lardons ; mixez le tout pour obtenir la « soubise ».
Frottez délicatement les biscottes avec les gousses d'ail, puis émiettez-les grossièrement. Ajoutez le persil, quelques pincées de curry et de fleur de sel.
Faites dorer les noix de Saint-Jacques dans une poêle bien chaude pendant environ deux minutes. Ajoutez en fin de cuisson une cuillerée à café de beurre, mélangez et épongez-le tout sur du papier absorbant.

PRÉSENTATION
Placez le soubise de chou vert au centre de l'assiette et disposez les noix de Saint-Jacques par-dessus. Poudrez de « cracotte » épicée et servez avec le jus de poulet rôti réchauffé.

ET LE CHEF A DIT

« VOUS POUVEZ REMPLACER LES COQUILLES SAINT-JACQUES PAR DES NOIX DE PÉTONCLE, UNE SOLE OU MÊME UN RIS DE VEAU : CELA FONCTIONNE TOUT AUSSI BIEN. VOUS POUVEZ AUSSI AGRÉMENTER CE PLAT DE LAMELLES DE TRUFFE FRAÎCHE OU DE CAVIAR DE HARENG FUMÉ. »

ENTRÉE_PLAT_**DESSERT**

MOUSSELINE AU CHOCOLAT, GEL CAFÉ ET M & M'S®

50 CL DE LAIT
1 GOUSSE DE VANILLE
6 JAUNES D'ŒUFS
100 G DE SUCRE
75 G DE FARINE
250 G DE BEURRE
90 G DE CACAO
1 CUILLERÉE À SOUPE D'ALCOOL (GRAND-MARNIER®, COGNAC, AMARETTO)
CAFÉ
1 CUILLERÉE À SOUPE DE FARINE DE MAÏS
1 PAQUET DE M & M'S®

LA MOUSSELINE

Fouettez les jaunes d'oeufs avec le sucre jusqu'à ce que le mélange soit jaune pâle et mousseux. Incorporez la farine et fouettez à nouveau.
Versez le lait dans une casserole, ajoutez la gousse de vanille fendue en deux et grattée ; portez à ébullition.
Retirez la casserole du feu, ôtez la gousse de vanille et versez le lait sur le mélange précédent sans cesser de fouetter.
Versez à nouveau le tout dans la casserole. Portez à la limite de l'ébullition et faites cuire sur feu doux pendant environ 5 minutes.
Versez le mélange dans la cuve d'un robot ménager. Mixez, incorporez 125 g de beurre et mixez à nouveau jusqu'à complet refroidissement.
Une fois la préparation refroidie, incorporez par petites quantités 125 g de beurre en pommade et battez jusqu'à ce que le mélange soit homogène.
Ajoutez ensuite le cacao, puis l'alcool de votre choix.

LE GEL CAFÉ

Préparez un café expresso légèrement sucré.
Épaississez-le avec la farine de maïs et réservez à température ambiante.

PRÉSENTATION

Versez la mousseline au chocolat dans des coupes, des bols ou des verres. Ajoutez par-dessus quelques cuillerées de gel café et parsemez de M & M's® concassés.

ET LE CHEF A DIT

« POUR UN SERVICE "IMMÉDIAT", JE VOUS CONSEILLE DE LAISSER LA MOUSSELINE À TEMPÉRATURE AMBIANTE. POUR LES GOURMANDS (DONT JE FAIS PARTIE !), JE SUGGÈRE D'ACCOMPAGNER CE BEAU DESSERT D'UNE GAUFRE TIÈDE. »

VELLY

MÉTRO NOTRE-DAME-DE-LORETTE
52, RUE LAMARTINE
75 009 PARIS
01 48 78 60 05

ALAIN BRIGANT

FERMÉ SAMEDI ET DIMANCHE

PRIX : MENU-CARTE À 31 €

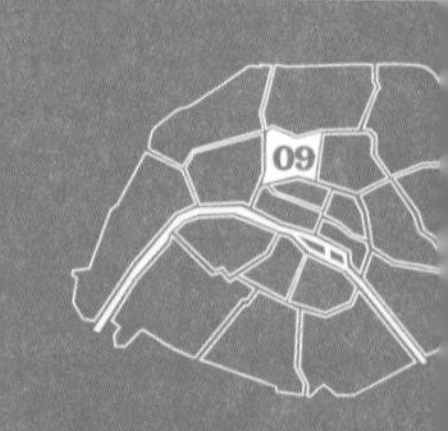

Enfin un bon plan « bistronomique », dans un arrondissement peu doté en matière de bonnes tables abordables. L'adresse est discrète, juste derrière l'église Notre-Dame-De-Lorette, et ne fait pas les gros titres de l'actualité gastronomique. Pourtant, c'est le genre de repaire que l'on souhaiterait avoir en bas de chez soi, une véritable aubaine pour le quartier. Le cadre est mignon tout plein, dans le style « bistro patiné par le temps » : une petite salle d'une vingtaine de couverts, basse de plafond, avec beaucoup de bois, de la mosaïque et surtout de beaux luminaires Arts Déco que l'on aimerait presque emporter à la maison. C'est rétro, mais pas poussiéreux, très agréable et confortable. Mais si de nombreux riverains ont leur rond de serviette chez Velly, c'est avant tout pour le parfait esprit néo-bistrotier qui règne dans les assiettes. Alain Brigant a été formé par quelques grands de la profession, il a parfaitement retenu leurs leçons et se montre d'une régularité exemplaire dans la qualité de ses préparations. Sa technique est irréprochable, mais sa cuisine est aussi pleine de vivacité et de tonus. Au gré du marché, elle sait aussi se montrer inventive et recherche d'astucieux mariages des saveurs et des textures. Elle se révèle aussi un brin plus sophistiquée que ne pourrait le laisser supposer la simple lecture des intitulés. Grand moment pour moi, par exemple, il y a quelques mois, que cette « canette laquée aux épices et patate douce » digne d'une grande table, compte tenu de la qualité du produit, de la précision de la cuisson et du choc des saveurs. Et tout cela facturé sans excès aucun, bien au contraire. Les prix restent très tenus depuis des années, ce qui place cet établissement parmi les plus attractifs de la capitale dans sa catégorie, même (et surtout !) s'il n'est pas sous les feux de la rampe médiatique. Que rajouter de plus pour vous convaincre ? Que le pain fait maison est exquis (attention les doigts, il est très chaud !). Que l'ardoise des vins est courte, mais judicieuse, pleine de belles trouvailles au juste prix, avec un choix conséquent au verre. Que le service est jeune, alerte et bien dans le ton. Que la musique en fond sonore est de bonne facture, en parfaite osmose avec le lieu (surtout du jazz des années 30, date de naissance de l'endroit). À vous de jouer maintenant : laissez-vous tenter par cette pétillante et séduisante adresse. (Ultime petit conseil : si vous êtes deux, demandez la table 6, c'est la plus tranquille.)

“Chez Velly, c'est avant tout pour le parfait esprit néo-bistrotier qui règne dans les assiettes.”

QUELQUES EXEMPLES DE PLATS : **beignet de ventrêche sauce tartare soja / minestrone de crevettes en basilic / croustillant de chèvre au miel / terrine de pleurotes aux noisettes / risotto aux asperges / assiette corsica (figatelli, longo, coppa, saucisson de cochon corse) / aïoli de morue aux petits légumes / coquilles Saint-Jacques au jus de chorizo / joue de bœuf braisée à l'embeurrée de choux / rognon de veau confit au porto / canette laquée aux épices et patate douce / filet de bœuf à l'émulsion d'herbes / tronçon de lotte andalouse / palet au chocolat / tarte fine aux pommes / panna cotta aux trois parfums / soufflé glacé / poêlée de cassis au fromage blanc.**

POUR EN SAVOIR PLUS SUR ALAIN BRIGANT

Alain Brigant voit le jour à Boulogne-Billancourt en 1966. Ses parents tiennent le commerce de charcuterie-traiteur le plus réputé de la ville, ce qui lui permet de baigner dès son plus jeune âge dans un univers gastronomique de qualité. C'est donc sans surprise qu'on le retrouve à l'adolescence aux côtés du grand chef Philippe Groult, en train d'effectuer son apprentissage au sein d'un établissement très réputé à l'époque, « Le Manoir de Paris ». Après son service militaire, en 1985, il intègre les cuisines du prestigieux et multi-étoilé « Grand Vefour ». Six mois plus tard, il entre au « Bristol » où il reste jusqu'en 1988 (d'abord aux grillades, puis aux sauces et aux poissons). Pour compléter sa formation, il décide d'apprendre la pâtisserie. Sur les conseils du génial Pierre Hermé, Alain part pendant un an à Albi chez Michel Belin, l'un des meilleurs chocolatiers-pâtissiers de France. Il retrouve Paris au début des années 90 et travaille dans des établissements comme « Peltier » rue de Sèvres et surtout la célèbre et exigeante maison « Fauchon » jusqu'en 1997. Cette année-là, plus que jamais décidé à ouvrir prochainement sa propre adresse, il reprend ses études en s'inscrivant à l'École Supérieure de Cuisine Française, afin d'y apprendre les bases du management d'une entreprise de restauration. Alain a toujours eu la tête sur les épaules : il construit son parcours tranquillement mais sûrement. Finalement, il se lance en 1998 en reprenant cette adresse minuscule derrière l'église Notre-Dame-De-Lorette, qu'il baptise du nom de son arrière grand-père, un illustre boucher de la région parisienne. Après quelques travaux de rafraîchissement, il ouvre avec la volonté de proposer une cuisine ambitieuse, techniquement comparable à celle qu'il réalisait dans ses précédentes « grandes maisons », mais avec des produits accessibles, sous forme d'un menu-carte abordable. Le succès est immédiat et ne s'est depuis jamais démenti. Voilà le parcours d'un homme honnête, sincère et professionnel, plein de douceur et de gentillesse, qui ne fait partie d'aucun réseau, mais qui a su s'imposer par la seule force de son travail, de son savoir-faire et de son talent. Allez vite découvrir son établissement, petite adresse confidentielle, certes, mais que le monde entier nous envie...

ENTRÉE _PLAT _DESSERT

TERRINE DE CHÈVRE FRAIS, VINAIGRETTE À L'ORANGE

500 G DE CHÈVRE FRAIS
300 G DE BETTERAVES CUITES
10 G DE POIVRE CONCASSÉ
2 ORANGES
10 CL D'HUILE D'OLIVE MÛRE
SEL ET POIVRE

POUR LA VINAIGRETTE
Pressez le jus des oranges, mélangez-le avec l'huile d'olive en émulsionnant avec un fouet. Salez et poivrez. Réservez.

POUR LA TERRINE
Choisissez une terrine de 800 g de contenance, passez-la sous l'eau puis tapissez-la de film alimentaire (la terrine mouillée fait coller le film aux parois).
Coupez trois tranches de chèvre de 1 cm d'épaisseur sur la longueur.
Pelez les betteraves, puis taillez dedans des tranches de 1 cm d'épaisseur et parez celles-ci en rectangles.
Tapissez le fond de la terrine avec une couche de chèvre frais. Assaisonnez avec le poivre concassé.
Déposez par-dessus les rectangles de betterave en les alignant l'un à côte de l'autre.
Renouvelez l'opération une fois, puis finissez avec une couche de chèvre (la terrine sera composée de trois couches de chèvre et de deux couches de betterave).
Pressez la terrine avec une planchette et gardez-la au frais pendant 2 heures.
Au moment de servir, démoulez la terrine sur la planche. Découpez-la en tranches de 1 cm d'épaisseur et proposez la vinaigrette à l'orange comme condiment.

ET LE CHEF A DIT

« LE CHÈVRE PEUT ÊTRE DU SAINTE-MAURE EN BÛCHE. IL FAUDRA ALORS RETIRER LA CENDRE AVEC LA POINTE D'UN COUTEAU. ON PEUT SERVIR CETTE ENTRÉE AVEC UNE SALADE DE MÂCHE ET L'ACCOMPAGNER D'UN VIN DE LOIRE, COMME UN MENETOU-SALON BLANC. »

ENTRÉE_ PLAT _DESSERT

PAVÉ DE MORUE FRAÎCHE AU GROS SEL, COCOS DE PAIMPOL GASCONS

6 PAVÉS DE CABILLAUD DE 150 G (CHOISIS DANS LE CŒUR, AVEC LA PEAU)
500 G DE HARICOTS COCO FRAIS ÉCOSSÉS
1 BOUQUET GARNI
3 TRANCHES DE JAMBON DE BAYONNE
3 POIVRONS ROUGES
6 GOUSSES D'AIL
1 BOTTE DE PERSIL PLAT
1 BRIN DE THYM
10 CL D'HUILE D'OLIVE
30 G DE BEURRE
400 G DE GROS SEL
20 CL D'HUILE DE PÉPINS DE RAISIN
VINAIGRE DE XÉRÈS
SEL ET POIVRE

Préchauffez le four à 220 °C.
Faites bouillir de l'eau dans une casserole, ajoutez les haricots (ne salez pas en début de cuisson) et le bouquet garni. Lorsque l'eau se remet à bouillir, écumez et laissez cuire doucement.
Aux trois quarts de la cuisson, ajoutez une pincée de sel.
Épluchez les poivrons et taillez-les en petits bâtonnets.
Faites-les confire doucement dans l'huile d'olive.
Pelez les gousses d'ail, taillez-les en lamelles et faites-les frire dans l'huile de pépins de raisins à 120 °C.
Tapissez de gros sel une plaque allant au four. Déposez dessus les pavés de cabillaud (côté peau sur le sel). Enfournez pendant 10 à 15 minutes. Le poisson doit être encore translucide à l'intérieur.
Égouttez les cocos. Ajoutez le persil ciselée, le poivron confit, le jambon de Bayonne taillé en julienne, le thym émietté et le beurre frais. Mélangez intimement.
Répartissez les haricots dans six assiettes (s'ils sont trop liés, détendez avec un peu de jus de cuisson). Retirez la peau des pavés de cabillaud et posez-les dessus.
Parsemez d'ail frit et de persil plat, ajoutez un filet de vinaigre de Xérès et servez aussitôt.

ET LE CHEF A DIT

« VOICI UN EXCELLENT PLAT, PAS TRÈS CHER ET FACILE À RÉALISER, OÙ L'ALLIANCE DU CABILLAUD ET DES HARICOTS COCOS EXPRIME TOUTES LES SAVEURS TERRE-MER. À DÉGUSTER AVEC UN BEAU VIN BLANC DU SUD, COMME PAR EXEMPLE UN CONDRIEU. »

ENTRÉE_PLAT_DESSERT

CRÈME RENVERSÉE AUX TOPINAMBOURS

300 G DE TOPINAMBOURS
50 G DE SUCRE

POUR LE CARAMEL
125 G DE SUCRE EN POUDRE
1 CUILLERÉE À SOUPE DE CRÈME LIQUIDE
1 CUILLERÉE À CAFÉ DE BEURRE

POUR LA CRÈME
50 CL DE LAIT
3 ŒUFS ENTIERS
4 JAUNES D'ŒUFS
125 G DE SUCRE EN POUDRE

POUR LE CARAMEL
Faites cuire le sucre à sec dans une casserole à fond épais. Quand il devient blond, versez la crème et ajoutez le beurre pour le décuire.
Répartissez ce caramel dans 6 ramequins et réservez.

POUR LA CRÈME
Faites bouillir le lait dans une casserole. Par ailleurs, fouettez vivement les oeufs entiers avec les jaunes et le sucre jusqu'à ce que le mélange soit mousseux et blanchâtre.
Versez doucement le lait bouillant et mélangez. Réservez.

Épluchez les topinambours et taillez-les en dés. Faites-les cuire doucement sur feu doux avec le sucre et un peu d'eau jusqu'à ce qu'ils soient bien tendres et caramélisés.

Répartissez les topinambours dans les ramequins sur le caramel, puis recouvrez-les avec la crème.
Faites cuire dans le four au bain-marie à 200 °C pendant 20 minutes environ.
Mettez au froid pendant 4 heures avant de servir.

ET LE CHEF A DIT

« J'AIME REVISITER LES CLASSIQUES EN INTRODUISANT COMME ICI LE TOPINAMBOUR, CE LÉGUME SI LONGTEMPS OUBLIÉ. CETTE RECETTE PEUT ÊTRE ACCOMPAGNÉE DE FINANCIERS À LA MÉLISSE OU D'UN SORBET AU FENOUIL. À DÉGUSTER AVEC UN VIN ROUGE MOELLEUX, COMME LE RASTEAU DE CHEZ ANDRÉ ROMÉRO. »

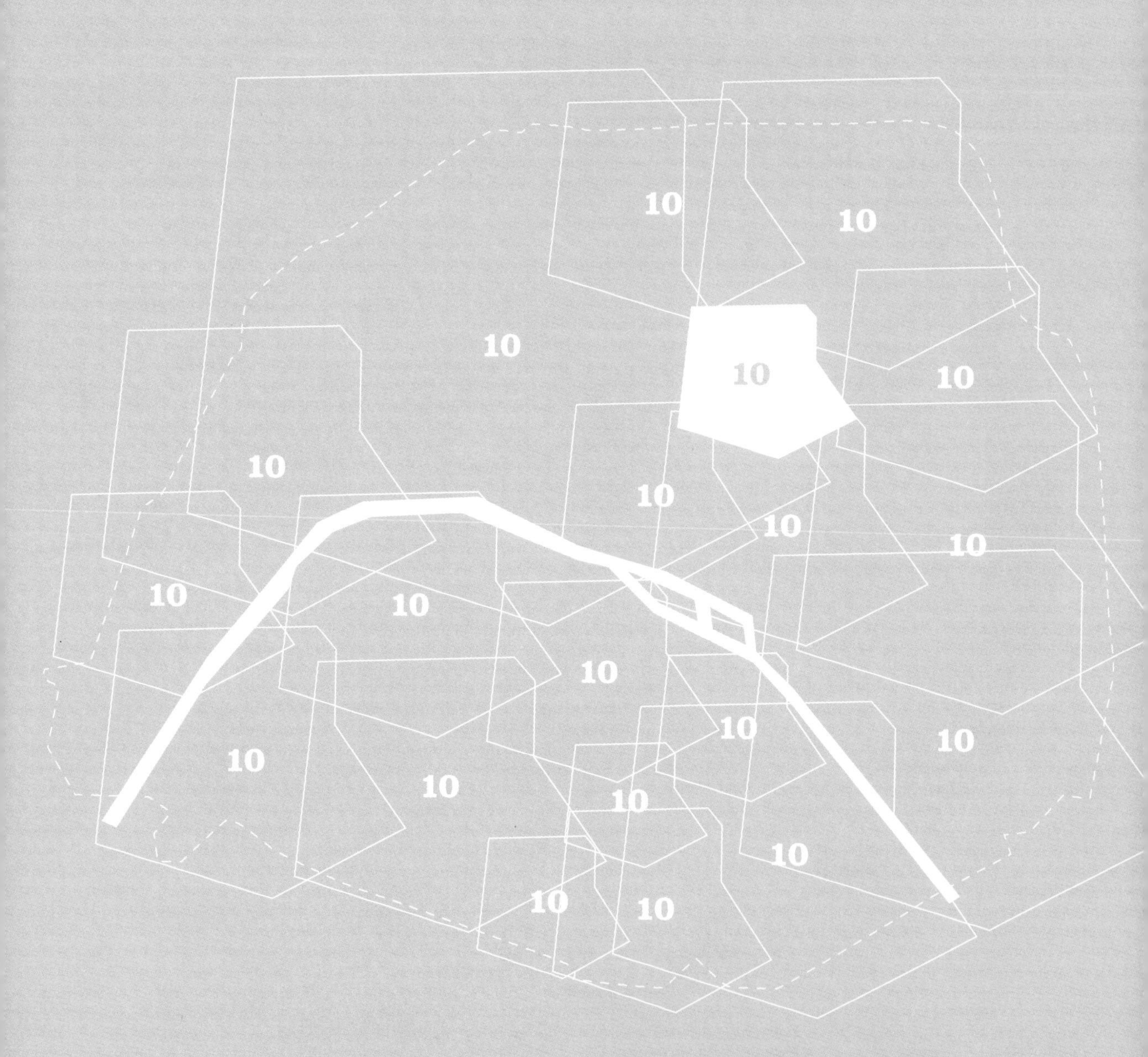
10
10
10
10
10
10
10
10
10
10
10
10
10
10
10
10
10
10
10
10

10e

CHEZ MICHEL

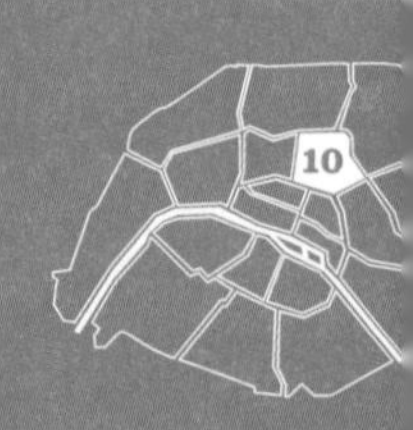

MÉTRO POISSONNIÈRE
10, RUE DE BELZUNCE
75 010 PARIS
01 44 53 06 20

THIERRY BRETON

FERMÉ SAMEDI, DIMANCHE ET LUNDI MIDI

PRIX : MENU-CARTE À 30 €

Permettez-moi de vous présenter ici l'une des adresses pionnières de la tendance « bistronomique ». Thierry Breton a en effet été l'un des premiers à prouver qu'on pouvait être (très) bon, régulier, pas cher, et qui plus est dans un quartier un peu en retrait (tout comme « La Régalade ») : un exemple à suivre (et qui le fut) pour de nombreux autres jeunes chefs, présents également dans cet ouvrage. « Chez Michel », c'est d'abord une sorte d'auberge de province au charme désuet, avec un décor un brin rétro (bar en bois, carrelage au sol, poutres apparentes, colombages, nombreuses boiseries, nappes blanches bien repassées). L'ensemble, assez rustique, est néanmoins confortable, voire cossu, et l'on s'y sent très bien. « Chez Michel », c'est aussi une joyeuse atmosphère gourmande, bon enfant et décontractée, avec des clients de tout âge et de tous horizons : des couples, des familles avec bébé et landau, des tables d'amis, des gens cravatés, des bobos, et visiblement beaucoup d'habitués. Mais « Chez Michel », c'est avant tout une cuisine hautement singulière et unique à Paris. Une véritable institution gourmande. Thierry Breton étant... breton, il n'a pas son pareil pour nous faire (re)découvrir la cuisine de sa région natale. Or, ne croyez pas que la gastronomie bretonne se limite à la galette garnie et à l'andouille de Guéméné. Il y a bien sûr les produits de la mer (poissons et crustacés), mais aussi ceux de la terre (légumes et cochon) : beaux produits que Thierry Breton magnifie, sans pour autant tomber dans un excès de régionalisme. Il raconte simplement son pays à travers une cuisine de terroir remarquable de technique et de saveurs,

“Une cuisine hautement singulière et unique à Paris.”

innovante, personnelle, sans lourdeur ni archaïsme. Les assiettes sont au contraire très actuelles et pleines de tonus. C'est de la vraie cuisine bretonne, avec ses atours traditionnels, mais toujours inspirée, revisitée, raffinée, débordante d'idées toujours justes. C'est pour moi « la » seule ambassade de la gastronomie bretonne de la capitale et je la visite très régulièrement avec toujours autant de plaisir.

QUELQUES EXEMPLES DE PLATS : **soupe de poissons émulsionnée à l'huile d'olive et cocos au chorizo / craquelins de Saint-Malo fourrés au chèvre et basilic frais / petit-salé de gésiers de cane aux lentilles / rillettes de canard en gelée, mesclun du Couesnon / pied et oreilles de cochon, petites girolles au vinaigre / effeuillé de raie bretonne et son taboulé bigouden / conserves de sardines petit bateau et tomates préparées par nos soins / daurade grise levée, caviar d'aubergines relevé aux câpres / dos de cabillaud rôti sur la peau, endives meunières / pièce de veau de sélection, grenailles et carottes des sables / Kig ha farz de joue de cochon, jarret et lard grillé / kouign amann du pays servi tiède / riz au lait façon grand-mère, marmelade d'agrumes / marmite de chocolat, mascarpone, gelée café et cake aux agrumes / crêpes et verrine de poires rôties.**

POUR EN SAVOIR PLUS SUR THIERRY BRETON

Chez Michel

Thierry Breton naît à Rennes à la fin de l'année 1968, de parents restaurateurs. Son père avait fréquenté les « grandes maisons » de l'époque, mais il avait décidé d'ouvrir un bon bistro ménager avec un menu à 3,5 francs, en privilégiant le rapport avec le client : une sorte de précurseur de l'ère « bistronomique ». Le jeune Thierry arrête les études après la 3e pour monter à la capitale y faire son apprentissage. Il obtient son CAP en 1986, doublé du premier prix au concours du Meilleur apprenti de France (une distinction qui lui servira plus tard auprès des banquiers). Il a surtout la chance d'effectuer cet apprentissage auprès de Guy Legay (Meilleur Ouvrier de France), dans les cuisines du prestigieux hôtel Ritz, déjà doublement étoilé. La suite de son parcours est de la même veine. Jugez plutôt : dans l'ordre chronologique, le Royal Monceau (deux étoiles), le Relais Louis XIII (deux étoiles), la Tour d'Argent (trois étoiles encore à l'époque), et surtout de 1989 à 1991 le Crillon, aux côtés de l'émouvant grand chef Christian Constant, avec comme camarades des garçons comme Yves Camdeborde, Éric Frechon, Thierry Faucher, Christian Etschebest : quelle « dream team » ! En 1991, Thierry est appelé sous les drapeaux, mais il effectue son service militaire à la Présidence de la République. Il gardera un souvenir ému des repas servis à l'Élysée, de l'argenterie, du service à la française, des pièces de gibier, du cérémonial en queue de pie : une image de la France comme on ne la voit que sous les ors de la République. Puis, durant trois ans, il occupe le poste de chef de partie chez « Lapérouse », restaurant historique des quais de Seine, sous la houlette d'un autre Meilleur Ouvrier de France, Gabriel Biscaye. En 1994, il obtient le poste de sous-chef au « Fouquet's », sur les Champs-Elysées, et en 1995, à l'âge de 27 ans, une place de chef à « l'Auberge Dab » dans le 16e arrondissement, où il rencontre un beau succès (500 couverts par jour), ce qui le persuade de s'installer cette fois « à son compte ». Il tombe alors sur cette adresse proche de la gare du Nord. Une adresse fermée depuis trois ans, mais chargée d'histoire : la maison a été fondée en 1939 par un certain Michel Malappris (d'où le « Chez Michel »), qui, durant les années 80, sous la férule d'un autre Michel (Tounissou), fut gratifiée de deux étoiles au guide rouge. Thierry Breton, par respect envers ces deux messieurs, décide de garder l'enseigne (en outre, son deuxième prénom est Michel) et rouvre début 1996. Avec l'objectif de faire redécouvrir les produits et les recettes de sa région natale, mais aussi l'ambition de réaliser une cuisine techniquement irréprochable, fruit des leçons bien apprises au cours de son parcours prestigieux. Avec en plus la volonté de mettre en valeur l'accueil, le service, le contact avec le client (un peu comme papa). Car, comme il le dit, « la cuisine, ce n'est que 40%... ». Le succès est immédiat et même foudroyant, en grande partie grâce à des articles de presse très élogieux. Thierry, humble et modeste, avoue qu'il a même, alors, craint d'être dépassé par les évènements et de ne pas être à la hauteur des attentes. Aujourd'hui, fort de dix ans d'une réussite jamais démentie, il affiche une belle sérénité et fait partie, à mes yeux, des réels précurseurs de la tendance « bistronomique ».

ARTICHAUTS AUX ŒUFS MARINÉS

6 GROS ŒUFS
2 CUILLERÉES À SOUPE DE VINAIGRE
12 ARTICHAUTS POIVRADES
1/2 CITRON
6 GOUSSES D'AIL
30 CL D'HUILE D'OLIVE VIERGE EXTRA
6 PETITES FEUILLES DE LAURIER
6 BRINDILLES DE THYM
2 TOMATES
1 SALADE VERTE
1 VINAIGRETTE CLASSIQUE
6 TRANCHES DE PAIN DE CAMPAGNE
3 TRANCHES DE JAMBON DE PAYS
SEL ET POIVRE DU MOULIN

À L'AVANCE (ENTRE 24 ET 48 H)
Faites pocher les œufs en deux fois dans de l'eau bouillante vinaigrée pendant 6 minutes. Stoppez la cuisson en plongeant les œufs dans de l'eau froide, puis égouttez-les sur un torchon.
Quand ils sont bien secs, déposez chaque oeuf au fond d'un ramequin.
Coupez le bout de la queue des artichauts et épluchez-la en pointe. Retirez les feuilles extérieures et coupez les pointes des feuilles à l'aide d'un couteau.
Faites-les cuire pendant environ 5 minutes dans de l'eau bouillante salée additionnée de jus de citron pour les empêcher de noircir. Ils doivent rester croquants.
Coupez les artichauts en deux et posez-les sur les œufs.
Faites cuire les gousses d'ail en chemise (non pelées), légèrement écrasées avec le plat de la main, pendant 15 minutes sur feu doux dans l'huile d'olive avec le laurier, le thym et les tomates coupées en quatre. Salez et poivrez.
Laissez refroidir cette préparation pendant 5 minutes avant de la répartir dans les ramequins. Laissez mariner le tout entre 24 et 48 heures dans le réfrigérateur.

AVANT DE PASSER À TABLE
Lavez et triez la salade, assaisonnez-la avec la vinaigrette.
Faites griller les tranches de pain de campagne.
Recouvrez chaque tranche de pain avec une demi-tranche de jambon.
Servez les tranches de pain garnies avec la salade et les ramequins.

ET LE CHEF A DIT

« LES ŒUFS DE POULE PEUVENT ÊTRE REMPLACÉS PAR DES ŒUFS D'OIE, SI VOS INVITÉS SONT TRÈS GOURMANDS. L'ŒUF EST UN TRÈS BON CAPTEUR DES SAVEURS : LA MARINADE LUI CONFÈRE LES PARFUMS DE TOUS LES AROMATES, TANDIS QUE L'ARTICHAUT AMÈNE UN CÔTÉ BOISÉ ET CROQUANT. »

ENTRÉE _ PLAT _ DESSERT

KIG-HA-FARZ BRETON

1 JARRET DE VEAU
8 JOUES DE COCHON
4 TRANCHES DE LARD FUMÉ
1 OIGNON PIQUÉ DE 4 CLOUS DE GIROFLE
4 BAIES DE GENIÈVRE
250 G DE FARINE DE SARRASIN
1 CUILLERÉE À CAFÉ DE SEL FIN
1 CUILLERÉE À SOUPE DE SUCRE
25 CL DE CRÈME ÉPAISSE
4 ŒUFS
5 CUILLERÉES À SOUPE DE RAISINS DE CORINTHE (BLONDS)
1 RUTABAGA
2 NAVETS
2 CAROTTES
2 POIREAUX
2 BRANCHES DE CÉLERI
1/2 CHOU VERT FRISÉ
1 GROSSE POMME DE TERRE
GROS SEL ET POIVRE MIGNONETTE

À L'AVANCE

Mettez les viandes dans une grande marmite. Versez de l'eau froide dessus pour les recouvrir de 5 cm. Portez à ébullition et écumez soigneusement. Salez au gros sel et poivrez, ajoutez l'oignon piqué de clous de girofle et les baies de genièvre coupées en deux. Laisser cuire 30 minutes. Pendant ce temps, préparez le « farz » : mélangez dans l'ordre la farine, le sel fin, le sucre, la crème, les œufs et les raisins. Emballez cette pâte dans un torchon. Ficelez-le pour bien enfermer la pâte et plongez-le dans le bouillon pendant 1 heure 30.
Préparez tous les légumes (pelés, parés et lavés).
Plongez le rutabaga et les navets coupés en quartiers dans le bouillon (ajoutez de l'eau si les légumes ne sont pas parfaitement immergés).
Ajoutez ensuite les carottes et les poireaux en tronçons ainsi que le chou coupé en quartiers.
Laissez cuire 10 minutes, puis ajoutez les pommes de terre coupées dans le sens de la longueur ; laissez cuire encore 20 minutes.
Retirez la marmite du feu et réservez-la dehors.

FINITION LE SOIR MÊME

Posez à nouveau la marmite sur le feu. Lorsque l'eau de cuisson bout, servez le bouillon en soupière, les légumes et les viandes sur des plats, puis déballez le « farz ».

ET LE CHEF A DIT

« CE PLAT TRADITIONNEL SE CUISAIT À L'ORIGINE DANS UN CHAUDRON AU FEU DE CHEMINÉE, CE QUI LUI CONFÉRAIT UNE SAVEUR ENCORE BIEN SUPÉRIEURE. »

ENTRÉE_PLAT_DESSERT

TARTE TATIN POMMES-COINGS

6 POMMES
4 COINGS
10 MORCEAUX DE SUCRE
50 G DE BEURRE DEMI-SEL
250 G DE PÂTE FEUILLETÉE

ET LE CHEF A DIT

« ON PEUT BIEN SÛR RÉALISER LA TATIN "CENT POUR CENT POMMES", MAIS LE COING LUI APPORTE UNE ACIDITÉ QUI LUI VA BIEN. EN OUTRE, J'AI SENSIBLEMENT DIMINUÉ LES PROPORTIONS DE BEURRE PAR RAPPORT À LA VERSION CLASSIQUE. »

À L'AVANCE

Pelez les pommes et les coings, coupez-les en morceaux (en biais, pour mieux les enchevêtrer), retirez le cœur et les pépins.
Faites chauffer les morceaux de sucre et le beurre dans une grande casserole. Lorsque le caramel obtenu est rouge ambré, ajoutez les morceaux de coings et laissez-les cuire pendant 10 minutes jusqu'à ce qu'ils soient bien enrobés de caramel. Disposez-les le plus régulièrement possible dans un plat à tarte. Faites cuire à leur place dans le caramel les morceaux de pommes pendant 3 minutes, puis rangez-les sur les coings. Couvrez les fruits avec la pâte feuilletée, étalée et découpée aux dimensions du moule, en faisant glisser les bords à l'intérieur du plat. Piquez la pâte de part en part.

40 MINUTES AVANT DE PASSER À TABLE

Préchauffez le four à 180 °C. Enfournez la Tatin et laissez cuire pendant 30 minutes jusqu'à ce que le couvercle de pâte soit bien coloré.
Laissez refroidir la Tatin, le temps de déguster votre entrée et votre plat de résistance. Au moment de la servir, repassez-la un peu au chaud avant de la démouler en la renversant sur un plat de service.

11

11e

LE BISTROT PAUL BERT

11

MÉTRO FAIDHERBE
CHALIGNY
18, RUE PAUL BERT
75 011 PARIS
01 43 72 24 01

BERTRAND AUBOYNEAU

FERMÉ DIMANCHE ET LUNDI

PRIX : MENU-CARTE À 30 €
MENU DÉJEUNER À 16 €

Je n'ai visité cet endroit que trois fois seulement, et pourtant, c'était largement suffisant pour imposer le « Bistrot Paul Bert » dans cet ouvrage. Cette adresse fait partie en effet des très rares à propos desquelles on craint de revenir une deuxième fois, de peur d'être déçu, tant la première fut formidable. Et c'est vrai, ma première expérience ici fut « grande » : je me souviens d'un magnifique poisson, bien nacré, un plat d'une vivacité hors du commun. L'entrée (une assiette de cochonnailles) et le dessert (un clafoutis) étaient du même acabit. La deuxième fois, donc, je m'attendais naturellement à bien manger : en fait, j'ai très, très bien mangé (de mémoire une andouillette 5A remarquable et une île flottante comme seule la réussissait ma grand-mère). Enfin la troisième fois, c'était encore au-delà de mes attentes : d'abord un carpaccio de Saint-Jacques à la truffe noire à se damner (avec il est vrai un léger supplément au menu à 30 €, mais la même entrée dans une « grande table » vous sera facturée à elle seule au moins 50 € !), suivi d'une entrecôte de bœuf à la moelle, unique en son genre, et des frites maison bien grosses, croustillantes à l'extérieur et moelleuses à l'intérieur, comme très peu en proposent dans la capitale. Pour terminer sur un Paris-Brest d'anthologie (celui qui m'en trouve un meilleur m'écrive, je lui rembourse le repas). Si comme moi vous êtes amateur de grands classiques parfaitement (mais ici c'est même plus que cela) mitonnés, d'une cuisine familiale et ménagère à son summum, vous partagerez certainement mon enthousiasme. Si c'est si bon, c'est bien entendu parce que le patron sélectionne impitoyablement ses fournisseurs. Les produits sont tous beaux et frais, d'une qualité irréprochable (le poisson arrive directement des ports bretons). Il ne reste plus au chef qu'à respecter parfaitement cette matière première, et c'est le cas : perfection des cuissons, précision des assaisonnements, exaltation des goûts. C'est remarquable de générosité, de savoir-faire, de franchise et de régularité. Et quel rapport qualité-prix, sans compter la quantité et le plaisir ! De plus, un bistro qui affiche sur son ardoise « les viandes rouges sont servies bleues, saignantes ou mal cuites », franchement, ça ne donne pas envie ? Quelques mots sur le décor, « dans son jus » si on veut être gentil, un peu défraîchi si on veut être méchant... C'est sympa comme tout, un vrai bistro des années 50 (vieilles affiches et réclames, banquettes en moleskine, miroirs à l'ancienne, mobilier en bois), dans lequel on ne serait pas surpris d'avoir Lino Ventura ou Jean Gabin comme voisins de table. L'ambiance chaleureuse, bruyante, éclectique, est surtout conviviale. Et la carte des vins ? Je n'ai pas la place de la détailler, mais faites-moi confiance les yeux fermés, elle est aussi formidable que la cuisine (entre classiques imparables et petits producteurs bio : passionnante). Dans son genre, le « Bistrot Paul Bert » compte parmi mes gros coups de coeur, une sorte de maison du bonheur pour les gourmands que nous sommes tous.

"C'est remarquable de générosité, de savoir-faire, de franchise et de régularité."

QUELQUES EXEMPLES DE PLATS : anguille fumée et pommes de terre ratte à la crème d'aneth / tartare de thon rouge à la citronnelle / marbré de poireaux au foie gras / carpaccio de tête de veau à la vinaigrette d'anchois de Collioure / poitrine de veau rôtie en cocotte et ses légumes oubliés / pigeon rôti et sa poêlée de girolles / dos de lieu jaune rôti et ses haricots au piment d'Espelette / barbue rôti et sa poêlée d'épinards frais / poêlée de Saint-Jacques au beurre citronné et ses petits légumes / rognons de veau au vin jaune et ses « rigatoni » / croustillant aux pommes et son caramel au beurre salé / poêlée de pommes avec pain perdu d'épices et glace à la vanille / île flottante à l'ancienne, vanille de Tahiti et praline rose / poêlée de cerises noires et sa glace à la vanille.

POUR EN SAVOIR PLUS SUR BERTRAND AUBOYNEAU

Des personnages comme Bertrand Auboyneau, il en faudrait beaucoup plus. Il n'est pas du tout issu du milieu de la restauration et pourtant il pourrait servir de référence à nombre de ses collègues. Bertrand naît à Paris durant les années 50 dans une famille très « 16e », une famille un peu à l'ancienne. Naturellement doué, il sort diplômé d'une école de commerce et commence alors une carrière de « business man ». D'abord agent de change, puis consultant en fusions-acquisitions au Moyen-Orient et au Portugal, il vit une « époque formidable », celle des années 80. Mais dans les années 90, il s'aperçoit que cette vie « facile » lui a fait prendre de mauvaises habitudes, que ce n'est pas celle à laquelle il aspire véritablement. Depuis longtemps, il a la passion de la bonne cuisine et des bons vins. Il prend donc la décision de se reconvertit en restaurateur. Après avoir d'abord investi sans succès dans un restaurant rue Keller (déjà dans le 11e), Bertrand tombe un jour sous le charme de cette affaire à reprendre rue Paul Bert. Il a le coup de cœur et ouvre ainsi son « Bistrot Paul Bert » en 1997, avec au départ en cuisine un chef autodidacte, Sébastien. Bertrand tient à rendre hommage à cet ami corse malheureusement disparu depuis, qui fut pour lui quelqu'un de très important, qui lui a ouvert les yeux sur beaucoup de choses (notamment les vins dit « naturels »). Deuxième rencontre importante, avec Michel Picard : un grand monsieur (malheureusement récemment disparu) que vous ne connaissez sans doute pas, et pourtant... C'est la seule personne dont Yves Camdeborde avoue s'être inspiré. Dans ses établissements, Michel Picard a inventé le menu-carte à prix serrés, il a remis au goût du jour la convivialité et fut le premier à faire des marges aussi faibles sur les vins. Sans cet homme, le paysage gastronomique parisien actuel ne serait indéniablement pas ce qu'il est. Comme Michel Picard déjeune souvent au «Bistrot Paul Bert », Bertrand et lui se lient d'amitié, et grâce à son nouvel ami, Bertrand est en quelque sorte « coopté » par le milieu gastronomique parisien et bénéficie largement des conseils avisés de Michel Picard. Enfin, troisième rencontre: celle avec son chef actuel, le jovial et talentueux Thierry Laurent, qui n'a pas son pareil pour respecter au mieux les magnifiques produits que Bertrand choisit tous les jours (« C'est simple, je ne peux pas me tromper, je prends ce qu'il y a de plus cher ! »). Aujourd'hui, Bertrand s'avoue complètement épanoui, ravi de rendre heureuse sa clientèle de fidèles gourmets. Qui savent tenir là une des adresses les plus régulières de la capitale, aussi bien pour la qualité des assiettes que celle de la fabuleuse carte des vins. Une adresse souvent citée en exemple par de nombreux connaisseurs et professionnels, à qui « on ne la fait pas »...

ENTRÉE _PLAT _DESSERT

RIS DE VEAU EN SALADE À LA VINAIGRETTE DE TRUFFE NOIRE

900 G DE RIS DE VEAU
45 G DE BEURRE SALÉ (SI POSSIBLE DE CHEZ « BORDIER »)
300 G DE MÂCHE
1 TRUFFE NOIRE TUBER MELANOSPORUM DE 25 À 30 G
4 GOUTTES DE VÉRITABLE VINAIGRE BALSAMIQUE « DI MODENA »
3 CUILLERÉES À SOUPE D'HUILE DE NOISETTE
POIVRE NOIR DU MOULIN « SARAWAK » ET FLEUR DE SEL

Demandez à votre boucher des « pommes de coeur » de ris de veau et demandez-lui de vous les préparer.
Une heure avant de passer à table, faites-les blanchir pendant 2 minutes dans une casserole d'eau bouillante légèrement salée.
Égouttez et épongez les ris de veau, détaillez-les en petites escalopes de manière à en avoir quatre par personne.
Coupez la truffe noire en deux. Hachez-en finement la moitié et mélangez-la avec l'huile de noisette et le vinaigre balsamique.
Tranchez finement la demi-truffe restante de manière à avoir autant de lamelles que de petites escalopes de ris de veau.
Au moment de passer à table, faites fondre le beurre salé dans une poêle antiadhésive et saisissez les petites escalopes de ris de veau pendant 2 minutes de chaque côté.
Dans un saladier, mélangez la mâche avec la vinaigrette à la truffe. Répartissez cette salade sur des assiettes et disposez les petites escalopes autour de la salade.
Placez les lamelles de truffe sur les escalopes et terminez par un tour de moulin à poivre et quelques grains de fleur de sel sur l'ensemble.

ET LE CHEF A DIT

« VOICI UNE ENTRÉE TRÈS SIMPLE À RÉALISER ET POURTANT VRAIMENT SUCCULENTE. JE VOUS CONSEILLE FORTEMENT DE L'ACCOMPAGNER D'UN SAUMUR BLANC DE CHEZ ANDRÉ MOSS, UN GRAND VIN CEPENDANT TRÈS BON MARCHÉ. »

ENTRÉE_ PLAT _DESSERT

TRONÇON DE BARBUE DU « GUILVINEC » RÔTI ET SES HARICOTS-MAÏS À LA CRÈME D'ESPELETTE

1 BARBUE BIEN RAIDE D'ENVIRON 3 KG AVEC UNE BELLE ÉPAISSEUR
450 G DE HARICOTS-MAÏS FRAIS
120 G DE BEURRE SALÉ (SI POSSIBLE DE LA MAISON « BORDIER »)
30 CL DE CRÈME FLEURETTE
PIMENT D'ESPELETTE
SEL ET POIVRE DU MOULIN

Coupez la tête et la queue de la barbue, videz-la rapidement. Avec des ciseaux à poisson, supprimez les nageoires sur le pourtour de l'animal, tranchez ensuite le long de l'arrête centrale, puis dans la largeur, afin d'obtenir six beaux pavés épais de 250 g chacun environ.
Faites cuire les haricots-maïs dans une casserole d'eau non salée, à petits bouillons, pendant environ 30 à 35 minutes.
Faites blondir le beurre salé dans une poêle antiadhésive.
Déposez les pavés de barbue dedans, côté peau contre le fond de la poêle et laissez cuire doucement, afin que le beurre ne noircisse pas, pendant environ 7 minutes.
Parallèlement, préchauffez le four à 200 °C. Égouttez les haricots, remettez-les dans la casserole en ajoutant la crème fleurette, poudrez de piment d'Espelette, salez légèrement et donnez un ou deux tours de moulin à poivre.
Faites chauffer sur feu doux en remuant régulièrement avec une cuillère en bois pour obtenir des haricots moelleux légèrement pimentés.
Les pavés sont toujours sur la peau, qui est devenue croustillante et croquante, mais le dessus mérite quelques secondes de cuisson en plus : faites-les glisser de la poêle sur la plaque du four et laissez finir de cuire pendant 2 minutes maximum en gardant la porte du four ouverte.
Répartissez les haricots dans six assiettes bien chaudes.
Posez par-dessus les pavés de barbue, côté chair dessus.
Déposez quelques grains de sel de Guérande et donnez un dernier tour de moulin.

ET LE CHEF A DIT

« SI VOUS NE TROUVEZ PAS DE HARICOTS-MAÏS (D'UNE EXTRÊME FINESSE), VOUS POUVEZ LES REMPLACER PAR DES HARICOTS TARBAIS OU DES COCOS DE PAIMPOL. JE VOUS SUGGÈRE DE SERVIR CE PLAT AVEC UN ROUGE SOLIDE COMME UNE SYRAH DU DOMAINE GRAMENON OU LE MERVEILLEUX CÔTES DU VENTOUX DOMAINE DE BERANE CUVÉE " LES AGAPES " »

ENTRÉE_PLAT_DESSERT

TARTE AUX POMMES « SIMPLISSIME »

3 BELLES POMMES GRANNY SMITH
50 G DE VERGEOISE BLONDE
160 G DE BEURRE
2 CUILLERÉES À SOUPE DE SUCRE À POUDRE
1 PINCÉE DE SEL
300 G DE FARINE

ET LE CHEF A DIT

« CETTE RECETTE ME VIENT DU CÉLÈBRE ET REGRETTÉ MICHEL PICARD, ANCIEN PROPRIÉTAIRE DE CHEZ " ASTIER " ET DU " VILLARET ". À ACCOMPAGNER AVEC UN VIN DE LOIRE MOELLEUX, OU ENCORE D'UN DÉLICAT MUSCAT DU CAP CORSE. »

Faites fondre le beurre dans une casserole. Ajouter 4 cl d'eau, le sucre en poudre, la pincée de sel et portez le tout à ébullition.
Hors du feu, ajoutez la farine et mélangez avec une fourchette.
En vous servant de vos doigts, étalez la pâte obtenue dans le moule de 32 cm de diamètre. Étalez par dessus une couche de haricots secs et faites cuire ce fond de tarte dans le four à 220 °C jusqu'à ce qu'il soit légèrement coloré.
Pelez les pommes, retirez le coeur et les pépins, coupez les quartiers en lamelles et garnissez-en le fond de tarte.
Poudrez les pommes de vergeoise blonde et, juste avant de servir, repassez la tarte au four à 150 °C, pendant 5 à 6 minutes, jusqu'à caramélisation en surveillant bien.

LE RÉFECTOIRE

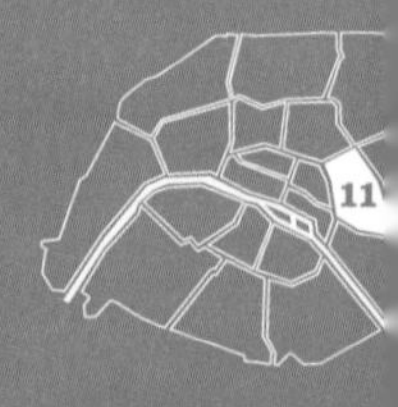

PIERRE-OLIVIER PETIT

MÉTRO RICHARD LENOIR
OU SAINT-AMBROISE
80, BD RICHARD-LENOIR
75 011 PARIS
01 48 06 74 85

OUVERT TOUS LES JOURS
PRIX : À LA CARTE ENTRE 30 ET 35 €
MENU AU DÉJEUNER À 17 €

Si vous avez aimé « La Famille », dans le 18e arrondissement, vous allez adorer « Le Réfectoire ». Et pour cause : c'est la même équipe (deux cousins géniaux) qui, forte du succès de leur adresse sur la Butte Montmartre, a décidé en 2005 d'en ouvrir une seconde, encore plus délurée et iconoclaste que la première, dans un quartier tout aussi « bobo », le cœur du 11e arrondissement. Dans la même ambiance enfiévrée, faite d'une clientèle très hétéroclite (acteurs, cadres sup' et chômeurs du quartier, top models et familles avec enfants), ce restaurant est un énorme clin d'œil à l'enfance (en particulier celle des trente-quarante ans), qui donne très envie de retourner à la cantine (une cantine très branchée, cela va sans dire). Ici, on joue à fond sur la corde régressive, pour les grands gamins que nous sommes restés. Le cadre d'abord : minimaliste, décalé et ludique. Tables et chaises style cantine, verres à moutarde Goldorak ou Captain Flam, luminaires 70's, grand tableau noir, menu écrit sur papier millimétré et carte des vins sur feuilles perforées à petits carreaux. Sans oublier, le must (pour moi) : près du bar, une console « Atari » avec une cartouche « Space Invaders » millésimée 1982. Souvenirs, souvenirs ! Et que mange-t-on dans ce réfectoire ? Bien sûr, des plats d'enfants (lundi c'est ravioli, mardi tomates farcies, mercredi jambon purée, jeudi escalope panée, vendredi brandade de morue), auxquels s'ajoutent des mets plus élaborés, très intéressants, justes en goûts et en saveurs : une cuisine faussement simple, habile et très bien troussée. De la vraie fausse décontraction aux fourneaux... Ajoutez à cela un accueil et un service en parfaite osmose avec le lieu : jeune, (super) gentil, cool, très pro. Vous

“Ici, on joue à fond sur la corde régressive, pour les grands gamins que nous sommes restés.”

obtenez alors une singulière adresse, amusante, pop, pétillante et tonique, qui refuse de se prendre au sérieux, tout en étant irréprochable dans les assiettes et les verres (très jolie sélection de vins naturels). Et, bien sûr, d'un bon rapport qualité-prix. N'oubliez pas la visite aux toilettes : elle s'impose, pour la présence d'un magnétophone vintage qui diffuse en boucle les « histoires extraordinaires de Pierre Bellemare » qui faisaient les beaux jours d'Europe 1 dans les années 80...

QUELQUES EXEMPLES DE PLATS : cappucino d'huître, crème de poireaux, moules et huîtres, aux épices Aphrodite / soupe bi-goût : crème de lentilles, velouté de carottes jaunes et panais, rondelles de Morteau / compote de lapin aux fruits secs en verrine / mignon de porc mariné au chorizo et pommes grenaille sautées / croustillants d'épaule d'agneau confite aux épices et agrumes avec taboulé aux herbes / bar rôti au sésame grillé et chips de patates douces / suprême de poulet fermier aux noisettes, spätzle et shiitake, sauce turron / biscuits roses de Reims avec rhubarbe et sorbet au mojito / soupe de chocolat à la cardamome, glace gingembre et riz soufflé / riz au lait à la pastille Vichy®, gelée de griottes.

POUR EN SAVOIR PLUS SUR PIERRE-OLIVIER PETIT

Pierre-Olivier Petit est peut-être encore jeune, mais il possède déjà un parcours éloquent. Il naît en 1977 en banlieue parisienne et ses grands-parents possèdent à l'époque l'une des cinq plus grosses boulangeries de France, à Poissy. Tout petit déjà, il baigne dans un univers « où ça court et ça gueule ! ». Surtout, dès son plus jeune âge, il sait qu'il veut être cuisinier. Toutefois, il pousse ses études jusqu'au bac (en gestion) avant d'entrer dans la fameuse école de cuisine parisienne, « Ferrandie », où il obtient rapidement à la fois son CAP et son BEP, tout en effectuant des stages dans des établissements tous prestigieux, comme le Ritz (aux côtés de Guy Legay), l'hôtel Nikko (dans le 15e), « Lameloise » en Bourgogne (six mois dans ce restaurant triplement étoilé) ou encore « L'Oasis » à La Napoule. Ensuite c'est le départ pour les États-Unis, pour découvrir ce qui se passe là-bas, compléter sa formation avec des notions de marketing, de gestion et de management. Il reste ainsi plusieurs mois à New-York, notamment aux côtés de Dominique Payraudeau aux commandes de « La Réserve » (la table du « Rockefeller Plaza »), puis lors de l'ouverture de la propre adresse de ce dernier : « Chez Dominique ». Avant de rentrer en France en 1998 pour un service militaire qu'il effectue dans les cuisines de Matignon, époque Jospin. En l'an 2000, à l'âge de 23 ans (!), il obtient sa première place de chef, au restaurant le « 7/15 », comme son nom l'indique situé à la frontière des 7e et 15e arrondissements parisiens. Il en conserve un excellent souvenir et rend encore aujourd'hui encore hommage à la patronne, d'une grande ouverture d'esprit, qui a su lui faire totalement confiance. En 2002, il intègre la brigade des « Muses », la table de l'hôtel Scribe doublement étoilée, près de l'Opéra. Une adresse prestigieuse où il vient seconder le grand chef Jean-François Rouquette : l'expérience se révèle évidemment très intéressante et formatrice. Il a ensuite la chance, dix-huit mois plus tard, de partir quelques temps aux Seychelles pour une place de « chef consultant » des cuisines du palace « l'Archipel », à Praslin : une opportunité qui ne se refuse pas ! À son retour en France en 2004, il se met alors à la recherche de sa propre affaire, quand il rencontre Yannig et Patrick Samot, les deux cousins à l'origine de « La Famille », alors en quête d'un chef pour la table qu'ils s'apprêtent à ouvrir dans le 11e : « Le Réfectoire ». Le courant passe bien entre eux et Pierre-Olivier adhère complètement au concept « régressif » et ludique de ce nouveau lieu. Il comprend surtout qu'il aura carte blanche à tous les niveaux. L'ouverture a lieu en mars 2005 (avec pour les premiers services le plombier et l'électricien encore à ses côtés en cuisine). Le succès est immédiatement au rendez-vous, sept jours sur sept, jamais démenti depuis, avec une carte qui évolue très régulièrement, au gré des inspirations potaches et géniales de Pierre-Olivier.

ENTRÉE _PLAT_DESSERT

SEICHE ET ROGNON GRILLÉS, CHOU CHINOIS ACIDULÉ ET LIVÈCHE

600 G DE BLANCS DE SEICHE
1/2 ROGNON DE VEAU
1/2 CHOU CHINOIS
1 CUILLERÉE À CAFÉ DE SAUCE HOISIN
1 CUILLERÉE À CAFÉ DE MOUTARDE DE DIJON
1 CUILLERÉE À CAFÉ DE SUCRE
2 CUILLERÉES À CAFÉ D'HUILE D'ARACHIDE
2 CUILLERÉES À CAFÉ DE VINAIGRE D'ALCOOL
SEL ET POIVRE

POUR LA MARINADE
10 GOUSSES D'AIL
2 CUILLERÉES À CAFÉ DE CONCENTRÉ DE TOMATE
4 CUILLERÉES À CAFÉ DE SAUCE HOISIN
10 CL D'HUILE D'OLIVE
1/2 BOTTE DE LIVÈCHE

Pour la marinade, pelez les gousses d'ail, hachez-les et faites-les revenir à l'huile d'olive jusqu'à légère coloration brune.
Ajoutez le concentré de tomate en mélangeant avec une spatule toujours sur le feu.
Versez le tout dans un saladier, puis ajoutez la sauce Hoisin et incorporez l'huile d'olive en fouettant avec un mixeur.
Ajoutez enfin la livèche ciselée (réservez-en quelques feuilles).
Nettoyez les blancs de seiches et incisez-les avec un couteau.
Dégraissez le rognon et retirez les parties blanches au milieu.
Émincez le chou chinois en lanière d'un demi-centimètre.
Mélangez la moutarde, la sauce Hoisin, le sucre, le vinaigre et l'huile, salez et poivrez.
Pétrissez le chou avec le mélange précédent en prenant des gants pendant 3 minutes afin qu'il dégorge bien. Égouttez le chou en le pressant dans une passoire.
Faites réduire le jus récupéré jusqu'à la consistance d'une sauce Ketchup® ; il va servir à réassaisonner le chou.
Sur une grille bien chaude, marquez les blancs de seiches détaillés en six triangles (un demi-blanc de seiche par personne).
Faites sauter le demi-rognon entier dans une poêle fumante avec très peu d'huile pour obtenir une belle coloration et une cuisson bien rosée. Détaillez-le ensuite en fines lamelles.
Passez au pinceau de la marinade sur les seiches et les rognons. Passez-les au four pendant quelques instants pour les réchauffer.
Disposez dans les assiettes le chou pressé dans un cercle à l'aide d'une cuillère sans le chauffer.
Dessinez des traits de réduction de chou dans l'assiette et disposez les blancs de seiches et les rognons dessus en ajoutant quelques feuilles de livèche finement ciselées.

ET LE CHEF A DIT

« L'IDÉE ICI EST DE FAIRE UNE ASSOCIATION TERRE-MER EN JOUANT SUR DEUX TEXTURES FLASQUES ET CAOUTCHOUTEUSES, AINSI QUE SUR LE CONTRASTE CHAUD-FROID. »

LUNDI C'EST RAVIOLI

ENTRÉE _ PLAT _ DESSERT

CROUSTILLANT DE THON AU BASILIC THAÏ, TAGLIATELLES DE SALSIFIS

1 KG DE FILET DE THON ROUGE
6 FEUILLES DE BRICK
3 FEUILLES D'ALGUES NORI
18 FEUILLES DE BASILIC THAÏ
1 CUILLERÉE À SOUPE DE SÉSAME GRILLÉ BLANC
1 CUILLERÉE À SOUPE DE SÉSAME GRILLÉ NOIR
1 BOTTE DE CÉBETTE
2 KG DE SALSIFIS
200 G DE ROQUETTE
1 POMME GRANNY SMITH
HUILE D'OLIVE
SAUCE SOJA
SEL, POIVRE

POUR LA VINAIGRETTE
3 CUILLERÉES À SOUPE DE SAUCE SOJA
2 CUILLERÉES À SOUPE DE VINAIGRE BALSAMIQUE
5 CL D'HUILE D'OLIVE
5 CL D'HUILE D'ARACHIDE
SEL, POIVRE

ET LE CHEF A DIT

« L'IDÉE TOURNE AUTOUR DE LA CULTURE DU THON CRU, QU'IL EST AMUSANT DE RENDRE CROUSTILLANT TOUT EN SOULIGNANT LE CÔTÉ MER AVEC LA FEUILLE DE NORI. ET PUIS LE TRAVAIL D'UN LÉGUME PEU APPRÉCIÉ DANS NOS JEUNESSES, LE SALSIFI, EN FINES LAMELLES CROQUANTES. LE THON PEUT ÉVENTUELLEMENT ÊTRE REMPLACÉ PAR DU SAUMON FRAIS. »

POUR LE CROUSTILLANT DE THON
Coupez le thon en portions de 150 g, longues de 15 cm, larges et épaisses de 3 cm.
Faites une entaille dans toute la longueur de chacune.
Disposez les feuilles de brick taillées en carrés de 15 cm sur le plan de travail.
Badigeonnez-les d'huile au pinceau.
Saupoudrez de sésame blanc et noir.
Disposez une demi-feuille d'algue sur chacun des carrés de brick. Badigeonnez l'algue de sauce soja.
Posez les portions de thon sur l'algue, assaisonnez de sel et de poivre.
Insérez 3 feuilles de basilic thaï et une tige de cébette divisée en deux dans l'entaille de chaque thon.
Finissez le montage en roulant chaque thon dans la brick.
Réservez au frais.

POUR LA VINAIGRETTE
Fouettez ensemble la sauce soja, le vinaigre balsamique, les deux huiles et assaisonnez.

AU MOMENT DE SERVIR
Dans une poêle bien chaude avec un bon fond d'huile, disposez les croustillants et colorez chaque face entre 20 et 30 secondes pour obtenir une belle coloration sans trop cuire le thon.
En parallèle, faites sauter les salsifis à sec dans une poêle très chaude afin qu'ils prennent de la couleur.
Versez un peu de sauce soja et roulez les salsifis à l'aide d'une fourchette.
Ajoutez la cébette ciselée et la roquette puis assaisonnez.
Posez vos croustillants de thon colorés sur une planche et tranchez-les en biseau afin de voir la belle cuisson.
Terminez en disposant des fines tranches de pomme, du sésame et de la vinaigrette.

ENTRÉE _ PLAT _ DESSERT

DACQUOISE NOISETTE, CRÈME DE BAILEY'S® ET MOUSSE CARAMBAR®

POUR LA DACQUOISE
25 G DE SUCRE GLACE
25 G DE NOISETTES ENTIÈRES
30 G DE BLANCS D'ŒUFS
10 G DE SUCRE EN POUDRE

POUR LA CRÈME BAILEY'S®
160 G DE MASCARPONE
10 CL DE BAILEY'S®
1 CUILLERÉE À SOUPE DE SUCRE GLACE
20 CL DE CRÈME LIQUIDE

POUR LA MOUSSE CARAMBAR®
15 CARAMBARS®
120 G DE CRÈME LIQUIDE
90 G DE MASCARPONE
6 GAVOTTES (CRÊPES ROULÉES)

POUR LE SIROP AU CAFÉ
2 TASSES DE CAFÉ EXPRESSO
2 CUILLERÉES À SOUPE DE LIQUEUR À CAFÉ
2 CUILLERÉES À SOUPE DE SUCRE EN POUDRE

ET LE CHEF A DIT

« CE DESSERT, DEVENU UN CLASSIQUE AU "RÉFECTOIRE", EST BASÉ SUR LE BONBON, LE RETOUR À L'ENFANCE ET LES FAMEUSES BLAGUES CARAMBAR, ÉCHANGÉES DANS LES COURS D'ÉCOLE. UNE PETITE ASTUCE : GLISSEZ UNE BLAGUE CARAMBAR SOUS LE VERRE POUR ANIMER VOTRE FIN DE REPAS ET DISPOSEZ DES "MINI-SMARTIES®" SUR LA MOUSSE POUR ACCENTUER LE CÔTÉ FRIANDISES DE L'ENFANCE. »

LA DACQUOISE
Faites griller les noisettes et concassez-les grossièrement, puis mélangez-les avec le sucre glace.
Montez les blancs en neige ferme avec le sucre, puis incorporez délicatement ces blancs avec la première préparation.
Versez le tout sur une plaque à pâtisserie tapissée de papier sulfurisé.
Faites cuire dans le four à 160 °C pendant 10-15 minutes jusqu'à coloration brune.
Laissez refroidir, puis détaillez dans cette dacquoise des cercles de 4 cm de diamètre environ.

LA CRÈME BAILEY'S®
Fouettez vivement le mascarpone, le Bailey's® et le sucre glace.
Montez la crème en chantilly bien ferme, puis incorporez-la au mélange précédent. Répartissez le tout dans six verres jusqu'à mi-hauteur.
Réservez au frais.

LA MOUSSE CARAMBAR®
Faites fondre les Carambars® sur feu doux dans un fond d'eau.
Ajoutez la moitié de la crème liquide en remuant jusqu'à consistance homogène.
Délayez le mascarpone dans le reste de la crème avec un fouet, puis mélangez les deux préparations.
Laissez refroidir, puis versez ce mélange dans un siphon à chantilly.
Injectez deux cartouches de CO_2 et réservez.
Par ailleurs, mélangez le café expresso, la liqueur à café et le sucre pour obtenir le sirop au café.

POUR SERVIR
Trempez les cercles de dacquoise dans le sirop au café et placez-les sur la crème Bailey's®.
Agitez vigoureusement la bombe à chantilly et versez la mousse Carambar® sur les dacquoises imbibées dans les verres.
Pour finir, plantez en décor une gavotte par verre.

LE REPAIRE DE CARTOUCHE

11

MÉTRO ST-SÉBASTIEN FROISSART

8, BD DES FILLES-DU-CALVAIRE
75 011 PARIS
01 47 00 25 86

RODOLPHE PAQUIN

FERMÉ DIMANCHE ET LUNDI

PRIX : À LA CARTE ENVIRON 35 €

MENUS AU DÉJEUNER À 16 € ET 25 €

La meilleure façon de ne jamais passer de mode, n'est-ce pas tout simplement ne jamais chercher à l'être ? Exemple ici, avec le « Repaire de Cartouche », une adresse a priori à contre-courant total des habitudes du troisième millénaire, surtout à cause de son décor tellement has-been et décalé qu'il en devient touchant et presque dans le coup... Meubles et chaises rustiques, poutres apparentes, carrelage au sol, du bois un peu partout, superbes fresques murales évoquant le fameux bandit de grand chemin Cartouche (qui, selon la légende, pouvait échapper aux forces de l'ordre grâce à la double entrée du restaurant). Plus encore qu'une auberge provinciale, il s'agit là d'une véritable « taverne » d'époque, absolument hors de notre temps. Et quelle ambiance ! Un mot résume l'atmosphère qui règne ici : la convivialité. C'est plein à chaque service, midi et soir, d'une clientèle fidèle, agitée et gourmande. Tous les âges et toutes les origines sociales sont représentées : jeunes et vieux, cravatés et artistes, tous venus déguster la belle et bonne cuisine servie dans ce « repaire ». Une cuisine qui se contrefiche elle aussi de toutes les modes, et c'est précisément pour cela que tout le monde vient ici. Dans un registre ultra-classique, c'est une cuisine extrêmement talentueuse, pleine de gaîté, certes rustique, voire paysanne, mais qui déborde d'idées et de vitalité. Surtout qui rend hommage au produit vrai, sincère, dans un grand respect des producteurs. Une cuisine de gourmands, forte en goûts, une cuisine du marché magnifiquement transcendée par le maître des lieux : Rodolphe Paquin. Quel personnage ! Un bon gars un peu timide, un géant au grand cœur, avec une bonne tête de normand qui respire le naturel,

> "Et quelle ambiance ! Un mot résume l'atmosphère qui règne ici : la convivialité."

la sincérité et la joie de vivre. Toujours présent, il n'hésite pas à accueillir, à répondre au téléphone, à prendre les commandes en personne, à recueillir les avis, s'assurer du bonheur de ses clients. Comme il contribue énormément à l'ambiance conviviale de son établissement, il semble faire corps avec sa cuisine, son décor, sa clientèle : tout est finalement d'une très grande cohérence. La carte des vins vaut elle aussi la peine que l'on en parle un peu : séduisante, complète (plusieurs centaines de références) et très maligne, pas du tout rustique, bien au contraire, mais parfaitement dans son époque (avec notamment la quintessence des vignerons « naturels »), particulièrement pointue en côtes du Rhône et en bourgogne. Si vous êtes branché sur des adresses avec DJ, lounge à l'étage, décor ultra-tendance et nourritures pour mannequins filiformes, évitez. Mais sinon, précipitez-vous ici pour vivre une expérience unique d'épicurisme et de savoir-vivre...

QUELQUES EXEMPLES DE PLATS : **crème glacée de homard au vieux parmesan / œuf d'oie cocotte à la crème de morilles / pâté en croûte de pigeon au foie gras / crème de petits pois à la figatelle / crépinette de pieds de cochon et asperges blanches / filet de bar aux asperges vertes / cuisse de canette demi-sel et choucroute de navets / tendron de veau aux citrons confits / gâteau moelleux amandine et confiture de lait / petit pot de crème vanille et madeleine / clafoutis aux cerises / brioche perdue aux fruits rouges et glace vanille.**

POUR EN SAVOIR PLUS SUR RODOLPHE PAQUIN

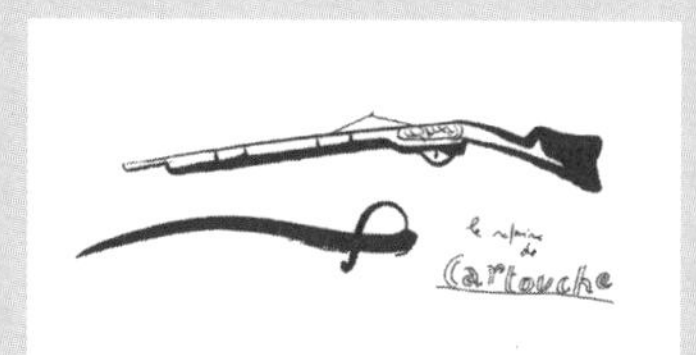

Ce sympathique géant naît en 1969 à Fécamp, en Normandie, dans une famille d'agriculteurs. Le petit Rodolphe est élevé parmi les vaches et les poules, la crème, le beurre frais et le lait juste trait : un enchantement pour le garçon qui se destine dès son plus jeune à la carrière de restaurateur. Il rentre à l'école hôtelière à 13 ans. S'ensuivent trois années de CAP, deux de BEP et enfin un Brevet de Technicien Hôtelier qui lui permet d'acquérir également de bonnes bases en gestion et en vins. Après un apprentissage à « L'Auberge de Fond-Pitron », il trouve sa première vraie place à 18 ans à « L'Auberge du Vieux Logis », un restaurant gastronomique étoilé situé à Conteville, dans sa région natale. En 1990, à 21 ans, il quitte la France pour la Suisse, pour intégrer à Lausanne les cuisines de l'hôtel « Agora », un établissement à la réputation solide (17/20 au GaultMillau) dirigé par le grand chef Jean Bardet. Mais surtout, il retourne à Paris en 1993 pour prendre la tête des cuisines du formidable bistro « Le Saint Amarante » à Bastille. Le voici donc chef à 24 ans : une belle consécration. Très rapidement, avec ce nouveau cuisinier plein de fraîcheur et d'allant, l'établissement se fait remarquer par toute la presse gastronomique. Le succès est énorme : Rodolphe est aux anges. Cinq ans de vrai bonheur vont suivre. C'est durant cette période que Rodolphe rentre en contact avec les autres jeunes chefs précurseurs de la vague « bistronomique », les Camdeborde, Faucher, Breton, rencontrés grâce à certains producteurs de vins qu'ils ont en commun. Depuis, ils ne se quittent plus, ils échangent des astuces et des recettes, ils partageant une grande partie de leurs fournisseurs, mais aussi un sérieux sens de l'humour. Enfin, en 1998, Rodolphe réalise son rêve : posséder son propre restaurant. Il tombe sous le charme de ce « Repaire de Cartouche », alors presque à l'abandon, et le rachète. Le succès de son adresse dépasse dès lors tout ce qu'il avait pu espérer. Aujourd'hui, Rodolphe continue à prendre un plaisir énorme à cuisiner chez lui, et cela se sent dans les assiettes, d'une générosité et d'une justesse épatantes. Il faut enfin souligner le concert de louanges qui se forme dès que l'on évoque Rodolphe Paquin auprès d'autres chefs. Tous le respectent énormément et sont intimement convaincus qu'il possède une sensibilité culinaire hors du commun, un « petit quelque chose » supplémentaire qui n'appartient qu'à lui et qui force leur admiration.

ENTRÉE_PLAT_DESSERT

CRÈME D'ÉTRILLES ET CAPPUCCINO À LA VANILLE

POUR LA CRÈME
1 KG D'ÉTRILLES
1 OIGNON
1 BRANCHE DE CÉLERI
1 PETIT FENOUIL
3 G D'AIL
1 BRANCHE DE THYM
1 BRANCHE DE LAURIER
1 ÉTOILE DE BADIANE
1 CAROTTE
50 CL DE CRÈME LIQUIDE
50 CL DE BOUILLON DE VOLAILLE
1 CUILLERÉE À SOUPE DE CONCENTRÉ DE TOMATE
HUILE D'OLIVE
SEL, POIVRE ET PIMENT D'ESPELETTE
CROÛTONS ET CIBOULETTE

POUR LE CAPPUCCINO
1 GOUSSE DE VANILLE
15 CL DE CRÈME LIQUIDE

Faites revenir les étrilles vivement à l'huile d'olive jusqu'à ce qu'elles deviennent rouges. Faites par ailleurs étuver tous les légumes ensemble à l'huile. Pilez les étrilles et ajoutez le concentré de tomate. Versez la crème liquide et le bouillon de volaille, ajoutez le piment et tous les aromates.
Portez doucement à ébullition et laissez cuire 20 minutes. Passez au chinois en pilant bien. Ajoutez un peu de bouillon ou de crème liquide si le résultat est trop épais.

Pour le cappuccino, ouvrez la gousse de vanille en deux et grattez-la pour récupérer les graines. Fouettez ensuite la crème avec les graines de vanille.

Servez la crème d'étrilles bien chaude (en hiver) ou glacée (en été), avec des croûtons et de la ciboulette. Ajoutez le cappuccino par-dessus.

ET LE CHEF A DIT

« POUR MOI, IL N'Y A PAS DE SAISON POUR MANGER DE LA SOUPE, CHAUDE OU FROIDE. ET PUIS LA CRÈME FRAÎCHE, C'EST UNE VÉRITABLE " MALADIE " DE NORMAND... À DÉGUSTER AVEC UN BEAUJOLAIS BLANC, COMME UN DE CEUX DU DOMAINE VALETTE. »

ENTRÉE_PLAT_DESSERT

COCOTTE LUTÉE DE PINTADE AU CIDRE

2 BELLES PINTADES COUPÉES EN MORCEAUX (AVEC ABATS ET ABATTIS)
30 G DE BEURRE
2 OIGNONS
2 GOUSSES D'AIL
75 CL DE CIDRE
1 BRINDILLE DE THYM
1 FEUILLE DE LAURIER
2 POMMES
24 POMMES DE TERRE (TYPE RATTE)
24 PETITS CHAMPIGNONS DE PARIS
250 G DE FARINE
4 BLANCS D'OEUFS
SEL ET POIVRE DU MOULIN

ET LE CHEF A DIT

« UNE TRÈS BELLE RECETTE DE MA NORMANDIE NATALE. VOUS POUVEZ REMPLACER LES PINTADES PAR DEUX POULETS OU TROIS FAISANS. LA CUISSON EN COCOTTE LUTÉE PERMET DE PIÉGER LES SAVEURS ET DE CONSERVER TOUT SON MOELLEUX À LA VIANDE SANS AVOIR BESOIN D'ARROSER EN COURS DE CUISSON. ET PUIS, QUEL BOUQUET QUAND ON RETIRE LE COUVERCLE DE LA COCOTTE À TABLE ! »

Commencez la préparation à l'avance : dans une cocotte beurrée, faites colorer les morceaux de pintades avec les abats et les abattis. Salez et poivrez. Égouttez-les sur une assiette.
Faites colorer à leur place les oignons, pelés et émincés, ainsi que les gousses d'ail pelées et écrasées. Déglacez avec le cidre et laissez réduire de moitié pendant 15 minutes environ.
Remettez ensuite les morceaux de pintade, ajoutez le thym, le laurier, les pommes épluchées et coupées en quatre, les pommes de terre épluchées, laissées entières, ainsi que les champignons nettoyés, laissés entiers eux aussi.
Confectionnez la pâte à luter en mélangeant la farine, les blancs d'œufs, 20 g de sel et 1 ou 2 cuillerées à soupe d'eau jusqu'à obtention d'une pâte homogène.
Étirez la pâte en cordon de la taille d'un doigt, couvrez la cocotte et appliquez le cordon de pâte autour du couvercle pour obtenir un joint hermétique.

Environ une heure avant de passer à table, préchauffez le four à 180 °C. Enfournez la cocotte et laissez cuire pendant 50 minutes.
Si vous n'êtes pas tout à fait prêt à déguster, laissez la cocotte dans le four à 50 °C.

ENTRÉE_PLAT_DESSERT

GÂTEAU MOELLEUX « AMANDINE PAQUIN » À LA CONFITURE DE LAIT

5 ŒUFS
150 G DE SUCRE SEMOULE
75 G DE FARINE
75 G D'AMANDES EN POUDRE
100 G DE BEURRE FONDU
12 CL DE CRÈME LIQUIDE
100 G DE CONFITURE DE LAIT
FARINE ET BEURRE POUR LES MOULES

Commencez la préparation à l'avance : battez les oeufs avec le sucre dans un cul de poulet au bain-marie jusqu'à consistance homogène.
Incorporez la farine et les amandes en poudre, tamisées ensemble, puis le beurre fondu.
Versez cette pâte dans des ramequins allant au four, beurrés et farinés.
Réservez au congélateur.
Par ailleurs, mélangez la confiture de lait et la crème.
Réservez au réfrigérateur.

Avant de passer à table, sortez les ramequins du congélateur et préchauffez le four à 210° C. Enfournez les ramequins et laissez cuire pendant 12 minutes.
Versez une cuillerée de crème à la confiture de lait au centre de chacun des gâteaux dès leur sortie du four.
Servez le reste de la crème à la confiture de lait dans une saucière.

ET LE CHEF A DIT

« LA CONFITURE DE LAIT S'ACHÈTE TOUTE PRÊTE AU RAYON "CONFITURES", MAIS VOUS POUVEZ LA RÉALISER VOUS-MÊME EN FAISANT CUIRE UNE BOÎTE DE LAIT CONCENTRÉ OUVERTE AU BAIN-MARIE PENDANT 2 HEURES. J'AI INVENTÉ CE DESSERT POUR MA FILLE AMANDINE ET CETTE RECETTE EST DEVENUE UN PLAT PHARE DE MON ÉTABLISSEMENT DEPUIS SA NAISSANCE. JE ME SUIS INSPIRÉ, SANS LE COPIER, DU "MOELLEUX AU CHOCOLAT" DE MICHEL BRAS. ON Y RETROUVE LE CROUSTILLANT À L'EXTÉRIEUR, LE MOELLEUX À L'INTÉRIEUR, AINSI QUE LA DOUCEUR DE L'AMANDE ET DU CARAMEL. À DÉGUSTER AVEC UN MUSCAT DU CAP CORSE, COMME CELUI D'ANTOINE ARENA. »

LE TEMPS AU TEMPS

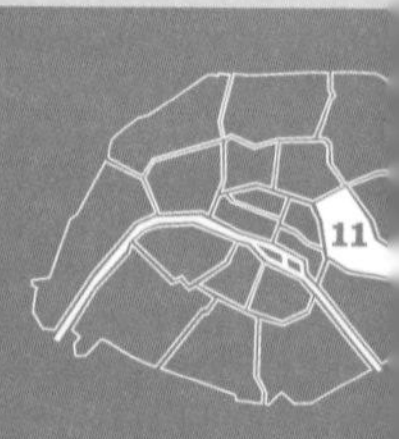

MÉTRO FAIDHERBE CHALIGNY
13, RUE PAUL BERT
75 011 PARIS
01 43 79 63 40

SYLVAIN ET SARAH SENDRA

FERMÉ DIMANCHE ET LUNDI

PRIX : MENU-CARTE À 27 €

MENU DÉJEUNER À 16 €

Et si l'avenir de la « bistronomie » appartenait aux toutes petites structures ? Et si les bons ingrédients de la recette étaient finalement les suivants : une vingtaine de couverts et un couple en guise de personnel, elle en salle, lui en cuisine, tous les deux super pros. Ainsi, à l'instar de « l'Argenteuil » dans le 1e, de « la Cerisaie » dans le 14e ou encore de «l'Estrapade » dans le 5e, « Le Temps au Temps » (quel joli nom) se situe exactement dans cette catégorie d'établissements, promise, j'en suis sûr, à un bel avenir. L'ouverture durant l'été 2004 de cette adresse a créé un véritable évènement dans un quartier (et même une rue !) déjà bien doté en la matière : les habitants du 11e arrondissement n'ont vraiment pas à se plaindre. Les atouts de l'endroit, il faut le dire, sont nombreux. D'abord l'accueil chaleureux et le service impeccable de la jeune et jolie Sarah, seule en salle, mais qui aurait bien des leçons à donner à certain(e)s de ses collègues des « grandes maisons ». Elle s'affaire avec une rare gentillesse, explique l'ardoise par ci, conseille un vin par là (et elle s'y connaît), dispense sourire sur amabilité, avec une bonne humeur constante et une redoutable efficacité. Un modèle du genre. Son mari (aussi jeune qu'elle), seul en cuisine, est tout aussi professionnel dans sa fonction de cuisinier moderne. Il concocte une pure cuisine « bistronomique », amusante, faussement simple, inventive juste ce qu'il faut, mais surtout savoureuse, à base de produits du marché de belle qualité. Il apporte en outre un soin attentif à la présentation de ses assiettes, particulièrement esthétiques. Pour ce qui est du prix, vous conviendrez qu'il est difficile de faire mieux. D'autant plus que les vins ne viendront en

“L'ouverture durant l'été 2004 de cette adresse a créé un véritable évènement dans un quartier déjà bien doté en la matière.”

aucun cas alourdir l'addition. La carte est parfaitement exemplaire : une soixantaine de références pointues (Foillard, Maillard, Grammenon, Chopin, Ribaud, Chabert), très orientées sur les « vignerons naturels », avec une sélection au verre, à partir de 3 €, irréprochable. Quelques mots également sur le décor de ce bistro de poche : carrelage au sol, très beau bar en bois (quatre personnes peuvent d'ailleurs y manger), grands miroirs qui agrandissent un peu l'espace, assiettes de présentation en osier, grande horloge de style baroque (en rapport avec l'enseigne) et ventilateur au plafond, luminaires originaux et quelques objets hétéroclites, chinés ici ou là. C'est propre, net et pimpant. À noter aussi l'excellente musique de jazz en fond sonore (Billie Holiday, Sidney Bechet), qui souligne la jolie petite ambiance détendue qui règne ici. Cette table se situe incontestablement dans le peloton de tête de la vague « bistronomique », aussi professionnelle (en cuisine, en salle, en cave) que détendue et surtout très bon marché.

QUELQUES EXEMPLES DE PLATS : **tartelette de sardines au vin rouge / saumon mariné à l'aneth et aux algues, mousse de gingembre / nougat de cochon maison aux épices / crème d'avocats aux épices / cocotte de bœuf au vin rouge, petits légumes / côte de cochon laquée au miel, girolles / dos de lieu jaune, trompettes poêlées / poitrine de veau farcie aux légumes / raviole d'ananas au citron vert et gingembre / tarte au chocolat et épices « revisitée » / soupe de pêches de vigne, sorbet framboise / prunes rôties à la vanille, financier.**

POUR EN SAVOIR PLUS SUR SYLVAIN SENDRA

Sylvain Sendra est sans doute le plus jeune chef de ma sélection, mais certainement pas le moins mature, ni le moins doué. Il naît en 1977 à Lyon, grande capitale gastronomique s'il en est, dans une famille de boulangers-pâtissiers-chocolatiers. Assez bon à l'école, et poussé par ses parents, il arrive sans problème jusqu'au baccalauréat. Il est sur le point de s'orienter, sur les conseils de ses professeurs, vers des études de philosophie, domaine dans lequel il excelle alors, mais il préfère finalement intégrer une école hôtelière. Au cours de cette formation, il fait la connaissance de Sarah qui deviendra sa femme. Deux ans plus tard, il se retrouve à vingt ans maître d'hôtel dans un « Relais & Châteaux », à Faverges. Mais cette expérience lui apprend qu'il est davantage fait pour les fourneaux que pour la salle. Il trouve alors son premier poste en cuisine à « La Mandarine », un très bel établissement de Saint-Tropez, puis un deuxième à « La Chèvre d'Or », restaurant doublement étoilé des Alpes-Maritimes, dont la cuisine est irréprochablement classique. Il a alors la chance de travailler aux côtés d'un homme formidable, « monsieur » Delacourt, un « vrai chef », Meilleur Ouvrier de France, qui croit dans les valeurs de cette distinction et qui sait les transmettre. Après son service militaire, Sylvain part en Grande-Bretagne pour rejoindre l'un des établissements étoilés de la « galaxie Ducasse ». Il y débute comme commis et termine chef de partie. Durant cette aventure londonienne de près de deux ans, il acquiert véritablement la « philosophie Ducasse », qu'il avoue appliquer complètement aujourd'hui, de façon instinctive. C'est de loin son expérience la plus enrichissante. Avec son épouse, il revient à Paris afin de lancer, pour le compte d'un investisseur, un concept de resto-tapas, bien avant l'ouverture de « L'Atelier Robuchon » ou du « Pinxo » d'Alain Dutournier. Mais en 2004, l'envie d'être vraiment « chez eux » est trop fort. Après quelques recherches infructueuses dans sa région lyonnaise d'origine, Sylvain et sa femme tombent sur cette affaire à reprendre, rue Paul Bert. Ils la rachètent, la rénovent entièrement et ouvrent en 2004 pendant l'été. Leur concept ? Un bistro « classe », précis, généreux et pas cher. Une cuisine simple, mais une cuisine de détails, avec un esprit proche de celui de Ducasse, dont Sylvain assume parfaitement la filiation. Et surtout avec la volonté de créer un vrai rapport avec le client, sincère et direct. Cette table est une grande réussite, mais elle se mérite : pensez à réserver au moins une semaine à l'avance, les places (elles !) sont chères.

ENTRÉE_PLAT_DESSERT

CRÈME DE TOPINAMBOURS AU PATA NEGRA JABUGO BELLOTA

500 G DE TOPINAMBOURS
120 G ENVIRON DE COPEAUX DE JAMBON SERRANO DE JABUGO PATA NEGRA
25 CL DE LAIT
25 CL DE CRÈME LIQUIDE
HUILE D'OLIVE
SEL ET POIVRE

Pelez les topinambours et faites-les poêler à l'huile d'olive pour fixer les arômes.

Mouillez à hauteur dans la poêle avec de l'eau, puis faites réduire au quart.

Ajoutez ensuite le lait et la crème liquide, puis mixez le tout.

Servez dans des assiettes creuses. Ajouter les copeaux de jambon, salez légèrement et poivrez ; ajoutez une larme d'huile d'olive pour ajouter un goût fruité.

ET LE CHEF A DIT

« CETTE RECETTE TRÈS "TERROIR" EST CEPENDANT TRÈS DIGESTE PUISQU'ELLE N'UTILISE QUE PEU DE MATIÈRE GRASSE ET CONSERVE LE GOÛT ENTIER DU LÉGUME. POUR L'ACCOMPAGNER, JE VOUS PROPOSE UN VIN BLANC LÉGER AU GOÛT DE NOIX COMME LE MÂCON CRUZILLE LA CROIX 2004 DE GUILLOT-BROUX. »

JOUE DE BŒUF BRAISÉE AU VIN ROUGE

4 BELLES JOUES DE BŒUF NON DÉGRAISSÉES
2 TÊTES D'AIL
THYM, POIVRE ET CLOUS DE GIROFLE
4 G DE QUATRE-ÉPICES
50 CL DE VIN ROUGE
1 OIGNON
1 CAROTTE
1 POIREAU

Faites rôtir les joues de boeuf dans le four dans une cocotte jusqu'à ce qu'elles prennent une belle coloration dorée pendant environ 30 minutes à 280 °C.
Ajoutez les légumes coupés en dés et faites mitonner pendant 5 minutes.
Ajoutez le vin rouge et complétez le mouillement à hauteur avec de l'eau, ajoutez les têtes d'ail, un brin de thym, du poivre, 2 clous de girofle et le quatre-épices. Couvrez de papier d'aluminium et posez le couvercle.
Laissez cuire à 160 °C pendant 8 à 9 heures en arrosant souvent ; complétez éventuellement le mouillement pour que la viande reste toujours dans du liquide.

ET LE CHEF A DIT

« CE PLAT EST UN CLASSIQUE DE NOTRE BISTROT, SOUVENT BIEN VENU EN HIVER. SURTOUT, NE DÉGRAISSEZ PAS LES JOUES DE BOEUF : EN FONDANT, LE GRAS DONNE DU MOELLEUX À LA VIANDE. JE VOUS CONSEILLE DE SERVIR EN ACCOMPAGNEMENT DE LA PURÉE DE POMMES DE TERRE ET UN MORGON CÔTE DU PY 2004 DE CHEZ JEAN FOILLARD. »

ENTRÉE_PLAT_DESSERT

SOUPE DE CLÉMENTINES AU GINGEMBRE, CHANTILLY MAISON ET CRUMBLE AU CHOCOLAT

6 CLÉMENTINES
250 G DE SUCRE
10 G DE GINGEMBRE
100 G DE CRÈME FRAÎCHE
10 G DE SUCRE GLACE
100 G DE FARINE
40 G DE POUDRE D'AMANDES
10 G DE CACAO
50 G DE BEURRE

Faites chauffer 40 cl d'eau avec 200 g de sucre en poudre et le gingembre. Épluchez les clémentines et dégagez les quartiers. Ajoutez-les dans le sirop et laissez refroidir pendant 8 heures au frais.
Pour le crumble, réduisez le beurre en pommade. Par ailleurs, mélangez dans un grand bol la farine, la poudre d'amandes, 50 g de sucre en poudre et le cacao. Incorporez le beurre. Étalez la pâte obtenue sur une plaque et faites-la cuire dans le four à 160 °C pendant 20 minutes environ.
Préparez la chantilly en fouettant vivement la crème fraîche et le sucre glace.
Disposez les quartiers de clémentine dans des verres en ne les noyant pas trop avec le sirop.
Déposez par-dessus une touche de chantilly comme un cappuccino et parsemez le tout avec le crumble préalablement émietté.

ET LE CHEF A DIT

« VOILÀ UN DESSERT RAFRAÎCHISSANT ET TRÈS FACILE À RÉALISER. SI VOUS AVEZ LE TEMPS, FAITES SÉCHER LES ÉCORCES DE CLÉMENTINES DANS LE FOUR ET RÉDUISEZ-LES EN POUDRE POUR RELEVER LÉGÈREMENT LE DESSERT. UN VIN MOELLEUX DE LA LOIRE POURRA ACCOMPAGNER CE DESSERT, COMME LE COTEAUX DU LAYON DU DOMAINE DE LA ROCHÈRE, 2002. »

12

12e

L'ÉBAUCHOIR

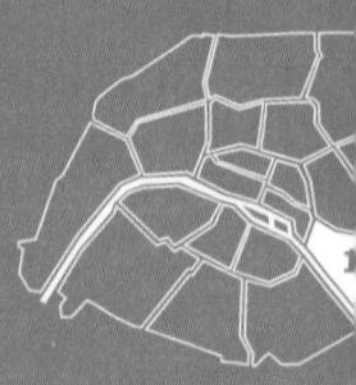

MÉTRO FAIDHERBE
CHALIGNY
43, RUE DE CÎTEAUX
75 012 PARIS
01 43 42 49 31

THOMAS DUFOUR

FERMÉ DIMANCHE ET LUNDI MIDI

PRIX : À LA CARTE ENVIRON 33 €
MENUS AU DÉJEUNER À 13,5 € (VIN COMPRIS) ET 23 €

Les bonnes adresses, malheureusement, ne sont pas légion dans le 12e arrondissement. Dès lors, pas étonnant que cet endroit soit bondé midi et soir, dans un joyeux brouhaha à la fois bobo et branché, mais aussi ouvrier et populaire, dans un esprit finalement très « bastoche ». Que viennent donc chercher, et trouver ici, tous ces habitués ? D'abord la gentillesse permanente de l'accueil et du service, grâce à un personnel jeune, alerte, efficace et impliqué. Ensuite un beau décor typiquement patiné et habilement rétro : carrelage de mosaïque au sol, tables et chaises en bois, un beau comptoir d'origine et une grande fresque murale évoquant les « vieux métiers » (signée Tati Muzo), une collection d'anciens guides Michelin, des meubles de brocante, ainsi que des affiches et réclames du siècle dernier. L'ensemble est assez spacieux et bénéficie même d'une vraie salle non-fumeur, tout au fond, certes un peu petite et à l'écart de l'ambiance animée du reste du restaurant, mais pleine de charme. En fait, les fidèles de « L'Ébauchoir » y viennent pour les parfaites assiettes néo-bistrotières du chef Thomas Dufour, facturées avec énormément de douceur, aussi bien le soir à la carte que le midi, avec deux menus qui font un véritable carton. C'est une cuisine sans esbroufe, avec une ardoise qui évolue quotidiennement au gré du marché, selon l'inspiration du chef qui connait son affaire pour avoir fait ses classes chez les grands : produits de qualité, cuissons parfaites, garnitures pertinentes, portions copieuses et de très belles réussites, comme celles que j'ai pu goûter lors de mes derniers repas. Tel ce « tartare de thon, purée d'avocat au citron vert » remarquable de fraîcheur, cette goûteuse « queue de bœuf mitonnée au vin rouge » bien dans l'esprit du lieu, ou encore ce suave « blanc-manger à l'amande, sauce chocolat noir ». Enfin, la carte des vins est fort judicieuse, proposant notamment une très belle sélection dans le Sud (Languedoc et Côtes-du-Rhône) et un large choix au verre (environ une vingtaine à partir de 3 € seulement). Voilà qui nous donne une adresse chaleureuse et d'une grande cohérence, sympa comme tout, pas chère, avec en plus une bande-son funky des plus pointues. Et des repas pleins d'esprit et de verve, palpitants de bout en bout. À découvrir rapidement...

“Des repas pleins d'esprit et de verve, palpitants de bout en bout.”

QUELQUES EXEMPLES DE PLATS : **crème de lentilles au beaufort / poêlée de foie gras, chutney de châtaignes et gingembre / œufs pochés au foie gras de canard / salade de ris de veau et d'agneau confits / dos de cabillaud rôti au lard / pavé de thon au beurre d'ananas et citronnelle / filet de sandre crème de chorizo / fricassée de rougets et Saint-Jacques beurre blanc / carré d'agneau irlandais rôti jus aux épices / entrecôte de Bavière sauce lavande et chèvre / dos de pigeonneau rôti au lard et au vin rouge / gâteau de riz grand-mère / dacquoise poire-chocolat / vacherin glacé, sorbet framboise / papillote de banane chocolat épices et glace vanille / macaron à la rose avec sorbet ananas et coulis aux framboises.**

POUR EN SAVOIR PLUS SUR THOMAS DUFOUR

Avec son look de lecteur des « Inrocks » ou de « Technikart », le sympathique Thomas Dufour détonne un peu dans le paysage des chefs parisiens. Mais quel plaisir de rencontrer un chef-patron aussi jeune, cool, branché juste ce qu'il faut ! Retour sur le parcours de ce cuisinier un peu à part. Thomas naît à Paris en 1969, en pleine période « hippie », dans une famille d'artistes bohèmes. Son père est peintre et sa mère comédienne de théâtre. Le petit Thomas reçoit une éducation très « post soixante-huitarde », assez libertaire. S'il croque la vie à pleines dents grâce à ses parents un peu en marge, son parcours scolaire est plutôt chaotique. Après avoir redoublé sa 3ème, il prend la décision de s'orienter vers la restauration. Il découvre alors un univers en totale opposition avec son milieu d'origine, un monde fait de discipline, de rigueur, d'horaires à respecter, d'engueulades. Et bien en réalité, il accroche complètement ! Il comprend qu'il a trouvé sa voie, définitivement. Il réalise son apprentissage dans une table doublement étoilée, « Le Pressoir », dans le 12e, sous les ordres d'un chef « à l'ancienne », Henri Seguin : une première expérience dure, mais enrichissante. Puis il se spécialise en pâtisserie avec un passage chez « Laurent », l'une des plus belles tables de la capitale, près des Champs-Elysées. En 1990, il participe à l'ouverture du « Brin de Zinc » près des Halles, une adresse montée par l'un de ses anciens professeurs de cuisine et un certain Yvon Levaslot, qu'il retrouvera plus tard. En 1991, il a la chance de partir en Provence et d'intégrer en tant que chef de partie les cuisines du prestigieux Relais & Châteaux « L'Oustau de Baumanière » doublement étoilé. Deux ans plus tard, il retrouve Paris pour un autre poste de chef de partie, cette fois à « L'Arpège » auprès d'Alain Passard, à mes yeux l'une des trois meilleures tables de la capitale. Une magnifique expérience qui dure près de deux ans et pendant laquelle Thomas avoue avoir été littéralement bluffé par le génie de son chef-patron. Il y aura énormément appris : rigueur, technique épurée au maximum, pertinence des associations. Après un rapide passage au « Jardin des Sens » des jumeaux Pourcel à Montpellier en tant que second, Thomas est contacté par Yvon Levaslot, son ancien patron au « Brin de Zinc ». Celui-ci a depuis ouvert « L'Ébauchoir » dans le 12e, mais, désireux de voguer vers d'autres horizons, il propose à Thomas de reprendre les cuisines de son restaurant. Le voilà donc en novembre 1995, à 26 ans, à la tête des fourneaux de cette table très en vue. Deux ans plus tard, en 1997, il rachète l'affaire à Yvon et devient donc propriétaire du lieu. Aujourd'hui, Thomas s'avoue heureux chez lui, ravi du succès midi et soir de son établissement. Venez découvrir ce chef moderne, bien dans le coup, mais humble et content de son sort. Une bouffée d'air frais…

ENTRÉE _PLAT _DESSERT

ŒUFS POCHÉS AU FOIE GRAS, SAUCE AU VIN ROUGE ET PURÉE DE CHAMPIGNONS

12 ŒUFS TRÈS FRAIS
20 CL DE VINAIGRE DE VIN ROUGE
180 G DE FOIE GRAS DE CANARD CRU COUPÉ EN 6 TRANCHES DE 30 G
75 CL DE VIN ROUGE
4 ÉCHALOTES CISELÉES
60 G DE BEURRE
100 G DE DEMI-GLACE DE VIANDE (EN VENTE DANS LES ÉPICERIES FINES)
500 G DE CHAMPIGNONS DE PARIS LAVÉS ET COUPÉS EN TRANCHES
20 CL DE VIN BLANC
10 CL DE CRÈME FRAÎCHE
2 TRANCHES DE PAIN DE MIE COUPÉES EN PETITS DÉS
1 BOTTE DE CIBOULETTE CISELÉE
SEL ET POIVRE

Pour la sauce, faites fondre la moitié des échalotes avec 10 g de beurre. Versez le vin rouge et laissez réduire des trois quarts sur feu vif.
Ajoutez la demi-glace de viande, mélangez, salez et poivrez ; laissez bouillir quelques instants et tenez au chaud.
Pour la purée de champignons, faites fondre le reste des échalotes avec 10 g de beurre, ajoutez les champignons et le vin blanc.
Laissez cuire à couvert 10 minutes, puis à découvert jusqu'à évaporation du liquide. Ajoutez alors la crème fraîche, portez à ébullition, mixez, assaisonnez et gardez au chaud.
Dans une poêle antiadhésive, faites blondir les croûtons dans 30 g de beurre, puis égouttez-les sur du papier absorbant.
Versez environ 2 litres d'eau dans une casserole, ajoutez le vinaigre et faites chauffer. Lorsque l'eau se met à frémir, cassez les œufs trois par trois dans un bol, puis versez-les d'un coup dans l'eau et laissez-les pocher pendant 3 à 4 minutes.
Égouttez-les au fur et à mesure sur un linge et retirez les filaments en les coupant avec une paire de ciseaux.
Préchauffez le four à 200 °C.
Étalez au fond de chaque assiette de service creuse une cuillerée à soupe de purée de champignons. Posez dessus deux oeufs pochés et une tranche de foie gras, passez les assiettes pendant 3 minutes au four, le temps que le foie ramollisse et commence à perdre du gras.
Nappez ensuite de sauce au vin rouge et décorez de croûtons et de ciboulette ciselée.

ET LE CHEF A DIT

« CETTE DÉLICIEUSE ENTRÉE EST DEVENUE UN CLASSIQUE DE MON ÉTABLISSEMENT. JE VOUS SUGGÈRE EN ACCOMPAGNEMENT LE CÔTE-DU-RHÔNE 2003 DU DOMAINE LE CLOS DE CAVEAU. »

ENTRÉE_ **PLAT** _DESSERT

ONGLET DE VEAU AU CONFIT D'ÉCHALOTES, MOELLE ET JUS DE VIANDE À L'ORANGE

1,4 KG D'ONGLET DE VEAU PARÉ
200 G DE BEURRE DOUX
1 KG D'ÉCHALOTES PELÉES
300 G DE MOELLE DE VEAU TRÈS FRAÎCHE
1 KG D'ORANGES À JUS
200 G DE DEMI-GLACE DE VEAU (EN VENTE DANS LES ÉPICERIES FINES)
30 CL DE VIN BLANC
2 KG DE CAROTTES
2 CLOUS DE GIROFLE
1 ÉTOILE DE BADIANE
SEL ET POIVRE

Pelez les carottes, coupez-les en tronçons et faites-les cuire à l'eau salée avec la badiane.

Faites cuire les échalotes pelées entières dans le vin avec les clous de girofle, une grosse pincée de sel et de l'eau à hauteur.

Prélevez l'écorce d'une orange avec un couteau économe ; pressez ensuite le jus de toutes les oranges dans une casserole, ajoutez le zeste et faites réduire des deux tiers. Ajoutez la demi-glace, faites bouillir, puis incorporez 30 g de beurre en fouettant Salez et poivrez. Tenez au chaud.

Lorsque les échalotes sont bien fondantes, égouttez-les, puis mettez-les dans une casserole avec 50 g de beurre et faites-les chauffer en remuant régulièrement pour les colorer légèrement. Vérifiez l'assaisonnement et tenez-les au chaud.

Égouttez les carottes, retirez la badiane, passez-les au moulin à légumes et faites dessécher la purée obtenue dans une casserole. Incorporez ensuite 100 g de beurre avec un mixeur plongeant. Vérifiez l'assaisonnement et tenez au chaud.

Coupez la moelle en tranches de 1 cm d'épaisseur, plongez-les pendant 2 minutes dans 2 litres d'eau bouillante salée. Dès que la moelle devient jaune translucide, étouttez les tranches et tenez-les chaud.

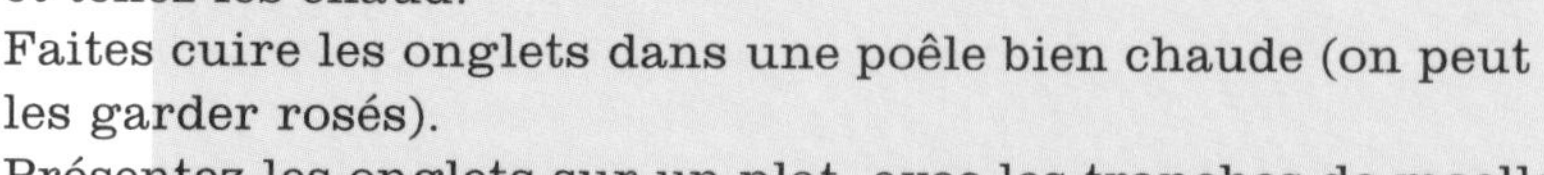

Faites cuire les onglets dans une poêle bien chaude (on peut les garder rosés).

Présentez les onglets sur un plat, avec les tranches de moelle dessus et les échalotes confites autour. Servez la purée de carottes à part et la sauce à l'orange dans une saucière.

ET LE CHEF A DIT

« CETTE RECETTE ILLUSTRE BIEN LA FAÇON MODERNE (ORANGE, BADIANE) DE REVISITER UN PLAT DE BISTRO (LA MOELLE, L'ÉCHALOTE CONFITE) AU GOÛT DU JOUR. JE VOUS CONSEILLE DE PRÉVENIR VOTRE BOUCHER PLUSIEURS JOURS À L'AVANCE POUR ÊTRE CERTAIN D'AVOIR DE L'ONGLET DE VEAU : C'EST UN MORCEAU RARE QUE LE BOUCHER AIME GARDER POUR LUI. SINON, VOUS POUVEZ ÉGALEMENT RÉALISER CETTE RECETTE AVEC DE L'ONGLET DE BŒUF. JE VOUS SUGGÈRE EN ACCOMPAGNEMENT LE PINOT BLANC 2004, CUVÉE BARRIQUES, DU DOMAINE OSTERTAG. »

ENTRÉE_PLAT_DESSERT

POT DE CRÈME À LA VANILLE

50 CL DE CRÈME LIQUIDE
50 CL DE LAIT ENTIER
10 JAUNES D'ŒUFS
150 G DE SUCRE EN POUDRE
3 GOUSSES DE VANILLE

ET LE CHEF A DIT

« IL EST PRÉFÉRABLE DE CONFECTIONNER CETTE RECETTE LA VEILLE DE LA CUISSON POUR QUE LE GOÛT DE LA VANILLE SE DÉVELOPPE. IL EST MÊME POSSIBLE DE GARDER LES RAMEQUINS QUATRE JOURS AU FRAIS. À DÉGUSTER AVEC LE VOUVRAY 2003, LA CUVÉE DES FONDERAUX, DU DOMAINE CHAMPALOU. »

Préchauffez le four à 150 °C.
Fendez les gousses de vanille sur la longueur et récupérez les petites graines noires de l'intérieur avec la pointe d'un couteau.
Mettez-les dans une terrine, ajoutez les jaunes d'oeufs et le sucre, puis battez le mélange au fouet jusqu'à consistance jaune pâle et mousseuse.
Versez la crème et le lait sur le mélange en fouettant.
Répartissez la préparation dans six ramequins de 10 cm de diamètre, rangez-les dans une plaque de cuisson remplie d'eau à mi-hauteur des ramequins, couvrez d'une feuille de papier d'aluminium et faites cuire pendant environ 30 minutes.
Vérifiez la cuisson en plantant la pointe d'un couteau au centre d'un ramequin : elle doit ressortir légèrement recouverte de crème. Le dessus de la crème ne doit pas prendre de couleur.
Laissez refroidir à température ambiante, puis couvrez chaque ramequin de film étirable et mettez-les dans le réfrigérateur pendant 2 heures avant de servir.

LA TABLE D'ALIGRE

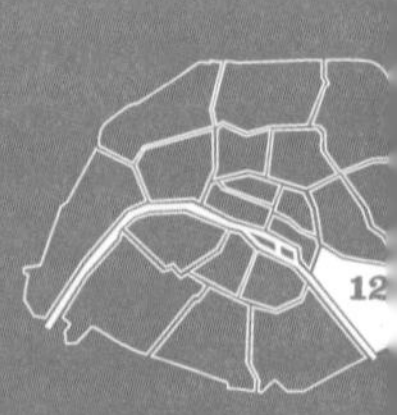

MÉTRO FAIDHERBE
CHALIGNY
OU LEDRU-ROLLIN
11, PLACE D'ALIGRE
75 012 PARIS
01 43 07 84 88

MARC BAUDRY

FERMÉ LUNDI

PRIX : MENU À 27,5 €
MENU AU DÉJEUNER À 20 €

Quand je suis un peu lassé de la frénésie des tables « en vue », j'aime venir dans ce genre d'endroit, où je suis sûr de passer une bonne soirée tranquille, toute en gentillesse dans l'accueil et le service, et de plus exquise dans l'assiette. Cette « Table d'Aligre » est située sur la place du même nom, où se tient l'un des marchés les plus fréquentés de la capitale. Le soir, les lieux sont nettement plus calmes, juste égayés par la devanture illuminée de cet établissement : on se croirait en province. Une ambiance que l'on retrouve d'ailleurs à l'intérieur. Il s'en dégage une douceur que j'ai un peu de mal à définir, mais qui est assez dépaysante. La clientèle est faite de gens « normaux », populaire dans le bon sens du terme, pas prétentieuse pour un sou. Avec beaucoup d'habitués et de riverains, conscients de tenir là l'un des meilleurs « plans » de l'arrondissement. Tous les repas que j'ai savourés ici m'ont rappelé ceux que je faisais enfant dans mon Nord natal : de purs moments de sincérité et de bonheur paisible, sans musique en fond sonore, entouré de vrais gens, dans une atmosphère parfaitement conviviale. L'adresse est tenue par deux associés. Marc Baudry, passé par les cuisines de très grandes maisons (Barrier, Senderens, Guérard) s'occupe ici du décor, de l'accueil, du service (c'est la gentillesse incarnée, et cela se sent dès la réservation au téléphone), et surtout de la conception de la carte, qui évolue au gré des saisons. Une carte réalisée par Hervé Ruy en cuisine, qui se cantonne dans le rôle où il excelle grâce à un parfait tour de main. Le menu-carte proposé est d'un rapport qualité-prix imbattable : produits choisis avec attention, un peu de tradition (la dernière fois, un sublime gâteau de pommes de terre et reblochon), pas mal de créativité (comme l'exquise tarte fine de potirons et chantilly aux noix), des cuissons et des assaisonnements parfaitement maîtrisés. Tout est très bon, sans chichis inutiles, à l'image du cadre : un décor sobre de vieux bistro (carrelage, tables et chaises en bois, lustres des années 50, aux murs des casiers à bouteilles et quelques tableaux colorés), mais un décor fleuri et lumineux, spacieux, assez haut de plafond, aux tables bien espacées, avec un véritable espace non-fumeur. Si cette table est loin d'être la plus à la mode de Paris, c'est justement ce qui fait tout son intérêt : elle est intemporelle, rassurante, de très bonne qualité, pas chère et confortable. En fin de compte, l'une des adresses les plus recommandables du 12e arrondissement.

“Tout est très bon, sans chichis inutiles.”

QUELQUES EXEMPLES DE PLATS : **velouté de topinambours, mousse de châtaignes / ravioles de Bouchot au vinaigre de cidre / œuf poché soufflé sur blinis toastés / tuiles de parmesan, crème brûlée aux foies blonds / œuf poché soufflé sur blinis toastés / filet de sandre poché, choucroute douce / épaule d'agneau rôtie, polenta aux olives / baeckeoffe de joues de cochon à la sauge / escargot de foie de veau, terrine de légumes / chausson de pintade et embeurrée de choux / confit de lapin, chou rave à l'ail et au persil / coulant très noir, glace au thym / soufflé givré aux marrons glacés, croquant de chocolat / salade pailletée d'agrumes aux agrumes / gros chou Chiboust, caramel au beurre salé.**

POUR EN SAVOIR PLUS SUR MARC BAUDRY

Marc Baudry voit le jour à Paris dans les années 60. Tout petit, passionné par la cuisine, il se lance dans cette voie à l'adolescence. Après un apprentissage au « Coupe-Chou » dans le 5e arrondissement, il a la chance de partir travailler chez le multi-étoilés Charles Barrier dans son établissement de Tours. Une belle entrée en matière qui se poursuit à l'âge de 18 ans, lorsque Marc réussit (un peu au culot) à intégrer ni plus ni moins que les cuisines de « L'Archestrate », le restaurant culte d'Alain Senderens rue de Varennes, l'un des chefs de file de la « nouvelle cuisine ». Marc va passer aux côtés de ce maître près de trois ans. Il en gardera, outre un souvenir ému, une grosse capacité de créativité (Alain Senderens et son équipe cherchaient à créer cinq ou six plats par jour), une redoutable efficacité et une énergie débordante. Cette expérience hors du commun lui permet à l'âge de 21 ans d'obtenir la place de chef des cuisines au « Château de Riell », une luxueuse hostellerie proche de Perpignan, dont le conseiller culinaire se nomme Michel Guérard, autre star de la cuisine française. Marc et ce dernier vont travailler ensemble en toute confiance pendant plus de six ans, amenant l'établissement jusque dans les étoiles. C'est durant cette période que Marc fait la connaissance d'Hervé Ruy, qu'il embauche dans son équipe. En 1990, c'est le retour à Paris : Marc y fréquente les fourneaux de plusieurs établissements (toujours en tant que patron des cuisines), tels « L'Epopée » dans le 15e, « Chez Toutoune » dans le 5e et « La Connivence » dans le 12e, où il retrouve Hervé Ruy qui le seconde. Les deux hommes s'entendent bien et décident de s'associer pour racheter « La Table d'Aligre » alors en liquidation. C'est chose faite en 1999. Après quelques travaux d'embellissement, ils rouvrent cette charmante adresse le 23 octobre, avec un partage des rôles bien établi : Marc s'occupe de la salle et de la conception de la carte. Hervé fait preuve d'une technique exemplaire pour réaliser au piano les idées originales de son associé. Cela fait désormais plus de six ans que le tandem fonctionne ainsi en parfaite osmose.

ENTRÉE_PLAT_DESSERT

GÂTEAU DE CHARLOTTES ET REBLOCHON

3 POMMES DE TERRE CHARLOTTE
900 G DE POMMES DE TERRE BINTJE
150 G DE CÉLERI-RAVE
1 POMME PELÉE ET COUPÉE EN DÉS
3 JAUNES D'ŒUFS
75 G DE BACON ÉMINCÉ EN BÂTONNES, FRITS
1 L DE CRÈME FLEURETTE
1 REBLOCHON COUPÉ EN 12 TRIANGLES ÉGAUX
4 ÉCHALOTES
150 G DE BEURRE
50 CL DE VIN BLANC
SEL ET POIVRE

Faites cuire les pommes de terre Bintje et le céleri-rave à l'eau bouillante ; égouttez-les à fond après cuisson, puis réduisez-les en purée.
Incorporez à cette purée 25 cl de crème et les jaunes d'œufs. Salez et poivrez.
Lavez les charlottes, essuyez-les, ne les pelez pas et coupez-les en fines rondelles régulières ; faites-les bouillir pendant 10 secondes dans de l'eau bouillante salée avec un peu de vin blanc. Rafraîchissez-les et égouttez-les.
Beurrez six moules individuels et chemisez-les avec les rondelles de charlottes passées dans le beurre fondu.
Ensuite, pour chacun des moules, remplissez au quart de la hauteur avec la purée, ajoutez un triangle de reblochon (avec la croûte), une pincée de poivre et plusieurs dés de pommes fruit. Recouvrez de purée, lissez à la spatule et tassez en tapotant les moules sur un linge.
Faites cuire dans le four préchauffé à 180 °C pendant 25 à 30 minutes.
Pendant ce temps, préparez la crème de reblochon.
Pelez et émincez les échalotes dans une casserole, ajoutez le vin blanc, faites bouillir et réduire de moitié, puis versez 75 cl de crème fleurette. Laissez cuire pendant 10 minutes, ajoutez les triangles de reblochon restants (sans la croûte) et poursuivez la cuisson pendant encore 10 minutes.
Mixez, goûtez et rectifiez l'assaisonnement. Tenez cette crème au chaud ou réservez-la pour le lendemain.

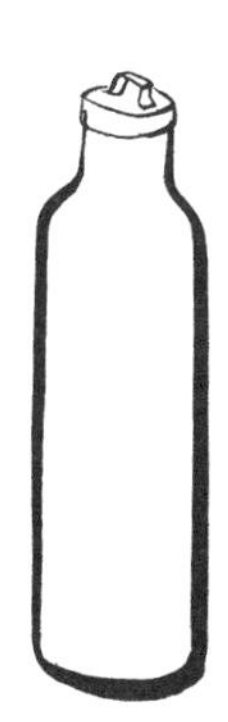

Pour servir
Démoulez les gâteaux de charlottes sur des assiette froides allant au four. Posez dessus deux ou trois lardons frits.
Passez au four à 150 °C pendant 10 à 15 minutes.
Au moment de servir, entourez chaque gâteau de crème de reblochon chaude.

ET LE CHEF A DIT

« C'EST UNE ENTRÉE CHAUDE, CONSISTANTE, PEU COÛTEUSE ET RELATIVEMENT FACILE À PRÉPARER. ELLE VOUS PERMET, ACCOMPAGNÉE D'UNE SALADE, DE RECEVOIR SIMPLEMENT, TOUT EN VOUS MONTRANT ORIGINAL(E). C'EST AUSSI UNE ENTRÉE QUI, SERVIE AVANT UN PLAT LÉGER OU MÊME UN GROS DESSERT, EST FORT APPRÉCIÉE. »

TOURNEDOS DE CANARD, CRÈME DE BACON

3 MAGRETS DE CANARD DÉGRAISSÉS (AVEC LA GRAISSE RÉSERVÉE)

POUR LA FARCE
75 G DE GRAS DE MAGRET COUPÉ EN CUBES
75 G D'OIGNON HACHÉ
75 G DE CÉLERI-RAVE EN DÉS
75 G DE POMME EN DÉS
45 G DE NOIX CONCASSÉES
SEL ET POIVRE

POUR LA GARNITURE
900 G DE TOPINAMBOURS
1 BOUILLON CUBE DE BŒUF
1 GROS OIGNON
1 GROSSE CAROTTE EN RONDELLES
1 FEUILLE DE LAURIER
150 G DE GRAINS DE RAISIN FRAIS
1 VERRE DE VIN BLANC
GROS SEL

POUR LA SAUCE
3 ÉCHALOTES
50 CL DE VIN BLANC
20 CL DE CRÈME FLEURETTE
150 G DE LARD FUMÉ
HUILE D'ARACHIDE, SEL ET POIVRE

ET LE CHEF A DIT

« VOILÀ UN BON PLAT AUX COULEURS D'AUTOMNE OU D'HIVER, ROND, SAVOUREUX ET MOYENNEMENT COÛTEUX, QUI PREND BIEN SA PLACE ENTRE UN VELOUTÉ ET UNE TARTE FINE AUX POIRES PAR EXEMPLE. »

Roulez les magrets sur la longueur, ficelez-les aux deux extrémités, puis coupez-les en deux. Réservez au froid.

POUR LA FARCE
Faites fondre le gras des magrets dans une casserole, ajoutez l'oignon et le céleri hachés, remuez pendant 15 minutes, puis ajoutez la pomme en petits dés et les noix. Salez et poivrez, faites cuire pendant encore 5 minutes puis retirez du feu.

POUR LA SAUCE
Taillez le lard fumé en petits lardons et faites-les rissoler avec une 1 cuillerée à soupe d'huile arachide. Ajoutez les échalotes émincées, puis faites revenir en laissant colorer, mais sans laisser trop roussir. Versez le vin blanc et faites réduire de moitié, puis ajoutez la crème. Laissez cuire pendant 10 minutes, poivrez et mixez avec un mixeur plongeur (ne filtrez pas cette sauce).

POUR LA GARNITURE
Épluchez les topinambours et faites-les bouillir pendant 5 minutes dans une casserole avec de l'eau salée additionnée du verre de vin blanc. Égouttez-les et coupez-les en rondelles.
Faites revenir l'oignon finement ciselé avec les rondelles de carotte dans un peu de beurre et un petit filet d'huile. Ajoutez les topinambours et faites revenir pendant 10 minutes.
Mouillez avec 40 cl d'eau dans laquelle vous aurez délayé le bouillon cube, ajoutez le laurier et un peu de gros sel. Faites cuire pendant 10 minutes à couvert.
Ajoutez les grains de raisin et faites cuire encore 5 minutes en faisant sauter régulièrement (il ne doit plus rester que quelques gouttes de jus).

Préchauffez le four à 220 °C lorsque la sauce et la garniture sont prêtes.
Saisissez à sec dans une poêle chaque magret pendant 2 à 3 minutes de chaque côté, en commençant par le côté graisse. Posez ensuite les magrets dans un plat à four, recouvrez chaque magret avec un peu de farce et passez le tout au four pendant 7 minutes environ.
Servez avec en accompagnement la garniture et la sauce dans une saucière.

ENTRÉE_PLAT_DESSERT

COULANT AU CHOCOLAT TRÈS NOIR

150 G DE CHOCOLAT TRÈS NOIR
1 CUILLERÉE À CAFÉ DE CACAO
90 G DE SUCRE
120 G DE FARINE
UNE PETITE MOITIÉ DE SACHET DE LEVURE CHIMIQUE
UNE POINTE DE COUTEAU DE CAFÉ MOULU
UNE PINCÉE DE POIVRE BLANC EN POUDRE
150 G DE BEURRE RAMOLLI
3 JAUNES D'OEUFS

Faites fondre le chocolat cassé en petits morceaux au bain-marie, avec le cacao, le poivre et le café moulu.

Dans un bol, mixez le beurre avec la moitié du sucre pour obtenir une crème mousseuse émulsionnée.

Battez au fouet les jaunes d'oeufs avec le reste de sucre pour obtenir un ruban léger et très clair.

Versez le chocolat sur le beurre émulsionné. Mélangez légèrement, puis incorporez le mélange oeufs-sucre, enfin la farine et la levure.

Versez cette préparation dans une boite hermétique et réservez au réfrigérateur.

Beurrez par deux fois six moules individuels. Préchauffez le four à 180/200 °C.

Remplissez les moules aux trois quarts et enfournez pendant 6 à 7 minutes.

Retournez chaque moule sur une assiette d'un coup sec.

Laissez tel quel pendant 2 minutes avant d'ôter le moule et servez.

ET LE CHEF A DIT

« VOICI UN DESSERT CONVIVIAL ET CHALEUREUX QUE VOUS POUVEZ PRÉPARER LA VEILLE, À RÉSERVER POUR UN BON GOÛTER, VOIRE EN FIN DE BRUNCH. LE SUCCÈS EST GARANTI ! VOUS POUVEZ L'ACCOMPAGNER D'UNE GLACE AU THYM OU À LA VERVEINE POUR SURPRENDRE, MÊME SI JE TROUVE QUE LA GLACE VANILLE RESTE UNE VALEUR SÛRE. »

13
13
13
13
13
13
13
13
13
13
13
13
13

13e

L'AVANT-GOÛT

MÉTRO PLACE D'ITALIE
26, RUE BOBILLOT
75 013 PARIS
01 53 80 24 00

CHRISTOPHE BEAUFRONT

FERMÉ SAMEDI, DIMANCHE ET LUNDI

PRIX : MENU-CARTE À 31 €

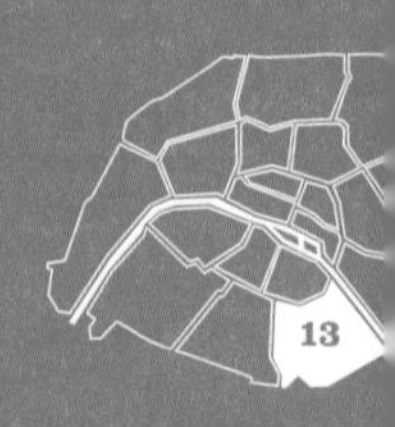

Ouverte à la fin des années 90, cette table a remporté immédiatement un vif succès, qui depuis ne s'est jamais démenti. Après un parcours dans plusieurs grandes maisons, Christophe Beaufront a décidé de s'installer avec son épouse à la Butte-aux-Cailles, cette enclave, cette divine surprise au milieu des vilaines tours des années 60-70, un repère « bobo » qu'il fait bon arpenter les beaux jours venus.
La devanture anodine et le décor ne sont pas des plus aguichants, mais le joli parquet, les divers éléments de récupération, les banquettes rouges, les couleurs chaudes et acidulées de l'ensemble en font un endroit accueillant, clair et agréable.
C'est ainsi que, depuis plus de huit ans maintenant, une clientèle hétéroclite (couples d'amoureux, jeunes intellos, tables familiales et habitués) se retrouve ici dans une ambiance des plus conviviales. Tout le monde est ravi d'être là et le fait savoir : c'est toujours plein, sonore, voire bruyant. Pourquoi un tel succès ?
Parlons d'abord de l'accueil, on ne peut plus chaleureux. Ensuite le service, mené par la femme du chef, jeune, enthousiaste, dynamique et efficace. L'équipe en salle n'a pas son pareil pour mettre en valeur les dernières nouveautés de l'ardoise. On la sent en parfaite osmose avec la cuisine, ce qui n'est pas si fréquent. La cuisine, venons-y, car elle est vraiment étonnante. Christophe Beaufront propose une cuisine inventive, ouverte sur le monde, une sorte de cuisine de ménage « new look », complètement revisitée, modernisée, nette, généreuse et enjouée, qui joue à fond la carte de la convivialité, du métissage et de la rencontre. Sa grande spécialité : les épices utilisées à bon escient et surtout des assaisonnements hors du commun, avec des vinaigrettes qui sortent vraiment des

> " Christophe Beaufront est un passionné qui ne cesse jamais de chercher. "

sentiers battus (aux agrumes, aux épices, à l'encre, aux olives). Au final, les assiettes qu'il propose sont gaies, variées, savoureuses, percutantes, parfaitement maîtrisées (il n'a pas oublié les bonnes manières apprises derrières les prestigieux fourneaux qu'il a fréquentés). On perçoit véritablement que chaque plat a été pensé, travaillé. Christophe Beaufront est un passionné qui ne cesse jamais de chercher, de se creuser la tête pour proposer encore et encore le meilleur rapport qualité / prix, plus plaisir. Il n'a pas levé le pied depuis l'ouverture de son adresse, il ne s'est jamais endormi sur ses lauriers et il continue à faire fuser les idées de toutes parts.
La carte se renouvelle régulièrement (toutes les deux ou trois semaines), au gré des produits du marché et des différentes trouvailles du chef.
Et, bien sûr, tout cela est facturé à des prix hyper-attractifs, vue l'extase gastronomique – le mot n'est pas trop fort – provoquée par le menu-carte. On comprend pourquoi certains n'hésitent pas à traverser tout Paris pour venir passer une soirée ici. D'autant plus que vous ne vous ruinerez pas non plus avec les vins : la jolie carte, très maligne, met en avant d'excellents petits propriétaires, avec des tarifs qui relèvent presque de la philanthropie (à noter une belle sélection de vins au verre, près d'une vingtaine de références). Je voudrais, pour terminer, attirer votre attention sur le plat dont Christophe Beaufront vous livre la recette en exclusivité : « le pot au feu de cochon aux épices ». Ce plat cultissime n'a jamais été retiré de la carte depuis sa création, et je pense que s'il le faisait, il risquerait une manifestation de •••

QUELQUES EXEMPLES DE PLATS : **haddock mariné aux baies de genièvre, salade de fenouil et de poires / croustillant de truite et salade de pommes de terre à la graine de moutarde / bœuf coupé au couteau et épices, tartare, mousse d'avocat / filet de rascasse rôti, blettes et échalotes confites, vinaigrette d'olives / aile de raie poêlée, purée de céleri aux amandes ravigote aux fruits / jarret d'agneau braisé au basilic, poêlée de légumes / selle d'agneau en croûte d'herbes, courgettes acidulées aux raisins / chèvre de Touraine, fenouil rôti et mariné / gratin de fraises au carvi, glace au basilic / chaud-froid moelleux au chocolat, glace vanille et caramel au beurre salé / financier et émulsion de mangue et de lait de coco.**

••• convives furieux devant sa porte ! Emblématique de sa cuisine, ce plat illustre tout à fait le propos du chef et je vous encourage vivement à le réaliser pour épater vos convives. Cet établissement, l'un des meilleurs bistro modernes de la capitale, est la parfaite illustration de ce qu'est une table « bistronomique », à la fois dans le cadre, l'accueil, le service, la cuisine, la carte des vins, l'impression qu' « il se passe quelque chose », l'enthousiasme de l'équipe, le supplément d'âme qui fait la différence, les prix… Un « must » je vous dis ! Le revers de la médaille : l'obligation de réserver (pour le dîner surtout) largement à l'avance, car l'endroit n'est pas très grand et n'est ouvert que quatre jours par semaine.

POUR EN SAVOIR PLUS SUR

CHRISTOPHE BEAUFRONT

Né en 1962, Christophe est élevé dans une famille où le goût avait droit de cité. Il est très jeune passionné par la cuisine, mais la résistance de ses parents, opposés à le voir exercer ce métier, retarde son entrée dans la profession. Heureusement, la complicité de son oncle lui permet, au terme de ses études supérieures, d'intégrer l'équipe de Michel Guérard, au sein de laquelle il acquiert les bases du métier. Il fait ensuite le tour de nombreuses « grandes maisons », pour terminer chez Guy Savoy, à la tête d'une importante brigade.

En 1997, fort de toutes ces expériences, il ressent le besoin d'être indépendant et choisit de s'installer avec son épouse dans un lieu à recréer, économiquement accessible, où il pourra être libre de s'exprimer. Pourquoi pas la « Butte aux cailles », à l'époque un quartier en pleine évolution ? Le nom du restaurant, « l'Avant-Goût », né d'un consensus amical, résume bien son désir : offrir un lieu accueillant, aimable et familier à des clients contents de venir goûter ce qu'il prendra toujours plaisir à leur préparer. À savoir une cuisine du marché et de saison, à l'esprit frais et ludique. Christophe Beaufront se plaît ainsi à jouer avec les couleurs, les textures, les saveurs (sucré/acide, sucré/salé, doux/amer, acide/gras). Il aime titiller nos cinq sens. Il aime aussi que ses souvenirs de voyage se retrouvent dans les assiettes, avec des épices, des modes de cuisson et de préparation inhabituels, des assaisonnements originaux (ses vinaigrettes, décidément !) ou encore l'utilisation à contre-courant de certains produits. Enfin, il est convaincu que sa passion pour le vin et la rigueur nécessaire pour le goûter lui sont très bénéfiques pour la réalisation de sa cuisine, que je vous encourage à découvrir rapidement.

ENTRÉE _PLAT _DESSERT

VELOUTÉ DE PETITS POIS FRAIS À LA MENTHE FRAÎCHE ET À L'HUILE D'OLIVE, TARTINE GRILLÉE AU CHÈVRE FRAIS ET RADIS

POUR LE VELOUTÉ FROID
1,5 KG DE PETITS POIS ÉCOSSÉS ET CUITS
1,5 L DE CONSOMMÉ DE POULE OU FOND DE VOLAILLE, FROID
20 CL D'HUILE D'OLIVE
1 BOTTE DE MENTHE FRAÎCHE
SEL ET POIVRE DU MOULIN

POUR LES TARTINES GRILLÉES
6 TRANCHES DE PAIN DE CAMPAGNE, GRILLÉES
200 G DE FROMAGE DE CHÈVRE FRAIS
UN PEU D'HUILE D'OLIVE, SEL ET POIVRE DU MOULIN
1 BOTTE DE RADIS ROSES, PROPRES ET ÉMINCÉS EN FINES RONDELLES

POUR LE VELOUTÉ
Mixez finement tous les ingrédients ensemble, rectifiez l'assaisonnement si nécessaire et conservez le velouté au frais.

POUR LES TARTINES GRILLÉES
Mélangez à la fourchette le chèvre frais avec l'huile d'olive et rectifiez l'assaisonnement si nécessaire. Étalez cette préparation sur le pain grillé, puis recouvrez le fromage de chèvre avec les fines rondelles de radis comme des écailles de poisson.

Servez les deux préparations ensemble, par exemple le velouté dans des verres à cocktail avec une grosse paille de couleur fluo et la tartine en accompagnement.

ET LE CHEF A DIT

« CETTE ENTRÉE PRÉSENTE LE CÔTÉ LUDIQUE ET FRAIS DE MA CUISINE. J'AIME JOUER AVEC LES COULEURS, LES TEXTURES ET LES SAVEURS. »

ENTRÉE_ **PLAT** _DESSERT

POT-AU-FEU DE COCHON AUX ÉPICES

1 GROS JARRET DEMI-SEL
1 PALETTE DEMI-SEL
1 TRAVERS DE CÔTE DEMI-SEL
3 QUEUES DE COCHON,
3 OREILLES DE COCHON
1 POIREAU PARÉ
2 CAROTTES ET 2 OIGNONS PELÉS
1 TÊTE D'AIL
4 GROSSES PATATES DOUCES PELÉES
6 BULBES DE FENOUIL PARÉS
2 CLOUS DE GIROFLE
5 BAIES DE GENIÈVRE
1 BÂTON DE CANNELLE
2 ÉTOILES DE BADIANE
3 PINCÉES DE SAFRAN
1 PINCÉE DE GINGEMBRE
QUELQUES GRAINES DE CORIANDRE ET DE POIVRE
CORNICHONS ET OIGNONS AU VINAIGRE
50 G DE RAIFORT RÂPÉ
GROS SEL, POIVRE EN GRAINS
1 L DE VIN BLANC SEC

Mettez dans un faitout le jarret, la palette, le travers, les queues et les oreilles de cochon, recouvrez d'eau froide et démarrez la cuisson.
Ajoutez le poireau, les carottes, les oignons, l'ail, les épices et le vin blanc sec.
Laissez cuire 4 heures environ ; les viandes doivent être moelleuses.
Une heure avant la fin de la cuisson, récupérez une partie du consommé pour y cuire les patates douces et le fenouil.
Servez le tout avec comme condiments le raifort râpé, les cornichons, les petits oignons au vinaigre et du gros sel

ET LE CHEF A DIT

« CE PLAT ATYPIQUE EST " UN PIED DE NEZ " AU BOEUF, CONSIDÉRÉ COMME PLUS NOBLE, MAIS DISCRÉDITÉ IL Y A QUELQUES ANNÉES AVEC LES PROBLÈMES DE LA VACHE FOLLE. IL EST DEVENU LE MUST DE L'AVANT-GOÛT. »

ENTRÉE_PLAT_**DESSERT**

VERRE DE CHOCOLAT ET DE POIVRON CONFIT AUX FRAMBOISES

125 G DE CHOCOLAT GUANAJA
125 G DE LAIT ENTIER
375 G DE SUCRE
1 TASSE DE CAFÉ SERRÉ
5 JAUNES D'OEUFS
500 G DE PULPE DE POIVRON ROUGE ÉPLUCHÉ
250 G DE SUCRE EN POUDRE (POUR LA PÂTE À POIVRONS)
250 G À 300 G DE FRAMBOISES
SUCRE GLACE

ET LE CHEF A DIT

« CE DESSERT EST UN BON EXEMPLE DE CE QUE PEUVENT DONNER MES RECHERCHES, LORSQUE JE PRENDS LE TEMPS D'Y CONSACRER MES HEURES PERDUES. »

Faites réduire d'au moins un tiers la pulpe de poivron, sans qu'elle attache, avant d'ajouter 250 g de sucre et laissez réduire encore 30 minutes. Laissez refroidir complètement cette pâte de poivron confit.
Pendant ce temps, faites fondre tout doucement dans une casserole à fond épais le chocolat guanaja, le lait entier, 125 g de sucre et 5 cl d'eau.
Ajoutez ensuite au mélange fondu la tasse de café fort et les jaunes d'oeufs (attention : le mélange ne soit pas être trop chaud, sinon il risque de cuire les œufs).
Prenez des verres à fond plat et épais qui supportent la chaleur, remplissez-les d'un quart avec le poivron confit, recouvrez de deux quarts du mélange fondu au chocolat et laissez le dernier quart disponible pour les framboises qui seront disposées juste avant de servir.
Une fois que les verres ont reçu le chocolat, faites-les cuire au bain-marie 12 à 15 minutes en fonction de la puissance de votre four à 120 °C. Laissez-les ensuite refroidir pendant 1 heure au réfrigérateur.
Après ce temps de repos, disposez harmonieusement les framboises à la surface de la crème au chocolat et poudrez de sucre glace avant de servir.

L'OURCINE

MÉTRO GOBELINS
92, RUE BROCA
75 013 PARIS
01 47 07 13 65

SYLVAIN DANIÈRE

FERMÉ DIMANCHE ET LUNDI

PRIX : MENU À 29 €

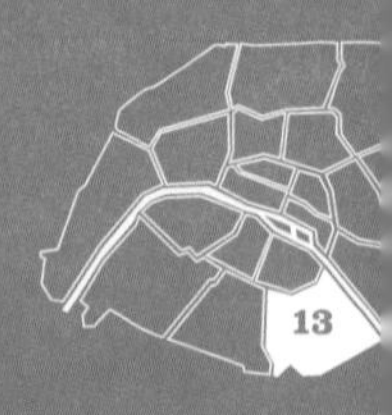

Ce fut la révélation du printemps 2004, dans un quartier où les bonnes tables ne sont pas légion. « L'Ourcine » est une adresse on ne peut plus représentative de ce qui se passe depuis quelques années à Paris. Un jeune chef (à peine 30 ans) talentueux, passé par de belles maisons (et surtout ex-lieutenant de Yves Camdeborde à la « Régalade »), décide de s'installer à son compte, avec sa compagne en salle, pour pratiquer en toute indépendance une cuisine personnelle et instinctive, en se faisant plaisir, et du même coup en faisant plaisir à une clientèle d'amateurs éclairés, de plus en plus jeunes, qui comprennent que la « grande » cuisine n'est pas si inaccessible qu'ils le pensaient.

"L'Ourcine est une adresse on ne peut plus représentative de ce qui se passe depuis quelques années à Paris."

Cette table d'exception, située dans une rue discrète non loin du carrefour des Gobelins, a immédiatement fait l'unanimité. Le cadre y est pourtant très simple : au départ, c'est un vieux bistro d'une quarantaine de couverts ripoliné à neuf où le bois domine (bar, tables, chaises). La décoration est faite de bric et de broc, avec des murs couleur bordeaux, et – ce qui a fait un peu la réputation de l'endroit – une belle armoire pivotante percée en son fond en guise de passe-plat. Voilà pour le cadre, sans génie particulier, mais en tout cas assez pimpant et agréable visuellement. L'intérêt de l'adresse, ce sont surtout les assiettes. Sylvain Danière travaille les produits du marché avec un talent énorme. Il parvient à délivrer dans sa petite cuisine des plats remplis de tonus, de tranchant, de précision et de vigueur, dans un registre à la fois rustique, moderne, canaille, bourgeois, basque. Bref, une cuisine difficile à classer, à étiqueter, mais une cuisine tout simplement excellente, basée avant tout sur des produits d'une fraîcheur remarquable, un savoir-faire incroyable et une grande inspiration. Un petit conseil : gardez une place pour les desserts qui, à mon sens, sont dignes des plus grandes tables parisiennes. Toutes ses fines assiettes sont servies avec gentillesse et enthousiasme par l'adorable épouse du chef à une clientèle assez hétéroclite : des gens du quartier toutes générations confondues, des bobos venus ici exprès, beaucoup de jolies filles, des quidams, parfois des gens célèbres... Le tout dans une ambiance détendue et animée, pleine de vie, bourrée de « bonnes ondes ». Enfin, cerise sur le gâteau : la douceur des additions. Une telle qualité, un tel plaisir, un tel prix, c'est une aubaine. Et puis l'adresse vaut aussi pour sa très sympathique carte des vins, courte mais maligne et tarifée également à des prix très sages, pour l'excellent pain de chez Poujauran, sans oublier le café de la brûlerie des Gobelins... Tout ici témoigne d'un grand professionnalisme. Vous l'aurez compris : « L'Ourcine » est une adresse incontournable qui représente la quintessence de la vague « bistronomique ».

QUELQUES EXEMPLES DE PLATS : **tartare de thon mi-cuit aux épices / parmentier de chair de crabe, mousseline d'avocats et granny smith / oreilles de cochon en farce campagnarde servies en carpaccio et chou rouge / rouget-barbet rôti en portefeuille et poêlée de salicornes / filet mignon de porc rôti à l'ail, ragoût de légumes nouveaux / suprême de canette rôtie, petits pois / crème brûlée, pistaches et framboises dans sa tranche d'ananas poché / crémeux de café « pur Arabica », chocolat mascarpone / nage de pêches pochées rafraîchies à la menthe / blanc-manger au fromage blanc de campagne, rhubarbe et mûres.**

POUR EN SAVOIR PLUS SUR SYLVAIN DANIÈRE

De tous les chefs que j'ai eu la chance de rencontrer pour ce livre, Sylvain Danière est sans nul doute le plus touchant. D'abord il est encore très jeune : tout juste trente ans. Et puis, confie-t-il, il est encore tout étonné d'avoir réussi à ouvrir une adresse « à son compte » (un rêve qui lui semblait inaccessible), que cela marche et qu'on s'intéresse à lui. Revenons rapidement sur son parcours : la « Closerie des Lilas », Fauchon, Harrod's à Londres, Philippe Detourbe, le « Plaza Athénée ». Mais les deux personnages qui l'ont le plus marqué furent d'abord François Pasteau à « l'Épi Dupin » et surtout Yves Camdeborde à « La Régalade » (ces deux adresses figurent d'ailleurs dans cet ouvrage). Il voue à ce dernier une grande admiration et un respect total. C'est véritablement lui qui l'a poussé, canalisé, encouragé. Et après l'échec instructif du « 70 », le restaurant du Parc des Princes dont la direction lui avait confié les cuisines en 2002, il décide de franchir le pas et d'ouvrir avec son épouse « son » adresse : « L'Ourcine ». C'était au printemps 2004, et depuis il travaille d'arrache-pied pour faire marcher sa petite entreprise, avec tout le succès que l'on sait. « Je suis enfin libre, je peux me faire plaisir, élaborer des assiettes au feeling, à l'instinct, en fonction du marché, des idées échangées avec des collègues rencontrés ci et là. » Voilà un personnage vraiment attachant, resté très simple, humble et modeste malgré son talent et le succès plus que mérité de son établissement.

ENTRÉE _PLAT_DESSERT

NAGE DE LISETTES RAFRAICHÎES AU BASILIC, FENOUIL CRAQUANT

9 FILETS DE LISETTES DE 250 G
HUILE D'OLIVE
PIMENT D'ESPELETTE

POUR LA NAGE
2 CAROTTES
1 GROS OIGNON
1/2 BULBE DE FENOUIL
2 GOUSSES D'AIL
THYM ET LAURIER
20 CL DE VIN BLANC SEC
2 ÉTOILES DE BADIANE
1 CLOU DE GIROFLE
1 CUILLERÉE À SOUPE DE POIVRE NOIR
1 CUILLERÉE À SOUPE DE GRAINS DE CORIANDRE
1 FEUILLE DE GÉLATINE (2 G)
1 TIGE DE BASILIC AVEC SES FEUILLES
1/2 CITRON

POUR LE FENOUIL
1 GROS BULBE DE FENOUIL
2 ÉCHALOTES
1 BOTTE DE CIBOULETTE
HUILE ET VINAIGRE, SEL ET POIVRE POUR LA VINAIGRETTE

Faites suer à l'huile d'olive les carottes, l'oignon, le demi-fenouil et les gousses d'ail, le tout taillé en très petits dés ; ajoutez un brin de thym et une feuille de laurier.
Déglacez avec le vin blanc, puis laissez réduire aux deux tiers. Versez un litre d'eau, portez à ébullition et écumez.
Ajoutez toutes les épices (badiane, girofle, poivre noir et coriandre) et le basilic ; laissez frémir 5 à 10 minutes.
Désarêtez les filets de lisette au couteau, en coupant les filets en deux au plus près des arrêtes.
Prenez chaque demi-filet en ramenant la queue à la tête et maintenez-le replié avec un pique-olive en bois ; placez tous les demi-filets ainsi préparés dans un plat creux.
Passez la nage bouillante au chinois sur les filets en réservant 25 cl dans un verre doseur. Recouvrez d'un film alimentaire et laissez refroidir.
Faites fondre la gélatine dans la nage réservée et placez-la au réfrigérateur pour la faire prendre.
Pendant ce temps, émincez très finement le bulbe de fenouil, mélangez-le avec les échalotes et la ciboulette ciselée ; assaisonnez de vinaigrette à votre convenance.
Répartissez les demi-filets de lisette dans des assiettes creuses et placez au centre le fenouil assaisonné.
Dans le verre doseur réservé au réfrigérateur, ajoutez un trait de citron et d'huile d'olive, le basilic, puis, à l'aide d'un mixeur plongeant, mixez le tout pour obtenir une légère mousse.
Versez cette nage mousseuse sur les filets de lisette, ajoutez un trait d'huile d'olive et assaisonnez le dessus d'un peu de piment d'Espelette.

ET LE CHEF A DIT

« CETTE ENTRÉE EST TRÈS RAFRAÎCHISSANTE ET LÉGÈRE. LE BASILIC REHAUSSE LES SAVEURS DE LA LISETTE ET SE MARIE TRÈS BIEN AVEC LE CRAQUANT ET LE GOÛT DU FENOUIL. »

ENTRÉE_ PLAT _DESSERT

ROUGET-GRONDIN RÔTI EN PORTEFEUILLE, POÊLÉE DE SALICORNE

6 ROUGETS GRONDIN DE 300 G CHACUN
900 G DE SALICORNES FRAÎCHES
2 PETITES ÉCHALOTES
SEL ET POIVRE
35 CL D'HUILE D'OLIVE
50 G DE BEURRE
1 JAUNE D'ŒUF
1 CUILLERÉE À CAFÉ DE MOUTARDE DE DIJON
SEL ET POIVRE

Coupez au ciseau les pics dorsaux et ventraux, ainsi que les nageoires des rougets-grondins, puis retirez les ouïes.
Levez les filets de la tête à la queue en prenant soin de ne pas couper la peau du ventre et en laissant les filets attachés à la tête et à la queue.
Coupez le haut de l'arête à la base de la tête, puis tirez-la vers la queue pour l'extraire complètement. Avec une petite pince, désarêtez chaque filet.
Videz les rougets et rincez-les sous un filet d'eau froide, puis épongez-les soigneusement pour bien les sécher.
Blanchissez la salicorne 1 à 2 minutes à l'eau bouillante peu salée, rafraîchissez-la dans l'eau glacée puis égouttez.
Placez les rougets ouverts en portefeuille dans une plaque allant au four, sur un papier cuisson huilé.
Préparez une mayonnaise bien ferme avec le jaune d'oeuf, la moutarde et 25 cl d'huile d'olive.
Badigeonnez les filets de mayonnaise à l'aide d'un pinceau et enfournez 5 minutes à four très chaud (200 °C).
Pendant ce temps, poêlez la salicorne dans le beurre bien chaud et relevez-la en fin de cuisson avec les échalotes finement ciselées ; assaisonnez à votre convenance. (Attention, car la salicorne est déjà fortement iodée.)
Déposez les rougets-grondins sur les assiette de service et ajoutez la salicorne sur toute la longueur. Arrosez le tout d'un bon filet d'huile d'olive vierge

ET LE CHEF A DIT

« CE POISSON DE ROCHE TRÈS PARFUMÉ SE NOURRIT DE LA MAYONNAISE À LA CUISSON ET SON GOÛT EST PARFAITEMENT REHAUSSÉ PAR L'IODE DE LA SALICORNE. »

ENTRÉE_PLAT_DESSERT

RIZ AU LAIT DE COCO RELEVÉ À LA GELÉE DE PIMENT D'ESPELETTE

530 G DE LAIT DE COCO
75 CL DE LAIT
1 GOUSSE DE VANILLE
75 G DE SUCRE
115 G DE RIZ ROND
1 PETIT FLACON DE GELÉE DE PIMENT D'ESPELETTE
3 CUILLERÉES À SOUPE DE CRÈME FOUETTÉE

Faites chauffer dans une casserole le lait de coco avec le lait, le sucre et la gousse de vanille fendue en deux et grattée avec une petite cuillère.
Dès que le liquide se met à bouillir, versez le riz rond et laissez frémir en remuant souvent avec un fouet jusqu'à consistance bien épaisse. Les grains de riz doivent être très moelleux.
Versez le contenu de la casserole dans une coupe de service, couvrez d'un film alimentaire au contact du riz pour éviter qu'il ne se dessèche et laissez refroidir au réfrigérateur.
Lorsque le riz est froid, retirez la gousse de vanille et incorporez la crème fouettée.
Servez en parsemant le dessus de gelée de piment d'Espelette.

ET LE CHEF A DIT

« CE DESSERT DE GRAND-MÈRE AVEC UNE POINTE D'EXOTISME EST UN BON MARIAGE ENTRE LA DOUCEUR DU LAIT DE COCO ET LE FRUITÉ PIQUANT DU PIMENT D'ESPELETTE. »

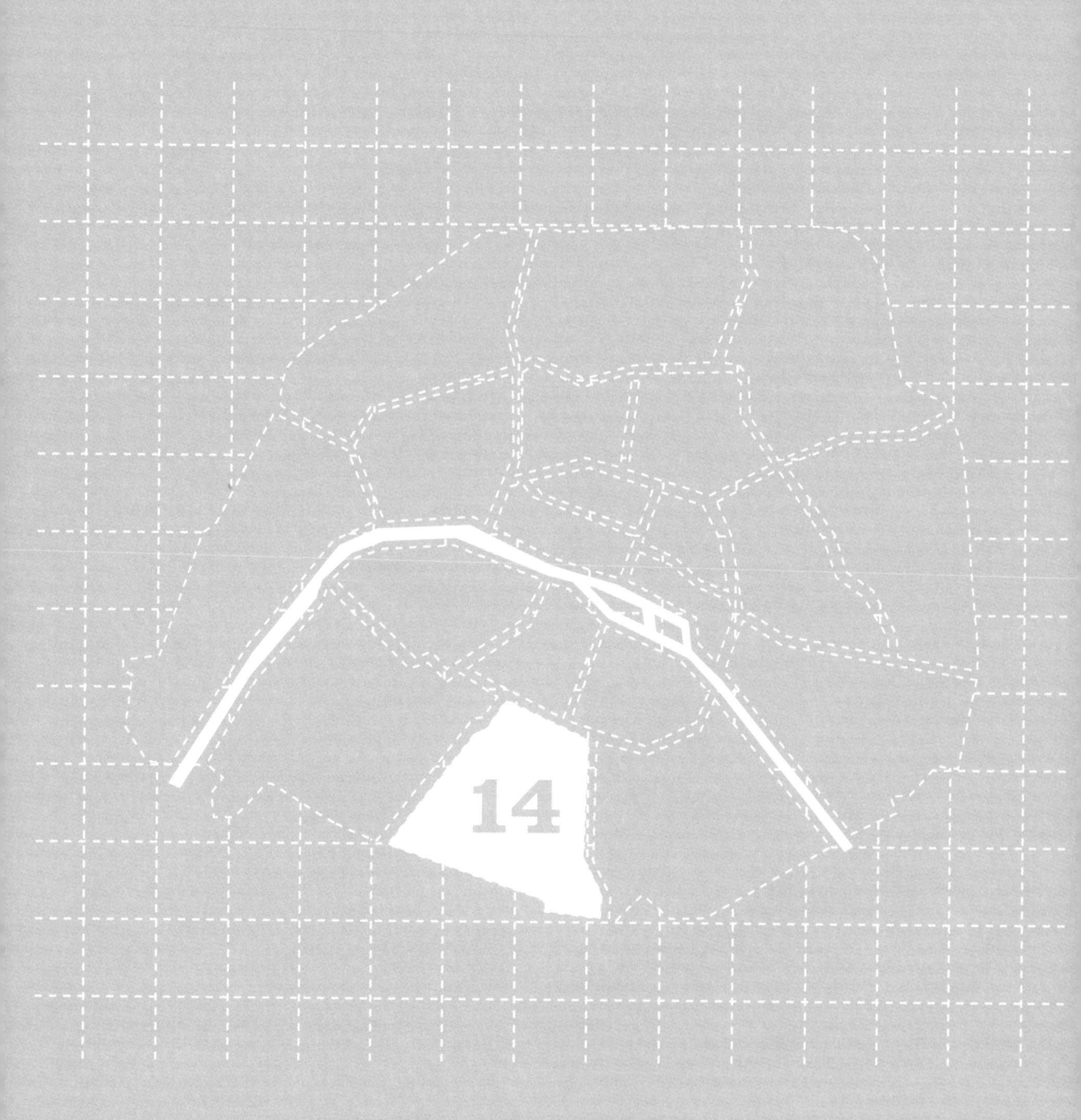
14

14e

LA CERISAIE

CYRIL ET MARYSE LALANNE

MÉTRO EDGAR QUINET OU MONTPARNASSE BIENVENÜE
70, BD EDGAR-QUINET
75 014 PARIS
01 43 20 98 98

FERMÉ SAMEDI ET DIMANCHE
PRIX : MENU-CARTE À 30 €

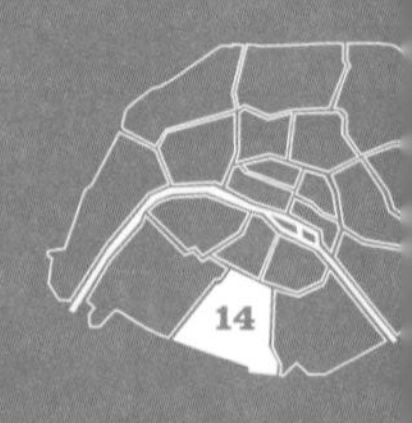

Voilà quatre ans que les jeunes époux Lalanne (lui en cuisine, elle en salle, personne de plus) sont installés dans ce « bistro de poche » (21 couverts) derrière la tour Montparnasse. Voilà quatre ans qu'ils affichent complet à tous les services.
C'est pourtant le genre d'adresse devant laquelle vous pourriez passer des dizaines de fois sans vous arrêter : la devanture, plus que discrète, fait à peine trois mètres de large. Sur la porte peinte en rouge est inscrit « Petit restaurant du Sud-Ouest ». Difficile de trouver plus modeste ! Vous ne viendrez pas non plus ici pour le confort, ni pour le décor, assez passe-partout. Rien de laid, rassurez-vous. Juste une petite salle toute en longueur, dans les tons jaunes et oranges, claire et pimpante, avec des tables bien dressées (nappes et serviettes en coton), mais rapprochées. Je vous conseille de venir avec des amis. Pas pour une demande en mariage ! En revanche, vous allez venir, que dis-je, courir ici pour bien d'autres raisons. D'abord la qualité de l'accueil et du service, assurés par Maryse. Elle est seule en salle, mais elle assure comme trois, détendue, toujours souriante, prévenante, à l'écoute et d'une rare efficacité. En vraie professionnelle (elle a travaillé elle aussi dans de nombreuses belles maisons), elle constitue un relais parfait pour l'exquise cuisine de son mari. Lui, seul donc derrière ses fourneaux, élabore une carte, certes assez courte, mais qui change très régulièrement. Son inspiration est celle du Sud-Ouest, mais un Sud-Ouest revisité, allégé. Ses assiettes, simples au premier abord, sont en fait très fines, raffinées même, recherchées parfois, et d'une grande netteté. On sent qu'il possède un savoir-faire et une technique d'une grande précision, mis au service de beaux produits, toujours bien choisis jour après jour. Bilan : c'est divinement bon, et à des tarifs plus qu'attractifs. Je classe tout simplement cette table parmi les 10 meilleurs menus de Paris à moins de 30 € et je termine en signalant que la carte des vins est à l'image de l'adresse : petite, maligne, percutante, moderne, pas chère (en gros entre 20 et 30 € max) et bien présentée. Les rouges sont ainsi classés en trois catégories : « Légers et fruités », « Soyeux et gourmands », « Charnus et intenses ». Cette carte met surtout en avant les vignerons du Sud de la France, avec de fort jolies trouvailles dans le Sud-Ouest que je vous recommande particulièrement. J'espère sincèrement vous avoir convaincu de réserver au plus vite, car c'est un lieu plein de sincérité, de franchise et d'honnêteté, de gentillesse et de simplicité : un pur bonheur…

" Son inspiration est celle du Sud-Ouest, mais un Sud-Ouest revisité, allégé. "

QUELQUES EXEMPLES DE PLATS : **tourin bigourdan et ravioles de foie gras / terrine de confit de canard et piment basque au vinaigre / asperges blanches des Landes au citron confit / filet de dorade rôti et mijotée de cocos de Pamiers / blanquette de veau aux petits légumes / foie de veau fermier et grosses frites au couteau / foie gras de canard poêlé et galette de maïs / agneau de lait des Pyrénées et pimientos farcis / fromage de Bethmale et gelée de coing / riz au lait et confiture de vieux garçon / baba à l'armagnac et crème fouettée à la vanille / sablé doré aux fraises comme un crumble.**

POUR EN SAVOIR PLUS SUR

CYRIL ET MARYSE LALANNE

Cyril naît en 1973 en Ariège, magnifique département de la région Midi-Pyrénées. Avec en poche deux CAP, l'un de cuisinier, l'autre de pâtissier, il fréquente alors quelques maisons réputées (notamment le « Majestic » et le « Hilton » de Cannes), jusqu'à son arrivée à Toulouse, chez l'immense et ô combien historique « Vanel » au milieu des années 90. Son aventure dans la ville rose se poursuit ensuite avec un poste de pâtissier au « Pastel », l'une des tables les plus courues de la région dirigée par Gérard Garrigues, l'ex-lieutenant d'Alain Dutournier au « Carré des Feuillants ». Là, il y fait la rencontre de sa vie : Maryse, native de l'Aveyron, alors jeune serveuse dans cet établissement étoilé. Ensemble, ils décident de « monter à Paris » à la fin des années 90. Elle prend du grade dans la salle de « L'Oulette », très belle adresse du 12e arrondissement, tandis qu'il entre comme chef de partie dans l'une des plus belles tables classiques de la capitale : « Le Relais Louis XIII » de Manuel Martinez, qui vient alors de quitter les fourneaux de « La Tour d'Argent ». Cyril reconnaît, sans gêne aucune, que c'est avant tout cet homme et cette expérience qui l'ont forgé. Cette période fut très dure – l'homme n'a pas la réputation facile – mais Cyril est aujourd'hui conscient que c'est aux côtés de ce chef craint et respecté qu'il a appris à être endurant, régulier, rigoureux, et aussi bon gestionnaire... À ses yeux, assurément, un tournant dans sa carrière professionnelle. En 1998, Cyril et Maryse se retrouvent tous deux au « Bascou », établissement très en vue dirigé, à l'époque, par Jean-Guy Lousteau (ex-patron de la salle chez Dutournier) : lui est désormais chef de cuisine tandis qu'elle seconde le patron en salle. Une expérience essentielle à leurs yeux, car c'est à ce moment qu'ils se découvrent véritablement, professionnellement parlant. Tout se passe pour le mieux et, trois ans plus tard, arrive le moment qu'ils désiraient secrètement depuis longtemps : l'ouverture d'une petite structure, rien que tous les deux. Ce sera cette minuscule adresse proche de la tour Montparnasse, fin 2001. Depuis, le succès ne se dément pas, mais Maryse et Cyril gardent la tête sur les épaules. Ils restent discrets, surpris qu'on s'intéresse à eux, intimidés par la venue dans leur bistro de grands chefs tels que Michel Bras, Olivier Roellinger ou Jean-Pierre Vigato. J'ai rarement rencontré des restaurateurs aussi heureux, qui ne se plaignent en aucune façon, mais se disent surtout chanceux de leur sort, juste contents de bien exercer leur métier, de donner du plaisir, de rencontrer et d'échanger avec des gens de tous horizons. Une telle fraîcheur juvénile, un tel enthousiasme teinté de modestie font vraiment plaisir à voir. Je vous invite instamment à visiter leur mini-établissement et à essayer les recettes que Cyril vous livre.

ENTRÉE _PLAT _DESSERT

SOUPE DE CHÂTAIGNES

500 G DE CHÂTAIGNES ÉPLUCHÉES
1,5 L DE BOUILLON DE VOLAILLE
150 G DE BEURRE

Réunissez les trois ingrédients dans une cocotte, mélangez et porter à ébullition.
Baissez le feu et laissez mijoter 20 minutes sur feu doux.
Mixez finement et passez au chinois.
Servez !

ET LE CHEF A DIT

« MALGRÉ SON ASPECT ET SON ONCTUOSITÉ, C'EST UNE SOUPE SANS CRÈME. C'EST LA CHÂTAIGNE QUI, UNE FOIS MIXÉE, LUI DONNE CET ASPECT CLAIR. VOUS POUVEZ SI VOUS LE DÉSIREZ REMPLACER LE BEURRE PAR DU FOIE GRAS ET AJOUTER UNE TRÈS LÉGÈRE POINTE DE CARDAMOME. »

ENTRÉE_PLAT_DESSERT

MAGRET D'OIE DES LANDES, POIRES RÔTIES AUX ÉPICES

3 MAGRETS D'OIE
6 POIRES « CONFÉRENCE »
MÉLANGE DE QUATRE ÉPICES (GIROFLE, CANNELLE, POIVRE, CORIANDRE)
25 CL DE BOUILLON DE VOLAILLE
GRAINES DE SÉSAME TORRÉFIÉES
BAIES ROSES
SEL ET POIVRE

ET LE CHEF A DIT

« VOUS POUVEZ AUSSI REMPLACER L'OIE PAR DU CANARD ET, EN ÉTÉ, UTILISER DES PÊCHES DE VIGNE AU LIEU DES POIRES. MAIS JE TROUVE QUE LA CHAIR DE L'OIE SE MARIE PARFAITEMENT AVEC LA POIRE, PAS TROP SUCRÉE. »

Pelez les poires et coupez-les en deux. Retirez le coeur et les pépins.

Gardez toutes les parures et pochez-les dans le bouillon de volaille.

Mettez les demi-poires sur un plat et poudrez-les. Dans une cocotte sur feu vif, déposez les magrets assaisonnés, peau entaillée contre le fond. Laissez griller la peau et videz l'excédent de graisse dans un bol (qui servira à rôtir les poires).
Mettez la cocotte au four à 200 °C pendant 7 à 10 minutes.
Les magrets doivent cuire sans être retournés pour avoir une peau bien croustillante (c'est très important).
Déposez les magrets sur une assiette et laissez reposer une dizaine de minutes la peau en l'air.
Dégraissez la cocotte avec le bouillon de poires.
Réduisez le tout et passez au chinois pour obtenir le jus.
Avec la graisse des magrets récupérée dans le bol, faites rôtir les poires dans une poêle.
Servez les magrets tranchés avec le jus obtenu ci-dessus et les poires rôties parsemées de sésame et baies roses (1 à 2 par poire).

ENTRÉE_PLAT_DESSERT

TARTE FONDANTE AU CHOCOLAT

1 ROULEAU DE PÂTE SABLÉE
400 G DE CHOCOLAT À 70% DE CACAO
250 G DE NUTELLA®
120 G DE BEURRE SALÉ
3 ŒUFS ENTIERS

Étalez la pâte sablée dans un moule de 28 cm de diamètre, piquez le fond avec une fourchette et laissez reposer au congélateur durant 2 heures.
Préchauffez le four à 200 °C et faites cuire la pâte jusqu'à ce qu'elle soit entièrement dorée (15 minutes environ).
Réunissez dans un saladier le chocolat, le Nutella® et le beurre ; passez le tout au micro-ondes durant 3 minutes.
Battez les œufs en omelette et incorporez-les au mélange précédent.
Versez le tout sur le fond de tarte sablé et faites-les cuire dans le four pendant 5 minutes à 200 °C. Laissez refroidir à température ambiante avant de servir.

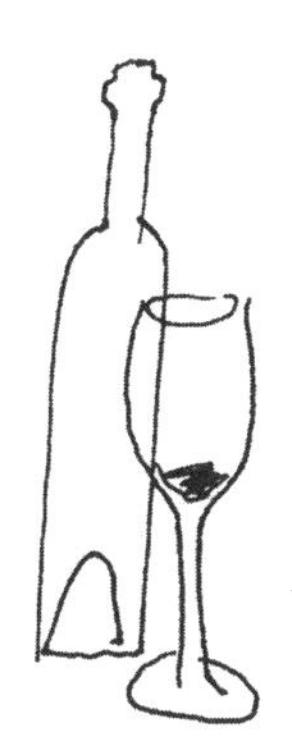

ET LE CHEF A DIT

« CE DESSERT NE QUITTE JAMAIS L'ARDOISE CAR IL A UN SUCCÈS FOU. JE VOUS CONSEILLE DE L'ACCOMPAGNER D'UNE BOULE DE GLACE CAFÉ (OU NOISETTES). ATTENTION : RESPECTEZ SCRUPULEUSEMENT LES INDICATIONS, CAR CETTE RECETTE NE SOUFFRE PAS L'IMPRÉCISION ! »

L'O À LA BOUCHE

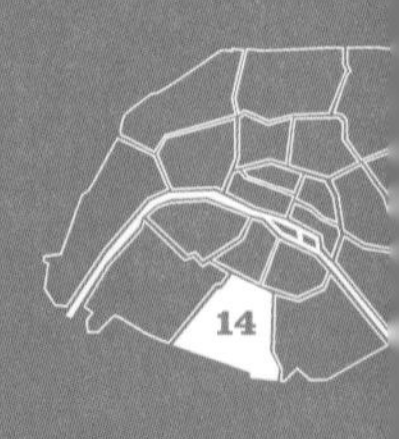

MÉTRO VAVIN
124, BD DU MONTPARNASSE
75 014 PARIS
01 56 54 01 55

FRANCK ET LYSIANE PAQUIER

FERMÉ DIMANCHE ET LUNDI

PRIX : MENU À 32 €

MENU DÉJEUNER À 20,8 €

Le quartier Montparnasse ne déborde pas d'adresses intéressantes, c'est le moins que l'on puisse dire. La majorité des restaurants n'y sont ni plus ni moins que de gentilles arnaques : mauvaises « chaînes » chères et fausses-vraies brasseries, au milieu des pizzerias et des crêperies. « L'O à la bouche » fait partie des rares tables qui ne se moquent pas de la clientèle. Lysiane Paquier et sa jeune équipe compétente vous accueillent dans un cadre confortable et élégant, d'inspiration discrètement provençale : couleurs chaudes, fer forgé, toiles, tables joliment dressées. Derrière ses fourneaux, Franck Paquier, ancien élève de Troisgros et Savoy, concocte une cuisine de qualité, entre bistro-chic et gastro, tendance méditerranéenne. De ses glorieuses expériences, Franck a retenu la sélection rigoureuse des produits, un savoir-faire irréprochable, une technique précise et l'originale simplicité des assiettes. Sa cuisine est enlevée, goûteuse et charmeuse. Sa carte est séduisante, à mi-chemin entre terroir et incursions contemporaines, avec en saison de jolis accents du Sud,
facturée à des prix qui savent raison garder (le menu déjeuner est même plus qu'une aubaine). Cette table est sans doute l'un des meilleurs rapports qualité + confort / prix du quartier. Pas étonnant que de nombreux riverains aient ici leur rond de serviette.

“Sa cuisine est enlevée, goûteuse et charmeuse.”

QUELQUES EXEMPLES DE PLATS : **risotto safrané aux gambas croustillantes et zestes d'agrumes / fondant chaud de crabe à la coriandre / filet de bar en écailles, artichauts et shiitake, jus à l'estragon / filet de canette au miel de garrigue et poires avec salade croustillante de céleri aux fruits secs / osso-buco à la tomate, basilic et olives, gratin de macaroni au parmesan / selle d'agneau au chèvre cendré en croûte / craquant aux fruits exotiques, sorbet mangue et banane / coulant tiède au chocolat « guanaja », glace praliné et tuile au grué de cacao.**

POUR EN SAVOIR PLUS SUR FRANCK ET LYSIANE PAQUIER

Franck et Lysiane, tous deux issus de l'école hôtelière, se rencontrent dans un restaurant (français) réputé de Londres à la fin des années 80. Lui est en cuisine, elle officie en salle. Dès cet instant, ils savent déjà qu'à terme ils ouvriront ensemble un endroit bien à eux. Mais en attendant ce jour rêvé, ils savent parfaitement qu'il leur faut continuer à acquérir de solides bases, tant au niveau de la cuisine, des vins, que de l'accueil ou du service. À leur retour en France en 1989, Frank part durant deux ans à Roanne chez « Troisgros », l'une des maisons les plus prestigieuses de l'Hexagone, tandis que son épouse se perfectionne à Lyon, chez « Orsi », une adresse parmi les plus renommées de la ville. Ils reviennent à Paris en 1991 pour intégrer les équipes du déjà grand chef Guy Savoy. Ils gardent de cette époque un souvenir très fort, certains que c'est en grande partie avec ce « maître » ès gastronomie qu'ils ont appris tous deux l'essentiel de leur métier, les bases incontournables, les réflexes qui leur semblent désormais innés. Au bout de cinq ans de bons et loyaux services aux côtés du médiatique chef barbu, ils décident enfin de franchir le pas. C'est ainsi qu'ouvre en 1996 à Montparnasse « L'O à la bouche », « leur » adresse, celle qu'ils s'étaient promis en Angleterre d'ouvrir un jour en France, avec Franck aux fourneaux et Lysiane à la tête du service. Et une ligne de conduite qui n'a jamais bougé depuis : continuer à appliquer les « bonnes manières » apprises auprès des grandes tables, aussi bien en cuisine qu'en salle, mais à l'échelle d'un endroit plus modeste, plus accessible, en essayant de maximiser le rapport qualité + confort / prix. Force est de reconnaître que leur table, dans un registre contemporain très juste, avec ses incursions pertinentes vers la Provence, est l'une des plus courues du quartier Montparnasse. Je ne saurais trop vous recommander d'aller goûter la cuisine de Franck Paquier, un chef discret, « droit dans ses bottes », qui ne se soucie pas des modes, ni nostalgique, ni avant-gardiste, juste bien dans son temps, sincère, serein et travailleur. Sa philosophie ? Elle est d'une grande simplicité, mais elle fait du bien à entendre : « Pour que la cuisine reste un plaisir et une priorité de notre culture, il faut non seulement qu'elle soit abordable pas le plus grand nombre, mais également qu'elle soit accessible techniquement à tous ». À vous d'essayer donc les recettes qui suivent.

ENTRÉE _PLAT _DESSERT

CROUSTILLANT DE CHÈVRE CENDRÉ AUX NOIX, MÂCHE ET VINAIGRE BALSAMIQUE

1 CHÈVRE CENDRÉ EN FORME DE BÛCHE
3 FEUILLES DE BRIK
100 G DE CERNEAUX DE NOIX
1 BARQUETTE DE MÂCHE
5 CL D'HUILE D'OLIVE
5 CL DE VINAIGRE BALSAMIQUE
SEL ET POIVRE
PIQUES EN BOIS

Taillez le chèvre en douze rondelles égales.
Taillez chaque feuille de brik en huit morceaux triangulaires.
Superposez deux triangles de brik en étoile.
Déposez au centre une tranche de chèvre et recouvrez de cerneaux de noix.
Rabattez les feuilles de brik sur la garniture et maintenez-les fermées avec un ou deux piques en bois.
Recommencez les opérations précédentes jusqu'à épuisement des ingrédients.
Enfournez les douze croustillants sur la tôle à pâtisserie à 210 °C pendant 5 minutes.
Servez sur un lit de mâche assaisonnée d'huile d'olive et de vinaigre balsamique.

ET LE CHEF A DIT

« ON PEUT VARIER LA RECETTE EN REMPLAÇANT LE CHÈVRE CENDRÉ PAR DU CHÈVRE CLASSIQUE, LES NOIX PAR DES PIGNONS DE PIN ET LA MÂCHE PAR DE LA ROQUETTE. »

ENTRÉE_ PLAT _DESSERT

BROCHETTES DE SAINT-JACQUES ET LANGOUSTINES, CAVIAR D'AUBERGINE ET JUS À LA SARRIETTE

18 NOIX DE SAINT-JACQUES
18 LANGOUSTINES
4 GROSSES AUBERGINES
100 G D'ÉCHALOTES
1 POIVRON ROUGE
1 BOTTE DE SARRIETTE
10 CL D'HUILE D'OLIVE
SEL ET POIVRE
6 BROCHETTES

POUR LE CAVIAR D'AUBERGINE
Coupez les aubergines en deux et incisez la chair en croisillons.
Badigeonnez-les d'huile d'olive, salez et poivrez, ajoutez les tiges de sarriette et faites-les rôtir dans le four à 200 °C pendant 45 minutes.
Pendant ce temps, ciselez les échalotes et hachez le poivron épépiné ; faites-les suer 10 minutes à l'huile d'olive ; salez et poivrez.
Récupérez la chair des aubergines en jetant le peau ; hachez-la, puis mélangez-la avec les échalotes et le poivron.

PRÉPARATION DES BROCHETTES
Nettoyez les Saint-Jacques et décortiquez à cru les langoustines.
Embrochez sur chaque brochette trois Saint-Jacques et trois langoustines.
Mettez les carapaces des langoustines dans une casserole, couvrez d'eau à hauteur et faites réduire sur feu vif à 25 cl.
Passez en écrasant avec le dos d'une cuillère en bois pour obtenir le fumet, goûtez et rectifiez l'assaisonnement.
Faites griller les brochettes pendant 1 minute de chaque côté.

POUR SERVIR
Répartissez le caviar d'aubergine sur les assiettes de service, posez les brochettes dessus et arrosez avec le fumet. Ajoutez quelques feuilles de sarriette ciselées et un trait d'huile d'olive.

ET LE CHEF A DIT

« POUR FACILITER LA CUISSON, CHOISISSEZ DES SAINT-JACQUES ET DES LANGOUSTINES DE TAILLE ÉQUIVALENTE. VOUS POUVEZ ÉGALEMENT AJOUTER SUR LES BROCHETTES DES MORCEAUX D'OIGNON ET DE POIVRON. ENFIN, ON PEUT REMPLACER LA SARRIETTE PAR DE LA MARJOLAINE. »

ENTRÉE_PLAT_DESSERT

CLAFOUTIS AUX FRAMBOISES

30 G DE FARINE
30 CL DE LAIT
30 CL DE CRÈME FLEURETTE
4 GROS OEUFS
150 G DE SUCRE
75 G D'AMANDES EN POUDRE
380 G DE FRAMBOISES
6 MOULES INDIVIDUELS

Mélangez dans une terrine les œufs, le sucre, la poudre d'amandes et la farine.
Versez la crème fleurette, mélangez, puis ajoutez le lait en dernier.
Répartissez cette préparation dans les moules individuels.
Ajoutez les framboises sur le dessus.
Faites cuire dans le four à 190 °C pendant 15 minutes.

ET LE CHEF A DIT

« C'EST UN DESSERT QUI A HANTÉ TOUTE MON ENFANCE. IL EST PRÉFÉRABLE DE LE SERVIR TIÈDE, AVEC ÉVENTUELLEMENT UNE GLACE VANILLE. L'AUTOMNE, ON PEUT REMPLACER LES FRAMBOISES PAR DES MÛRES. »

LA RÉGALADE

MÉTRO ALÉSIA
49, AVENUE JEAN-MOULIN
75 014 PARIS
01 45 45 68 58

BRUNO DOUCET

FERMÉ SAMEDI, DIMANCHE ET LUNDI MIDI

PRIX : MENU À 30 € SERVI MIDI ET SOIR

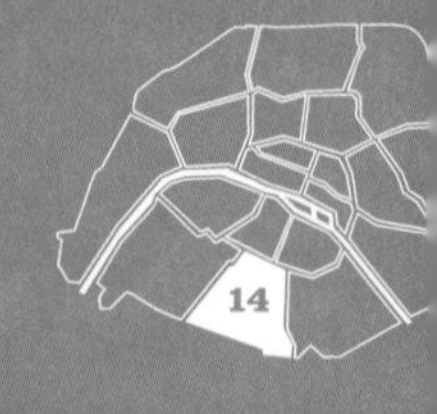

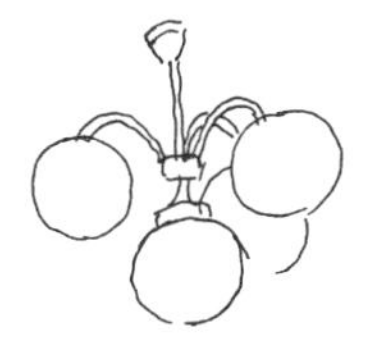

Pour une fois, je ne peux pas croire que vous n'ayez jamais entendu parler de cette table. Ou alors, vous étiez expatrié en Papouasie-Nouvelle-Guinée depuis plus de dix ans ! En effet, depuis le milieu des années 90, aucune autre table parisienne n'a suscité autant d'articles de presse, d'émissions de radio ou de télé. En outre, tout cela est amplement mérité. Car «La Régalade», c'est énooorme… Il s'agit de LA table référence quand on parle de «bistronomie», la tendance dont cet ouvrage veut se faire l'écho, souvent imitée, mais finalement rarement (jamais ?) égalée. Son fondateur, le charismatique et essentiel Yves Camdeborde, est désormais parti vers d'autres aventures, mais son successeur Bruno Doucet a parfaitement assuré la transition, en douceur, sans rien changer en apparence. Il faudrait être de très mauvaise foi pour déceler une once de baisse de qualité. Je dirais même plus : après trois repas faits ici depuis l'arrivée de ce nouveau jeune chef, il me semble que c'est peut-être encore un peu mieux qu'avant (aïe, je ne viens pas de me faire des amis). Et le public ne s'y trompe pas : cette adresse figure toujours parmi les cinq tables parisiennes les plus convoitées au dîner (il faut s'y prendre plusieurs semaines à l'avance). Alors, pour les rares qui ne connaissent pas encore cet endroit mythique, voici les raisons de cet engouement massif.

Une chose est sûre, vous ne viendrez pas à « La Régalade» pour l'emplacement. Sans être méchant, qui aurait envie de venir se perdre au fin fond du 14e arrondissement, dans cette espèce de *no man's land* proche de la porte de Châtillon ? Qui plus est, la devanture anodine, pas très encourageante, ressemble à des centaines d'autres. Alors, me direz-vous, où est l'intérêt ? Il suffit de pousser la porte pour comprendre. Sentez cette atmosphère enflammée, bruyante et sympathique, conviviale et festive. Observez la clientèle : variée, de tout âge et de tout standing, de toute nationalité, des couples, des amis, des bons vivants, des gourmands décidés, mais aussi du «beautiful people». Sans parler des

"Il s'agit de LA table référence quand on parle de «bistronomie»."

quelques inévitables clients qui attendent leur table et patientent gentiment en sirotant un verre au bar. Jetez aussi un coup d'œil au décor : un pur troquet à l'ancienne, une espèce d'auberge de province pimpante, une sorte de bric-à-brac étudié, où le bois domine et où les torchons font office de nappes. À table maintenant ! À peine installé, on vous apporte avec la carte un panier de cochonnailles à se damner : boudin froid, saucisson, andouille, terrine de campagne, le tout à déguster avec un excellent pain de campagne tranché épais et des cornichons maison. Et vous vous dites qu'une charcuterie de cette qualité, à volonté qui plus est, ce n'est vraiment pas tous les jours… Mais allez-y doucement, car le plus intéressant est encore à venir. Les plats qui sortent de la minuscule cuisine sont en effet renversants de bonheur et touchent au quasi-sublime. Comment vous décrire plus précisément ces assiettes ? Avant tout, pleines de produits de saison magnifiques : par exemple, franchement, les yeux dans les yeux, un agneau de cette qualité, depuis quand n'en aviez-vous pas mangé ? Des produits mis en valeur par des cuissons parfaitement maîtrisées pour une cuisine savoureuse, généreuse, inspirée par le terroir béarnais (mais pas seulement), authentique et vivante, à la fois «brute» et «fine». Le tout à des tarifs incroyablement serrés : pour 50 € par personne TOUT compris (grâce à une cave dans le même esprit que les assiettes : fouineuse, percutante et à prix tout doux), vous ferez ici des repas d'une qualité rare, faits de plaisirs émouvants et d'un raffinement intense, voire luxueux, malgré les intitulés «ménagers» de la plupart des plats. Certes, il existe des endroits plus confortables, mais sinon, vous l'aurez compris, ici tout n'est que bonheur : l'ambiance, le service agité mais toujours souriant et efficace, la charcuterie en guise d'accueil, la cuisine, les prix, et surtout la «philosophie» générale de cette •••

QUELQUES EXEMPLES DE PLATS : **feuilleté de morilles aux asperges / compote de cèpes à l'huile de truffe blanche / Saint-Jacques en coques rôties au beurre d'herbes / pomme Macaire de boudin noir béarnais / agneau de Bellac frotté à l'ail / poêlée de chipirons façon pibales, riz crémeux à l'encre / filet de dorade grise épaisse de Bretagne cuite au beurre demi-sel / crémeux de café de Guadeloupe, chocolat et mascarpone / pot de crème à la vanille Bourbon, langues de chat maison / soufflé chaud au Grand-Marnier®.**

••• adresse, son authenticité, sa simplicité, voire son humanité…
Je terminerai par quelques petits conseils complémentaires. Si vous êtes amateur de gibier, c'est impérativement ici qu'il faut se rendre en pleine saison : pour quelques suppléments au menu (joliment intitulés « coups de fusil »), vous pourrez ainsi déguster par exemple un « perdreau rouge rôti à la ventrêche » après un « pressé de chevreuil et foie gras, girolles au vinaigre de Banyuls » ou, comme moi la dernière fois, une extraordinaire « tourte chaude de gibier au foie gras et champignons des bois » suivie d'une mémorable « palombe rôtie aux cèpes ». J'en pleure encore de bonheur (surtout à ce prix-là). Si vous voulez éviter le coude à coude souvent obligatoire (mais pas forcément désagréable…), je vous conseille de venir à six et de réserver la seule table ronde, au milieu de la salle. Enfin, s'il est vrai qu'obtenir une table le soir relève du parcours du combattant, en revanche, le midi, c'est plus facile. Alors qu'attendez-vous pour prendre votre vendredi après-midi et venir faire ici l'un des meilleurs repas de votre vie ?

POUR EN SAVOIR PLUS SUR BRUNO DOUCET

Bruno Doucet mérite d'abord un énorme coup de chapeau. Car il en fallait du courage pour reprendre ce monument ! Le pari de succéder à Yves Camdeborde, dans la maison emblématique qu'il avait fondée, était en effet plus que risqué. Mais Bruno Doucet a su le relever avec énormément de talent (même maîtrise dans les assiettes) et beaucoup de sagesse (mêmes prix, même personnel). Force est de reconnaître que la transition s'est parfaitement déroulée et que Bruno Doucet a su faire oublier le cultissime Béarnais. Tout le monde est rassuré : un repas à « La Régalade » est toujours un moment épatant. Mais d'où vient donc ce jeune et sympathique chef ? Petit retour en 1993 : Bruno arrive à Paris et passe huit mois au célèbre « Fouquet's » des Champs-Élysées. En 1994, après son service militaire en compagnie du général Morillon, il intègre la maison « Prunier » où il reste trois ans en franchissant petit à petit tous les grades pour terminer sous-chef en 1997. Il entre alors chez le génial Pierre Gagnaire (à mon sens la meilleure table de la capitale) : ce poète, cet artiste, ce maître le marquera à tout jamais. À ses yeux, c'est le créateur absolu. Quelques mois plus tard, en 1999, il devient le lieutenant en cuisine de Jean-Pierre Vigato dans son restaurant « Apicius » (encore une très grande table). Bruno garde de cette époque le souvenir mémorable d'un homme généreux dans tous les sens du terme. En 2001, il est pour la première fois seul à la tête d'une brigade, en devenant le chef du restaurant « Natachef » géré par Nathalie Vigato, la femme de son ancien patron. Désireux de s'installer à son compte, il quitte cet endroit près de trois ans plus tard à la recherche d'une affaire à reprendre : ce sera « La Régalade ». Il y assure son premier service le 19 avril 2004, non sans appréhension. Mais vous connaissez l'heureuse suite. Vu ce magnifique parcours, Yves Camdeborde pouvait avoir confiance et partir tranquille : il savait qu'il ne laissait pas son bébé à n'importe qui. Vous comprenez mieux, maintenant, les raisons du succès de Bruno Doucet à « La Régalade » : il avait vraiment tous les atouts pour relever le défi. Depuis, sa motivation reste la même : être à l'écoute de sa clientèle et se remettre en question tous les jours (il n'a encore jamais manqué un service), avec une vision culinaire simple, mais poussée ici à son maximum, « le produit, la cuisson, les assaisonnements ».

ENTRÉE _PLAT _DESSERT

PETIT-SALÉ D'ESCARGOTS AUX HERBES

75 G DE LENTILLES VERTES DU PUY
36 ESCARGOTS
3 TRANCHES DE POITRINE FUMÉE D'ENVIRON 5 MM D'ÉPAISSEUR
1 CAROTTE
1 ÉCHALOTE
1 BRANCHE DE THYM
75 CL DE CRÈME LIQUIDE
1 BOUQUET DE CIBOULETTE
1 BOUQUET DE PERSIL PLAT
75 G DE BEURRE
1 GOUSSE D'AIL
SEL, POIVRE

Faites cuire les lentilles à l'eau avec la branche de thym, la carotte et l'oignon pelés. Salez aux trois-quarts de la cuisson. Quand elles sont cuites, égouttez-les et gardez 35 cl de cuisson.
Récupérez la carotte et détaillez-la en petits dés.
Faites fondre dans 15 g de beurre moussant l'échalote ciselée et la gousse d'ail écrasée, puis ajoutez les lardons de poitrine fumée. Laissez fondre et ajoutez les lentilles.
Laissez mijoter environ 10 minutes puis ajoutez le jus de cuisson des lentilles.
Laissez mijoter de nouveau, ajoutez la crème et laissez cuire encore une dizaine de minutes.
Poêlez les escargots dans le reste de beurre moussant. Assaisonnez.
Rajoutez une pointe d'ail haché et les herbes ciselées. Égouttez.
Versez les lentilles dans un caquelon bien chaud, avec les escargots par-dessus. Dégustez très chaud.

ET LE CHEF A DIT

« VOICI UNE ENTRÉE FORT SIMPLE À RÉALISER ET PEU ONÉREUSE QUI EST SOUVENT À LA CARTE EN HIVER. C'EST L'ADAPTATION D'UNE RECETTE DE MA GRAND-MÈRE QUI NOUS LA PRÉPARAIT LORSQUE NOUS RENTRIONS DE LA CHASSE AVEC MON PÈRE ET MON GRAND-PÈRE. »

ENTRÉE_ PLAT _DESSERT

MAGRETS DE CANARD DES LANDES RÔTIS SUR LEUR GRAISSE, LÉGUMES DE PRINTEMPS AU JUS

3 MAGRETS DE CANARD D'ENVIRON 400 G CHACUN
1 CUILLERÉE À SOUPE DE GRAISSE DE CANARD
6 TRANCHES DE FOIE GRAS D'ENVIRON 80 G CHACUNE
1 BOTTE DE NAVETS NOUVEAUX
1 BOTTE DE CAROTTES NOUVELLES
1 BOTTE D'OIGNONS NOUVEAUX
600 G DE PETITS POIS FRAIS
600 G DE FÈVES
1 BOTTE DE PERSIL PLAT
150 G DE BEURRE
22 CL DE JUS DE VOLAILLE
GROS SEL
SEL FIN ET POIVRE DU MOULIN

ET LE CHEF A DIT

« C'EST À MON AVIS UN PLAT TRÈS REPRÉSENTATIF DE L'IMAGE DE "LA RÉGALADE". SON INTÉRÊT RÉSIDE DANS LE CONTRASTE ENTRE LA ROBUSTESSE DU MAGRET ET DU FOIE GRAS, PARFAITEMENT CONTREBALANCÉE PAR LA FRAÎCHEUR ET LA LÉGÈRETÉ DES LÉGUMES DE PRINTEMPS. »

Mettez une grande casserole d'eau à bouillir, fortement salée.
Épluchez tous les légumes, en prenant bien soin de garder une petite fane sur les carottes et les navets.
Faites cuire dans l'eau bouillante tous les légumes séparément en les refroidissant dès la sortie de l'eau bouillante dans de l'eau glacée. Puis égouttez sur un linge et réservez.
Parez les magrets de leur graisse en prenant soin d'en laisser environ 5 mm. Assaisonnez de sel et de poivre.
Dans une grande casserole à fond épais bien chaude, disposez les magrets côté graisse dessous et laissez fondre la graisse tout doucement à feu doux.
Augmentez le gaz légèrement et laissez cuire environ 7 à 8 minutes.
Retournez les magrets, laissez cuire environ 2 minutes en les arrosant avec une cuillerée de graisse de canard.
Retirez les magrets du feu et laissez reposer sous une feuille de papier aluminium.
Dégraissez la casserole, ajoutez le beurre et faites légèrement revenir les légumes pendant quelques minutes. Assaisonnez de sel et de poivre. Déglacez avec le jus de volaille. Faites réduire pendant 1 minute et ajoutez les feuilles de persil.
Assaisonnez de sel et poivre les tranches de foie gras sur chaque face.
Poêlez les tranches de foie gras dans une poêle anti-adhésive très chaude durant 40 secondes sur chaque face.
Passez les magrets au four préchauffé à 180 °C durant 2 minutes, puis tranchez-les en quatre dans le sens de la longueur.
Disposez les légumes au fond d'un plat avec tout leur jus.
Ajoutez par-dessus les magrets en les intercalant avec les tranches de foie gras.

ENTRÉE_PLAT_DESSERT

FRAÎCHEUR DE FRAISES ET RHUBARBE, FROMAGE BLANC BATTU À LA VANILLE

4 GROSSES TIGES DE RHUBARBE
2 POMMES
350 DE FRAISES (GARIGUETTES DE PRÉFÉRENCE)
300 G DE FROMAGE BLANC
160 G DE SUCRE
1 GOUSSE DE VANILLE
150 G DE COULIS DE FRUITS ROUGES

Épluchez les tiges de rhubarbe, coupez-les en dés dans une terrine, ajoutez la moitié du sucre et laissez macérer pendant environ 1 heure 30.
Égouttez la rhubarbe de son excédent d'eau, mettez-la dans une casserole avec les pommes pelées et coupées en dés, ajoutez le reste de sucre.
Faites cuire à feu doux jusqu'à consistance de compote.
Laissez refroidir complétement.
Battez le fromage blanc avec les petites graines noires de la gousse de vanille grattée. On peut ajouter du sucre, mais si les fraises sont assez sucrées, ce n'est pas nécessaire.
Coupez les fraises en quatre, liez avec le coulis de fruits rouges.
Déposez le mélange rhubarbe-pommes dans le fond de six grands verres, ajoutez ensuite le fromage blanc battu et terminez par les fraises au coulis. Dégustez très froid.

« C'EST UN DESSERT QUI, GRÂCE À LA RHUBARBE, ME RAPPELLE COMPLÈTEMENT MON ENFANCE. IL MET EN OPPOSITION DIRECTE L'ACIDITÉ (DE LA RHUBARBE) ET LE SUCRÉ (DES FRAISES), LE TOUT ADOUCI PAR L'ONCTUOSITÉ DU FROMAGE BLANC. EN OUTRE, C'EST UN DESSERT ASSEZ FACILE À RÉALISER ET QUI OFFRE UNE PRÉSENTATION TRÈS ESTHÉTIQUE QUI RAVIRA VOS CONVIVES. »

15
15

15e

L'AMI MARCEL

MÉTRO PLAISANCE
OU CONVENTION
33, RUE GEORGES-PITARD
75 015 PARIS
01 48 56 62 06

ÉRIC MARTINS

FERMÉ DIMANCHE ET LUNDI

PRIX : MENU AU DÎNER À 30 €
MENU DÉJEUNER À 25 €

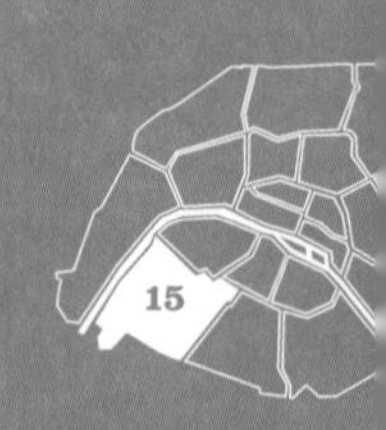

J'ai longtemps habité le 15e arrondissement. Or, quand je vois le nombre de tables de qualité qui ont vu le jour depuis que j'ai déménagé, je le regrette un peu ! « L'Ami Marcel », table ouverte durant l'été 2004, est la parfaite illustration du dynamisme « bistronomique » de ce quartier. L'établissement est tenu par un couple de trentenaires, Éric et Johanna Martins, tous les deux grands professionnels de la salle, avec un parcours impressionnant (Ledoyen, Lucas Carton, Apicius, Hèlène Darroze). Inutile, donc, d'insister sur la qualité sans faille de l'accueil et du service, doublés d'une extrême gentillesse et d'un enthousiasme communicatif : ça frise la perfection. Le décor de ce bistro (voire de ce café) n'a quant à lui guère d'importance, même si il a été entièrement revu et corrigé par les nouveaux propriétaires (vous pourrez notamment voir de près comment tirer parti de panneaux de formica, a priori plutôt moches, en les harmonisant parfaitement avec les rideaux) : il est finalement assez sympa, dans des dominantes marrons. Quelques mots sur l'ambiance : très animée mais courtoise, avec une clientèle typique du 15e (beaucoup d'habitués venus en voisins), de tous âges, à deux ou en groupes, pour une atmosphère assez provinciale et détendue, mais plutôt bruyante, qui couvre un peu la bonne musique de fond (classique, soul, jazz). On y sent une vraie vie de quartier, et c'est très agréable. Mais venons-en à l'essentiel. Aux fourneaux se trouve Pascal, un chef également estampillé « grandes maisons » que le patron Éric a débauché de l'équipe de Pierre Gagnaire. Doué d'une technique exemplaire, il ne cherche pas midi à quatorze heures et réalise une très jolie cuisine sans chichis inutiles,

"Une pure table de quartier, jeune et enjouée."

basée sur de beaux produits du marché, enlevée et goûteuse, habile et généreuse, bien dans le ton « bistronomique ». Bilan : une pure table de quartier, jeune et enjouée, d'une grande exigence tant en salle qu'en cuisine, bonne et pas chère. Le genre de réussite que le monde entier envie aujourd'hui aux Parisiens. Même si vous n'habitez pas dans le coin, cette adresse mérite largement que l'on traverse la capitale.

QUELQUES EXEMPLES DE PLATS : **lentilles vertes du Puy en salade, jabugo pata negra et huile de noisette / foie gras de canard poché au vin rouge, pain d'épices et pousses d'épinards / sardines et lisettes confites, taboulé aux raisins blonds / bar sauvage rôti, fenouil braisé à l'orange, jus réduit à la badiane / filet de lieu jaune poêlé, gratin de blettes et cardons, lard paysan croustillant / rougets de roche à la plancha, caviar d'aubergines, huile de basilic / boudin noir fermier poêlé, pommes au curry et châtaignes / filet de rumsteck de Salers, pommes de terre grenaille, jus réduit à la gueuze / fondant au chocolat, glace lait de coco / mille-feuille "minute" à la vanille Bourbon, glace caramel salé / duo de pamplemousse rose et orange au safran, sorbet orange sanguine et crème citron.**

POUR EN SAVOIR PLUS SUR ÉRIC MARTINS

Éric Martins, depuis toujours passionné par la restauration, rentre à l'adolescence à l'école hôtelière Jean Drouant, dans le 17e. Son CAP en poche, il décide de se spécialiser finalement pour la salle, par goût du contact avec les clients. Son parcours professionnel débute véritablement en 1988 quand, à 18 ans, il entre comme commis chez « Maxim's », rue Royale. Il y reste six ans pour y terminer chef de rang : « Une très belle expérience. « Maxim's » était alors au top, on y pratiquait encore les trois services : à l'anglaise, à la française, à la russe ! Et j'ai aimé travailler dans cette ambiance respectueuse de la hiérarchie et de la tradition ». En 1994, il quitte cette vénérable institution pour un poste de maître d'hôtel (puis très vite directeur de salle) chez « Ledoyen », établissement doublement étoilé, alors dirigé en cuisine par la médiatique Ghislaine Arabian. Ce qui l'attire, outre le poste très valorisant, c'est surtout la cuisine novatrice de cette dernière. Trois ans plus tard, Éric a envie d'en connaître davantage sur les vins et de progresser en particulier sur les accords entre mets et vins, afin d'être plus pertinent en salle au moment de conseiller les clients. Il postule donc chez le précurseur en la matière : Alain Senderens, qui, chez « Lucas Carton », présente un verre de vin différent pour chaque plat de la carte. C'est avec une très grande fierté qu'Éric se voit proposer en 1997 le poste de maître d'hôtel dans cette prestigieuse adresse aux trois étoiles. La belle aventure aux côtés de l'un des fondateurs de la « nouvelle cuisine » dure quatre années, au cours desquelles Éric progresse énormément dans le domaine qui l'intéressait. En 2001, Éric retrouve Ghislaine Arabian lorsque celle-ci lui propose de devenir directeur de salle dans le restaurant qu'elle ouvre à son nom dans le 16e arrondissement. Il relève le challenge de la création d'un établissement : une période très riche en enseignements de toutes sortes et dont il retient de nombreuses leçons qui lui serviront plus tard... En 2003, une autre femme fait appel à ses compétences : il s'agit d'Hélène Darroze, alors récemment promue à deux étoiles dans son restaurant gastronomique de la rue d'Assas et désireuse de monter plus haut encore. Il devient donc directeur du restaurant. Mais surtout, il y fait la rencontre de Johanna, laquelle a commencé par des études de biologie. Mais depuis toujours passionnée de cuisine et de restaurants, elle a changé complètement d'orientation au moment d'entrer dans la vie professionnelle pour travailler en salle, d'abord chez « Apicius » de Jean-Pierre Vigato, puis chez « Hélène Darroze ». Très vite, une idée germe entre les deux amoureux : ouvrir ensemble leur propre établissement. C'est chose faite le 23 août 2004, date de leur premier service à « L'Ami Marcel ». Aux fourneaux, Éric a fait venir Pascal, un chef qui a fait ses classes dans de très belles maisons, notamment chez Pierre Gagnaire. Depuis, ce trio de choc littéralement bourré d'idées s'épanouit complètement rue Georges-Pitard pour le plus grand bonheur de leurs convives. Bref, « L'Ami Marcel » est gastronomique par la qualité des assiettes, mais « bistro » par l'ambiance et les prix. Une parfaite illustration de la tendance « bistronomique »...

ENTRÉE _PLAT _DESSERT

CHARLOTTE D'ENDIVES AUX ESCARGOTS, ÉMULSION À LA MOUTARDE VIOLETTE

6 BELLES ENDIVES BIEN BLANCHES
24 ESCARGOTS CUITS (SANS COQUILLE)
500 G DE BEURRE
20 G DE SUCRE
1 JUS DE CITRON
SEL ET POIVRE
NOISETTES CARAMÉLISÉES

POUR LA COMPOTÉE D'ENDIVES ET LA SAUCE
4 ENDIVES
100 G DE BEURRE
SEL ET POIVRE
JUS DE CITRON
20 G DE SUCRE
60 G DE MOUTARDE VIOLETTE
5 G DE SUCRE
3 CL DE VINAIGRE DE XÉRÈS
3 CL DE VIN ROUGE
1 BRANCHE DE THYM

Retirez le cœur des endives par le bas et faites les cuire à l'eau. Rangez-les ensuite dans une grande sauteuse, passez-les au beurre, poudrez-les de sucre, salez et poivrez.
Ajoutez le jus de citron et un peu d'eau. Couvrez d'un papier sulfurisé et d'un couvercle, puis faites cuire doucement.

Pour la compotée
Retirez le cœur des endives, coupez-les en deux et émincez-les. Faites-les suer au beurre, salez et poivrez, puis faites-les doucement sans cesser de remuer. Égouttez-les quand elles sont cuites.

Pour la sauce
Versez le sucre dans une casserole, ajoutez le vinaigre et faites un caramel, puis déglacez avec le vin. Ajoutez le thym et faites réduire doucement.

Beurrez des petits moules et superposez les feuilles d'endives cuites en mettant les pointes au centre du moule. Versez de la compotée au fond, déposez 4 escargots dans chaque charlotte, puis recouvrez de compotée. Rabattez les endives pour fermer les charlottes. Faites cuire au four au bain-marie à 180 °C environ 6 à 8 minutes, puis démoulez les charlottes en les retournant sur du papier absorbant.

Liez la sauce au vin rouge avec la moutarde violette. Retirez le thym. Déposez une charlotte au centre de l'assiette. Nappez de sauce et parsemez l'assiette de quelques noisettes caramélisées.

ET LE CHEF A DIT

« CETTE DÉLICIEUSE ENTRÉE TOUTE EN DOUCEUR ALLIE LES SAVEURS DU NORD (L'ENDIVE), DU SUD-OUEST (LES ESCARGOTS) ET DU TERROIR (LA MOUTARDE VIOLETTE). LE RAISIN APPORTE UN PETIT CÔTÉ SUCRÉ QUI N'EST PAS POUR DÉPLAIRE AUX GRANDS ENFANTS QUE NOUS SOMMES... À MARIER IDÉALEMENT AVEC UN " LE MAS LA CHEVALIÈRE 2003 ", DE CHEZ MICHEL LAROCHE. »

ENTRÉE_ PLAT _DESSERT

QUASI DE VEAU RÔTI AUX CHÂTAIGNES, GRATIN DE POIRES ET CÉLERI, JUS À LA SAUGE

6 PAVÉS DE QUASI DE VEAU DE 160 À 180 G
6 FEUILLES DE SAUGE
18 CHÂTAIGNES CUITES À LA VAPEUR SANS EAU
3 CL DE VIN ROUGE
30 G DE SUCRE
3 CL DE VINAIGRE DE VIN VIEUX
5 CL DE FOND DE VEAU

POUR LA GARNITURE
4 POIRES PAS TROP MÛRES
1 BOULE DE CÉLERI-RAVE
100 G DE BEURRE
1 JUS DE CITRON
10 CL DE CRÈME LIQUIDE
1 BETTERAVE CUITE
SEL ET POIVRE

Versez le sucre avec le vinaigre dans une casserole. Faites caraméliser, puis déglacez avec le vin rouge. Ajoutez le fond de veau, les feuilles de sauge et faites réduire doucement pour obtenir la sauce.
Épluchez les poires, coupez-les en petits cubes et faites-les sauter à la poêle.
Épluchez le céleri-rave, coupez-le en petits cubes, faites-les blanchir, puis égouttez. Mélangez le céleri et les poires.
Faites poêler les pavés de quasi de veau de chaque côté.
Faites chauffer la garniture, incorporez la crème et faites gratiner dans le four.
Goûtez la sauce et rectifiez l'assaisonnement. Faites chauffer les châtaignes et montez au beurre.
Coupez la betterave en cubes et faites-les chauffer doucement, puis mixez et détendez avec un peu de sauce.
Déposez une quenelle de purée de betterave sur chaque assiette. Posez le pavé de quasi par-dessus et nappez légèrement de sauce. Ajoutez les châtaignes autour et servez le gratin de poires et céleri à part.

ET LE CHEF A DIT

« C'EST UN PLAT TENDRE, MOELLEUX À SOUHAIT ET, JE VOUS ASSURE, INRATABLE. IL PRÉSENTE DES ACCORDS ORIGINAUX DE TEXTURES ET DE SAVEURS, COMME CETTE PURÉE DE BETTERAVES OU ENCORE L'ASSOCIATION DU CÉLERI AVEC LA POIRE QUI FERA APPRÉCIER CETTE RACINE TROP LONGTEMPS BOUDÉE... ET POUR LE PLAISIR DES YEUX CE PLAT TOUT EN COULEURS EST DÉJÀ UN RÉGAL AVANT MÊME D'Y GOÛTER! À DÉGUSTER AVEC UN SAUMUR CHAMPIGNY, TEL LE CHÂTEAU YVONNE EN 2003. »

ENTRÉE_PLAT_DESSERT

BEIGNETS DE PRUNEAUX À L'ARMAGNAC, MOUSSELINE GLACÉE À LA RÉGLISSE

18 PRUNEAUX GROS CALIBRE SANS NOYAU
10 CL D'ARMAGNAC DE QUALITÉ
200 G DE CRÈME PÂTISSIÈRE
300 G DE PÂTE FEUILLETÉE
30 G DE CACAO EN POUDRE
HUILE D'ARACHIDE
150 G DE CRÈME ANGLAISE PARFUMÉE AU CAFÉ

POUR LA MOUSSELINE À LA RÉGLISSE
8 JAUNES D'ŒUFS
1 ŒUF ENTIER
300 G DE SUCRE EN POUDRE
1 CUILLERÉE À SOUPE DE PÂTE À RÉGLISSE
25 CL DE CRÈME LIQUIDE

Faites macérer les pruneaux dans l'armagnac, puis farcissez-les de crème pâtissière en utilisant une poche à douille. Réservez au frais.
Étalez la pâte feuilletée et découpez dedans 18 grands triangles égaux.
Posez chaque pruneau sur un triangle de pâte, refermez hermétiquement et réservez au frais.

Pour la mousseline à la réglisse, montez la crème liquide en chantilly bien ferme. Par ailleurs, versez le sucre dans une casserole à fond épais et faites cuire au grand filet.
Dans le même temps, montez les jaunes et l'œuf entier au fouet, versez le sucre cuit sur les œufs et fouettez jusqu'à refroidissement. Incorporez la pâte de réglisse et continuez de battre jusqu'à refroidissement complet. Mélangez la chantilly à cette préparation et moulez le tout en terrine ou dans des moules individuels. Réservez au congélateur.

Faites chauffer de l'huile dans une friteuse à 180 °C, plongez-y les pruneaux en pâte feuilletée, égouttez-les sur du papier absorbant puis roulez-les dans du sucre cristal.
Sur chaque assiette de service, déposez trois beignets et déposez une « larme » avec la crème anglaise au café.
Démoulez la mousseline à la réglisse (découpez-la en tranches si vous avez choisi une terrine). Décorez avec des copeaux de chocolat et poudrez de cacao.

ET LE CHEF A DIT

« CE DESSERT CHAUD ET FROID NOUS RAMÈNE DIRECTEMENT À L'ENFANCE, AVEC DES NOTES DE RÉGLISSE DE COURS DE RÉCRÉ ET LE SUCRE SUR LES DOIGTS COMME À LA PLAGE. UN CONSEIL DE DÉGUSTATION : TREMPEZ LE BEIGNET CHAUD DANS LA CRÈME ANGLAISE ET CROQUEZ. LAISSEZ LES NOTES D'ARMAGNAC, DE PRUNEAU ET DE CAFÉ ENVAHIR VOTRE BOUCHE, PUIS AJOUTEZ AUSSITÔT LA MOUSSELINE À LA RÉGLISSE : C'EST UN VRAI PÊCHÉ MIGNON... À ACCOMPAGNER AVEC UN RIVESALTES AMBRÉ, COMME CELUI DU DOMAINE CAZES. »

LE BÉLISAIRE

MÉTRO VAUGIRARD
OU CONVENTION
2, RUE MARMONTEL
75 015 PARIS
01 48 28 62 24

MATTHIEU GARREL

FERMÉ SAMEDI MIDI ET DIMANCHE

PRIX : MENU À 30 €
MENU AU DÉJEUNER À 20 €
MENU DÉGUSTATION À 40 €

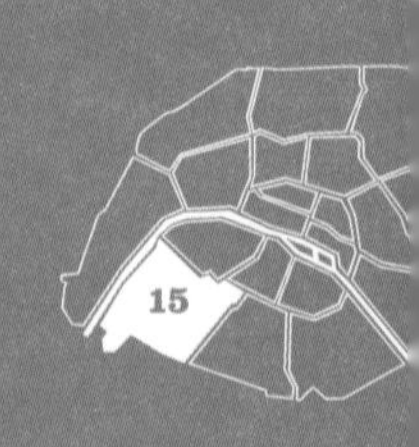

Il faut aller trouver cette adresse dans un coin très calme du 15e, entre Vaugirard et Convention, où flotte un parfum presque provincial. La pimpante devanture du « Bélisaire » (sachez qu'il s'agit du nom d'un général byzantin du 6e siècle) est typique de celle du bistro parisien, en bois peint de rouge bordeaux. Son décor lui aussi est caractéristique : parquet brut au sol, banquettes de moleskine rouge cloutées, chaises de bistro, très joli buffet campagnard, grand miroir et luminaires Arts Déco. L'ensemble est très réussi, pas vieillot du tout et même plein de charme. Dès l'ouverture, tout le quartier a pris ses habitudes au « Bélisaire » et il faut s'y prendre plusieurs jours à l'avance pour y obtenir une place, dans une atmosphère détendue, simple et plutôt provinciale. Les raisons d'une telle affluence ? Outre le très joli cadre soigné, l'accueil souriant et sincère, le service sympathique et efficace, c'est surtout pour la cuisine étonnante de Matthieu Garrel, facturée à prix tout doux, que l'on vient ici. Jetez un coup d'œil aux exemples de plats cités plus bas, et vous comprendrez l'ambition de cette cuisine. Ici plus que jamais, il faut parler de « bistrot gastronomique ». Le jeune chef, aussi présent en cuisine qu'en salle (il adore venir s'enquérir des réactions de ses clients) est un technicien hors-pair et réalise une cuisine sophistiquée à prix étudiés. Il travaille avec habileté les meilleurs produits du marché et s'affirme grâce à des mariages imaginatifs, des cuissons méticuleuses et des assaisonnements très précis. C'est une cuisine qui possède un sens de l'équilibre remarquable et où règne une belle harmonie des saveurs et des textures (ne manquez surtout pas les desserts). Quant à la carte des vins, je m'en voudrais de la passer sous silence : fonctionnelle (classement par niveau de prix), bien dans son époque et bon marché. Si les habitants du 15e ont de la chance, n'hésitez pas à les rejoindre pour passer une soirée en leur compagnie : le déplacement le vaut largement.

"Des mariages imaginatifs, des cuissons méticuleuses et des assaisonnements très précis."

QUELQUES EXEMPLES DE PLATS : **velouté glacé au parfum de basilic, quelques moules et duo de nems de boudin / filet de rouget rôti en crépine de porc et moelle de bœuf accompagné d'un tartare d'avocat / raviole de jeunes poireaux et lard breton servi avec une sauce vierge / marbré d'aiguillettes de bœuf, foie gras, douce senteur de Porto / girolles de Sologne simplement marinées et son œuf de caille à la poêle / raie cuisinée meunière, beurre léger au cidre et gratin de blettes / foie gras poêlé sur un lit de poires et pain blanc / dos de cabillaud rôti, sauce vierge dans sa piperade à l'huile d'olive / daube de joue de bœuf braisée au chinon / petit bar de ligne rôti au thym, compotée de fenouil, tomates fraîches / demi-rognon de veau poêlé aux mirabelles, pommes darphin parfumées au céleri / soupe de pêches, infusion à la menthe, sorbet cerises / crème brûlée aux noix, sorbet cacao / gâteau léger aux poires et son pot de crème au cacao / moelleux au chocolat, sorbet abricot.**

POUR EN SAVOIR PLUS SUR MATTHIEU GARREL

S'il existe dans cet ouvrage un personnage iconoclaste, c'est Matthieu Garrel : jeune, presque sosie du chanteur « Moby », un peu fou, monté sur ressorts et farouchement indépendant, ayant horreur d'être dirigé et qui dit toujours ce qu'il pense. Mais surtout un personnage très attachant, toujours de bonne humeur, avec une seule obsession : donner du plaisir aux gens. Retour sur son parcours hors du commun. Matthieu est originaire de Bretagne, plus précisément des Côtes d'Armor, où il voit le jour en 1971 (on disait encore les « Côtes du Nord »). Comme il l'avoue aujourd'hui, son parcours scolaire s'avère « lamentable, je ne supportais pas l'autorité ». Il quitte donc les bancs de l'école en fin de 3ème et obtient son CAP puis son BEP de cuisine. Très rapidement, déjà à contre-courant, il décide de partir en Angleterre afin d'apprendre l'anglais et de s'ouvrir sur le monde. Il intègre les cuisines d'un triple étoilé londonien, puis celles du premier « Relais & Châteaux » anglais. Cette expérience est pour Matthieu profondément enrichissante : elle lui enseigne la rigueur, l'exigence de tous les instants et également l'humilité, au sein de brigades où toutes les nationalités sont représentées. Puis arrive l'époque du service militaire qu'il effectue en 1990 dans la Marine Nationale : un assez bon souvenir, rétrospectivement. C'est ensuite le retour au bercail, en Bretagne. Il passe en effet deux ans dans l'un des plus beaux établissements de la région, celui de Jean-Pierre Crouzil à Plancoët. Il en retient le sens de l'organisation et le respect du temps de travail de chacun : des principes qu'il applique aujourd'hui au quotidien avec son équipe. En 1994, il arrive à Paris pour travailler quelques mois avec le grand chef Gérard Besson. Puis il accepte une place originale : « Potel et Chabot » l'embauche pour se développer dans les pays de l'Est. Un poste qui lui permet de beaucoup voyager et lui donne aussi toutes les bases nécessaires en termes de gestion, d'optimisation des coûts et de rationalisation du travail. En 1996, Gérard Besson le rappelle pour le nommer chef des cuisines de toute la flotte des « Yachts de Paris », une société dont il est le conseiller culinaire. Encore une expérience hors normes, qui le responsabilise encore plus et le fait mûrir. Mais en 2000, se sentant un peu « placardisé » et trop jeune pour cela, c'est le grand saut. Il se met à la recherche d'une affaire sur Paris et tombe sur « Le Bélisaire » alors en vente, dont il perçoit vite le potentiel (situé à un angle de rue, dans un quartier gourmand, avec un décor qui retrouverait tout son cachet après quelques travaux). Il casse sa tirelire, persuade les banques, signe début 2001 et ouvre le 14 février, jour de la Saint-Valentin (« pour être sûr d'être complet ! »). Avec l'ambition de proposer la meilleure cuisine possible, une vraie cuisine gastronomique, notamment dans la précision technique et l'inventivité, aux tarifs les plus sages possibles. Quelques années plus tard, son pari est plus que gagné : c'est plein midi et soir. Réussite méritée pour ce garçon original, frondeur, mais travailleur, sans cesse à la recherche de nouvelles idées, qui n'a jamais compté que sur lui-même et ne doit son succès qu'à son seul talent.

RECETTE

ENTRÉE _PLAT _DESSERT

RAVIOLES GÉANTES AUX HUÎTRES

200 G DE BLANC DE POULET CRU
15 HUÎTRES POUR LA FARCE + 18 AUTRES POUR LA DÉCORATION
20 CL DE CRÈME LIQUIDE
5 BLANCS D'ŒUFS
SEL ET POIVRE
6 FEUILLES À RAVIOLES CHINOISES (CHEZ LES FRÈRES TANG OU UN MAGASIN DE PRODUITS ASIATIQUES)
HUILE D'OLIVE, BEURRE

POUR LA SAUCE
3 TOMATES
1 BOTTE DE CIBOULETTE
30 CL D'HUILE D'OLIVE
5 CL DE VINAIGRE BALSAMIQUE
1 JUS DE CITRON
SEL ET POIVRE

Pour la farce, réunissez dans un mixeur le blanc de volaille et 15 huîtres (en récupérant le jus à part). Mixez, incorporez les blancs d'œufs, salez et poivrez. Ajoutez ensuite le jus des 33 huîtres, puis la crème et passez le tout au tamis.
Faites cuire cette farce dans six moules beurrés pendant 20 minutes à 110 °C, sortez les moules et laissez refroidir.

Pendant la cuisson de la farce, faites pocher les ravioles en plongeant les feuilles dans de l'eau bouillante avec un peu d'huile d'olive jusqu'à ce qu'elles soient translucides (10 à 15 secondes). Plongez-les ensuite dans une bassine d'eau glacée.

Pour la sauce, versez l'huile d'olive et le jus de citron dans une petite casserole. Faites tiédir en remuant, salez et poivrez.
Ajoutez les tomates coupées en petits dés, la ciboulette ciselée et le vinaigre balsamique.

Pour servir, faites pocher les 18 huîtres restantes (juste quelques secondes, sinon le goût risque de s'évaporer).
Démoulez la farce dans les assiettes de service et posez une raviole sur chaque farce.
Réchauffez le tout et versez la sauce par-dessus. Ajoutez 3 huîtres par assiette.

ET LE CHEF A DIT

« CETTE MAGNIFIQUE ENTRÉE, ÉTONNANTE MAIS SIMPLE À RÉALISER, VOUS ASSURERA UN BEAU SUCCÈS AUPRÈS DE VOS CONVIVES. VOUS POUVEZ L'ACCOMPAGNER D'UNE CONCASSÉE DE TOMATES OU D'UNE GALETTE DE POMMES DE TERRE ET D'UN FAUGÈRES BLANC, COMME LE CHÂTEAU CHENAIE DOMAINE DES DOUVES BLANCHES. »

ENTRÉE_ **PLAT** _DESSERT

CERVELLE D'AGNEAU EN MEUNIÈRE DE BASILIC SUR TARTARE D'AVOCAT AUX CREVETTES

6 CERVELLES D'AGNEAU
5 AVOCATS MÛRS
2 TOMATES
15 CL D'HUILE D'OLIVE
1,5 CUILLERÉE À SOUPE DE VINAIGRE BALSAMIQUE
VINAIGRE DE VIN
30 G DE BEURRE CLARIFIÉ
1 FEUILLE DE LAURIER
1 BRIN DE THYM
1 BOTTE DE BASILIC
150 G DE CHAPELURE
1 JUS DE CITRON
15 CREVETTES ROSES
SEL, POIVRE ET GROS SEL

ET LE CHEF A DIT

« CE BEAU PLAT D'ÉTÉ PERMET DE REMETTRE AU GOÛT DU JOUR UN PRODUIT QUE J'ADORE, MAIS QUI MALHEUREUSEMENT EST TOMBÉ EN DISGRÂCE DEPUIS QUELQUES ANNÉES. CE QUI ME SEMBLE INTÉRESSANT DANS CETTE RECETTE, C'EST L'ASSOCIATION VIANDE ET POISSON, LE CONTRASTE CHAUD-FROID, ET SURTOUT LE CHOC DES TEXTURES : LE CROQUANT DU BASILIC, DE LA CHAPELURE ET DES CREVETTES, FACE AU MOELLEUX DE LA CERVELLE ET DE L'AVOCAT. À SERVIR AVEC UN BEAUJOLAIS BLANC, COMME LE CHARDONNAY TERRES DORÉES DE CHEZ JEAN-PAUL BRUN. »

La veille du service, faites dégorger les cervelles à l'eau froide pendant une demi-journée.
Dans un mixeur, réunissez les feuilles de basilic, la chapelure, 7 cl d'huile d'olive, du sel et du poivre. Mixez généreusement jusqu'à obtention d'une chapelure verte.
Faites pocher les cervelles dans une grande casserole d'eau (départ à froid), en ajoutant le thym, le laurier, un filet de vinaigre de vin et un peu de gros sel. À la première ébullition, laissez frémir doucement pendant 5 minutes. Égouttez les cervelles pochées et mettez-les en attente dans de l'eau claire avec des glaçons.
Pour le tartare d'avocat aux crevettes, décortiquez les crevettes ; récupérez la chair des avocats coupés en deux avec une cuillère. Ébouillantez et pelez les tomates, puis coupez-les en quartiers.
Détaillez les crevettes, les avocats et les tomates en petits dés réguliers.
Dans un saladier, mélangez à la spatule les tomates, les crevettes et l'avocat. Ajoutez le jus d'un citron, le reste d'huile d'olive et le vinaigre balsamique. Assaisonnez à votre goût.

Pour servir, roulez les cervelles dans la chapelure et faites-les poêler dans le beurre clarifié. Salez et poivrez.
Pendant ce temps, disposez le tartare sur les assiettes de service. Ajoutez les cervelles juste cuites et servez.

ENTRÉE_PLAT_DESSERT

BANANES RÔTIES AU CARAMEL LACTÉ ET TUILES À L'ORANGE

POUR LES BANANES
6 BANANES
60 G DE BEURRE
60 G DE SUCRE ROUX
GLACE À LA VANILLE

POUR LES TUILES
75 G DE BEURRE
75 G DE FARINE
225 G DE SUCRE
LE JUS DE 2 ORANGES

POUR LE CARAMEL
300 G DE SUCRE
30 CL DE CRÈME LIQUIDE
120 G DE BEURRE SALÉ

Confectionnez la pâte à tuiles la veille du repas : mélangez dans une terrine la farine, le sucre et les jus des oranges, puis incorporez le beurre fondu.

Le jour du repas, préchauffez le four à 180 °C en chaleur tournante.
Versez la pâte sur une tôle tapissée de papier cuisson en espaçant largement les cuillerées. Faites cuire pendant 5 à 6 minutes ; procédez en plusieurs fois. Décollez les palets encore chauds et mettez-les en forme sur un rouleau à pâtisserie bien propre jusqu'à ce qu'ils soient refroidis.

Préparez un caramel avec le sucre dans une casserole à fond épais. Quand il est bien coloré, versez la crème liquide (attention aux projections) et mélangez jusqu'à consistance homogène. Incorporez ensuite le beurre salé.

Pelez les bananes et coupez-les chacune en 6 ou 7 tronçons. Faites fondre le beurre dans une poêle, incorporez le sucre et mélangez, puis ajoutez les bananes et faites-les colorer.

Pour servir, disposez les bananes en rosace dans les assiettes. Nappez-les de caramel encore tiède. Déposez au centre une quenelle de glace à la vanille et ajoutez par-dessus une tuile à l'orange.

ET LE CHEF A DIT

« UN DESSERT D'UNE GRANDE SIMPLICITÉ ET TRÈS BON MARCHÉ, PUISQU'IL N'UTILISE QUE DES PRODUITS DE CONSOMMATION COURANTE. LE PLUS ONÉREUX DANS CETTE RECETTE SERA LE CHAMPAGNE QUE JE VOUS SUGGÈRE EN ACCOMPAGNEMENT. »

LE BEURRE NOISETTE

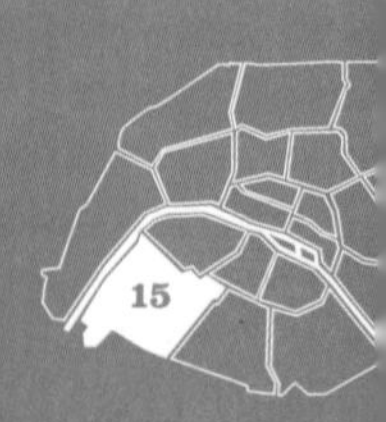

MÉTRO LOURMEL
68, RUE VASCO-DE-GAMA
75 015 PARIS
01 48 56 82 49

THIERRY BLANQUI

FERMÉ DIMANCHE ET LUNDI

PRIX : MENU-CARTE À 32 € AU DÎNER
MENU AU DÉJEUNER À 22 €

Comme la rue Vasco de Gama n'est pas la plus gaie de son arrondissement, ce bistro de poche du fin fond du 15e, avec sa devanture toute rose, est une véritable aubaine. Son ouverture à l'automne 2001 fut comme un petit coup de tonnerre dans le landerneau de la gastronomie parisienne. Après près de quinze ans de haute cuisine, Thierry Blanqui a décidé de prendre son indépendance et de s'installer dans un cadre à sa mesure et de réaliser une cuisine sans contraintes, avec un seul objectif : se faire plaisir et faire plaisir, exactement dans la veine « bistronomique » qui nous intéresse. Quand on connaît le parcours de Thierry, affirmer qu'il a été bien formé relève de la lapalissade. Sa cuisine, que l'on peut qualifier de classique, est une cuisine du marché qui s'appuie sur un tour de main remarquable, acquis au terme de longues années de travail, ce qui suffit à changer même le goût des plats dits « de ménage ». Je garde ainsi, plusieurs années plus tard, le souvenir ému d'une incroyable pintade rôtie aux choux : produit de haute qualité parfaitement traité, peau craquante à souhait, chair moelleuse et fondante, remarquablement parfumé (avec du romarin notamment). On sent, sur ce plat a priori tout simple que le chef domine véritablement son sujet et que sa technique est parfaite. Tout ici est du même acabit, d'une précision diabolique. La cuisine respire la fraîcheur et l'inspiration, avec des cuissons millimétrées qui exaltent les saveurs, tandis que le marché et les saisons inspirent régulièrement les changements de carte. Pas étonnant, donc, qu'on se bouscule midi et soir pour obtenir une place dans l'une des deux petites salles, au décor minimaliste mais très soigné (parquet tout neuf, murs aux tons marron et orange ornés de quelques toiles contemporaines). Un mot aussi sur la carte des vins, au diapason de l'ensemble : courte mais claire, maligne et intéressante, avec un bon choix dans le Sud et quelques suggestions au verre. Bilan : une excellente petite table parfaitement dans son époque. C'est même l'une des premières qui me soit venue à l'esprit en décidant du thème de cet ouvrage. Une adresse incontournable de la « bistronomie » parisienne...

“Tout ici est du même acabit, d'une précision diabolique.”

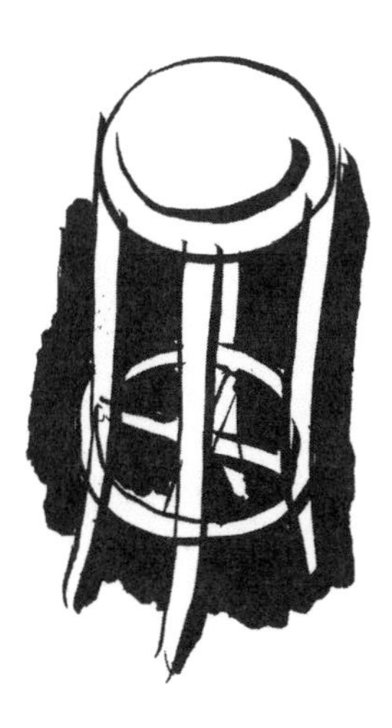

QUELQUES EXEMPLES DE PLATS : **crème de potiron au lard grillé / salade de langue de veau, sauce gribiche / terrine de canard à l'orange / foie gras poché au vin rouge et épices / crème d'étrilles aux petits croûtons / dos de cabillaud meunière pommes de terre écrasées aux olives / joue de porc braisé, salade et appétits / pintade rôtie aux choux / quenelle au chocolat / salade de pamplemousse et orange.**

POUR EN SAVOIR PLUS SUR THIERRY BLANQUI

Thierry Blanqui naît au début de l'année 1968 dans l'Aisne, dans une famille qui aime la bonne cuisine, à base de bons produits frais : une excellente éducation alimentaire. Il entre de façon classique à l'école hôtelière à 16 ans, quittant ses parents pour la banlieue parisienne. En 1989, sa première réelle expérience professionnelle a lieu à « La Tour d'Argent » (excusez du peu), sous la férule de Manuel Martinez, un chef Meilleur Ouvrier de France, sévère et dur, mais juste et très respecté, qui marquera profondément Thierry. Dans ce qui est sans doute le restaurant le plus célèbre du monde, il occupe tous les postes pendant un peu plus d'un an : une entrée en matière très formatrice. En 1991, il intègre les cuisines du « Ritz » (dans le genre « prestige », on peut difficilement faire mieux) alors dirigées par Guy Legay. Au contact de ce dernier, il parfait toutes ses bases classiques et a la chance de pouvoir travailler les plus beaux et nobles produits qui soient. À ses yeux, une expérience de trois ans extrêmement importante, fondamentale même, dont il se réclame complètement aujourd'hui dans son « bistro ». Et puis, au milieu des années 90, il part en compagnie de Christian Le Squer (jusque-là le second de Guy Legay) au restaurant du « Grand Hôtel de l'Opéra ». Il travaille avec ce grand chef à cette adresse durant trois ans, l'aidant à obtenir jusqu'à deux étoiles au guide rouge. En 1998, ce tandem est recruté par « Ledoyen », grande institution parisienne (actuellement triplement étoilée). Là, il est pendant trois ans le véritable second de Christian Le Squer. Il s'agit de la période la plus enrichissante de son parcours. Il y acquiert encore plus de rigueur, de précision et d'exigence. Tant et si bien qu'en 2001, il se sent fin prêt pour ouvrir sa propre adresse, une idée qui le titille en fait depuis le tout début de vie professionnelle. Il rachète donc cette petite adresse proche de la Porte de Versailles, effectue lui-même tous les travaux nécessaires et assure le premier service au « Beurre Noisette » en octobre 2001. Son but : appliquer toutes les leçons de « haut standing » apprises avec Martinez, Le Gay et Le Squer, en les mettant au service de produits du marché et en proposant un rapport qualité-prix très compétitif. Il avoue sans honte avoir été encouragé dans sa démarche par la réussite de tables comme celles d'Yves Camdeborde, Christian Etchebest ou Thierry Faucher, qui sont pour lui de véritables précurseurs. Il a surtout envie d'être sincère, généreux, de faire plaisir à ses clients, avec lesquels il peut enfin discuter et échanger (chose impossible auparavant). Aujourd'hui, Thierry confesse être un cuisinier comblé par le succès, épanoui, très heureux. Même en cherchant, il n'arrive pas à trouver un seul motif de mécontentement ! C'est surtout un homme calme et discret, très professionnel et resté très modeste, doté d'une technique largement au dessus de la moyenne. Chez lui un repas est toujours une jolie petite fête.

ENTRÉE _PLAT_DESSERT

ROULADE DE TÊTE DE VEAU POÊLÉE, POIREAUX VINAIGRETTE

1 TÊTE DE VEAU
3 LANGUES DE VEAU
3 GROS OIGNONS
1/2 PIED DE CÉLERI-BRANCHE
3 CAROTTES
1/2 TÊTE D'AIL
1 L DE VIN BLANC
50 CL DE VINAIGRE DE XÉRÈS
1 GROS BOUQUET GARNI
2 CUILLERÉES À SOUPE DE POIVRE EN GRAINS
GROS SEL
2 POIREAUX
VINAIGRETTE
3 CORNICHONS
1 ŒUF DUR
2 ÉCHALOTES
1/2 BOTTE DE CIBOULETTE
1 CUILLERÉE À SOUPE DE PETITS CROÛTONS
HUILE D'OLIVE
1 L DE FOND DE VOLAILLE
BEURRE
VINAIGRE BALSAMIQUE

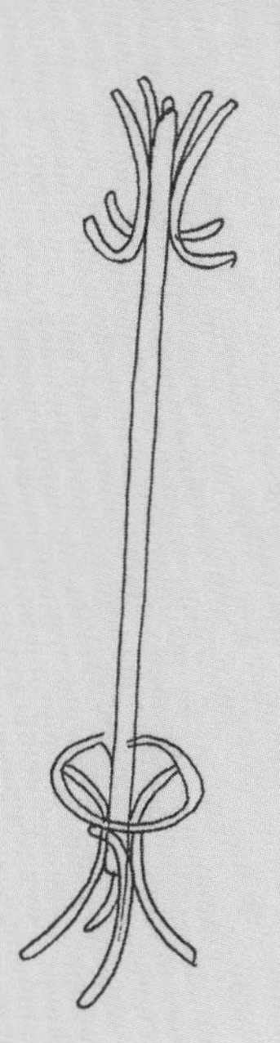

Mettez dans un grand faitout la tête de veau et les langues, couvrez d'eau froide et portez à ébullition pendant quelques instants.
Taillez en dés la garniture aromatique (oignons, céleri-branche, carottes et ail), puis faites-la suer à l'huile d'olive.
Ajoutez le vin blanc, le vinaigre, du gros sel, le poivre en grains et le bouquet garni. Mouillez avec le fond de volaille.
Ajoutez la tête de veau et les langues ; laissez cuire environ 4 heures.
Sortez la tête de veau de sa cuisson, ainsi que les langues ; épluchez-les et dégraissez-les. Dans un linge humide, disposez la tête de veau et les langues, puis roulez et ficelez le tout en grosse ballottine.

Préparez une sauce gribiche avec la vinaigrette, l'oeuf dur haché, les échalotes ciselées et les cornichons.
Taillez des petits croûtons et faites-les rissoler au beurre.
Épluchez et lavez les poireaux, faites-les cuire à l'eau bouillante salée.

Déficelez la tête de veau qui enrobe les langues. Retirez le linge, puis taillez des tranches d'environ 1,5 cm d'épaisseur.
Assaisonnez les poireaux.
Poêlez les tranches de tête de veau à l'huile d'olive, puis déglacez au vinaigre balsamique.
Tartinez les tranches de tête de veau de sauce gribiche, garnissez de ciboulette et de petits croûtons. Posez-les sur les poireaux au milieu des assiettes de service.

ET LE CHEF A DIT

« VOILÀ UN CLASSIQUE “CANAILLE” REVISITÉ À MA FAÇON, QUE JE N'OSE PAS RETIRER DE MON ARDOISE DEPUIS SA CRÉATION. À DÉGUSTER DANS L'IDÉAL AVEC LE MUSCAT SEC CÔTE DU ROUSSILLON DU DOMAINE SALVAT. »

ENTRÉE_ **PLAT** _DESSERT

DOS DE CABILLAUD RÔTI, RAGOÛT DE HARICOTS PAIMPOL ET LARD CROUSTILLANT

6 PAVÉS DE CABILLAUD DE 200 G CHACUN
600 G DE HARICOTS BLANCS DE PAIMPOL
8 ÉCHALOTES
8 GOUSSES D'AIL
3 TOMATES
2 BRANCHES DE CÉLERI
2 CAROTTES ÉPLUCHÉES
1 BRANCHE ET DEMIE DE ROMARIN
2 OIGNONS PELÉS
15 CL D'HUILE D'OLIVE
2 CUILLERÉES À SOUPE DE PERSIL CISELÉ
1,5 CL DE VINAIGRE DE XÉRÈS
30 CL DE JUS DE VEAU
6 FINES TRANCHES DE POITRINE DE PORC SÉCHÉE
SEL ET POIVRE
1 CITRON

Faites cuire les cocos dans une casserole remplie d'eau avec la garniture (carottes, céleri, romarin, oignons) pendant 20 à 25 minutes : ils doivent être juste cuites, mais encore un peu fermes
Dans une cocotte, faites suer les échalotes et l'ail à l'huile d'olive, puis ajoutez les tomates coupées en gros cubes.
Ajoutez ensuite les haricots et mouillez avec le jus de veau.
Laissez chauffer doucement en remuant. Assaisonnez.
Au moment de passer à table, faites chauffer un peu d'huile d'olive dans une poêle. Salez et poivrez les pavés de cabillaud ; faites-les cuire côté peau. Au terme de la cuisson, déglacez au jus de citron.
Ajoutez le persil et le vinaigre de Xérès dans les haricots et vérifiez l'assaisonnement.
Passez légèrement à la poêle les tranches de lard.
Répartissez les haricots dans le fond des assiettes de service.
Déposez par-dessus les pavés de cabillaud et les tranches de lard.
Arrosez avec un peu de jus de veau et servez immédiatement.

ET LE CHEF A DIT

« UN PUR PLAT BRETON, AVEC L'ASSOCIATION TERRE / MER QUI FONCTIONNE PARFAITEMENT, ET LES HARICOTS COCOS DE PAIMPOL QUI SONT INDÉNIABLEMENT MES PRÉFÉRÉS. JE VOUS SUGGÈRE DE LE DÉGUSTER AVEC LE MAGNIFIQUE BERGERAC BLANC CHÂTEAU JAUBERTIE CUVÉE "MIRABELLE". »

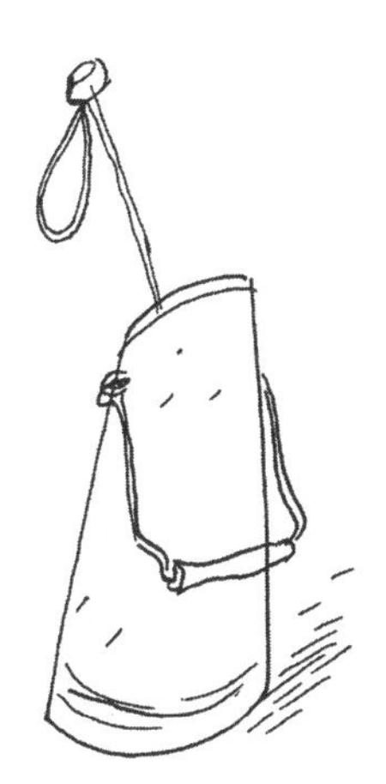

ENTRÉE_PLAT_ **DESSERT**

PETIT POT DE CHOCOLAT AU LAIT, FINANCIER AU MIEL D'ACACIA

POUR LA CRÈME AU CHOCOLAT AU LAIT
325 G DE LAIT
200 G DE CRÈME
60 G DE JAUNES D'ŒUFS
175 G DE CHOCOLAT AU LAIT
50 G DE SUCRE

POUR LES FINANCIERS AU MIEL D'ACACIA
250 G DE SUCRE GLACE
100 G DE FARINE
25 CL DE BLANC D'ŒUF
90 G DE MIEL D'ACACIA
250 G DE BEURRE
100 G DE POUDRE D'AMANDE

ET LE CHEF A DIT

« UNE RECETTE DE MA MÈRE QUE JE DÉGUSTAIS ÉTANT ENFANT : C'EST DEVENU UN CLASSIQUE INCONTOURNABLE DE MON ÉTABLISSEMENT. À SAVOURER AVEC UN RIVESALTES AMBRÉ DE CHEZ PUJOL. »

POUR LA CRÈME
Faites bouillir dans une casserole la crème et le lait.
Par ailleurs, fouettez vivement les jaunes d'oeufs avec le sucre.
Versez le lait et la crème sur les oeufs, puis faites cuire jusqu'à 82 °C sur le feu comme une crème anglaise.
Incorporez le chocolat en pluie en remuant à l'aide d'un fouet.
Répartissez la préparation dans des petits pots et laissez dans le réfrigérateur pendant la nuit.

POUR LES FINANCIERS
Mélangez dans un cul de poule la farine, le sucre glace et la poudre d'amande, puis ajoutez les blancs d'œufs.

Faites par ailleurs cuire le beurre dans une casserole jusqu'à ce qu'il devienne noisette, puis ajoutez-le à la préparation précédente et mélangez. Terminez en ajoutant le miel d'acacia. Laissez reposer pendant toute la nuit.

Le lendemain, faites cuire les financiers dans des petits moules rectangulaires dans le four préchauffé à 160 °C.

L'OS À MOELLE

MÉTRO LOURMEL
3, RUE VASCO-DE-GAMA
75 015 PARIS
01 45 57 27 27

THIERRY FAUCHER

FERMÉ DIMANCHE ET LUNDI

PRIX : MENU À 32 €
MENU DÉGUSTATION À 38 €

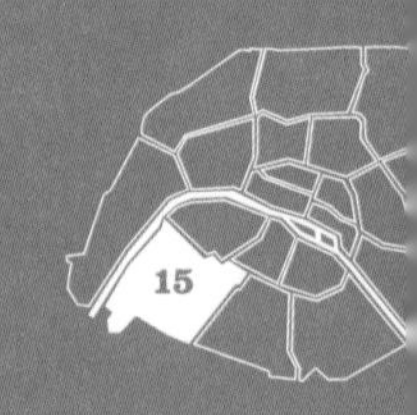

À l'angle de la rue Vasco-de-Gama et de la rue de Lourmel (si un jour l'envie vous prend d'ouvrir un restaurant, sachez qu'il est toujours intéressant d'être situé à un angle), cette adresse est un véritable phare de l'arrondissement depuis plus de treize ans. Il s'agit d'une figure emblématique de la tendance « bistronomique », un établissement qui a ouvert la voie à tous ceux qui sont présents dans cet ouvrage, en compagnie de « La Régalade », « Chez Michel », « L'Épi Dupin », « La Bastide Odéon » ou encore « L'Avant-Goût ». L'ouverture de cette table provoqua en effet à l'époque une onde de choc, dans un quartier un peu endormi sur le plan gastronomique. C'était un pur bistro de grand-mère gardé dans son jus : carrelage en mosaïque, banquettes de moleskine rouge, tables en bois, nappes colorées, grands miroirs et jolies appliques, bar en bois à l'entrée qui s'ouvre pour dévoiler l'escalier menant à la cave. Un bistro clair, spacieux et agréable (avec quelques tables rondes très appréciées), où l'on pouvait enfin déguster de belles et bonnes assiettes sans se ruiner. La cuisine de Thierry Faucher est une cuisine du marché typique de « l'école Constant » dont il est issu, très attentive à la qualité des produits (qui revendiquent fièrement de ne pas être « nobles »), soucieuse de la précision des cuissons, de la justesse des assaisonnements et de la pertinence des garnitures. Il possède un don certain pour accommoder des ingré-dients a priori simples et en faire des plats mémorables. Comme par exemple ces « huîtres de Normandie justes rôties au beurre d'herbes, tout simplement », que j'ai dégustées lors de mon dernier repas, ou cet « agneau du Limousin rôti à l'ail avec

"Il possède un don certain pour accommoder des ingrédients a priori simples et en faire des plats mémorables."

choucroute de navets et pois gourmands » quelques mois plus tôt. Ou encore cet « ananas confit aux épices, sorbet banane » dont je me souviens plusieurs années plus tard. Ces plats brillants de netteté et de saveur sont servis par une équipe jeune et jolie, bien dans le ton, parfaitement dirigée par le très professionnel Charles Madeira, qui, lui, a fait ses classes chez Robuchon. Tout est cohérent et surtout irréprochable. Et compte tenu des tarifs, il n'est guère étonnant de voir accourir la foule, dans une ambiance détendue et gourmande, familiale et conviviale. Avec surtout de nombreux habitués, fidèles à une maison où le menu change tous les jours au gré du marché et des saisons. Cette belle affaire dure depuis des années, sans jamais fléchir, bien au contraire. J'ai même l'impression que, comme le bon vin (il est lui aussi présent à « L'Os à moelle »), Thierry Faucher se bonifie avec le temps.

QUELQUES EXEMPLES DE PLATS : crème de champignons rafraîchie, relevée au piment d'Espelette et coriandre / crème de lentilles au foie gras, fleur de thym et huile de noisette / omelette à la truffe ; salade aux copeaux de comté / foie gras poêlé, haricots coco au vieux vinaigre et salade / fricassée de girolles et petits oignons avec œuf de poule mollet / terrine de pieds de cochon poêlée, betteraves rouges râpées, jus d'herbes et salade / lieu jaune rôti, pleurotes et tétragones au beurre noisette de vieux vinaigre / paleron de bœuf braisé, purée de potiron et moelle croque sel / noisette de chevreuil, choucroute de navets et salade de cive / poêlée de raisins au amandes caramélisées, sorbet fromage blanc / riz au lait aux amandes caramélisées et cerises à l'eau-de-vie / quenelle de chocolat guanaja, sauce safran.

POUR EN SAVOIR PLUS SUR THIERRY FAUCHER

Thierry Faucher naît juste après les évènements de mai 68 dans le tranquille département des Deux-Sèvres, au sein d'une famille d'agriculteurs. Dès son plus jeune âge, il a les deux pieds ancrés dans le terroir et s'affaire aux fourneaux en compagnie de sa mère. Son bonheur de gosse : préparer en cachette un dessert pendant que ses parents sont au marché et le dévoiler fièrement à la fin du repas, afin de prolonger ces beaux moments de convivialité où tous ceux qu'il aime sont réunis autour de la table (et aussi pour retarder l'heure du départ pour le travail aux champs !). Après avoir voulu être boulanger (à l'âge de 4 ans, l'odeur du pain chaud de la boulangerie de son village l'avait profondément marquée), puis pâtissier, c'est finalement vers le métier de « chef » qu'il se dirige. Il fait son apprentissage à Niort, avec Claude Guignard, à « La Belle Étoile » (Thierry insiste particulièrement pour citer cette adresse). Son CAP en poche, il arrive à Paris à 16 ans, directement dans les cuisines du « Bristol », l'un des plus beaux palaces de la capitale. Cette belle entrée en matière se poursuit deux ans plus tard quand il intègre une l'institution « Taillevent », véritable temple de la gastronomie française. Il retient de ces deux premières expériences parisiennes le souci du détail, la rigueur, l'exigence de tous les instants. Après son service militaire sur un bateau de la Marine Nationale et une brève escapade en Suisse, il entre fin 1989 au « Crillon », sous la férule de Christian Constant, dont on ne soulignera jamais assez le génie (sans lui, sans doute, ce livre n'existerait pas). C'est sans conteste son expérience la plus marquante, la plus décisive. Peut-être aussi les quatre années les plus belles de son existence, « la simplicité dans le bonheur ». Là il côtoie d'autres futurs grands, tels Yves Camdeborde, Thierry Breton, Eric Frechon. Puis, en 1993, sur les conseils de son mentor qui avait décelé tout son potentiel, Thierry cherche à s'installer à son compte. Et c'est ainsi qu'il tombe sur cette adresse, alors sans âme et désertée. Il la rafraîchit tout en conservant son cachet et ouvre quelques mois plus tard, avec la volonté de prouver qu'on peut faire très bon, sympa, pro et pas cher. Avec l'ambition de mettre en valeur les produits du marché, les produits de saison, en les habillant de canaille-chic et de ménager-choc. Et en mettant en application tout ce qu'il avait appris pendant son brillant parcours. C'est en cela qu'il fut l'un des précurseurs du courant « bistronomique » et c'est toujours avec grand plaisir que je retourne aux sources chez lui. Alors, pourquoi pas vous ?

ENTRÉE _PLAT _DESSERT

CRÈME DE LENTILLES AUX AILERONS DE POULET, FLEUR DE THYM, P'TITS CROÛTONS ET MOELLE

1 PAQUET DE LENTILLES VERTES DU PUY
1,5 L DE FOND DE VOLAILLE (OU D'EAU)
1 L DE CRÈME LIQUIDE
12 AILERONS DE VOLAILLE
200 G DE CROÛTONS FRITS
200 G DE MOELLE DÉCORTIQUÉE
50 G DE BEURRE
6 BRINS DE THYM
HUILE DE NOISETTE, SEL ET POIVRE

Faites revenir les ailerons dans une casserole et les laissant bien colorer, versez le fond blanc (ou l'eau) et laissez cuire pendant 15 minutes. Égouttez les ailerons. Récupérez le bouillon et faites cuire les lentilles dedans jusqu'à ce qu'elles s'écrasent sous les doigts. Ajoutez la crème, faites bouillir, puis mixez et passez au chinois fin. Désossez les ailerons et coupez-les en quatre. Répartissez-les dans les assiettes de service creuses.
Parsemez de fleur de thym, ajoutez les croûtons et un trait d'huile de noisette.
Faites fondre la moelle au four, égouttez-la et partagez-la dans les assiettes. Donnez un petit tour de moulin à poivre. Ajoutez la crème de crème de lentilles et servez.

ET LE CHEF A DIT

« À LA PLACE DE LA MOELLE DÉCORTIQUÉE (JE LE CONCÈDE, DIFFICILE À TROUVER), VOUS POUVEZ METTRE UN BEL OS À MOELLE SUR UNE PETITE ASSIETTE À PART, QUE VOUS AUREZ BIEN CHAUFFÉ AU FOUR ET FAIT BLANCHIR AUPARAVANT (BOUILLIR À L'EAU SALÉE). À LA PLACE DES CROÛTONS, VOUS POUVEZ SERVIR UNE BELLE TRANCHE DE PAIN BIEN TOASTÉE (D'UN SEUL CÔTÉ, C'EST MIEUX JE TROUVE). À DÉGUSTER AVEC UN CÔTES DU ROUSSILLON BLANC. »

ENTRÉE_ PLAT _DESSERT

PALERON DE BŒUF POÊLÉ, FRICASSÉE D'ASPERGES ET MORILLES, BEURRE FUMÉ ET ROMARIN

6 TRANCHES ÉPAISSES DE PALERONS DE BŒUF (DE 160 À 220 G SUIVANT L'APPÉTIT DES CONVIVES)
1 BOTTE D'ASPERGES VERTES
1 BOTTE D'ASPERGES BLANCHES
300 G DE MORILLES
3 ÉCHALOTES
100 G DE LARD FUMÉ
200 G DE BEURRE
1 CUILLERÉE À SOUPE DE CRÈME LIQUIDE
1 BRANCHE DE ROMARIN
SEL ET POIVRE

Épluchez les asperges, lavez-les et faites-les revenir au beurre.
Équeutez les morilles, coupez-les en deux dans la hauteur, lavez-les et faites-les elles aussi revenir au beurre.
Ajoutez les échalotes pelées et ciselées. Mouillez avec un peu d'eau et laissez cuire 15 minutes.
Réservez 6 fines tranches de lard et taillez le reste en lardons.
Faites-les revenir jusqu'à ce qu'ils soient dorés et croustillants.
Dans le bol mélangeur d'un robot, mettez 1 cuillerée à soupe d'eau, la crème liquide et le reste du beurre. Ajoutez les lardons, puis mixez et passez au chinois fin.
Mélangez les asperges et les morilles, répartissez-les en dôme sur les assiettes de service.
Faites poêler rapidement les tranches de palerons et posez-les sur les légumes.
Poêlez les tranches de lard mises de côté et ajoutez-les sur la viande comme des chips.
Émulsionnez le beurre fumé jusqu'à ce qu'il soit bien mousseux, puis arrosez les assiettes de cette sauce. Parsemez de romarin frais et servez.

ET LE CHEF A DIT

« UNE BELLE RECETTE DE PRINTEMPS AVEC DEUX DE SES DEUX PRODUITS PHARES : LES ASPERGES ET LES MORILLES. JE VOUS CONSEILLE DE CHOISIR UNE BONNE RACE DE VIANDE, SI POSSIBLE UNE AOC. POUR MA PART, JE CHOISIS TOUJOURS LES PALERONS EN PROVENANCE DE PARTHENAY, MA RÉGION D'ORIGINE. À DÉGUSTER AVEC UN BON BORDEAUX, COMME PAR EXEMPLE LE CHÂTEAU D'ARCHE 1999, UN HAUT-MÉDOC CRU BOURGEOIS DE CHEZ MAHLER-BESSE. »

ENTRÉE_PLAT_DESSERT

GALETTE CHARENTAISE DE MA MAMAN ET RIZ AU LAIT DE MA GRAND-MÈRE

POUR LA GALETTE
500 G DE FARINE
1 SACHET DE LEVURE CHIMIQUE
250 G DE SUCRE
2 ŒUFS ENTIERS
1 JAUNE D'ŒUF
250 G DE BEURRE
50 G D'ANGÉLIQUE DE NIORT CONFITE

POUR LE RIZ AU LAIT
50 CL DE LAIT
1 GOUSSE DE VANILLE
100 G DE RIZ ROND
50 G DE SUCRE

Pour la galette, mélangez la farine, la levure, le sucre et les deux œufs, puis incorporez le beurre ramolli et travaillez le tout jusqu'à consistance de pâte homogène. Taillez l'angélique en petits dés et mélangez-les à la pâte. Étalez la pâte sur la plaque du four tapissée de papier sulfurisé, en formant un disque, sur une épaisseur d'un bon centimètre. Pincez le tour avec les doigts. Badigeonnez le dessus de la galette au jaune d'œuf avec un pinceau à pâtisserie, puis avec les dents d'une fourchette, dessinez un damier décoratif et piquez la pâte. Faites cuire dans le four à 240 °C pendant 10 à 15 minutes.

Pour le riz au lait, réunissez tous les ingrédients dans une casserole, portez à ébullition, puis baissez la feu et laissez cuire doucement jusqu'à absorption du liquide. Laissez refroidir.

ET LE CHEF A DIT

« UN PETIT CONSEIL : TAILLEZ LA GALETTE EN PORTIONS DÈS SA SORTIE DU FOUR, CAR ELLE S'EFFRITE QUAND ELLE EST FROIDE. LES QUANTITÉS INDIQUÉES POUR LA RECETTE DE LA GALETTE CONVIENNENT EN FAIT POUR 12 PERSONNES. VOUS POURREZ DONC CONSERVER LE RESTE DANS UNE BOÎTE HERMÉTIQUE : MA MAMAN EN A TOUJOURS EN RÉSERVE À LA MAISON, POUR LES PETITES FAIMS DES PLUS JEUNES ET MOINS JEUNES… JE VOUS SUGGÈRE EN ACCOMPAGNEMENT UN CHAMPAGNE DRAPPIER BRUT NATURE. »

THIERRY BURLOT

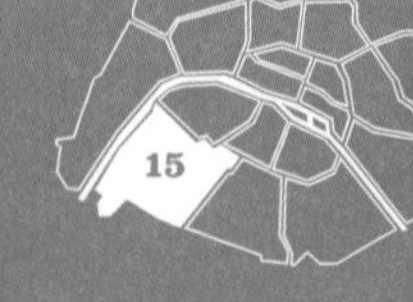

MÉTRO PASTEUR
8, RUE NICOLAS CHARLET
75 015 PARIS
01 42 19 08 59

THIERRY BURLOT

FERMÉ SAMEDI MIDI ET DIMANCHE

PRIX : MENU-CARTE À 32 €

Voici, à mes yeux, le restaurant qui sans aucun doute présente les assiettes les plus travaillées, les plus créatrices et surtout les plus raffinées de tout le 15e arrondissement. Il a en plus la bonne idée de rester compréhensif avec le portefeuille et trouve donc, bien entendu, une place de choix dans cet ouvrage, ce qui me réjouis, car je trouve qu'on ne parle pas assez de cette adresse. Réparons donc cette injustice et allons tout de suite à l'essentiel : la cuisine ô combien singulière de Thierry Burlot. Elle est presque minimaliste, épurée, légère comme on l'apprécie aujourd'hui (beaucoup de mousses et d'émulsions), avec des influences diverses (notamment celle des îles), des produits de la meilleure provenance parfaitement respectés et bien mis en valeur (grande précision des cuissons et des assaisonnements) et des idées très inventives. Quelle entrée grandiose par exemple que ces « feuilles de mangue, tourteau, comme une raviole, lait de coco » : savoureux, original, délicat et d'une grande pureté. Citons aussi l'un des plats emblématiques de la maison, les « langoustines rôties à la vanille, boudin fermier et frécinettes (petites bananes des îles) » : quelle finesse, quels parfums ! Ou encore un dessert à ne manquer sous aucun prétexte : « caramel et fleur de sel pour une glace turbinée pour vous ». Plus concrètement, il s'agit d'une glace au caramel faite « à la minute » sur laquelle on parsème (à votre table) de la fleur de sel, puis un véritable caramel. Toutes ces assiettes, toujours joliment présentées, ont vraiment de l'audace et du style. Car il y a, c'est évident, un style Burlot. Sans doute ne faut-il pas venir ici pour s'en « mettre jusque là »... En revanche, c'est en tout point remarquable de pureté, de « zen-itude », de séduction, de virtuosité parfaitement maîtrisée. On a envie de tout goûter ! D'ailleurs, tous les plats sont parfaitement expliqués et servis par une irréprochable équipe de salle, exclusivement féminine, souriante, et très professionnelle : un vecteur discret et charmant de la formidable carte qui change tous les mois. Parlons enfin du décor contemporain : le gris-marron et le bleu pâle dominent, les tables sont parfaitement dressées et bien espacées, les verres viennent de chez Baccarat, les petits fauteuils sont habillés de tissus, le sol est recouvert d'une belle moquette et les murs sont ornés d'immenses photos. Ce cadre clair joue la carte « classe », dans le genre sobre, élégant et confortable. Ce n'est pas d'une folle gaieté (l'ambiance non plus n'est pas à la troisième mi-temps, mais plutôt aux repas cosy et discrets), mais rien ne viendra perturber votre concentration sur les assiettes, qui, elles, méritent toute l'attention. Vous l'aurez compris, cette adresse est LA belle table du 15e, un arrondissement déjà très bien doté en bons bistros, mais pauvre en véritables « restaurants » plus confortables. Indubitablement, « Thierry Burlot » se révèle ainsi le meilleur rapport qualité/prix de tout le quartier, avec en prime originalité et prestations. Courez visiter cette adresse encore trop confidentielle, et vous y retournerez. Dernière remarque : j'ai pu constater que c'est un endroit qui plaît énormément aux femmes...

"On a envie de tout goûter !"

QUELQUES EXEMPLES DE PLATS : **Saint-Jacques salées à cru de caviar Baeri, croquant de radis verts / gambas et combava dans une feuille de raviole très fine, cuite en vapeur / vinaigrette d'asperges et œuf poché, dernières truffes de Richerenches / carottes fanes glacées, parfait de foie gras et vinaigrette de jus de volaille / saumon d'Écosse label, poêlée de champignons et roquette à crue / risotto au bouillon de poule, parmesan frais ou truffes noires / épaule d'agneau de lait rôtie pour deux, au cumin et boutons de roses / dernières Saint-Jacques rôties en coquille, pommes granny et jus mousseux truffé / gaufres fraises des bois et crème fouettée / mousse éphémère coco et passion / chouquettes « after-eight® ».**

POUR EN SAVOIR PLUS SUR
THIERRY BURLOT

thierry burlot

Thierry Burlot naît à Paris en 1965 et suit une scolarité classique lorsque, à l'âge de 14 ans, il travaille pendant l'été au « Marmontel », restaurant tenu par un ami de son père. Ce simple job d'été va bouleverser son existence : Thierry ne quittera cet endroit que trois ans plus tard, après y avoir effectué tout son apprentissage ! En 1983, pour son premier poste, Thierry a la chance de rejoindre la star des fourneaux à l'époque, Jean-Paul Bonin, doublement étoilé au « Crillon ». Durant trois années très marquantes, il découvre tout : les produits, la technique, la créativité, mais aussi les aspects humains de la profession. De plus, il s'entend très bien avec l'un des seconds, Jean-Pierre Biffi. En 1986, les deux hommes se font embaucher par Pierre Cardin pour développer la branche « réception à domicile » de « Maxim's », une façon « haute-couture » d'aborder le métier de traiteur. Une expérience réussie de trois ans qui leur permet en 1989 d'avoir carte blanche chez « Potel & Chabot » pour redorer le blason de cette institution traditionnelle, grâce à leur approche de restaurateurs modernes. Une mission parfaitement réussie six ans plus tard. En 1995 cependant, l'ambiance du « coup de feu » commence à manquer à nouveau à Thierry. Mais quand on a travaillé avec un maître comme Jean-Pierre Bonin, dans l'un des plus beaux palaces de la capitale, difficile de faire mieux... Thierry décide donc de se lancer dans une aventure totalement différente. Il dépense toutes ses économies pour créer, au cœur du Centre commercial Parly 2, un simple bistro italien, à base de produits frais et de pâtes à emporter. Une idée séduisante au succès phénoménal, qui le pousse même à ouvrir un second établissement de ce type, cette fois au « Lafayette Gourmet ». Et là, le destin s'en mêle : Giorgio Armani, qui a l'occasion de déjeuner à cet endroit, est littéralement bluffé par la qualité de ce qui lui est servi. Il revient à plusieurs reprises et demande à rencontrer Thierry. Pour lui proposer ni plus ni moins la tête des cuisines de l'« Emporio Armani Caffe » qu'il s'apprête à ouvrir au dessus de sa boutique de Saint-Germain-des-Prés. Thierry relève le défi et fait dès 1997 de ce « food in shop » l'un des lieux les plus courus, un endroit à la fois mode et (très très) bon, à mes yeux l'un des cinq meilleurs italiens de la capitale. En 2001, nouveau changement de cap. Il crée de toutes pièces avec Maurice Renoma le « Renoma café », au cœur du « triangle d'or », prouvant décidemment qu'on peut réussir en étant « tendance » et non moins excellent dans l'assiette. Enfin, en 2002, cette fois sans aucun associé, il rachète à Philippe Detourbe son établissement du quartier Pasteur, réalise de gros travaux et ouvre son adresse en octobre 2002, s'imposant rapidement comme l'une des plus belles tables de l'arrondissement. Grâce à une cuisine qui fait partie de celles que je préfère dans toute la capitale, surtout facturée à ce tarif.

ENTRÉE _PLAT _DESSERT

TARTARE D'HUÎTRES ET GROSEILLES

12 HUÎTRES CREUSES N°1
6 PETITS POIREAUX MINCES
1 ÉCHALOTE
1 BOTTE DE CIBOULETTE
2 PIMENTS DOUX ROUGES
1 BOTTE DE CÉBETTES
1 BOTTE DE GROSEILLES
1 BOUQUET DE SHISO VERT (DANS UNE ÉPICERIE JAPONAISE)
1 BÂTON DE CITRONNELLE
50 G DE SUCRE

POUR LA PÂTE
250 G DE FARINE
35 G D'HUILE D'OLIVE
7 G DE SEL
65 G D'EAU
170 G DE BEURRE

Préparez la pâte avec les ingrédients indiqués, étalez-la sur 2 mm d'épaisseur entre deux feuilles, puis faites-la cuire entre deux plaques à 180 °C pendant 20 minutes. Taillez cette pâte à chaud en bandes de 2 cm de largeur sur 15 cm de longueur.
Ouvrez les huîtres et faites pocher les noix de chair dans leur jus bien filtré.
Faites suer légèrement les poireaux et hachez-les. Ajoutez en mélangeant les huîtres égouttées, grossièrement hachées, ainsi que les cébettes taillées en fins biseaux et les piments épépinés et hachés.
Ciselez la ciboulette et l'échalote ; ajoutez-les à la préparation précédente.
Confectionnez une confiture de groseilles avec les baies égrappées et 50 g de sucre.
Disposez le tartare sur la pâte. Ajoutez quelques noisettes de confiture, déposez quelques bâtons de citronnelle et des têtes de shiso vert.

ET LE CHEF A DIT

« AU LIEU D'OUVRIR CLASSIQUEMENT LES HUÎTRES, VOUS POUVEZ LES DISPOSER DANS UN COUSCOUSSIER ET LES OUVRIR À LA VAPEUR, CE QUI PERMETTRA DE LES CUIRE TRÈS PEU DANS LEUR JUS ET DE CONSERVER LES HUÎTRES BIEN FORMÉES. »

ENTRÉE_ **PLAT** _DESSERT

ROUGET EN PAPILLOTTE, JUS AU VIN AVEC FOIE ET CŒUR, FIGUES ET NOISETTES

3 ROUGETS DE 350 G CHACUN
3 FIGUES
40 G DE NOISETTES CONCASSÉES
BEURRE
SEL ET POIVRE
1 BOUTEILLE DE VIN ROUGE

ET LE CHEF A DIT

« POUR LES VRAIS AMATEURS DE GIBIER, ON POURRA CUIRE LE ROUGET ENTIER NON VIDÉ, CE QUI CORSERA LE POISSON, UN PEU COMME POUR UNE GRIVE. SUR CE PLAT FAIT DE TANIN ET D'AMERTUME, JE CONSEILLE DE BOIRE UN GEWURZTRAMINER UN PEU ANCIEN, SERVI FRAIS. »

Levez les rougets en filets. Réservez le cœur et les foies de chaque rouget.
Assaisonnez les filets, posez-les chacun sur une feuille de papier aluminium et beurrez.
Coupez les figues en deux et déposer une demi-figue sur chaque filet. Refermez les papillotes et faites cuire dans le four à 250 ° C pendant 6 minutes.
Faites réduire le vin rouge aux trois quarts. Hors du feu, ajoutez les foies et les coeurs des rougets.
Fouettez et montez au beurre (environ 15 g), puis passez au chinois.
Assaisonnez et ajoutez les noisettes fraîches torréfiées.
Servez le jus dans une saucière.

ENTRÉE_PLAT_DESSERT

MILLE-FEUILLE CARAMEL ET FLEUR DE SEL

300 G DE SUCRE EN POUDRE
5 JAUNES D'ŒUFS
50 CL DE LAIT
45 G DE FARINE
25 CL DE CRÈME FLEURETTE
SEL DE L'ÎLE DE RÉ
4 POMMES DE TERRE NOUVELLES
20 G DE BEURRE
20 G DE SUCRE GLACE

Taillez des rondelles très fines de pommes de terre et alignez-les par trois tranches sur une plaque beurrée allant au four. Faites-les cuire à 170 °C pendant 8 minutes. Sortez-les et réservez. Poudrez-les de sucre glace (prévoyez trois étages pour le mille-feuille).
Préparez un caramel avec 150 g de sucre en poudre et un peu d'eau. Lorsqu'il atteint la coloration brun clair, stoppez la cuisson avec un peu d'eau fraîche et réservez.
Préparez une crème pâtissière avec 150 g de sucre, les jaunes d'oeufs, le lait et la farine. Par ailleurs, montez la crème fleurette en chantilly sans sucre.
À froid, incorporez la moitié du caramel dans la crème pâtissière, ajoutez la fleur de sel, puis petit à petit la chantilly pour l'alléger.
Montez les mille-feuilles individuels au dernier moment. Accompagnez avec le reste du caramel en sauce et poudrez de quelques grains de sel.

ET LE CHEF A DIT

« UN DESSERT ORIGINAL QUE JE VOUS SUGGÈRE D'ACCOMPAGNER SOIT D'UN VIEUX PORTO QUI SOULIGNERA LA RONDEUR DU CARAMEL, SOIT D'UN MUSCAT BEAUMES DE VENISE QUI APPORTERA UN CONTRASTE INTÉRESSANT GRÂCE À SES TOUCHES FRUITÉES. »

LE TROQUET

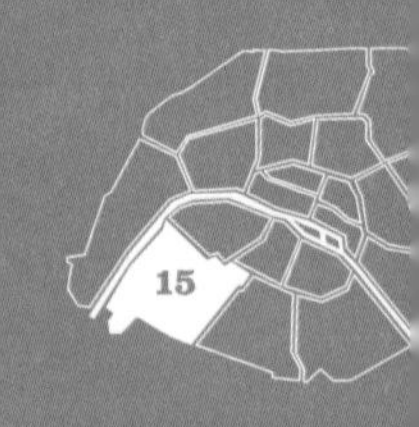

MÉTRO SÈVRES LECOURBE
OU VOLONTAIRES
21, RUE FRANÇOIS-BONVIN
75 015 PARIS
01 45 66 89 00

CHRISTIAN ETCHEBEST

FERMÉ DIMANCHE ET LUNDI

PRIX : AU DÎNER MENU À 30 €
MENU AU DÉJEUNER À 28 €
MENU DÉGUSTATION-SURPRISE À 38 €

« Le Troquet » se devait de figurer en bonne place dans cet ouvrage tout simplement parce ce que c'est l'un des membres fondateurs de la famille « bistronomique », tout comme le furent « la Régalade », « l'Épi Dupin », « l'Avant-Goût » ou encore « Chez Michel ». D'ailleurs, ce Troquet est une sorte de « Régalade bis » : quand je trouve l'attente (certes justifiée) un peu longue pour obtenir une table dans l'institution gourmande de la porte de Châtillon, c'est ici que je réserve, car les deux adresses sont vraiment comparables. Elles jouent sur le même registre culinaire, le répertoire basco-béarnais remis au goût jour. Et comme à « La Régalade », on a affaire à une cuisine solide et faussement simple, plus travaillée qu'il n'y paraît. Une cuisine qui va droit au produit, sérieuse et authentique, inventive et surtout généreuse en diable. Généreuse, à l'image de l'homme aux fourneaux, Christian Etchebest, qui a les deux pieds bien ancrés dans le terroir, possède un tour de main irréprochable (merci entre autres à Christian Constant qui l'a formé), une connaissance du produit exemplaire et un talent certain pour rajeunir les recettes traditionnelles de son pays d'origine. Le décor des deux grandes salles est volontairement daté : vieux carrelage au sol, très jolies petites tables en bois sculpté (avec sets rayés de rouge, genre torchon de vaisselle comme à « La Régalade »), chisteras, vielles affiches et chapelets de piments d'Espelette, casseroles en cuivre, une belle collection de guides Michelin et des vieux moulins à café. C'est rétro à souhait et, personnellement, je trouve cela très réussi. Pour l'ambiance, le coude à coude joyeux est bien souvent de rigueur. C'est convivial et

“ Une cuisine qui va droit au produit, sérieuse et authentique, inventive et surtout généreuse en diable. ”

chaleureux, assez bruyant, une sorte d'atmosphère de troisième mi-temps, où tous les gourmands du 15e se mélangent, les jeunes, les vieux et les jolies filles, Français et étrangers, amateurs de rugby, cadres et bobos. Tout le monde est ravi d'être là ! Un repas au « Troquet » est toujours, je vous l'assure, un moment privilégié. Compte tenu de la qualité des solides et des liquides (très bon choix de madiran et d'irouléguy à petits prix), c'est le type même d'adresse que le monde entier nous envie. Un conseil : au moment du dessert, s'il est à la carte, choisissez le fantastique « russe pistaché façon Troquet ». Il est meilleur, et surtout moins cher, que la version proposée au « Carré des Feuillants ».

QUELQUES EXEMPLES DE PLATS : **soupe crémeuse de potirons aux brisures de marrons et foie gras / tarte fine au parmesan, tomates acidulées, haddock fumé et salade aux herbes / fricassée de ris d'agneau et chipirons, salade de pommes de terre à l'échalote / rillettes de tourteau et saumon à l'estragon, anchoyade de légumes marinés au gros sel / tournedos de saumon au jambon du pays, haricots blancs cuisinés au pistou / dos de lieu jaune aux poivrons doux et graines de sésame grillées / daurade royale poêlée au beurre d'herbes, sauce vierge tiède / magret de canard doré aux épices torréfiées, purée de céleri à l'huile de truffe / faux-filet de Normandie poêlé en appétits, jus corsé au vin rouge, pommes rattes et champignons / macaron à la mousseline pralinée, clémentine au jus / russe pistaché façon Troquet / soupe d'ananas et pamplemousse, sirop parfumé à la menthe.**

POUR EN SAVOIR PLUS SUR CHRISTIAN ETCHEBEST

Quel personnage ! Un Béarnais pure souche à l'accent rocailleux, avec une carrure de demi de mêlée, chaleureux, doux comme un agneau des Pyrénées, enthousiaste et accessible. Retour sur le parcours de ce personnage charismatique, que vous avez peut-être aperçu aux côtés de Jean-Pierre Coffe et de Caroline Rostang dans l'émission « Panique en cuisine ! » sur M6. Christian voit le jour à Pau en 1969, d'une mère infirmière et d'un père boucher. Un père « extraordinaire, comme je le souhaite à tout le monde ». Entre autres conseils, il lui glisse un jour : « Fais le métier que tu veux, mais quel que soit ton choix, travaille plus que les autres. » Il persuade Christian, alors âgé de 18 ans, de monter à Paris quand celui-ci se met à la recherche d'une première maison après son apprentissage. Il arrive en 1987, au « Père Claude » dans le 15e, avec le célèbre Claude Perraudin, « un être adorable, très gentil, un cœur gros comme ça, et en plus un patron formidable ». Quelques années plus tard, un peu par hasard, il a la chance d'intégrer la « dream team » (Camdeborde, Faucher, Frechon) de Christian Constant, alors en quête de sa troisième étoile au « Crillon ». Pour Christian Etchebest, c'est une révélation. Il découvre sous les ors du palace le respect du produit, le style « canaille-chic » du maître, la rigueur et la pression d'une telle maison. « C'était dur, mais j'ai adoré ! ». Et comment ne pas rester insensible à la profonde admiration que Christian porte à « Monsieur » Constant : « Un être humain hors pair... », confie-t-il la voix troublée. Cette formidable aventure dure 16 mois. Au bout desquels, en 1993, sous l'impulsion de son épouse Pacy originaire comme lui du Béarn, il retourne au pays, plus précisément à Biarritz, au prestigieux « Miramar », en tant que chef de partie. Puis, en 1994, il rejoint les cuisines du tout aussi prestigieux « Martinez » à Cannes, comme second de Christian Viller. Enfin, en 1995, à 26 ans, le voilà chef des cuisines du magnifique « Grand Hôtel » de Saint-Jean-de-Luz : une vraie consécration pour l'enfant du pays. Mais deux ans plus tard, malgré le succès de son restaurant très « gastronomique » et une belle qualité de vie dans sa région natale, Christian se regarde dans le miroir: « Suis-je vraiment fait pour ces tables dorées sur tranches ? Cela me ressemble-t-il ? ». La réponse est vite trouvée et il décide avec son épouse de revenir à Paris, mais cette fois avec la volonté d'ouvrir ensemble leur propre adresse. Pacy abandonne son métier de secrétaire et, à l'été 1997, lui aux fourneaux, elle en salle, ils effectuent leur premier service au « Troquet », fraîchement racheté. Avec l'ambition de faire « un truc qui me ressemble, simple mais très bon, et surtout convivial. Le « Troquet », c'est vraiment mon bébé, c'est exactement ce que j'avais en tête ». Depuis plus de neuf ans, sa maison est un extraordinaire succès, jamais démenti, un formidable point de ralliement d'épicuriens en tout genre. Juste retour des choses pour un homme humble et sincère, qui sait ce qu'il doit aux « grandes maisons » qui l'ont formé, mais qui se trouve aujourd'hui dans son bistro bien plus à son aise. Christian tient aussi absolument à rendre hommage à sa femme, laquelle, n'étant pas au départ du métier, a dû faire des concessions pour que son mari s'épanouisse dans son travail. Il tient aussi à faire savoir que sa vie a été bouleversée par la naissance de ses fils, Anxton et Peio. Depuis qu'ils sont là, la cuisine n'est plus son seul centre d'intérêt.

ENTRÉE _PLAT _DESSERT

CHAMPIGNONS MARINÉS AU PIMENT D'ESPELETTE, ŒUF DE CAILLE ET VENTRÊCHE IBAÏONA DE MON AMI « OSPITAL »

300 G DE GIROLLES
300 G DE TROMPETTES DE LA MORT
300 G DE CHANTERELLES
SEL ET POIVRE
100 G DE PIMENT D'ESPELETTE
400 G D'OIGNONS NOUVEAUX
THYM, LAURIER
80 CL D'HUILE D'OLIVE
8 GOUSSES D'AIL
25 CL DE VINAIGRE BLANC
2 CL DE VINAIGRE DE XÉRÈS
6 ŒUFS DE CAILLE
100 G DE VENTRÊCHE D'IBAÏONA

Taillez finement les oignons nouveaux et les piments d'Espelette. Ajoutez 1 brin de thym, une feuille de laurier, l'huile d'olive, le vinaigre de Xérès et quelques gousses d'ail.
Nettoyez tous les champignons et lavez-les plusieurs fois.
Portez à ébullition 75 cl d'eau et le vinaigre de vin blanc, ajoutez les champignons et faites bouillir à nouveau, puis égouttez-les.
Versez les champignons égouttés dans la marinade à l'huile et au vinaigre de Xérès.
Laissez reposer dans le réfrigérateur pendant 6 heures.

Pour servir
Faites poêler la ventrêche et les œufs de caille.
Déposez les champignons marinés au centre de l'assiette.
Placez les œufs de caille et la ventrêche par-dessus.

ET LE CHEF A DIT

« CETTE RECETTE EST ORIGINAIRE DU PAYS BASQUE ESPAGNOL, OÙ L'ON SERT COURAMMENT LES CHAMPIGNONS MARINÉS EN TAPAS À L'APÉRITIF. PROPOSEZ EN MÊME TEMPS UN IROULÉGUY, COMME LA CUVÉE LEHENGOA DU DOMAINE ETXEGARAYA. »

ENTRÉE_ PLAT _DESSERT

ÉPAULE D'AGNEAU CONFITE AU THYM, FENOUIL ET CAROTTES RÔTIS À CRU

2 ÉPAULES D'AGNEAU
1 TÊTE D'AIL
1 BOUQUET DE THYM
2 OIGNONS ROUGES
3 TOMATES
2 BULBES DE FENOUIL
8 BELLES CAROTTES
1 FEUILLE DE LAURIER
1 BRANCHE DE THYM
30 CL DE FOND BLANC
HUILE D'OLIVE
SEL, POIVRE ET PIMENT D'ESPELETTE

Dégraissez grossièrement les épaules d'agneau et taillez-les chacune en trois.
Faites-les colorer dans une grande sauteuse. Ajoutez les oignons émincés, la moitié des carottes tronçonnées, le bouquet de thym, l'ail coupé en deux et les tomates en quartiers.
Mouillez avec deux louches de fond blanc et faites cuire dans le four pendant 3 heures à 150 °C.
Taillez grossièrement le reste des carottes et les bulbes de fenouil. Faites-les revenir dans une sauteuse avec de l'huile d'olive. Assaisonnez généreusement. Ajoutez la feuille de laurier et la branche de thym. Laissez cuire en remuant de temps en temps
Égouttez les épaules d'agneau quand elles sont cuites et passez le jus au chinois en pressant bien avec le dos d'une cuillère.
Servez bien chaud avec la garniture de carottes et de fenouil.

ET LE CHEF A DIT

« JE VOUS LIVRE ICI UNE RECETTE DE MA MÈRE QUAND J'ÉTAIS GOSSE. ELLE RAJOUTAIT EN FIN DE CUISSON QUELQUES FEUILLES DE SAUGE DANS LES LÉGUMES POUR LES PARFUMER. JE VOUS SUGGÈRE POUR L'ACCOMPAGNER UN CÔTES DU ROUSSILLON VILLAGES DE CHEZ CACHAU. »

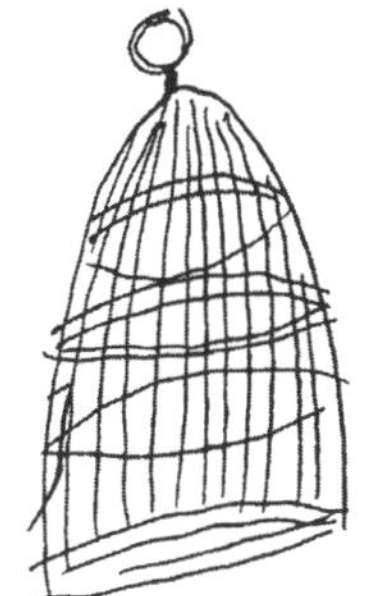

ENTRÉE_PLAT_DESSERT

POTS VANILLE ET CHOCOLAT, MADELEINES À L'ANIS

1 L DE LAIT FRAIS ENTIER
2 ŒUFS ENTIERS
8 JAUNES D'ŒUFS
200 G DE SUCRE SEMOULE
2 GOUSSES DE VANILLE
25 G DE CACAO AMER EN POUDRE

POUR LES MADELEINES
2 ŒUFS
10 CL DE LAIT
110 G DE BEURRE FONDU
125 G DE SUCRE SEMOULE
1 CUILLERÉE À SOUPE DE SUCRE GLACE
200 G DE FARINE
5 G DE LEVURE ALSACIENNE
3 G D'ANIS EN POUDRE

Versez 50 cl de lait dans une casserole, ajoutez les gousses de vanille fendues en deux et portez à ébullition. Retirez du feu au premier bouillon et laissez infuser.
Pendant ce temps, battez 1 œuf entier et 4 jaunes d'œufs avec la moitié du sucre, jusqu'à consistance mousseuse et jaune pâle.
Raclez les graines de la vanille avec une petite cuillère, mettez-les dans le lait et jetez les gousses.
Versez lentement le lait sur la « mousse » d'œufs en mélangeant avec une cuillère en bois et répartissez cette préparation dans six petits pots en la passant au chinois.
Procédez de la même façon pour la crème au chocolat, en remplaçant la vanille par le cacao.
Allumez le four à 90 °C. Poser les pots sur une plaque. Faites cuire dans le four pendant 45 minutes à 1 heure. La crème doit être encore tremblante, mais prise (vérifiez la cuisson en plongeant la lame d'un couteau : elle doit ressortir humide mais sans adhérence).
Laissez refroidir à température ambiante.
Pour les madeleines, préchauffez le four à 220 °C.
Dans un récipient, mélangez au fouet à main les œufs avec le sucre semoule. Ajoutez le lait, puis la farine tamisée avec la levure. Ajoutez enfin 100 g de beurre fondu et l'anis.
Enduisez avec le beurre restant deux plaques à petites madeleines anti-adhésives.
Versez la pâte dedans et enfournez pendant 7 à 8 minutes jusqu'à ce que les madeleines soient levées et dorées.
Démoulez à chaud sur une grille.
Disposer dans chaque assiette un pot de crème à la vanille, un pot de crème au chocolat et les madeleines en garniture.

ET LE CHEF A DIT

« CE DESSERT PLEIN DE DOUCEUR EST TOUT SIMPLEMENT LA PREMIÈRE RECETTE DE PÂTISSERIE QUE J'AI RÉALISÉE À MES DÉBUTS DANS LE MÉTIER. POUR LES GOURMANDS, VOUS POUVEZ RAJOUTER UN TROISIÈME POT, AU CAFÉ PAR EXEMPLE. SERVEZ IDÉALEMENT AVEC UN VIN DU BUGEY (DANS LE JURA), COMME LE CERDON DU DOMAINE RENARDAT. »

16

16e

LA TABLE LAURISTON

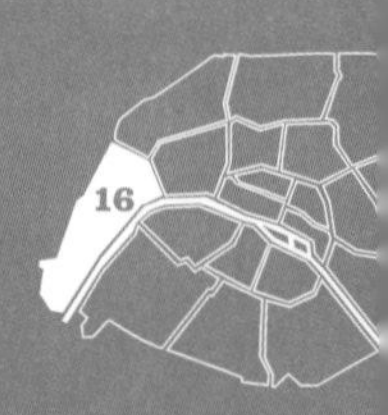

MÉTRO TROCADÉRO
129, RUE LAURISTON
75 016 PARIS
01 47 27 00 07

SERGE BARBEY

FERMÉ SAMEDI MIDI ET DIMANCHE

PRIX : À LA CARTE ENVIRON 40 €

"Du grand professionnalisme en toute décontraction."

Depuis juin 2004, cette belle table vient égayer ce coin tristounet proche du Trocadéro, en y rameutant une foule élégante d'épicuriens et de joyeux bons vivants. Une véritable oasis de bonheur au cœur d'un 16e nord assez léthargique et pauvre en bons plans gastronomiques. D'abord le cadre est particulièrement bien vu : c'est à mon sens l'une des plus belles réussites du genre de ces dernières années, le fruit du travail en grande partie de Nadia, la femme du chef. Une salle à la taille idéale (une quarantaine de couverts) où dominent le gris (très à la mode) et le rouge : murs peints de bandes verticales où alternent le gris, l'orange et le rose, parquet gris et moulures argentées, beaux miroirs, quelques toiles originales et des objets ethniques, tables carrées en bois et quelques tables rondes, jolis sets colorés, fauteuils habillés de tissus gris, banquettes à impression cachemire et lumières tamisées. L'ensemble est franchement très chic et d'un bon goût absolu, à la fois pimpant, cossu et tonique. De plus, l'excellente musique jazz en fond sonore est en bonne osmose avec l'endroit. Côté accueil et service, Nadia et le toujours souriant Willy n'ont pas leur pareil pour vous faire passer un délicieux moment : du grand professionnalisme en toute décontraction. Enfin et surtout, il faut parler de la cuisine de Serge Barbey, le chef propriétaire des lieux. Ici, pas de fioritures, pas de chichis inutiles. C'est du traditionnel, franc du collier, avec un seul mot d'ordre : « direct au produit ». Mais quels produits ! Si vous êtes amateurs de pureté, de perfection dans la simplicité, de préparations classiques sans aucune lourdeur (une légèreté qui rappelle sans aucun doute le passage de Serge chez Loiseau), cette table-là est incontestablement faite pour vous. Et cette cuisine que j'ai pu goûter à de nombreuses reprises n'est d'ailleurs pas sans me rappeler celle que réalisait Eric Frechon dans son bistro chic du 19e arrondissement, avant qu'il ne prenne la direction du « Bristol », et se révèle également assez proche de celle de Jean-Pierre Vigato chez « Apicius ». Venez jusqu'ici, cet établissement mérite plus que largement le détour. Dernier conseil : quitte à le partager à deux, ne manquez sous aucun prétexte le baba au rhum géant (surmonté d'une crème fouettée aérienne et dont le prix varie en fonction du rhum que vous choisirez) : c'est déjà le grand classique de la maison.

QUELQUES EXEMPLES DE PLATS : **marbré de fonds d'artichaut au foie gras frais / cassolette de supions au piment d'Espelette / terrine de queues de bœuf et rémoulade de céleri / carpaccio de bar à l'aneth de citron vert / salade de queues de langoustines sur roquette sauvage / dos de dorade au coulis de pimientos / noix de Saint-Jacques poêlées et risotto reggiano / navarin de lotte aux petits légumes de saison / entrecôte normande 400 g, gratin dauphinois / petit-salé de porc aux lentilles vertes du Puy / côte de veau dans son jus, rattes de Noirmoutier / noix de ris veau braisé à l'estragon / blanc de turbot à la purée de trompettes / soupe de fruits rouges aux épices / baba au rhum géant au rhum agricole / tarte fine aux pommes tièdes / crème brûlée à la vanille Bourbon / moelleux au chocolat / soupe d'agrumes et ananas Victoria au Sauternes.**

POUR EN SAVOIR PLUS SUR SERGE BARBEY

LA TABLE LAURISTON
Restaurant
chef de cuisine : Serge BARBEY
129, rue de Lauriston - 75116 PARIS
Tel./Fax : 01 47 27 00 07

Le grand et solide Serge Barbey voit le jour en 1960 dans le Jura. Il est élevé dans une famille de vignerons près de Beaune. Pourtant, le petit Serge n'a qu'une envie : devenir médecin. Mais à l'âge de 12 ans, il reste littéralement subjugué lorsque le chef des cuisines du mythique train « L' Orient-Express », venu aider ses parents pour les vendanges, lui montre comment découper un poulet : c'est tout simplement le tournant de sa vie. Il change alors complètement d'orientation, décide d'être cuisinier et entre à Beaune en apprentissage. Surtout, son maître d'apprentissage n'est autre que Bernard Loiseau en personne. Il côtoie ce grand monsieur pendant deux ans, de 1978 à 1980 : il en retient avant tout sa façon de travailler en légèreté, trait caractéristique de la cuisine de l'homme de Saulieu. Après quelques stages très formateurs chez « Troisgros » et « Lameloise », Serge arrive à Paris en 1981 pour travailler aux côtés de Guy Savoy à « La Barrière de Neuilly ». Là, il apprend à bien sélectionner ses produits (et comment fonctionnent les halles de Rungis) et se rappelle encore comment le futur triple étoilé parvenait à mettre en relief la pureté de n'importe quel produit. Quelques mois plus tard, il seconde Guy Girard au « Petit Coin de la Bourse », table réputée à l'époque. Une belle expérience de plus de deux ans, à l'issue de laquelle Serge suit un stage de comptabilité, avec déjà sa petite idée derrière la tête. En 1988, il prend la tête des fourneaux de « La Boule d'Or », une très belle adresse du quartier des Invalides. Le voilà donc à moins de 30 ans chef à part entière, une place qu'il ne quittera plus. À partir des années 90, il exerce encore ses talents successivement dans un magnifique hôtel du Morvan, chez « Jean de Chalosse » dans le 8e arrondissement et enfin au « Soleil de Saint-Ouen », près des Puces, parvenant à faire traverser le périphérique à des Parisiens endurcis. Et puis, en 2004, lui et sa femme pensent que c'est enfin le moment d'ouvrir leur propre affaire (Nadia a fini d'élever leur deuxième enfant). Ils quittent donc Saint-Ouen pour les beaux quartiers de Paris, le 16e tranquille et bourgeois, et cette « Table Lauriston », une adresse bien à eux. Ils ouvrent à l'été 2004 après des travaux de rénovation (une rénovation je le répète particulièrement réussie). Depuis, cela ne désemplit pas. Alors vous aussi, foncez-y et régalez vous !

ENTRÉE _PLAT _DESSERT

RILLETTES DE LISETTES AUX BAIES ROSES

2 KG DE LISETTES
2 OIGNONS
THYM ET LAURIER
100 G DE PURÉE D'ANCHOIS
10 CL D'HUILE L'OLIVE
10 CL DE CRÈME ÉPAISSE
1 CITRON JAUNE
1 CITRON VERT
BAIES ROSES ET POIVRE BLANC
POIVRE NOIR ET SEL FIN

Préparez un court-bouillon avec 2 litres d'eau, 2 oignons pelés et émincés, thym et laurier, du poivre et un peu de sel.
Rincez et épongez les lisettes dans du papier absorbant.
Faites-les cuire pendant 10 minutes au court-bouillon, égouttez-les et réservez-les.
Faites ensuite réduire le court-bouillon jusqu'à l'équivalent d'une tasse à café. Passez au chinois et réservez.
Enlevez les arêtes des lisettes. Mettez les filets de lisettes dans un saladier, puis écrasez-les à la fourchette en ajoutant l'huile d'olive, la crème fraîche, la purée d'anchois, le jus des citrons, la réduction du court-bouillon et 1 cuillerée à soupe de baies roses. Salez et poivrez, réservez au réfrigérateur.
Servez en petites quenelles confectionnées avec deux cuillères à soupe.
Disposez les quenelles en étoile sur des assiettes.

ET LE CHEF A DIT

« VOUS POUVEZ DÉCORER VOS ASSIETTES AVEC DES LAMELLES DE CITRON VERT, DES BAIES ROSES ET DU PERSIL. À DÉGUSTER IDÉALEMENT AVEC UN MÂCON GREVILLY LES GENIÈVRIÈRES BLANC DE CHEZ GUILLOT BROUX. »

ENTRÉE_ **PLAT** _DESSERT

TENDRONS DE VEAU BRAISÉS AUX PETITS LÉGUMES

6 TENDRONS DE VEAU DE 3 À 4 CM D'ÉPAISSEUR
2 GROS OIGNONS
2 CAROTTES
THYM ET LAURIER
1 KG DE TOMATES
1 VERRE DE VIN BLANC SEC
1 ZESTE D'ORANGE
HUILE D'OLIVE
AIL ET PERSIL PLAT
SEL ET POIVRE

POUR LA GARNITURE
4 PETITES CAROTTES
4 PETITS NAVETS
1 TÊTE DE BROCOLIS
250 G DE POIS GOURMANDS
150 G DE PETITS OIGNONS

Faites chauffer 2 cuillerées à soupe d'huile d'olive dans une grande cocotte et mettez-y à dorer les tendrons de veau. Ajoutez les carottes et les oignons, pelés et coupés en petits dés. Laissez dorer doucement.
Pelez et hachez 4 gousses d'ail. Pelez, épépinez et concassez les tomates.
Déglacez la cocotte avec le vin blanc, puis ajoutez les tomates, l'ail, un brin de thym et une feuille de laurier, ainsi que le zeste d'orange.
Couvrez et faites cuire pendant 1 heure 15 environ sur feu doux. Salez et poivrez.
Faites rapidement blanchir les légumes de la garniture dans une grande casserole d'eau bouillante salée. Égouttez-les et ajoutez-les dans la cocotte pendant une dizaine de minutes avant la fin de la cuisson des tendrons.

ET LE CHEF A DIT

« À SERVIR DANS DES ASSIETTES PARSEMÉES DE PERSIL PLAT CISELÉ. JE VOUS SUGGÈRE EN ACCOMPAGNEMENT UN ROUSSILLON ROUGE COMME LES "HAUTES BERNES". »

ENTRÉE _ PLAT _ DESSERT

SOUPE DE GARIGUETTES AU BROUILLY

1 KG DE FRAISES GARIGUETTES
1 BOUTEILLE DE BROUILLY
300 G DE SUCRE
1 GOUSSE DE VANILLE
1 BÂTON DE CANNELLE
10 CL DE CRÈME DE CASSIS
10 CL DE CRÈME DE FRAMBOISE
1 BOUQUET DE MENTHE FRAÎCHE
POIVRE DU MOULIN

Lavez rapidement, puis équeutez les fraises. Coupez-les une par une en quatre.
Réunissez-les dans un saladier, versez le vin, puis ajoutez le sucre, la gousse de vanille fendue en deux, la cannelle, la crème de cassis et la crème de framboise.
Mélangez délicatement et laissez mariner pendant 3 heures dans le réfrigérateur.
Répartissez la soupe de fraises dans des coupes (en retirant la cannelle et la vanille). Ajoutez la menthe fraîche ciselée et donnez deux ou trois tours de moulin à poivre.

ET LE CHEF A DIT

« UN BEAU DESSERT EN ÉTÉ, TRÈS FRAIS ET VRAIMENT FACILE À RÉALISER. EN ACCOMPAGNEMENT, JE VOUS CONSEILLE UN COTEAUX DU LAYON COMME CELUI DE JO PITHON, VRAIMENT MAGNIFIQUE. »

LA TERRASSE MIRABEAU

MÉTRO MIRABEAU
5, PLACE DE BARCELONE
75 016 PARIS
01 42 24 41 51

PIERRE NEGREVERGNE

FERMÉ SAMEDI MIDI ET DIMANCHE

PRIX : MENU-CARTE À 39 €

MENU DÉJEUNER À 25 €

Pas très facile, dans ce coin un peu excentré du 16e arrondissement, de trouver une bonne table accessible. C'est l'occasion pour moi de vous révéler l'une de mes découvertes, une adresse discrète, encore assez confidentielle, mais qui mérite toutes les attentions, du moins votre visite. Les motifs ne manquent pas. D'abord le décor contemporain : une salle d'un beau volume aux lignes droites, moquette marron foncé et murs beige, tables bien dressées, banquettes et fauteuils en cuir vert pâle, éclairage par petits spots, lumière tamisée et petites lampes à huile sur les tables, quelques miroirs et toiles modernes aux murs. Dans un style sobre et épuré, c'est réussi et très confortable. Sans oublier bien sûr la vaste terrasse en teck pour les beaux jours, suffisamment remarquable dans le quartier pour justifier l'enseigne de l'établissement. Pour ce qui est de l'ambiance musicale, c'est, selon l'humeur, trip-hop et « lounge music » pour faire un peu branché, Norah Jones pour faire consensuel, et surtout du jazz de qualité. Mais l'attrait essentiel de l'endroit réside sans aucun doute dans la haute qualité des assiettes. Pierre Négrevergne, formé entre autres par le grand chef Michel Rostang, est un cuisinier talentueux, qui s'exprime dans un registre entre tradition et modernité. Il est ainsi capable de réussir un classique et parfait « pâté en croûte de canard sauvage au foie gras » (le meilleur de Paris ?) ou une « mijotée d'escargots petits gris de Bretagne à l'ail doux », mais également de faire preuve d'une inventivité maîtrisée sur une « crème mousseuse de Saint-Jacques aux huîtres », un «cappuccino aux queues de langoustines de Bretagne » ou autres réussites du même

" Un cuisinier talentueux, qui s'exprime dans un registre entre tradition et modernité. "

genre. Ce chef possède un savoir-faire indéniable et se montre particulièrement attentif à bien mettre en valeur l'aspect « terroir » des produits de saison. Une cuisine pleine d'intérêt, facturée à des tarifs bien sages pour le quartier, compte tenu surtout de la qualité des produits, de la réalisation des plats et des prestations d'ensemble. On ne s'étonnera donc pas de voir la clientèle du 16e arrondissement prendre ici ses habitudes. N'hésitez pas vous aussi à réserver, pour découvrir une table qui gagne à être connue par d'autres que les riverains. Et dès les premiers rayons de soleil, ruez-vous sur la vaste et confortable terrasse, l'une des plus agréables de la capitale.

QUELQUES EXEMPLES DE PLATS : **crème mousseuse de Saint-Jacques aux huîtres de Bretagne / vinaigrette de légumes du moment en dentelle de parmesan / rémoulade de céleri et pommes Granny au homard / cappuccino aux queues de langoustines de Bretagne / club sandwich à la truffe noire de Richerenches / filets de rouget barbet poêlés, compotée de fenouil et poivrons / penne rigate aux cèpes de Sologne et jambon cru de Savoie / risotto « Arborio » au homard / brochettes de noix de Saint-Jacques, polenta crémeuse aux herbes / filet de biche, poêlée de spätzles / cuisse de lapin braisée à la sauge et romarin, lentilles vertes du Puy / tarte fine aux pommes, glace à la confiture de lait / pain « Poujauran » perdu aux poires parfumées à l'angélique confite « maison » / mille-feuilles à la crème légère de clémentines.**

POUR EN SAVOIR PLUS SUR PIERRE NEGREVERGNE

Pierre Négrevergne naît en 1967 dans l'est de la France, près de Bar-Le-Duc, dans une famille de commerçants. Ses parents sont persuadés que leur fils, dès son plus jeune âge, se destinera à un métier de « bouche » tant il semble fasciné par tout ce qui touche au goût. Mais l'enfance du petit Pierre n'est pas drôle : il est asthmatique et souffre de problèmes de croissance. À 13 ans, d'après son médecin, sa seule chance de guérir tient à un déménagement définitif en altitude. Contraint de quitter ses parents, il est placé dans une famille d'accueil près de Grenoble, à Villard-de-Lans précisément. Les conseils de son docteur se révèlent excellents : Pierre guérit rapidement et gagne plus de 10 cm en un an ! Surtout, c'est dans le Vercors qu'a lieu le tournant de sa vie : de façon tout à fait impromptue, il devient du jour au lendemain apprenti cuisinier au restaurant « Le Dauphin », qui cherche un jeune, alors que Pierre vient y déjeuner avec ses parents « adoptifs ». Il commence alors son apprentissage au début des années 80, couronné par un CAP de cuisinier et un autre de pâtissier. Il intègre ensuite les brigades de divers établissements, comme les « Frères Cotton » à Grenoble, « l'hôtel Napoléon » à Paris dans le 17e, et surtout les « Terrasses d'Uriage » (près de Grenoble) avec Philippe Bouissou, un grand chef doublement étoilé. En 1995, il s'installe définitivement à Paris, d'abord en tant que chef pâtissier au prestigieux « Royal Monceau » de l'avenue Hoche, puis en 1996 comme chef des cuisines du « Bistro d'à côté », l'une des annexes (la première et la plus importante) de Michel Rostang. Une adresse où se retrouvent les grands pontes de la politique, des affaires et des médias. Pendant 8 ans, il côtoie ce grand monsieur qu'est Michel Rostang, il apprend la rigueur, la bonne gestion d'un établissement, le management d'une brigade. Il noue aussi de bons contacts avec les meilleurs fournisseurs de la capitale (les mêmes que ceux du restaurant « gastronomique » de Michel Rostang), des contacts dont il tire aujourd'hui les bénéfices. En 2004, il décide enfin de voler de ses propres ailes et se met à la recherche d'une adresse à lui. Son choix se porte sur cet établissement du 16e arrondissement, en particulier à cause de sa terrasse. Il y fait réaliser d'importants travaux de décoration et ouvre en février 2004. Avec un bon bouche à oreille et quelques articles élogieux, sa « Terrasse Mirabeau » est vite devenue incontournable, tant au déjeuner pour le gotha de l'audiovisuel (TF1, France Télévision et Radio France sont tout proches) que le soir pour des riverains, trop heureux d'avoir enfin une vraie belle table abordable à demeure. Joignez-vous à eux pour découvrir la cuisine de l'un des chefs les plus sympathiques de cet ouvrage.

ENTRÉE _PLAT _DESSERT

PÂTÉ EN CROÛTE DE CANARD AU FOIE GRAS

POUR LA PÂTE
150 G DE SAINDOUX
500 G DE FARINE
3 ŒUFS
BEURRE POUR LE MOULE
SEL

POUR LA FARCE
500 G DE MAGRET DE CANARD
500 G DE GORGE DE PORC
500 G DE MAIGRE DE PORC
150 G DE FOIES DE VOLAILLE
100 G DE CHAMPIGNONS DE PARIS
100 G DE PAIN DE MIE
1 OIGNON
SEL, POIVRE ET QUATRE-ÉPICES
5 CL DE COGNAC
200 G DE FOIE GRAS DE CANARD
1 JAUNE D'OEUF

POUR LA PÂTE
Confectionnez une pâte brisée en mélangeant la farine, le saindoux et une pincée de sel, incorporez les oeufs et liez avec 5 cl d'eau froide.
Étalez les trois quarts de cette pâte au rouleau sur 1 cm d'épaisseur.
Garnissez-en un moule beurré à hauts bords en laissant la pâte déborder légèrement tout autour. Réservez.

POUR LA FARCE
Hachez 400 g de magret de canard avec la gorge et le maigre de porc, ajoutez les foies de volaille et l'oignon pelé, les champignons nettoyés et le pain de mie. Hachez le tout et assaisonnez avec le sel, le poivre et le quatre-épices.
Arrosez cette farce avec le cognac.
Coupez en lanières le reste de magret et le foie gras.
Remplissez le moule en alternant la farce et les lanières de canard et foie gras.
Étalez la pâte restante et posez-la en couvercle sur la farce.
Rabattez les bords tout autour en ourlant la pâte. Dorez la pâte au jaune d'oeuf.
Faites cuire le pâté en croûte dans le four pendant 30 minutes à 225 °C, puis 25 minutes à 200 °C.

ET LE CHEF A DIT

« J'ADORE LE PÂTÉ EN CROÛTE, POUR LA BONNE ET SIMPLE RAISON QU'IL PEUT ÊTRE PARTAGÉ AUSSI BIEN ENTRE AMIS SUR LE COIN D'UN COMPTOIR QUE SUR UNE BELLE TABLE. C'EST UN PLAT À LA FOIS POPULAIRE ET NOBLE. J'AIME LE DÉGUSTER PAR EXEMPLE AVEC UN HAUTES-CÔTES DE NUITS ROUGE, COMME LA CUVÉE 1999 DU DOMAINE ALAIN VERDET, UN TRÈS BEAU DOMAINE AGROBIOLOGIQUE. »

ENTRÉE_ PLAT _DESSERT

BAR SAUVAGE DE BRETAGNE, ÉPINARDS FRAIS À L'AGASTACHE ET VINAIGRETTE DE SUREAU

6 FILETS DE BAR SAUVAGE DE BRETAGNE DE 200 G CHACUN
25 CL D'HUILE D'OLIVE
1 BOTTE D'AGASTACHE
1 KG D'ÉPINARDS FRAIS
20 G DE BEURRE
2 ÉCHALOTES
300 G DE BAIES DE SUREAU
10 CL DE VINAIGRE DE XERES
SEL ET POIVRE

Faites mariner les feuilles d'agastache hachées dans l'huile d'olive avec les échalotes hachées.
Préparez une vinaigrette avec le xérès et les baies de sureau
Équeutez et lavez les épinards ; épongez-les.
Faites cuire les filets de bar translucides et réservez.
Faites fondre les épinards avec un peu de beurre noisette, salez et poivrez ; ajoutez l'huile parfumée à l'agastache.
Répartissez les épinards dans les assiettes de service. Posez un filet de bar dessus et entourez d'un cordon de vinaigrette de sureau.

ET LE CHEF A DIT

« EN ASSOCIANT L'AGASTACHE (OU ANIS HYSOPE, AU GOÛT DE MENTHE, DE BASILIC ET DE PISTACHE) AVEC LA BAIE DE SUREAU, ON OBTIENT UN ÉCLAT TRÈS AMUSANT DE PARFUMS EN BOUCHE. À DÉGUSTER DE PRÉFÉRENCE AVEC UN POUILLY FUMÉ, COMME LA CUVÉE "LES DEMOISELLES" 2003 DE CHEZ HENRI BOURGEOIS. »

ENTRÉE_PLAT_DESSERT

TARTE AU CHOCOLAT EXTRA-BITTER

POUR LA PÂTE SABLÉE
300 G DE BEURRE
125 G DE SUCRE GLACE
40 G DE POUDRE AMANDES
125 G D'OEUFS
500 G DE FARINE
SEL FIN

POUR LA CRÈME AU CHOCOLAT
100 G DE LAIT
100 G DE CRÈME
200 G DE CHOCOLAT « EXTRA-BITTER »
2 ŒUFS

Préparez la pâte sablée en mélangeant la farine, une pincée de sel et le beurre en petites parcelles, incorporez le sucre et le poudre d'amandes, puis amalgamez rapidement le tout avec les oeufs.
Ramassez la pâte en boule et mettez-la dans le réfrigérateur pendant la préparation de la crème.
Faites bouillir le lait et la crème dans une casserole, ajoutez le chocolat cassé en petits morceaux et mélangez sur feu doux jusqu'à ce qu'il soit entièrement fondu.
Incorporez les oeufs hors du feu et mélangez intimement.
Abaissez la pâte et garnissez-en un moule. Faites-la cuire à blanc dans le four pendant une dizaine de minutes. Sortez-la et laissez tiédir. Versez la crème au chocolat dessus. Remettez la tarte dans le four pendant une quinzaine de minutes à 100 °C.

ET LE CHEF A DIT

« VOUS POUVEZ ACCOMPAGNER CETTE TARTE D'UNE GLACE À LA VANILLE BOURBON OU, MIEUX ENCORE, D'UNE GLACE AU CAFÉ. DÉGUSTEZ EN MÊME TEMPS, PAR EXEMPLE, UN RIVESALTES DU DOMAINE CAZES. »

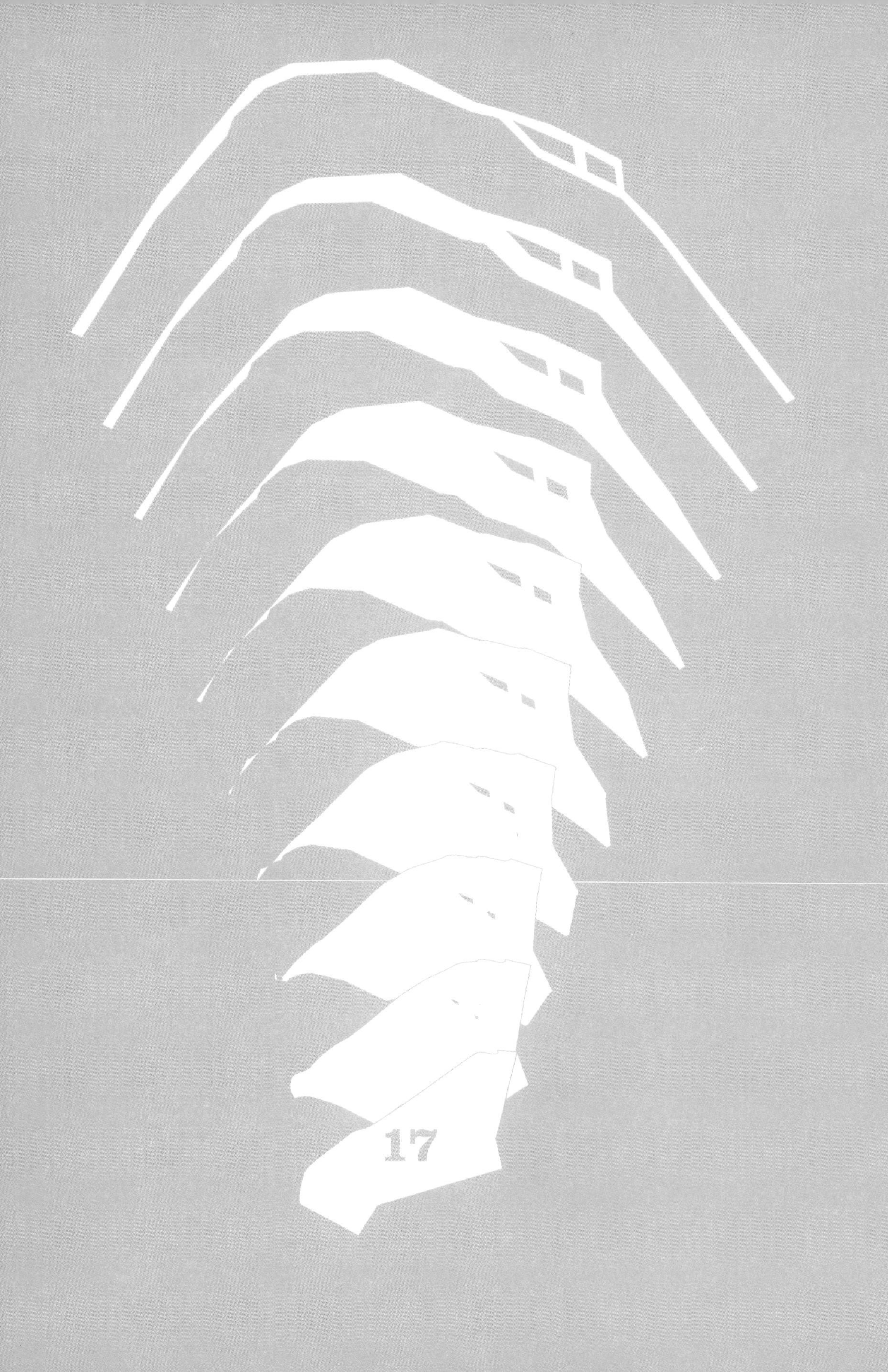
17

17e

L'ABADACHE

MÉTRO BROCHANT
89, RUE LEMERCIER
75 017 PARIS
01 42 26 37 33

YANN PITON

FERMÉ SAMEDI ET DIMANCHE

PRIX : MENU À 26 €

MENU DÉJEUNER À 19 €

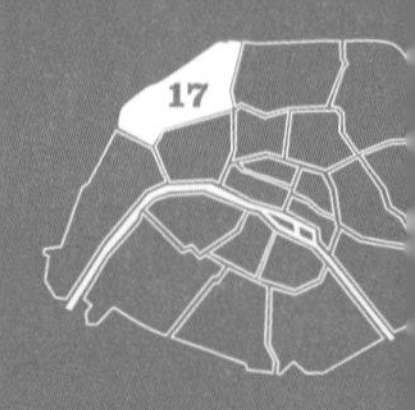

Attention : gros coup de cœur ! Dans un quartier populaire et commerçant, voilà cette devanture discrète le long d'une rue anodine, qui ne donne pas forcément envie de pousser la porte. À l'intérieur, deux salles minuscules au décor de bistro gardé dans son jus, fait de bric et de broc : carrelage en mosaïque, banquettes de moleskine, murs de crépi blanc, tables et chaises en bois, table d'hôtes avec vue directe sur la cuisine ouverte, luminaires improbables et meubles dépareillés. Ça fait un peu capharnaüm et l'on devine que tout a été chiné ici ou là. Mais passons sur cette première impression, qui peut vous laisser sur vos gardes. Car l'intérêt de cette formidable petite adresse est ailleurs. D'abord dans l'ambiance, qui réunit habitués, quelques bobos, des jeunes, des retraités, des familles du quartier. L'atmosphère est conviviale et populaire, dans le bon sens du terme. En outre, on sent que toute la salle communie avec ferveur autour des assiette et l'on a véritablement l'impression d'être ici « comme à la maison ». Venons-en à la cuisine. Le chef ne cherche pas à impressionner, à épater son monde, loin de là, mais en revanche, on sent de toute évidence son plaisir de cuisiner, qui se révèle très communicatif. Sa cuisine est simple et savoureuse, vivace, assez personnelle et toujours réussie. Pour vous convaincre, voici l'un de mes derniers repas à « L'Abadache ». Pour commencer, une escalope de foie gras poêlée en crème de topinambour. Pour suivre, un chapon rôti, pommes charlotte, choux de Bruxelles, farce aux châtaignes et sauce aux airelles. Et enfin pour terminer, un soufflé au Grand Marnier. Le tout délicieux de bout en bout et facturé… 26 € ! On croit rêver, non ? Et ce n'est pas tout : j'ai accompagné ces

“ On sent de toute évidence son plaisir de cuisiner, qui se révèle très communicatif. ”

agapes de quelques verres de vin (je rentrais en métro) du meilleur cru, servis généreusement, comme ce magnifique Viognier de chez Colombo, à 3,4 € le verre ! (Mais j'aurais pu également citer les Richaud, Laplace, Le Cros, Brun, tous ces merveilleux producteurs en bonne place sur l'ardoise.) Finalement, « L'Abadache » est une très bonne adresse, franche et directe, avec un service plein de charme (grâce notamment à la femme anglaise du chef), qui joue le jeu avec comme seul et unique calcul, celui de régaler ses hôtes sans les ruiner.

QUELQUES EXEMPLES DE PLATS : **aspics de poulet et salade aux pistaches / poêlée de moules et palourdes à la coriandre / gelée de cabillaud aux agrumes / pressé de lapin et vinaigrette de pistache / cailles rôties et légumes confits au citron / crépinette de raie aux épinards avec tomates séchées et câpres / pavé de bar et cannelloni aux épinards et piquillos / crème onctueuse à l'ananas et mousse coco / crème brûlée au citron et fruits rouges / mirabelle aux épices et glace vanille Bourbon.**

POUR EN SAVOIR PLUS SUR YANN PITON

Amateurs de parcours originaux, celui de Yann Piton va vous plaire ! Il voit le jour en 1965 en région parisienne dans une famille sans aucun lien avec une quelconque tradition gastronomique. Naturellement doué, sans doute aussi poussé par son père cadre supérieur, Yann poursuit de belles études (dont un bac C obtenu haut la main). Mais sa passion à lui, c'est le théâtre. Il s'y lance à fond, suit les meilleurs cours, joue dans diverses compagnies, participe à plusieurs festivals (dont celui d'Avignon en 1988). Mais en 1991, il est amené à remplacer au pied levé pour quelque temps un ami qui travaille seul aux fourneaux d'une petite cantine végétarienne du 10e arrondissement En fait, le remplacement se prolonge et Yann reste là-bas finalement près de trois ans. Ce changement de cap est pour lui définitif. En 1995, sans attaches particulières en France, Yann décide d'émigrer à Londres, depuis toujours passionné par la culture d'Outre- Manche (la musique, la langue, les séries TV de son enfance). Dans la capitale britannique, il gagne sa vie en passant par les cuisines d'établissements divers et variés, comme celles de l'hôtel de luxe « Radisson ». Et surtout, il y rencontre celle qui partage aujourd'hui sa vie. En 1998, il décide de rentrer en France pour suivre une formation et obtenir un vrai diplôme reconnu par la profession. À cette occasion, il effectue plusieurs stages très intéressants, dont un notamment aux « Comtes de Gascogne » à Boulogne-Billancourt (deux étoiles). Mais c'est en septembre 2001 que se produit le véritable tournant : le chef Jean Christiansen, à la tête de « L'Atelier Berger » (dans le 1er arrondissement, présent lui aussi dans cet ouvrage), ose avant tout le monde faire confiance à Yann malgré son « non-conformisme ». Les deux hommes travaillent ensemble près de deux ans. Être le second de Jean, quant à lui passé en revanche par de très grandes maisons, cela constitue sans aucun doute pour Yann un apport technique capital. Il acquiert durant cette période un savoir-faire qui ne le quittera plus. Mais en 2003, Yann décide de devenir indépendant et de s'installer avec son épouse quelque part dans la capitale. Ils tombent alors sur cette petite crêperie du 17e arrondissement en liquidation qu'ils achètent sans tarder, surtout parce qu'elle dispose d'une cuisine ouverte. Ils effectuent eux-mêmes les travaux (grosse galère durant l'été de la canicule 2003) et ouvrent « l'Abadache » le 6 septembre, jour de la rentrée des classes. Le succès vient progressivement (tant mieux, sans doute), mais sûrement. Aujourd'hui, c'est de toute évidence l'une des adresses les plus fréquentées de l'arrondissement. Certains n'hésitent pas à traverser tout Paris pour rejoindre cette table un peu à part, à l'image de son chef, un presque autodidacte très doué, au parcours plutôt singulier.

ENTRÉE _PLAT _DESSERT

BROCHETTE DE LANGOUSTINES ET SAINT-JACQUES SUR UNE SALADE EXOTIQUE, VINAIGRETTE AUX FRUITS DE LA PASSION

12 QUEUES DE LANGOUSTINES DÉCORTIQUÉES
12 NOIX DE SAINT-JACQUES
2 MANGUES
2 PAPAYES
2 AVOCATS
6 FRUITS DE LA PASSION
6 TIGES DE CITRONNELLE
HUILE D'OLIVE
1 TÊTE D'AIL
1 BOUQUET DE BASILIC
SEL ET POIVRE

Piquez deux queues de langoustines et deux noix de Saint-Jacques sur chaque tige de citronnelle en les alternant.
Prélevez la chair des papayes, des mangues et des avocats ; détaillez-les en dés.
Coupez en deux chaque fruit de la Passion. Prélevez avec une cuillère à café la chair de six des douze moitiés et ajoutez-la aux dés des fruits exotiques.
Ajoutez à cette salade un peu d'huile d'olive, salez et poivrez.
Mixez les feuilles de basilic avec les gousses d'ail pelées et un peu d'huile d'olive pour obtenir un « pistou ».
Salez et poivrez les brochettes de langoustines aux Saint-Jacques et saisissez-les dans une poêle avec un peu d'huile pendant 30 secondes de chaque côté.
Répartissez la salade de fruits au centre des assiettes de service.
Posez dessus une brochette, décorez avec un filet de pistou et les demi-fruits de la Passion restants.

ET LE CHEF A DIT

« C'EST UNE ENTRÉE UTILISANT UNIQUEMENT DES PRODUITS QUE L'ON TROUVE EN HIVER. ELLE M'A ÉTÉ INSPIRÉE LORSQUE J'AI CONÇU LE MENU DE LA DERNIÈRE SAINT-VALENTIN. JE VOUS SUGGÈRE EN ACCOMPAGNEMENT LA CUVÉE ROUCAILLAT 2002 DE PAUL REDER, HAUTES TERRES DE COMBEROUSSE. »

ENTRÉE_**PLAT**_DESSERT

SOURIS D'AGNEAU EN TAJINE AUX CITRONS CONFITS

6 SOURIS D'AGNEAU
3 OIGNONS
6 TOMATES
1 TÊTE D'AIL
1 CUILLERÉE À CAFÉ DE GRAINES DE CUMIN
1 CUILLERÉE À CAFÉ DE PIMENT DE CAYENNE
1 CUILLERÉE À CAFÉ DE GRAINES DE CORIANDRE
2 BÂTONS DE CANNELLE
2 ÉTOILES DE BADIANE
1 PINCÉE DE SAFRAN.
2 COURGETTES
2 CAROTTES
2 NAVETS
1 BRANCHE DE CÉLERI
500 G DE COUSCOUS MOYEN
2 CITRONS CONFITS AU SEL
UN BOUQUET DE CORIANDRE
QUELQUES AMANDES EFFILÉES GRILLÉES
HUILE D'OLIVE
SEL ET POIVRE DU MOULIN

Dans une casserole suffisamment large, saisissez les souris de chaque côté dans un peu d'huile d'olive. Retirez-les et réservez ; mettez à la place les oignons émincés, les tomates coupées en quatre et les gousses d'ail pelées.

Remettez les souris dans la casserole ; ajouter le cumin, le piment, la coriandre et le safran, (préalablement écrasés au mortier), puis pour finir la cannelle et la badiane.

Retournez les souris dans les épices à l'aide d'un écumoire. Mouillez d'eau à hauteur et portez à ébullition.

Poursuivez la cuisson dans le four à couvert à 180°C pendant 2 à 3 heures.

Une heure avant la fin de cette cuisson, ajoutez les courgettes, les carottes, les navets et le céleri, taillés en tranches épaisses, ainsi que les citrons coupés en tranches fines.

Faites cuire la semoule à la vapeur ou simplement à l'eau bouillante, puis répartissez-la dans des assiettes creuses.

Vérifiez la cuisson de la viande, ajoutez-la dans les assiettes avec les légumes.

Nappez avec le jus de cuisson passé ; assaisonnez de fleur de sel et de poivre du moulin. Ajouter les feuilles de coriandre hachées et les amandes effilées en décor.

ET LE CHEF A DIT

« LA RECETTE CLASSIQUE DU TAJINE D'AGNEAU EST GÉNÉRALEMENT RÉALISÉE AVEC DE L'ÉPAULE OU DU GIGOT. JE PRÉFÈRE LA SOURIS, TOUTE AUSSI SAVOUREUSE ET PLUS ESTHÉTIQUE. À SERVIR AVEC UN CÔTES DU RHÔNE, PAR EXEMPLE "LES GARRIGUES" DE CHEZ MARCEL RICHAUD. »

ENTRÉE_PLAT_DESSERT

CRÈME DE CLÉMENTINES ET MOUSSE À LA MENTHE

1 KG DE CLÉMENTINES
6 JAUNES D'ŒUFS
120 G DE SUCRE EN POUDRE
50 CL DE CRÈME FLEURETTE
1 BOTTE DE MENTHE
50 G DE SUCRE GLACE

Hachez les feuilles de menthe et mettez-les dans une casserole avec 10 cl de crème fleurette. Posez sur feu doux et faites tiédir. Retirez du feu et laissez refroidir. Réservez.
Épluchez les clémentines, passez-les au mixeur et récupérez la pulpe. Filtrez-la dans une passoire fine pour récupérer tout le jus. Faites bouillir le jus dans une casserole sur feu vif. Fouettez les jaunes d'oeufs avec le sucre en poudre dans une terrine, puis versez dessus un peu du jus de clémentine bouillant pour le tempérer ; versez ensuite le reste et mélangez. Remettez sur le feu et faites cuire comme une crème anglaise jusqu'à ce qu'elle nappe le dos d'une cuillère en bois. Faites refroidir la crème de clémentines dans un saladier au réfrigérateur.
Fouettez en chantilly la crème à la menthe mélangée avec le reste de crème fleurette, puis incorporez le sucre glace.
Répartissez la crème de clémentines dans six verres à cocktail (si la crème est un peu grumeleuse, donnez-lui un coup de mixeur) et posez dessus une quenelle de mousse à la menthe.

ET LE CHEF A DIT

« CETTE RECETTE EST UNE VERSION SIMPLIFIÉE DU DESSERT " LA CLÉMENTINE DANS TOUS SES ÉTATS " DE JEAN CHRISTIANSEN À L'ATELIER BERGER. ON PEUT DÉCLINER LA MOUSSE À LA MENTHE À L'INFINI (MOUSSE AUX NOIX, AU THÉ VERT, AUX ZESTES D'AGRUMES). JE VOUS SUGGÈRE EN ACCOMPAGNEMENT UN SAVENNIÈRES, COMME LE SUPERBE " LE BEL OUVRAGE " 2002 DE DAMIEN LAUREAU, UNE CUVÉE QUI PORTE VRAIMENT BIEN SON NOM ! »

CAÏUS

MÉTRO ARGENTINE
6, RUE D'ARMAILLÉ
75 017 PARIS
01 42 27 19 20

JEAN-MARC NOTELET

FERMÉ SAMEDI MIDI ET DIMANCHE

PRIX : MENU-CARTE À 38 €

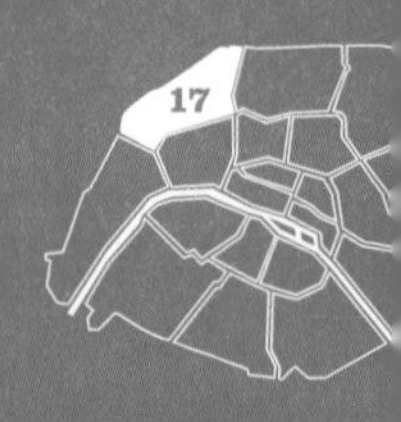

Ma première visite chez Caïus fut plus qu'une divine surprise : presque une révélation. Et quelques années plus tard, je me souviens encore exactement, ce qui est rare, de mon menu (de l'anguille en entrée, suivi d'un saint-pierre aux épices « Grande Muraille », pour terminer par des cerises pochées au Maury et hibiscus). Voilà une adresse qui sort largement des sentiers battus, avec des assiettes plus qu'originales, grâce à la présence derrière les fourneaux d'un surdoué : Jean-Marc Notelet. Ce dernier, passé par de très grandes maisons, est installé rue d'Armaillé depuis l'automne 2003 (en lieu et place de « La Rôtisserie d'Armaillé » de Jacques Cagna), dans un quartier (derrière l'Arc de Triomphe) peu doté en (très) bonnes tables accessibles. D'ailleurs, ma sélection pour cet ouvrage autour de l'Étoile se limite à deux adresses : « Les saveurs de Flora » et « Caïus ». Le but de Jean-Marc Notelet, dès son ouverture, était précis : chercher et trouver encore et encore, se renouveler quotidiennement (c'est mentionné en toutes lettres sur la devanture : « Afin de ne pas nous endormir, nous changeons la carte tous les jours »), et surtout s'évader du classicisme en mettant en avant sa passion pour les épices et les condiments du monde entier. Ce garçon est un créateur né, il foisonne d'idées et se révèle un véritable magicien des saveurs, des goûts et des textures. Sa cuisine est toujours intéressante et délicieuse, sans jamais rien de gratuit ou d'inutile, travers dans lequel on peut vite tomber quand on décide de jouer la carte « world fusion ». Tout est bien vu, équilibré et cohérent, tout est juste et d'une extraordinaire précision. Juste pour frimer un peu, voilà quelques épices ou condiments que vous pourrez goûter (même dans les desserts) : sansho, amchur, maldon, penja, jujube, félin, tamarin, selim, Pondichery, caroube... Un repas chez Caïus est une véritable invitation à voyager dans le monde entier. Et tant pis si je me répète, c'est excellent, inventif et toujours dépaysant. En outre, l'équipe de salle, très sollicitée pour expliquer des intitulés pas toujours immédiatement compréhensibles, se montre un excellent porte-parole de cette formidable cuisine: jeune, élégante mais décontractée, efficace, disponible, ravie d'être là et de participer à cette singulière aventure. Voilà pourquoi « Caïus » est une adresse que je me surprends très souvent à citer quand on me demande une table confortable (le lieu est très agréable, dans un style contemporain de très bon ton, particulièrement cosy), bon marché, bonne et avant tout créative. Sans aucun doute, la cuisine de Jean-Marc Notelet est l'une des plus intéressantes que je connaisse, l'une des plus intelligentes en tout cas...

“C'est excellent, inventif et toujours dépaysant.”

QUELQUES EXEMPLES DE PLATS : **cappucino de coques de la baie de Somme et topinambours, gambas roulées au paprika et main pita / palourdes de Bretagne et légumes sautés au wok / bœuf confit avec céleri-rave et lait d'amandes / poitrine de porc réglissée et salsifis fondants / thon rouge et poivre de Pondichéry avec beurre fouetté et agrumes / poire cocotte avec fève Tonka et bois de fenouil / prunes rouges rôties hibiscus et vin de Maury, violettes de Toulouse, glace réglisse.**

POUR EN SAVOIR PLUS SUR JEAN-MARC NOTELET

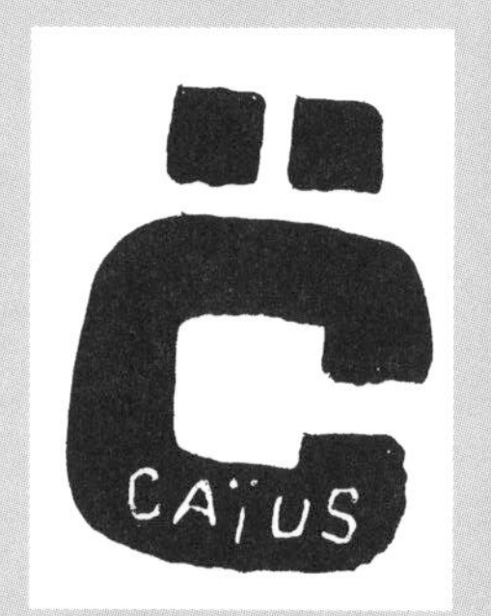

Quel parcours étonnant que celui de Jean-Marc Notelet ! Originaire de Valenciennes, Jean-Marc se destine à la carrière de footballeur. Aux côtés de Jean-Pierre Papin, il joue jusqu'à l'âge de 17 ans en division d'honneur à l'Union Sportive Valenciennes Anzin. Alors qu'il se prépare, avec son copain JPP, à signer son premier contrat « pro », il est subitement refroidi par la blessure de deux de ses co-équipiers, dont la carrière s'arrête brutalement. Il choisit alors le métier de la restauration et part à l'école hôtelière d'Avesnes-sur-Helpe, qui lui permet d'obtenir successivement le CAP, le BEP et le BAC hôtelier. Son entrée dans la vie professionnelle se fait chez Gérard Boyer aux « Crayères » à Reims, puis chez Marc Meneau en Bourgogne : deux des plus belles maisons françaises, tout simplement. Il est ensuite engagé par le propriétaire du « Fouquet's », mais à un poste un peu particulier : il est en effet chargé de contrôler les stocks, de calculer les ratios, de sortir des statistiques et de monter un dossier permettant à cet établissement d'être inscrit à l'Inventaire des monuments historiques. Une expérience peu banale et passionnante, dont il tire encore les bénéfices aujourd'hui. En 1988, il devient cuisinier privé d'un grand groupe spécialisé dans l'événementiel : durant quatre ans, il voyage dans le monde entier et réalise des prouesses qui aujourd'hui paraissent inimaginables. Au milieu des années 90, Jean-Marc fait le bilan : il estime que c'est le moment de se mettre à son compte et se met à la recherche d'un établissement à Paris. Il tombe sur une adresse à vendre, dans le 17e, tout près de chez « Guy Savoy ». Prenant tous les risques pour l'acquérir, il casse sa tirelire, revend sa voiture, persuade les banques et ouvre enfin sa première affaire en 1996, « Le Troyon », avec une réussite immédiate dans le genre néo-bistro. Anecdote amusante et touchante : le jour de la signature du « Troyon », il fête l'événement avec sa mère à « La Rôtisserie d'Armaillé » toute proche, complètement par hasard. En fin de repas, il se prend à rêver : « Quel beau restaurant, si seulement un jour... » Effectivement, sept ans plus tard, fort du succès du « Troyon », il revend cette première affaire et rachète en septembre 2003 à Jacques Cagna la « Rôtisserie d'Armaillé » pour la transformer en « Caïus ». Aujourd'hui, et surtout depuis la refonte totale du décor en 2005 (particulièrement réussie à mon avis), Jean-Marc se montre serein, très à l'aise avec sa cuisine ô combien singulière, conscient d'avoir enfin réussi à construire une adresse d'une totale cohérence.

ENTRÉE_PLAT_DESSERT

CRÈME FROIDE DE MORUE À L'AMANDE FRAÎCHE

1,1 KG DE MORUE
20 CL DE LAIT
1 DIZAINE D'AMANDES FRAÎCHES
2 CL DE LAIT D'AMANDES
400 G DE FROMAGE BLANC
10 CL D'HUILE DE PÉPINS DE RAISIN
3 GOUSSES D'AIL
THYM, LAURIER
SEL, POIVRE

Faites dessaler la morue pendant 8 à 12 heures dans de l'eau fraîche en la renouvelant plusieurs fois. Faites-la ensuite pocher dans le lait pendant 10 minutes avec la garniture aromatique (gousses d'ail pelées, brin de thym et feuille de laurier).
Égouttez la morue, nettoyez-la, retirez la peau et les arêtes, puis passez-la au tamis pour la réduire en purée.
Incorporez en mélangeant au mixeur le fromage blanc, les amandes fraîches, le lait d'amandes et l'huile de pépins de raisin. Goûtez et rectifiez l'assaisonnement.

ET LE CHEF A DIT

« POUR CETTE ENTRÉE VOILÀ UNE MORUE REVISITÉE, BIEN " VERTE ", N'AYANT PAS SUBI LA MORSURE DU SEL. LES AMANDES NOUVELLES ÉVOQUENT QUANT À ELLES L'ARRIVÉE DU PRINTEMPS. VOUS POUVEZ SERVIR EN MÊME TEMPS DU PAIN GRILLÉ ET UNE SALADE DE SAISON MÊLÉE AUX NOYAUX DE L'AMANDE. JE VOUS CONSEILLE EN ACCOMPAGNEMENT UN VIN BLANC 100% CHENIN, COMME PAR EXEMPLE UN SAUMUR. »

LAPEREAU CONFIT À LA CITRONNELLE ET FOIN DE CRAU, CAROTTES À L'ARGAN

1 GROS LAPIN FERMIER
300 G DE FOIN DE CRAU
2 BÂTONS DE RÉGLISSE
2 KG DE SEL DE GUÉRANDE
POIVRE DE CUBÈBE
3 BÂTONS DE CITRONNELLE
1 BULBE DE GINGEMBRE
800 G DE CAROTTES
5 CL D'HUILE D'ARGAN
GROS SEL GRIS
120 G DE PISTACHES DE SICILE
1 FEUILLE DE LIVÈCHE
2 L D'HUILE D'OLIVE
SEL ET POIVRE

Découpez le lapin à cru en 6 ou 7 morceaux (épaules, cuisses et râble). Gardez à part le foie et les rognons. Mettez les morceaux dans un plat en terre, couvrez de sel de Guérande et laissez reposer au frais pendant 6 à 8 heures. Sortez les morceaux de lapin et rincez-les à l'eau claire pendant 30 minutes.
Déposez les morceaux de lapin dans une cocotte en fonte. Ajoutez la citronnelle épluchée, le poivre de Cubèbe, la réglisse et le gingembre. Couvrez d'huile d'olive et de foin de Crau.
Posez le couvercle et faites confire dans le four pendant 40 minutes à 160 °C.
Faites cuire les carottes à l'eau bouillante salée, puis rafraîchissez-les dans de l'eau glacée.
Mélangez à froid les carottes avec l'huile d'argan, les pistaches éclatées, le sel, le poivre et la feuille de livèche.
Servez le lapin juste tiédi (afin de conserver les arômes) et les carottes froides à part.

ET LE CHEF A DIT

« D'HABITUDE, LE LAPIN SE DESSÈCHE RAPIDEMENT À LA CUISSON, REFROIDIT TRÈS VITE ET DEVIENT FILANDREUX. C'EST POURQUOI J'AI DÉCIDÉ UN MATIN PRINTANIER RUE D'ARMAILLÉ DE LE CONFIRE LENTEMENT : VOUS VERREZ, CELA CHANGE TOUT. POUR L'ACCOMPAGNER, JE VOUS SUGGÈRE UN BEAU VIN BLANC DE PROVENCE, COMME LE CHÂTEAU SIMONE DE LA FAMILLE ROUGIÉ, DANS LES BOUCHES-DU-RHÔNE. »

ENTRÉE_PLAT_DESSERT

BETTERAVES CRAPAUDINES À L'HIBISCUS ET VIN DE MAURY, BOUTONS DE ROSE ET GUIMAUVE

3 BETTERAVES CRAPAUDINES
10 CL DE SIROP D'ÉRABLE
3 FLEURS D'HIBISCUS SÉCHÉ
20 CL DE VIN DE MAURY
10 CL DE VINAIGRE BALSAMIQUE
8 BOUTONS DE ROSES
1 FEUILLE DE LAURIER
6 MORCEAUX DE GUIMAUVE
3 GRAPPES DE POIVRE LONG

Épluchez les betteraves et mettez-les dans un plat creux allant au four, mélangez-les avec le sirop d'érable. Ajoutez le laurier, l'hibiscus séché, le vinaigre balsamique, le vin de Maury, les boutons de roses et le poivre long.
Couvrez et mettez au four pendant 1 heure à 165 °C.
Servez froid, avec les morceaux de guimauve et, par exemple, une glace aux pétales de roses.

ET LE CHEF A DIT

« LA BETTERAVE FAIT INCONTESTABLEMENT PARTIE DE LA VIE D'UN CH'TI. J'AIME LES SAVEURS SUCRÉES QU'ELLE RENFERME, SON ASPECT SANGUIN ET SON RAPPORT À LA TERRE. LA VARIÉTÉ CRAPAUDINE EST LA PLUS ANCIENNE ET PRÉSENTE LA PARTICULARITÉ D'ÊTRE LONGUE, FONCÉE, TRÈS SUCRÉE ET GOÛTEUSE. POUR ACCOMPAGNER CE DESSERT, JE VOUS CONSEILLE PAR EXEMPLE UN RIVESALTES AMBRÉ COMME CELUI DU DOMAINE PUJOL. »

L'ENTREDGEU

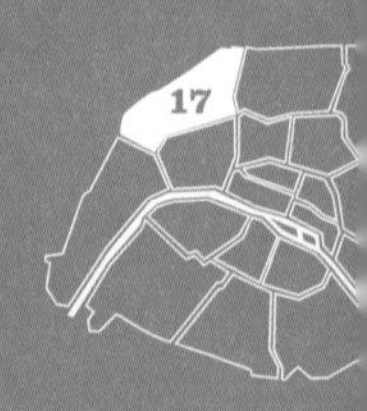

MÉTRO PORTE DE CHAMPERRET
83, RUE LAUGIER
75 017 PARIS
01 40 54 97 24

PHILIPPE TREDGEU

FERMÉ DIMANCHE ET LUNDI

PRIX : MENU À 30 €

Voulez-vous une bonne raison pour venir vous perdre du côté de la Porte de Champerret ? Réservez une table dans cet excellent bistro, tenu par les époux Tredgeu depuis le début de l'année 2003. Immédiatement, d'entrée de jeu (si l'on ose dire), leur établissement s'est inscrit parmi les plus réputés de la place parisienne dans la catégorie « bistronomique ». Il est même devenu une sorte de référence en la matière. Pourquoi un engouement aussi rapide ? D'abord il faut dire que Philippe et son épouse Pénélope sont de très grands professionnels. Ainsi, Pénélope n'a pas son pareil pour accueillir sa clientèle et orchestrer de main de maître(sse) le service, tout en gentillesse, exclusivement féminin, plein de bonne volonté et débordant d'enthousiasme. C'est simple : Madame est aussi précieuse en salle que la cuisine de son mari est précise. Philippe nous sert, lui, une excellente cuisine de bistro, à base de produits bien choisis (et qui permettent en tout cas une addition légère), travaillés avec grand soin et une belle inspiration. Sa carte se renouvelle tous les jours et propose des plats rustiques revisités, des plats de tradition interprétés à la mode d'aujourd'hui, avec une petite prédilection pour le grand Sud-Ouest. Les assiettes sont parfaitement maîtrisées, toniques, extrêmement bien troussées, en jouant habilement avec les saveurs, les goûts et les textures. C'est tellement bon et étonnant qu'on ne fait même plus attention au coude à coude presque obligatoire, vu le succès de la maison (la dernière fois j'étais entre deux hommes d'affaires, à ma gauche, et un couple de jeunes acteurs à ma droite). Les autres atouts de cet établissement ? D'abord le cadre à l'ancienne, sans fioritures inutiles, dans le style « bistro dans son jus » : un joli zinc, un beau carrelage de céramique, des appliques colorées années 50, des tables en bois avec des sets de table rouge et blanc, des grands miroirs et des photos noir et blanc aux murs, fraîchement repeints dans les tons ocre et rouge. Mais aussi une carte des vins minuscule (à peine trente références), avec en revanche un plaisir majuscule, qui met en avant une majorité de vins naturels, à des tarifs aussi philanthropiques que ceux de la cuisine (comme un bon fitou 1996 à 19 €). Un dernier conseil : gardez une place pour les desserts, qui sont vraiment au top. Allez, courage, direction la Porte de Champerret : le voyage vaut largement le coup !

"Madame est aussi précieuse en salle que la cuisine de son mari est précise."

QUELQUES EXEMPLES DE PLATS : croustillant de ris de veau à la plancha et salade d'endives / soupe crémeuse de topinambours, petits croûtons et foie gras / gratin de blettes, œuf poché et lard grillé / gigot d'agneau rôti, mijotée de cocos liée au beurre d'escargots / macaire de boudin béarnais / pigeon rôti, sa cuisse confite, ragoût de champignons des bois et foie gras / tronçon de sole rôtie sur l'os, épinards et champignons / pavé de lotte rôtie, caviar d'aubergines, olives, jus de piperade / gelée de café, crème mascarpone vanillée, copeaux de marron glacé / minestrone de fruits exotiques, crumble et sorbet fromage blanc / brioche perdue avec compote de pommes et sorbet au fromage.

POUR EN SAVOIR PLUS SUR PHILIPPE TREDGEU

Philippe Tredgeu naît à Orthez dans le Béarn en 1968, dans une famille qui adore l'emmener dès son plus jeune âge au restaurant. Une des raisons qui expliquent sûrement sa décision d'intégrer à 16 ans l'école hôtelière de Saint-Gaudens. Après une courte expérience de quelques mois dans un établissement de Pau, Philippe a l'occasion de partir pendant près d'un an sur l'île de Saint-Martin aux Antilles. Une opportunité qui ne se refuse pas (surtout à cet âge), même si son intérêt reste limité d'un point de vue purement professionnel. À son retour en métropole, Philippe intègre tout d'abord en 1988 les cuisines des « Caves de Touraine » à Melun. Mais, à cette époque, la vie en Ile-de-France ne lui plaît pas trop, et il décide de redescendre dans son Sud-Ouest natal. Où il fait la rencontre en 1990 du grand chef Gabriel Biscaye (ex-patron des cuisines du « Royal Monceau » à Paris), qui engage le jeune Philippe dans sa brigade d'un grand hôtel des environs de Bayonne. Malgré le beau travail que fournit toute l'équipe, et pour des raisons complètement indépendantes, ce bel établissement est contraint de fermer ses portes quelques mois plus tard. Gabriel Biscaye accepte alors de prendre les fourneaux de « Lapérouse », une institution des quais de Seine dans le 6e arrondissement de la capitale. Et il emmène dans ses bagages Philippe, qu'il trouve aussi doué et travailleur que sympathique. L'aventure « Lapérouse » prend fin en 1993, date à laquelle Philippe décide de tenter sa chance à l'étranger. Il se rend d'abord à New-York (dans Broadway, chez « René Pujol »), puis il arrive un an plus tard en Suisse, près de Montreux, au sein d'un grand restaurant gastronomique qui lui permet, en secondant le chef Stéphane Chouzenoux, de découvrir une autre cuisine, plus inventive, plus axée sur le Sud et les épices. En 1995, nouvelle expérience originale : il part à La Haye pour diriger les cuisines de l'ambassade de France aux Pays-Bas. Certes, les soirées de l'ambassadeur sont alors toujours une réussite, mais au bout de deux ans, même si cette expérience se révèle avec le recul très formatrice (il gérait tout de A à Z), la pression du « coup de feu » manque à Philippe. En 1998, en pleine Coupe du monde de football, il rentre à Paris pour prendre la gérance de « Casimir », la deuxième adresse ouverte par Thierry Breton (après « Chez Michel »), qui lui laisse une grande marge de manœuvre. Philippe y gagne en confiance, en sérénité, en maturité. Le voici à la tête d'un établissement en termes de responsabilités, à la seule différence qu'il n'est pas chez lui. Entre-temps, il a fait la rencontre de sa femme, Pénélope, alors en salle chez Alain Ducasse (après avoir travaillé chez Joël Robuchon et Marc Meneau). Et c'est donc tout naturellement qu'après plus de quatre années de bons et loyaux services chez « Casimir », Philippe décide de s'installer avec son épouse. Ils rachètent ce joli troquet de la porte de Champerret, effectuent quelques travaux et ouvrent en janvier 2003. « L'Entredgeu » s'impose très rapidement parmi les tout premiers de la tendance « bistronomique » : c'est comble midi et soir, pour déguster la jolie cuisine de Philippe, oscillant entre nostalgie et modernité. Pourquoi pas vous ?

ENTRÉE _PLAT _DESSERT

PRESSÉ DE LÉGUMES D'HIVER ET FOIE GRAS DE CANARD

5 GROSSES CAROTTES
2 NAVETS LONGS
1 BOULE DE CÉLERI-RAVE
300 G D'ÉPINARDS
500 G DE FOIE GRAS DE CANARD
1,5 L DE BOUILLON DE BŒUF
12 FEUILLES DE GÉLATINE
SEL ET POIVRE

La veille du service, faites cuire les carottes, les navets et le céleri, pelés et parés, dans le bouillon de bœuf en les laissant entiers. Laissez-les ensuite refroidir dans le bouillon.
Dénervez le foie gras, puis assaisonnez-le.
Posez-le dans un plat à gratin et passez-le dans le four pendant 10 minutes à 170 °C de façon à le cuire à peine.
Faites blanchir les épinards dans une casserole d'eau bouillante salée, rafraîchissez-les et égouttez-les bien à vous sur un torchon.
Égouttez les légumes et taillez-les en petits cubes de 1,5 cm de côté.
Filtrez le bouillon et ajoutez-lui les feuilles de gélatine en remuant jusqu'à ce qu'elles soient bien dissoutes en le faisant chauffer légèrement. Laissez refroidir.
Dans une terrine, superposez des couches de légumes (céleri, carottes, navets, épinards) en glissant le foie gras au milieu. Recommencez jusqu'à épuisement des ingrédients en versant entre chaque couche une louche de bouillon de bœuf à la gélatine. Couvrez, posez une planchette dessus avec un poids et laissez dans le réfrigérateur jusqu'au lendemain.

ET LE CHEF A DIT

« L'IDÉE EST ICI DE TRAVAILLER DE FAÇON ORIGINALE LES LÉGUMES DU POT-AU-FEU AVEC LE FOIE GRAS, QUI ENRICHIT LE PLAT. À MARIER AVEC UN VIN BLANC DU BÉARN, COMME CELUI DU DOMAINE LAPEYRE. »

ENTRÉE_PLAT_DESSERT

POITRINE DE VEAU CONFITE AUX AROMATES

1 KG DE POITRINE DE VEAU DÉSOSSÉE
1 BOTTE DE MARJOLAINE
1 BOTTE DE SARRIETTE
6 GOUSSES D'AIL
5 BRANCHES DE THYM
HUILE D'OLIVE
3 CAROTTES
2 OIGNONS
4 TOMATES
10 CL DE VIN BLANC
100 G DE BEURRE
FLEUR DE SEL, POIVRE MIGNONNETTE ET PIMENT D'ESPELETTE

ET LE CHEF A DIT

« IMPORTANT : POUR ÉVITER À CE BEAU PLAT D'ÊTRE TROP SEC, JE VOUS CONSEILLE DE LAISSER DU GRAS. BIEN SOUVENT, LA POITRINE EST TRAVAILLÉE EN BLANQUETTE OU SAUTÉE. ICI, ELLE RESTE ENTIÈRE, ELLE EST BRAISÉE, PUIS GRILLÉE, TANDIS QUE LES HERBES LUI APPORTENT DE JOLIES SAVEURS. VOUS AVEZ AUSSI LA POSSIBILITÉ DE DÉGUSTER EN ÉTÉ CE PLAT FROID AVEC UNE BONNE VINAIGRETTE, DES ÉCHALOTES ET QUELQUES ŒUFS DURS. À ACCOMPAGNER IDÉALEMENT D'UN MORGON DE CHEZ MARCEL LAPIERRE. »

Demandez au boucher de désosser la poitrine de veau en vous donnant les parures. Taillez un beau rectangle dans la poitrine de veau en la mettant bien à plat. Assaisonnez-la avec de la fleur de sel, du poivre mignonnette et du piment d'Espelette, puis badigeonnez-la d'huile d'olive sur les deux faces.
Hachez toutes les herbes avec 4 gousses d'ail pelées, puis enrobez de ce mélange les deux faces de la poitrine. Laissez macérer pendant 2 heures.
Posez à plat deux grandes feuilles de papier film. Placez la poitrine dessus et roulez-la en serrant bien à chaque extrémité. Ficelez.
Taillez les carottes et les oignons pelés et parés en très petits dés. Faites-les revenir avec les parures de veau jusqu'à bonne coloration. Déglacez avec le vin blanc. Laissez réduire, puis mouillez avec de l'eau et laissez cuire ce jus de veau pendant 1 heure.
Posez la poitrine roulée sur une plaque à rôtir. Ajoutez les tomates coupées en quatre, 2 gousses d'ail en chemise, puis arrosez avec le jus de veau.
Enfournez à 160°C pendant 3 heures en arrosant bien la viande à intervalles réguliers.
Laissez reposer après cuisson jusqu'à ce que la poitrine de veau soit tiède.
Déballez délicatement la poitrine en retirant le papier film et la ficelle. Retirez l'excédent d'herbes.
Étendez à nouveau deux feuilles de papier film. Déposez la poitrine dessus, roulez en serrant bien et mettez au réfrigérateur toute une nuit.
Le lendemain, déballez à nouveau la poitrine roulée et découpez-la en tranches de 1 cm d'épaisseur. Passez-les à la poêle au beurre meunière pour leur donner une belle coloration.

ENTRÉE_PLAT_DESSERT

CRÈME CITRONNÉE AUX FRAISES GUARIGUETTES

30 CL DE LAIT
10 CL DE CRÈME LIQUIDE
1 CITRON NON TRAITÉ
1 GOUSSE DE VANILLE
3 BLANCS D'ŒUFS
160 G DE SUCRE SEMOULE
200 G DE FRAISES GUARIGUETTES

Mélangez les blancs d'œufs avec 80 g de sucre. Lavez et essuyez le citron, prélevez le zeste.
Versez le lait dans une casserole, ajoutez la crème et faites bouillir, ajoutez le zeste de citron et la gousse de vanille fendue en deux et grattée. Retirez du feu, couvrez et laissez tiédir.
Versez cette préparation sur le mélange de blancs d'œufs et de sucre. Passez le tout au chinois, puis répartissez dans des ramequins et faites cuire dans le four à 140 °C au bain-marie pendant 30 minutes.
Sortez les ramequins du four et laissez refroidir.
Faites bouillir le reste de sucre avec 10 cl d'eau, puis laissez refroidir.
Équeutez les fraises, coupez-les en quatre ou six selon leur grosseur.
Au moment de servir, posez sur chaque assiette un petit pot de crème, placez à côté un autre petit pot, dans lequel vous aurez placé les fraises recouvertes de sirop.

ET LE CHEF A DIT

« VOUS POUVEZ DÉCLINER CETTE RECETTE AVEC DIFFÉRENTS PARFUMS ET D'AUTRES JUS (THÉ, NOIX DE COCO, PASSION, PISTACHE, ANIS). CE DESSERT QUI NE NÉCESSITE PAS DE JAUNES D'ŒUFS EST TRÈS LÉGER (ET C'EST EN OUTRE UNE BONNE MANIÈRE D'UTILISER LES BLANCS). À CAUSE DU CITRON, IL N'EST PAS FACILE DE TROUVER UNE BONNE ASSOCIATION : JE VOUS CONSEILLE ÉVENTUELLEMENT UN VERRE DE LIMONCELLO, LA FAMEUSE LIQUEUR DE CITRON ITALIENNE. »

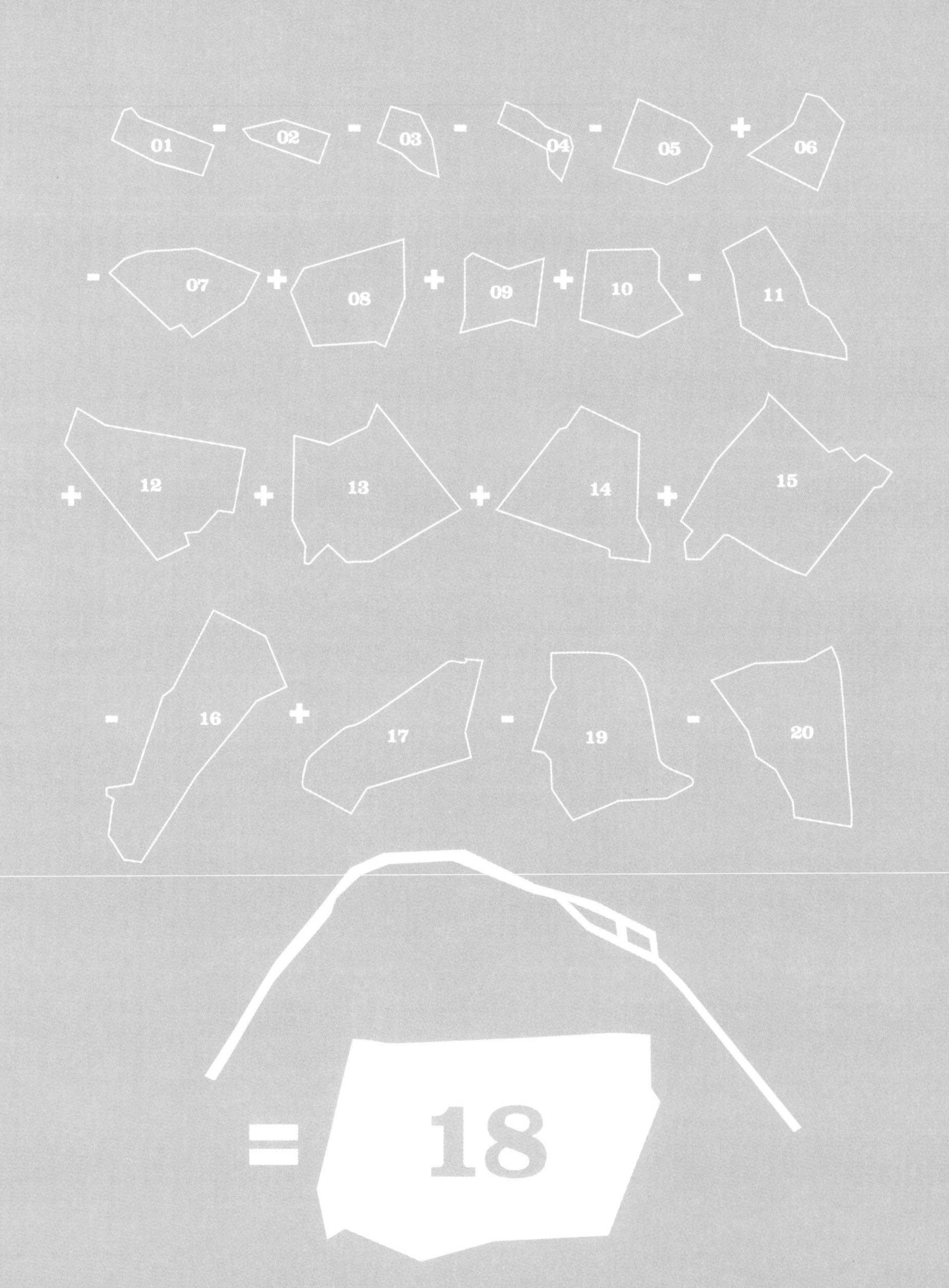
01 - 02 - 03 - 04 - 05 + 06
- 07 + 08 + 09 + 10 - 11
+ 12 + 13 + 14 + 15
- 16 + 17 - 19 - 20
= 18

18e

LA FAMILLE

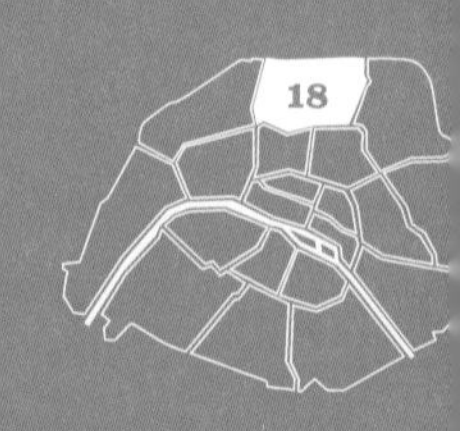

MÉTRO ABBESSES
41, RUE DES TROIS-FRÈRES
75 018 PARIS
01 42 52 11 12

BRUNO VIALA

OUVERT UNIQUEMENT AU DÎNER
FERMÉ DIMANCHE ET LUNDI

PRIX : MENU-CARTE À 35 €

Voilà ce que l'on appelle un « must have ». Dès son ouverture en 2004, et uniquement grâce au bouche à oreille, sans aucune presse, cette adresse est devenue l'une des plus courues de la capitale, un vrai club d'initiés : « the place to be », un peu comparable à l'onde de choc que fut, en 2001, l'arrivée à Paris de Gilles Choukroun (maintenant à « Angl'Opera » dans le 2e arrondissement). Et ce n'était pas un effet de mode car, depuis, le succès de ce mini-loft montmartrois ne se dément pas. Il faut dire qu'en plein cœur de la Butte et des ses gargotes à touristes du siècle dernier, cet endroit est une véritable oasis de fraîcheur et de jeunesse : un lieu presque magique, avec une ambiance de feu (il vaut mieux ne pas être trop allergique au bruit et à la fumée), une bande son ultra-pointue et une clientèle bobo-artiste, dans l'ensemble assez jeune (du moins dans la tête !). On y est reçu et servi comme chez des copains, tout simplement. Le cadre est celui d'un « rade » sympa du XXIe siècle, limite « destroy », avec sa petite mezzanine, sa jolie vaisselle design et sa vingtaine de couverts. Mais surtout, il y a la cuisine. Car si celle-ci n'était pas à la hauteur de la fantastique atmosphère, et que cet endroit n'était qu'un lieu « branché » de plus, il ne présenterait évidemment aucun intérêt. Or je dois dire que l'on y mange merveilleusement bien. Sous des airs de ne pas y toucher, c'est du travail de pro, de très grand pro. Le génial Bruno Viala réalise ici une sorte de cuisine « fusion » dans le bon sens du terme, ludique, savoureuse, créative, inventive, et toujours basée sur des produits impeccables. Ça pulse dans tous les sens, ça furète dans tous les coins, les yeux et les papilles sont émerveillés à chaque instant. Si vous aimez la recherche culinaire, les mariages de saveurs et de textures, la mise en scène des plats, la cuisine « déstructurée », cet endroit est véritablement fait pour vous. Je trouve ici tout ce que j'aime : de la fausse décontraction aux fourneaux, du second degré, du (très) sérieux dans les assiettes (et dans les verres aussi, par ailleurs), sans pour autant se prendre (trop) au sérieux. Bref, de l'humour, de l'impertinence, mais avec une grande maîtrise technique. C'est pour moi l'archétype du resto contemporain, qui a tout compris à ce que l'on attend d'une bonne table. Un endroit sympa, sans œillères ni interdits, définitivement dans le coup. Un exemple à suivre, tout simplement. Rappelez-vous : c'est important, « La Famille »...

“ Ça pulse dans tous les sens, ça furète dans tous les coins, les yeux et les papilles sont émerveillés à chaque instant. ”

QUELQUES EXEMPLES DE PLATS : lingots d'huîtres en eau de mer, légumes croquants et cappuccino de nori à la mousse de coriandre / crème de foie gras au bouillon de maïs / gaspacho de fraises à la tomate et sorbet concombre / équation mathématique de maquereaux en persillade croustillante / « nuggets » de cabillaud en kadaïf d'herbes, vinaigre doux au gingembre / crumble de thon aux éclats de cacahuètes / « After Eight® » à déguster dans un verre, orange et jeunes fenouils confits à la cardamome / tarte citron et verveine en trois parties : meringue, crème et sablé / poire Belle-Hélène inversée, légère en chocolat / « Bounty® » brillant, compotée d'ananas au citron vert.

POUR EN SAVOIR PLUS SUR BRUNO VIALA

Bruno Viala, qui est déjà un grand, deviendra un jour un très grand. Il a tout pour : une technique hors pair, des idées géniales, un cœur gros comme ça, et surtout l'envie de faire avancer les choses. Retour sur le parcours d'un des chefs les plus intéressants de sa génération. Il voit le jour à Dax en 1976, dans une famille qui aime se réunir autour de grandes tablées, pleines de bonne humeur et de saveurs. Ce sont notamment ces moments de convivialité qui poussent Bruno à effectuer pendant les vacances scolaires plusieurs stages en cuisine qui lui permettent de confirmer son envie d'être cuisinier. Il s'inscrit au lycée hôtelier de Talence et, en 1997, son bac en poche (plus un CAP obtenu en candidat libre), il monte à Paris pour intégrer les cuisines du « Trou Gascon », restaurant étoilé du 12e arrondissement, où il reste près de trois ans, ce qui lui permet de renforcer ses bases. Après cette belle entrée en matière, il fait son service militaire à l'Élysée : une expérience unique et inoubliable. Parfois, le soir, pour compléter sa solde, Bruno effectue quelques extras, par exemple au « Spoon » d'Alain Ducasse, dont le second se nomme Lionel Lévy. Bruno se lie d'amitié avec lui et le suit à Marseille quand ce dernier décide d'y ouvrir son établissement. En octobre 1999, après l'armée, Bruno fait donc l'ouverture d'« Une table au Sud » sur le Vieux Port, en tant que second de Lionel Lévy. Comme toute ouverture, l'expérience se révèle enrichissante (la cuisine y est en particulier très créatrice), mais dure : énorme pression, horaires de fou et huit kilos de moins en quelques semaines. Un an après, il choisit de passer quelques mois dans l'une des grandes tables de Marseille, « Les Trois Forts », période au cours de laquelle il s'imprègne de la cuisine méditerranéenne, mais où il comprend aussi qu'il n'est pas fait pour les grosses brigades. En 2001, Bruno, qui fourmille d'idées novatrices sans pouvoir les appliquer, voit sur « Cuisine TV » un reportage sur Jean Chauvel, un ancien de chez Passard installé aux « Magnolias », en banlieue parisienne. Bruno est littéralement bluffé par ce qu'il aperçoit de sa cuisine, réellement singulière. C'est le déclic. Au point qu'il entre en contact avec lui et le persuade de l'embaucher à ses côtés. Il arrive donc en 2002 aux « Magnolias », cette fois en tant que chef pâtissier, une spécialité qui le passionne depuis toujours. L'aventure près de Jean Chauvel va durer trois années fabuleuses de grande complicité, au cours desquelles Bruno progresse énormément, il parfait son approche esthétique des assiettes et comprend que les plats, s'ils doivent être bons, doivent aussi être mis en scène pour que la fête soit totale. En 2005, un peu déçu que Jean Chauvel ne lui propose pas la place de second, Bruno tombe sur une annonce sibylline : « Recherche chef pour restaurant tout sauf classique ». Interpelé, il s'entretient pendant près d'une heure avec Yannig et Patrick, les deux cousins fondateurs de « La Famille ». Le courant passe immédiatement. Quelques semaines plus tard, Bruno effectue son premier service sur la Butte Montmartre. Ce qui lui plaît, ici, c'est la totale liberté dont il jouit. Enfin, il a l'occasion de laisser libre cours à son inventivité, de réaliser toutes les idées enfouies en lui depuis des années. Il aime étonner, faire sourire avec des créations ludiques, le tout appuyé par une technique imparable. Pour votre prochain repas à la maison, réalisez les recettes que Bruno vous propose : je vous promets un beau succès ! Et ruez-vous rue des Trois-Frères pour découvrir sa cuisine remarquable.

ENTRÉE _PLAT_DESSERT

SAUMON MARINÉ ET PANÉ EN CROÛTE DE THYM ET ROMARIN

1 FILET DE SAUMON DE 700 G
6 CUILLERÉES À SOUPE DE SUCRE
1 CUILLERÉE À CAFÉ POUR L'ASSAISONNEMENT DE LA PIPERADE
6 CUILLERÉES À SOUPE DE FLEUR DE SEL
1 CUILLERÉE À CAFÉ POUR L'ASSAISONNEMENT DE LA PIPERADE
2 CUILLERÉES À CAFÉ DE PIMENT D'ESPELETTE
1 CUILLERÉE À CAFÉ POUR L'ASSAISONNEMENT DE LA PIPERADE
1 ŒUF
3 POIVRONS ROUGES
3 OIGNONS
THYM ET ROMARIN SÉCHÉS ET BROYÉS
10 CL DE COULIS DE TOMATES
HUILE D'OLIVE
SEL ET POIVRE

Débarrassez le filet de saumon de la peau et faites-le mariner pendant 6 heures avec le sucre, la fleur de sel et le piment d'Espelette.
Au terme de cette marinade, rincez le filet, essuyez-le et badigeonnez-le au pinceau avec le blanc d'œuf, puis enrobez-le avec les herbes séchées et broyées.
Dans une poêle à revêtement anti-adhésif, saisissez-le pendant 1 minute de chaque coté, puis réservez-le à couvert dans le réfrigérateur pendant environ 2 heures.
Pendant ce temps, pelez et émincez les oignons, taillez les poivrons en bâtonnets. Faites-les rissoler ensemble dans une poêle avec de l'huile d'olive ; incorporez le coulis de tomate et faites cuire jusqu'à l'obtention d'une compote. Assaisonnez avec le sel, le sucre et le piment d'Espelette.
Sortez le saumon du réfrigérateur et détaillez-le en tranches, de préférence avec un couteau électrique. Servez-le avec la piperade en garniture.

ET LE CHEF A DIT

« LE "JEU", DANS CETTE RECETTE, CONSISTE À AJOUTER, AU MOMENT DU SERVICE À L'ASSIETTE, DES ÉLÉMENTS VARIÉS COMME UNE GOUTTE DE BALSAMIQUE RÉDUIT, UN PEU DE SÉSAME OU ENCORE UN PEU DE CUMIN. AINSI, À CHAQUE BOUCHÉE, VOS CONVIVES AURONT L'IMPRESSION DE GOÛTER UN PLAT DIFFÉRENT. »

ENTRÉE_ PLAT _DESSERT

LAPIN À LA MOUTARDE « DESTRUCTURÉ »

9 RÂBLES DE LAPIN (SANS LES OS)
1 PAQUET DE FEUILLES DE BRICK
1 L DE FOND DE VOLAILLE
4 CUILLERÉES À SOUPE DE MOUTARDE À L'ANCIENNE
6 G (OU 3 CUILLERÉES À CAFÉ) D'AGAR-AGAR (GÉLIFIANT À BASE D'ALGUES QUE L'ON TROUVE DANS LES MAGASINS BIO)
SEL, POIVRE ET CUMIN

Assaisonnez chaque râble avec du sel, du poivre et du cumin. Enroulez chaque râble dans une feuille de brick à la manière d'un nem.
Mélangez la moutarde avec le fond de volaille et l'agar-agar dans une casserole. Faites bouillir le tout pendant 1 minute, puis versez le mélange dans un plat à tarte ou des moules à glaçons, le but étant d'obtenir, une fois la préparation prise en gelée, des sortes de « pâtes de fruits ».
Faites dorer les nems de lapin dans une poêle à revêtement anti-adhésif, de chaque coté, puis terminez la cuisson dans le four, pendant environ 5 minutes à 210 °C.
Détaillez la « pâte de fruits » à la moutarde en morceaux réguliers, comme bon vous semble.
Sortez le lapin du four et découpez chaque râble en deux.
Servez trois demi-morceaux par personne, avec trois morceaux de « pâte de fruits » à la moutarde et la garniture de votre choix.

ET LE CHEF A DIT

« CE QUI M'AMUSE, DANS CETTE RECETTE, C'EST LE CÔTÉ " DÉSTRUCTURÉ " ET " TROMPE L'ŒIL ". EN EFFET, ÇA NE RESSEMBLE PAS DU TOUT À UN LAPIN À LA MOUTARDE TRADITIONNEL, EN SAUCE ! POURTANT, LORSQUE VOUS MANGEREZ UNE BOUCHÉE DE LAPIN AVEC UN MORCEAU DE " PÂTE DE FRUITS " À LA MOUTARDE, VOUS RETROUVEREZ EXACTEMENT LE MÊME GOÛT QUE LE FAMEUX PLAT MIJOTÉ. »

ENTRÉE_PLAT_DESSERT

SUSHIS SUCRÉS EN « TROMPE L'ŒIL »

250 G DE RIZ À SUSHI
75 G DE SUCRE
1 GOUSSE DE VANILLE
50 CL DE LAIT
1 BULBE DE GINGEMBRE CONFIT
10 CL DE CARAMEL
3 CUILLERÉES À CAFÉ DE PÂTE DE PISTACHE
1/2 MELON JAUNE
1/2 MELON VERT
1/4 DE PASTÈQUE

Faites bouillir le riz dans une grande quantité d'eau (2 à 2,5 l), départ à froid. Dès la première ébullition, retirez la casserole du feu, égouttez et laissez refroidir.
Remettez le riz dans la casserole avec le lait, la gousse de vanille fendue en deux et le sucre. Faites cuire sur feu doux jusqu' à consistance moelleuse.
Une fois que le riz est cuit, retirez la gousse de vanille versez le riz dans un plat à tarte sur une épaisseur de 1,5 cm et laissez refroidir.
Détaillez ensuite dans ce riz au lait des portions de la taille de vrais sushis. Placez-en trois par assiette.
Sur le premier, posez une lamelle de melon jaune de la taille du sushi. Faites de même sur les deux autres, avec la pastèque et le melon vert. Rajoutez dans chaque assiette quelques lamelles de gingembre confit et une « noisette » de pâte de pistache.
Répartissez le caramel dans six petits ramequins pour y tremper les sushis.

ET LE CHEF A DIT

« CETTE RECETTE REPREND TOUS LES ÉLÉMENTS DES VRAIS SUSHIS, MAIS EN LES TRANSFORMANT COMPLÈTEMENT. LE GINGEMBRE AU VINAIGRE DEVIENT DU GINGEMBRE CONFIT, LE WASABI DEVIENT DE LA PÂTE DE PISTACHE ET LA SAUCE NEM DEVIENT DU CARAMEL. LE THON ET LE SAUMON SONT, EUX, REMPLACÉS PAR LA PASTÈQUE ET LE MELON. IL NE RESTE PLUS QU'À PROPOSER À VOS CONVIVES UNE PAIRE DE BAGUETTES POUR LES DÉGUSTER COMME DE VÉRITABLES SUSHIS. »

LE SQUARE

RAPHAËLLE CARRAT

MÉTRO GUY MÔQUET
227, RUE MARCADET
75 018 PARIS
01 53 11 08 41

FERMÉ DIMANCHE ET LUNDI

PRIX : MENU-CARTE À 29 €
MENU AU DÉJEUNER À 17 €

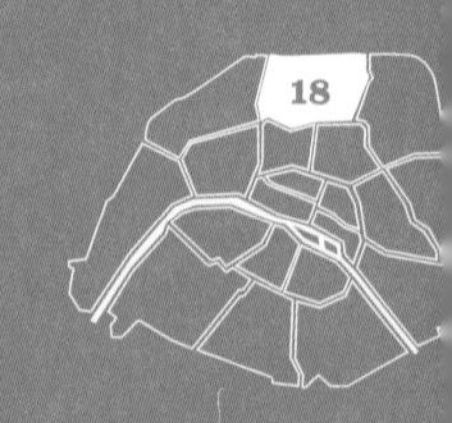

À la frontière du 17e et du 18e arrondissements, ce restaurant est situé dans un quartier plutôt mal doté en bonnes tables pas chères, c'est le moins que l'on puisse dire. D'ailleurs, jusqu'en 2004, l'endroit se nommait « La Marmite » et n'était franchement pas réputé pour la qualité de sa cuisine. Mais cette année-là, Raphaëlle Carrat, avec le talent qu'on lui connaît, a repris ce « rade » de quartier, effectué de gros travaux de rénovation, recruté un jeune chef bourré de talent et d'idées (Jérôme Lefevre), changé l'enseigne et fait de son établissement l'un des plus courus du nord de la capitale. Les raisons d'un tel engouement ? D'abord la qualité de l'accueil et du service, grâce à une dynamique équipe en salle dirigée avec brio par la parfaite maîtresse de maison qu'est Raphaëlle. Elle reçoit comme chez elle, prodiguant attentions et conseils, aux petits soins pour sa clientèle de fidèles. Avec raison, car elle est très sympa, cette clientèle : des gens normaux, des collègues de bureau, des retraités, des jeunes cadres dynamiques, des artistes, des riverains et quelques bobos en prime pour pimenter le tout, ce qui donne un cocktail animé, parfois bruyant, mais très séduisant. Surtout, ces fidèles sont des connaisseurs. Ils ont vite compris qu'ils tenaient là le meilleur plan de tout le quartier (il faut plusieurs stations de métro avant de retrouver une table aussi intéressante). Ici, pour un prix même pas supérieur à celui des mauvaises adresses du coin, vous ferez des repas de grande qualité. Derrière ses fourneaux, Jérôme concocte en effet une cuisine simple, certes, mais pleine de bonnes intentions, espiègle et malicieuse. Sa carte, changée régulièrement, colle au plus près de la saison et s'attache à

“ Un travail remarquable sur les légumes, tous les légumes. ”

surtout bien mettre en valeur le produit, avec en particulier un travail remarquable sur les légumes, tous les légumes. L'ardoise des vins est tout aussi futée, avec son classement par prix (de 15 à 35 € en gros), ses bons petits vins bio et sa solide sélection au verre (une douzaine de propositions à partir de 3 €). En plus, j'ai gardé le meilleur pour la fin. Depuis la rue, rien (je dis bien rien !) ne le laisse supposer, mais sachez que la véranda, au fond du restaurant, se prolonge par une magnifique cour-jardin pouvant accueillir une vingtaine de couverts. Elle est orientée plein sud, agrémentée de bambous, d'arbres et de plantes en tous genres. Difficile de trouver à Paris une terrasse aussi agréable : aucune pollution, de la verdure un peu partout, aucun bruit, si ce n'est celui du chant des oiseaux. Un pur délice dès les premiers beaux jours, et un atout de plus pour cette adresse, qui en possède de nombreux autres. S'il est vrai qu'un repas en été dans ce jardinet est un moment exquis, il ne faut pas réduire l'intérêt de cet établissement à son seul patio-terrasse. « Le Square », c'est avant tout une table « bistronomique » hautement recommandable, à visiter en toute saison.

QUELQUES EXEMPLES DE PLATS : **terrine de veau à la sauge / velouté de lentilles et foie gras grillé / croustillant de tête de veau / beignets de potirons et salade / magrets à la fleur de sel, panais et carottes / filet de bœuf en croûte d'épices et grenailles rôties bio / dorade rôtie au thym citronné, fenouil confit / cédrat confit et mousse au citron / pain perdu glace caramel au beurre salé / soupe d'agrumes bio.**

POUR EN SAVOIR PLUS SUR RAPHAËLLE CARRAT

La pétulante Raphaëlle Carrat voit le jour au milieu des années 60 dans le 8e arrondissement de la capitale. Après son baccalauréat, elle se dirige vers des études d'histoire et obtient sa maîtrise à la Sorbonne avec mention Très Bien. Mais pour son entrée dans la vie active à 22 ans, elle privilégie un métier « qui bouge » en intégrant une agence de communication. C'est lors de cette première expérience qu'elle commence à s'intéresser au monde de la restauration, en réalisant des dossiers de presse pour certains représentants de ce milieu. En 1991, un peu lassée de la comm', elle change de direction pour travailler comme chef de produit dans une maison japonaise de haute couture. Elle reste six années à ce poste, six années extrêmement enrichissantes, au cours desquelles elle apprend à gérer des dossiers du début à la fin et aussi, notamment, à négocier avec des fournisseurs. En 1997, elle se lance finalement dans la restauration, une passion qui n'avait fait que grandir avec le temps. Elle s'associe avec l'une de ses amies pour lancer le « 7 bis Monceau » dans le 8e arrondissement : « Mon premier bébé ! ». Un endroit plein de charme, une table toute simple et sans prétention, fonctionnant surtout au déjeuner. Le succès est impressionnant (plus de 100 couverts à chaque service) et conforte Raphaëlle dans son choix : elle a définitivement trouvé sa voie, le métier de restauratrice est vraiment fait pour elle. En 2004, elle éprouve le désir d'être désormais complètement indépendante. Elle revend ses parts à son associée, quitte la rue Monceau et se met en quête d'un endroit rien qu'à elle. Elle tombe alors sous le charme de ce troquet déserté de la rue Marcadet, dont elle décèle vite le potentiel, imaginant en particulier la façon d'aménager la jolie cour-jardin. Elle rachète l'adresse, avec cette fois la volonté d'en faire un établissement vraiment ambitieux dans les assiettes. C'est pourquoi elle recrute aux fourneaux le tout juste trentenaire Jérôme Lefevre (alors second de cuisine au réputé « Chateaubriand », dans le 11e), un amoureux des bons produits (et surtout des légumes), à qui elle donne toute latitude. L'ouverture du « Square » a lieu le 16 août 2004. Depuis, cette table s'est imposée comme l'une des adresses phares de toute la partie nord de la capitale. Et pas seulement aux beaux jours…

ENTRÉE _PLAT_DESSERT

CHÈVRE FRAIS AUX HERBES ET CARPACCIO DE RADIS

350 G DE CHÈVRE FRAIS
1/2 OIGNON
1 ÉCHALOTE
2 BOTTES DE RADIS ROND
1 BOTTE DE CIBOULETTE
1/2 BOTTE DE CERFEUIL
1/2 BOTTE D'ANETH
1/2 BOTTE DE CORIANDRE
HUILE D'OLIVE
SEL ET POIVRE

Pelez l'oignon et l'échalote ; émincez-les finement ; ciselez la ciboulette, le cerfeuill, l'aneth et la coriandre. Mélangez ces ingrédients dans un saladier. Ajoutez le chèvre frais et mélangez intimement.
Parez et lavez les radis, épongez-les et émincez-les finement. Mettez-en le quart de côté pour la décoration. Ajoutez les rondelles de radis au fromage frais aromatisé.
Assaisonnez avec un filet d'huile, salez et poivrez.

ET LE CHEF A DIT

« JE VOUS CONSEILLE DE SERVIR CETTE PETITE ENTRÉE ESTIVALE DANS DES VERRES, EN PROPOSANT EN MÊME TEMPS DU PAIN AUX CÉRÉALES LÉGÈREMENT GRILLÉ. »

HAMBURGER D'AGNEAU ET FRITES DE POLENTA

POUR LES HAMBURGERS
840 G D'ÉPAULE D'AGNEAU MAIGRE
1 OIGNON
1/2 BOTTE DE CORIANDRE
1/2 BOTTE DE PERSIL
1 ÉCHALOTE
250 G DE MOZZARELLA DE LAIT DE BUFFLONNE

POUR LES FRITES DE POLENTA
250 G DE POLENTA
25 CL DE LAIT
HERBES DE PROVENCE
50 G DE RAISINS SECS BLONDS
HUILE D'OLIVE
MESCLUN POUR LA GARNITURE

ET LE CHEF A DIT

« VOILÀ UNE JOLIE ASSIETTE EN RONDEUR, TRÈS COLORÉE, AVEC LE HAMBURGER TELLEMENT PRISÉ DE NOS JOURS, BIEN REVISITÉ ICI AVEC LES SAVEURS DU SUD. »

Pour les hamburgers, hachez la viande d'agneau et mélangez-la dans une terrine avec l'oignon et l'échalote pelés et finement émincés, ainsi que les herbes ciselées.
Façonnez cette farce en 12 palets.
Coupez la mozzarella en six portions. Réunissez les palets de viande hachée deux par deux en enfermant la mozzarella au milieu. Pressez légèrement pour bien l'enfermer.
Réservez ces hamburgers au frais pendant la préparation des frites de polenta.
Versez le lait dans une casserole, ajoutez 25 cl d'eau, un filet d'huile d'olive, deux pincées d'herbes de Provence et les raisins secs. Faites bouillir.
Versez la polenta en pluie fine et remuez avec une cuillère en bois pendant 5 minutes sur feu doux. Versez le tout dans un petit plat à gratin huilé et laissez refroidir.
Lorsque la polenta est refroidie, démoulez-la et détaillez-la en gros bâtonnets.
Faites colorer ces frites dans une poêle antiadhésive avec un filet d'huile d'olive. Tenez-les au chaud au fur et à mesure de leur cuisson. Pendant ce temps, faites cuire les hamburgers d'agneau dans une autre poêle adhésive pendant 3 à 4 minutes de chaque côté selon le goût.
Servez les hamburgers avec les frites de polenta et une salade de mesclun.

ENTRÉE_PLAT_DESSERT

PERLES DU JAPON, MANGUE CARAMÉLISÉE AU BEURRE SALÉ ET GINGEMBRE

50 G DE PERLES DU JAPON
1 MANGUE
50 CL DE LAIT DE COCO
50 G DE BEURRE SALÉ
GINGEMBRE CONFIT
50 G DE SUCRE GLACE
100 G DE SUCRE EN POUDRE
POIVRE DE SECHUAN

Faites bouillir le lait de coco avec le sucre glace, puis ajoutez les perles du Japon. Baissez le feu et laissez mijoter sur feu doux pendant 15 minutes. Réservez.
Pelez la mangue et taillez la chair en gros dés. Hachez finement le gingembre confit.
Préparez un caramel à sec avec le sucre en poudre, incorporez le beurre salé, le poivre de Sechuan, puis le gingembre haché et les dés de mangue.
Répartissez ce mélange dans des verres et recouvrez avec le lait de coco aux perles du Japon.

ET LE CHEF A DIT

« SERVIR CE DESSERT DANS UN VERRE EST INDISPENSABLE POUR VOIR LES DIFFÉRENTES COUCHES ET LES COULEURS DE LA PRÉPARATION, DONT L'INTÉRÊT RÉSIDE AUSSI DANS LES SENSATIONS GUSTATIVES CRÉÉES PAR LA DOUCEUR DES PERLES DU JAPON AU LAIT DE COCO, CONTRASTANT AVEC LE CARACTÈRE ÉPICÉ DES MANGUES. »

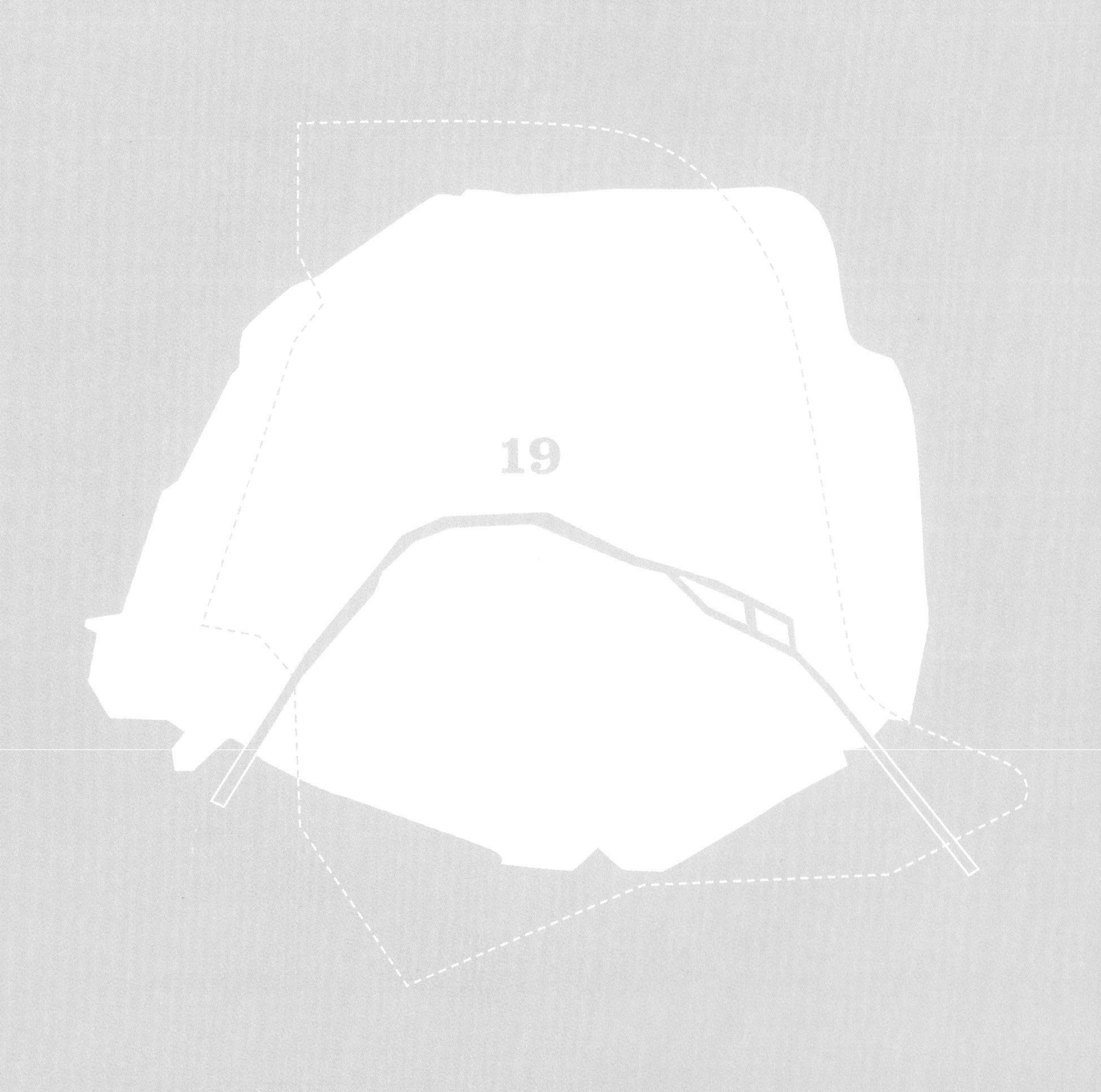
19

19e

LA CAVE GOURMANDE

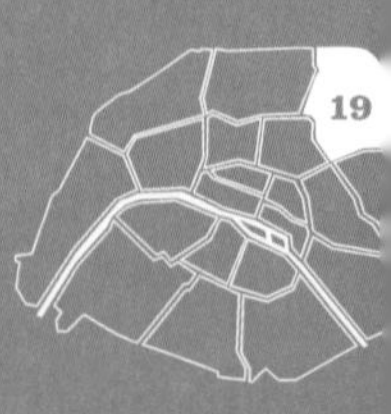

MÉTRO BOTZARIS
10, RUE DU GÉNÉRAL-BRUNET
75 019 PARIS
01 40 40 03 30

MARK SINGER

FERMÉ SAMEDI ET DIMANCHE

PRIX : MENU-CARTE À 36 €

Malheureusement pour ses habitants, le quartier tranquille et pittoresque des Buttes-Chaumont ne déborde pas d'adresses enthousiasmantes. Aussi cette « Cave Gourmande » apparaît comme une véritable bénédiction, tout simplement la meilleure table de son arrondissement et même un endroit qui mérite que l'on traverse la capitale pour s'y rendre. Pas nécessairement pour son cadre, sans doute, qui n'est d'ailleurs ni laid, ni inconfortable, bien au contraire : beaucoup de bois, des murs ornés de casiers à bouteilles, une grande table d'hôtes et les autres tables bien espacées. Mais à mon avis, le décor manque de chaleur et reste un peu trop classique et anodin. Non, si ce lieu est vraiment un must de la « bistronomie » parisienne, le point de ralliement de nombreux connaisseurs, c'est à cause des assiettes. Et là, c'est une toute autre histoire... Il y a quelques années, c'est Eric Frechon qui s'était fait connaître ici avant d'atteindre la consécration au « Bristol ». Mark Singer, un Américain de Paris amoureux de la France et de sa cuisine, a depuis pris dignement la succession du maestro. Ce chef talentueux au tour de main remarquable est littéralement bourré d'idées, parfois inattendues, certes, mais le plus souvent très pertinentes. Il est tout aussi capable de revisiter de grands classiques comme le « lièvre à la royale » que de proposer des inventions épatantes qui émoustillent les sens. Surtout, il aime les beaux et bons produits qu'il respecte en les traitant d'une manière très personnelle. D'où cette cuisine fringante et pleine de fraîcheur, créative, très intelligente dans les mariages des textures et des saveurs, toujours surprenante (voyez les intitulés des plats), voire déconcertante (ce

“Ce chef talentueux au tour de main remarquable est littéralement bourré d'idées.”

qui est à mes yeux une qualité). Et tout cela facturé à des prix vraiment très sages compte tenu de la qualité et de la singularité des assiettes. Les autres atouts de la maison résident dans la convivialité du lieu, le charme et la gentillesse de l'accueil, la justesse du service (rapide, pro et souriant), enfin la carte des vins, sérieuse, précise et accessible. Voilà donc une table discrète, qui n'est pas vraiment sous les feux de la rampe (sa situation excentrée ne joue pas en sa faveur), mais dont le renom est bien assis dans le landerneau gastronomique parisien. Un incontournable de l'Est parisien, à visiter d'urgence...

QUELQUES EXEMPLES DE PLATS : tartelette tiède de tête de veau sauce allégée / royal d'étrilles léger de pimientos et sabayon / craquelin de Saint-Malo garni « dernière criée » / crème brûlée de potiron aux écrevisses / escargots en coque et supions au curry / lasagne de gibier au foie gras / tresse de bar à la pimprenelle, cannellonis farcis / pastilla de cailles au chorizo et jus corsé / tronçon de turbotin avec sabayon arabica et graines torréfiées / samosas de chocolat mendiant, jus de betterave / tarte renversée de nachis et sésame / gaufrettes à la crème moka beurre demi-sel / nage de pêches aux épices avec sorbet à l'estragon / crème de lait caillé au caramel d'épices et jus de betterave.

POUR EN SAVOIR PLUS SUR MARK SINGER

Mark Singer naît aux États-Unis, à Philadelphie, au début des années 60. Son père est un véritable globe-trotter qui parcourt le monde pour ses affaires et ramène à la maison des produits du monde entier, que son épouse cuisine avec passion. Très tôt donc, le petit Mark est bien « éduqué ». Toute la famille Singer déménage à Paris en 1970. Mark apprend rapidement le français et se destine très rapidement au métier de cuisinier. Il a la chance à l'âge de 15 ans d'entrer en apprentissage auprès de Jean Bor, un très grand monsieur qui l'accompagnera et le conseillera tout au long de son parcours. Il reste deux ans à ses côtés au « Relais Normand », un bel établissement classique et étoilé des Buttes Chaumont. À 17 ans, son BEP et son CAP obtenus haut la main, « son chef » le place chez un jeune cuisinier qui commence à percer : il s'agit tout simplement de Joël Robuchon, qui fait l'ouverture du « Concorde Lafayette » : une expérience phénoménale pour le tout jeune Américain. Près de deux ans plus tard, en 1978, il rejoint « La Ciboulette », le célèbre restaurant de Jean-Pierre Coffe. À partir de 1979, pendant trois ans, il passe dans les diverses maisons ouvertes par Claude Verger : « La Barrière de Clichy » avec Guy Savoy, « La Barrière de Neuilly », l'ouverture de « La Côte d'Or » à Saulieu avec Bernard Loiseau, « Le Petit Coin de la Bourse »... En 1982, il intègre les cuisines du restaurant gastronomique de Jacques Cagna dans le 6e arrondissement et participe pleinement à l'obtention de la deuxième étoile de cet établissement, mais il le quitte en mars 1983 pour diriger les cuisines du restaurant « Les Glénans », un bel établissement marin qu'il monte avec l'ancien maître d'hôtel du « Relais Louis XIII » dans le quartier de l'Assemblée Nationale. Le tandem fonctionne parfaitement et cette affaire devient rapidement très cotée, s'assurant un beau succès auprès de la clientèle politique et médiatique. Jusqu'en 1989, où il obtient la place de chef chez « Prunier », près de la Madeleine, l'une trois ou quatre adresses phares de la capitale en matière de poissons. Il n'y reste cependant pas très longtemps : en 1990, il prend la tête des fourneaux du « Télégraphe », jeune nouvelle maison du 7e arrondissement, que Mark va littéralement faire « éclater » grâce à sa cuisine novatrice et à un rythme de travail effréné. Un peu trop effréné même : c'est entre autres ce qui le pousse alors à entrer en mai 1993 au « Dodin Bouffant », une institution du quartier Saint-Germain, dont les clients les plus célèbres s'appellent François Mitterrand et Roland Dumas. Puis en 1996, Mark décide de prendre un peu de recul et se transforme alors en consultant de luxe. On fait appel à ses conseils avisés lors de l'ouverture ou de la rénovation de certaines adresses (Barfly, Barrio Latino, Buddha Bar, Castel, Montecristo). En parallèle, il se met à la recherche de sa propre adresse. Et comme il avait, quelques années plus tôt, sympathisé avec Eric Frechon lors de la préparation du concours du Meilleur Ouvrier de France, tout naturellement, ce dernier appelle Mark quand il décide de vendre son bistro des Buttes Chaumont, « La Verrière », pour prendre la tête des fourneaux du « Bristol ». Les deux hommes font affaire, la femme de Mark quitte son travail et les deux époux Singer ouvrent leur établissement, rebaptisé « La Cave Gourmande » en février 2001. Avec l'idée de profiter des meilleurs produits de saison, de les travailler avec les mêmes techniques apprises lors de son parcours dans les grandes maisons, tout en se voulant accessible à toutes les bourses.

ENTRÉE _PLAT _DESSERT

NAGE DE SAINT-JACQUES AU SAUTERNES ET À L'ESTRAGON

30 COQUILLES SAINT-JACQUES ENTIÈRES
50 G DE CAROTTES
20 G DE COURGETTES
50 G DE RADIS BLANCS LONGS
20 CL DE CRÈME FLEURETTE
100 G DE BEURRE
1/4 BOTTE D'ESTRAGON EFFEUILLÉ ET GROSSIÈREMENT CISELÉ
SEL ET POIVRE

POUR LE FUMET AROMATIQUE
2 ÉCHALOTES
1 GOUSSE D'AIL
2 BRANCHES DE PERSIL PLAT
1 PETITE BRANCHE DE CÉLERI
20 CL DE SAUTERNES
1 CUILLERÉE À SOUPE D'HUILE D'OLIVE

Décoquillez les Saint-Jacques et séparez les noix des barbes. Lavez les barbes et mettez-les de côté pour le fumet.
Lavez soigneusement les noix une par une et laissez-les reposer dans une bassine d'eau froide.
Pour le fumet, pelez les échalotes et l'ail, émincez-les, ciselez le persil, émincez le céleri. Faites suer cette garniture à l'huile d'olive dans une sauteuse, ajoutez les barbes des Saint-Jacques et le sauternes. Laissez cuire 20 minutes, puis filtrez et faites réduire le fumet ainsi obtenu.
Préparez la garniture : épluchez les carottes, les courgettes et les radis, puis taillez-les en brunoise (petits dés de 0,5 cm de côté). Faites cuire cette garniture à l'eau bouillante salée en la gardant croquante ; rafraîchissez-la aussitôt à l'eau glacée.
Ajoutez la crème au fumet et faites réduire de nouveau de moitié.
Épongez les noix de Saint-Jacques. Mettez-les dans une casserole avec un tiers de la sauce et la garniture. Faites frémir pendant 30 secondes.
Dans le reste de la sauce, incorporez le beurre et l'estragon, mélangez et portez à ébullition.
Répartissez les Saint-Jacques et la garniture dans les assiettes creuses chaudes (sans jus), puis nappez avec la sauce à l'estragon.

ET LE CHEF A DIT

« C'EST CERTAINEMENT LA PRÉPARATION LA PLUS ADAPTÉE POUR LES NÉOPHYTES, CAR ELLE PERMET D'ÉVITER UNE SUR-CUISSON, Ô COMBIEN SACRILÈGE ! DE CE FAIT, LE MARIAGE DES PARFUMS ET DES SAVEURS EST SUBLIME À LA DÉGUSTATION. »

ENTRÉE_ PLAT _DESSERT

COLOMBO DE TURBOTIN ET QUINOA À LA CARDAMOME

POUR LA SAUCE COLOMBO
1 POMME GOLDEN
4 GOUSSES D'AIL
1 OIGNON
1 POIREAU
1 BRANCHE DE CÉLERI
1 CUILLERÉE À SOUPE DE POUDRE DE COLOMBO
1 CUILLERÉE À CAFÉ DE MAÏZENA®
30 CL DE CRÈME FLEURETTE
6 GRAINES DE CORIANDRE
5 CL D'HUILE
10 CL DE FUMET DE POISSON

POUR LE PILAF DE QUINOA
300 G DE QUINOA
100 G D'OIGNONS CISELÉS
100 G DE BEURRE
50 CL DE BOUILLON DE VOLAILLE
8 GRAINES DE CARDAMOME

POUR LE POISSON
6 FILETS DE TURBOTINS DE 160 G CHACUN (SANS LA PEAU)
5 CL D'HUILE D'OLIVE
10 G DE BEURRE
GERMES OU FLEURS D'AIL

POUR LA SAUCE
Pelez et coupez la pomme en petits dés. Épluchez et émincez finement les légumes indiqués et faites-les suer dans une sauteuse avec l'huile et la coriandre. Ajoutez la poudre de colombo, la Maïzena® et le fumet.
Faites bouillir pendant 3 minutes, puis incorporez la crème et les dés de pomme. Laissez cuire pendant 20 minutes sur feu doux jusqu'à ce que la sauce épaississe. Réservez.

POUR LE PILAF DE QUINOA
Faites suer les oignons dans une casserole avec 50 g de beurre avec la cardamome. Ajoutez le quinoa et continuez à faire suer pendant 2 minutes. Versez le bouillon, salez modérément et faites cuire dans le four à couvert à 180 °C pendant 12 à 15 minutes. Lorsque la cuisson est terminée, laissez reposer 10 minutes, puis égrenez le quinoa à la fourchette en incorporant le beurre restant.

Dans une poêle antiadhésive, saisissez les filets de poisson en les faisant colorer sur chaque face. Épongez-les sur du papier absorbant et tenez-les au chaud.

Moulez le quinoa sur les assiettes de service. Répartissez la sauce à côté, puis posez un filet de turbotin sur la sauce et décorez avec les fleurs d'ail.

ET LE CHEF A DIT

« QUELLE ASSOCIATION EXOTIQUE, ME DIREZ-VOUS ! EN FAIT, PRÉSENTER LA FINESSE DE LA CHAIR DU TURBOTIN AVEC LA POUDRE DE COLOMBO (ADOUCIE PAR UN FRUIT) N'EST QU'UNE INTERPRÉTATION DE LA CUISINE RUSTIQUE DE L'ÉQUATEUR, COMPLÉTÉE PAR UNE CÉRÉALE BIO EN PROVENANCE DE LA CORDILLÈRE DES ANDES. »

ENTRÉE_PLAT_DESSERT

TARTE BRÛLÉE AU FENOUIL, PARFUM DE RÉGLISSE

500 G DE BULBES DE FENOUIL
COULIS DE FRUITS ROUGES

POUR LE SIROP
500 G DE SUCRE
1 ÉTOILE DE BADIANE

POUR LA PÂTE À TARTE
280 G DE FARINE
140 G DE SUCRE GLACE
200 G DE BEURRE EN POMMADE
2 JAUNES D'ŒUFS

POUR LA CRÈME PÂTISSIÈRE
15 CL DE LAIT
2 JAUNES D'ŒUFS
20 G DE SUCRE
15 G DE FARINE
2 FEUILLES DE GÉLATINE RAMOLLIES DANS UN PEU D'EAU FROIDE

POUR LA MERINGUE ITALIENNE
4 BLANCS D'ŒUFS
170 G DE SUCRE
1 PINCÉE DE RÉGLISSE EN POUDRE

ET LE CHEF A DIT

« QUI N'A PAS MANGÉ DE BONBON À LA RÉGLISSE ÉTANT PETIT ? MOI, J'ADORAIS ÇA, ET C'EST POUR RAVIVER CE SOUVENIR QUE J'AI PROPOSÉ À MES CLIENTS CE DESSERT. ILS ONT ÉTÉ CONQUIS ! À VOUS DE VOIR... »

POUR LE SIROP
Préparez un sirop avec le sucre, 60 cl d'eau et l'étoile de badiane ; mélangez et faites chauffer pour faire fondre le sucre.
Épluchez le fenouil en enlevant les grosses côtes et faites-le blanchir à l'eau bouillante pendant 5 minutes, rafraîchissez-le, puis mettez-le dans le sirop. Faites-le cuire à petit feu jusqu'a ce qu'il soit tendre (environ 1 heure 30), puis égouttez-le sur une grille.

POUR LA PÂTE À TARTE
Mélangez les ingrédients de la pâte à tarte pour obtenir une pâte homogène. Garnissez-en aussitôt six moules à tartelettes et faites-les cuire à vide dans le four à 180 °C pendant 10 à 15 minutes. (Vous pouvez poser dessus des poids pour éviter que la pâte ne se soulève pendant la cuisson.) Démoulez les fonds de tartelettes alors qu'ils sont encore tièdes.

POUR LA CRÈME PÂTISSIÈRE
Faites bouillir le lait dans une petite sauteuse. Par ailleurs, mélangez en fouettant vivement les jaunes d'œufs et le sucre, puis ajoutez la farine. Versez le lait bouillant dessus en mélangeant progressivement à l'aide du fouet.
Remettez le tout dans la sauteuse et faites bouillir en remuant constamment pour empêcher la crème d'attacher. Laissez cuire 2 à 3 minutes, puis incorporez la gélatine ramollie.

POUR LA MERINGUE ITALIENNE
Montez les blancs en neige ferme. Faites fondre le sucre et faites-le cuire jusqu'à 127 °C. Incorporez-le aux blancs en neige, puis ajoutez la poudre de réglisse.
Mélangez ensuite doucement la crème pâtissière tiède et la meringue pour obtenir une préparation homogène. Moulez-la à la taille des tartelettes en utilisant les mêmes moules à tartelette préalablement recouverts d'un papier film. Réservez au frais pendant une heure pour faire durcir la crème.
Egouttez le fenouil et coupez-le en petits morceaux. Garnissez les tartelettes avec les morceaux de fenouil, puis recouvrez avec le crème durcie. Poudrez de sucre glace et caramélisez avec un chalumeau ou sous le gril du four. Servez aussitôt avec un coulis de fruits rouges.

20

20e

LES ALLOBROGES

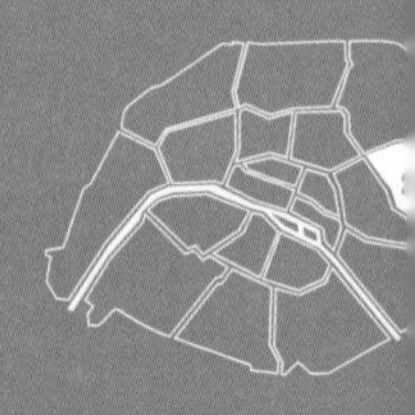

MÉTRO MARAÎCHERS
71, RUE DES GRANDS-CHAMPS
75 020 PARIS
01 43 73 40 00

OLIVIER PATEYRON

FERMÉ DIMANCHE ET LUNDI

PRIX : MENU À 20 €, 29 € ET 33 €

Insolite, presque incongrue dans ce quartier populaire, cette table est une sorte d'oasis, une enclave un peu « bourgeoise », une adresse tranquille et confortable, plaisamment raffinée. Le décor feutré des deux salles à manger (l'une fumeurs, l'autre non-fumeurs) n'est pas ce que je préfère au monde, mais je ne nie pas son élégance contemporaine : moquette épaisse et boiseries, banquettes fleuries, nappes de coton blanc, lithographies aux murs, jolis vases et couleurs pastel. Un peu trop aseptisé à mon goût, mais la clientèle fidèle et discrète du quartier n'y voit rien à redire, et c'est l'essentiel. L'ambiance est calme, douce, reposante au terme d'une journée de travail stressante. L'accueil et le service sont assurés avec chaleur et gentillesse par la maîtresse de maison, qui n'a pas son pareil pour vanter les mérites des dernières créations de son chef de mari. Or, le moins que l'on puisse dire, c'est que ce dernier a des idées à la pelle. Olivier Pateyron est un technicien alerte qui sait orchestrer les fourneaux avec recherche, il excelle dans l'alliance des saveurs douces et exotiques ou encore dans le registre sucré-salé. Sa cuisine est fraîche (excellents produits), parfaitement ciselée, gourmande (assiettes généreuses), enlevée, avec un parfait compromis entre classicisme et modernité. C'est en réalité une cuisine ambitieuse, qui a largement les moyens de ses ambitions. Mon dernier repas ici ? D'abord une crème de chou-fleur en guise de mise en bouche. Comme en entrée, une galette de pommes de terre au lard et au foie gras : réussite absolue. Puis un chou farci aux gésiers et foie gras, tout aussi généreux. Ensuite une assiette de fromages (et oui, ici,

"Un parfait compromis entre classicisme et modernité."

c'est fromage ET dessert). Enfin pour terminer, un succulent pain perdu accompagné d'un sorbet au fromage blanc. Ce repas irréprochable fut arrosé d'une excellente bouteille de faugères, choisie sur une carte des vins sans prétention, mais très futée et, à l'image de la cuisine, aux tarifs très raisonnables. Conclusion : une maison délicieuse et rassurante. De toute évidence, c'est « la » belle table du 20e arrondissement.

QUELQUES EXEMPLES DE PLATS : rémoulade de céleri avec magret de canard séché / pot de marinade de saumon, petite crêpe au blé noir / gâteau d'endives au lard, copeaux de parmesan / terrine de bleu d'Auvergne aux figues, pain grillé / caviar de hareng fumé, pommes de terre tièdes et crème fraîche / civet de sanglier, champignons et airelles / canette longuement braisée au Banyuls, chutney de fruits secs / thon poêlé aux échalotes, ragoût de légumes, jus au curry / carré de veau rôti aux carottes et cumin avec tajine d'herbes / feuilleté de pommes-bananes à la cannelle, crème à la lavande / gros cigare fourré de ganache au rhum crème au chocolat blanc / financier tiède, crème pralinée.

POUR EN SAVOIR PLUS SUR OLIVIER PATEYRON

Olivier Pateyron est aujourd'hui un fringuant cinquantenaire (avec sa barbe de trois jours et son célèbre catogan, il fait dix ans de moins). Originaire de l'Aube, il a suivi un parcours un peu atypique. Élevé dans une famille où bien manger est primordial, mais où aller au restaurant signifie gaspiller son argent (« On fait aussi bien à la maison… »), il surprend ses parents en stoppant son parcours scolaire en seconde pour entrer dans une école de cuisine. Muni de son CAP deux ans plus tard, il est d'abord commis dans un bon restaurant de Melun avant d'entrer chez Dalloyau, « maison de gastronomie » depuis le début du XIXe siècle. Surtout, à l'âge de 19 ans, il y rencontre celle qui est aujourd'hui sa femme, alors vendeuse dans l'une des boutiques du groupe. Ensuite, il enchaîne quelques « extras », mais, en 1981, son beau-frère propose à Olivier de prendre la gérance d'un restaurant-traiteur à Fontenay-sous-Bois dont il vient de devenir propriétaire. Épaulé par sa femme en salle, il remporte un franc et beau succès. Quatre ans plus tard, le couple se sent fin prêt pour ouvrir son propre établissement et c'est en 1985 qu'ils prennent possession, en plein coeur du 20e arrondissement, de ces « Allobroges » (pour la petite histoire, il s'agit d'une tribu gauloise qui adopta le nom du massif du nord des Alpes dont elle était originaire). À l'époque, le quartier n'a pas encore été envahi par les bobos et l'établissement n'est ouvert qu'à midi pour les ouvriers du quartier. Olivier rafraîchit le cadre et installe une cuisine plus dans l'air du temps. Il attire ainsi et fidélise de nombreux riverains, bien heureux d'avoir enfin une table digne de ce nom près de chez eux. Presque dix ans après leur installation, en 1994, Olivier charge le décorateur Pierre-Yves Rochon de rénover complètement son établissement et décide de s'engager à fond dans le courant « bistronomique », en travaillant avec précision et de façon imaginative des produits un peu tombés dans l'oubli, le tout à des prix serrés. Du coup, c'est un succès monstre : critiques dithyrambiques et articles de presse élogieux, mais surtout une clientèle qui vient maintenant de tous les horizons. Dorénavant, on traverse Paris pour venir goûter la belle cuisine d'Olivier, qui reçoit également la visite de Japonais, de Hollandais, d'Américains ou de Norvégiens. Comme il l'avoue lui-même, « c'était un truc de fous ». Mais il sait garder la tête froide. La preuve : à la fin des années 90, pendant les périodes de fermeture de son établissement, Olivier, humble et modeste, n'hésite pas à se rendre en « stage » chez des grands chefs. Il passe ainsi plusieurs semaines au « Trianon Palace » de Gérard Vié à Versailles, chez Bernard Loiseau, ou encore chez Michel Guérard. Des expériences très enrichissantes, qui lui permettent d'acquérir encore plus de rigueur et de développer sa créativité. Voilà donc plus de vingt ans que le couple Pateyron œuvre avec talent et professionnalisme. Et l'on sent aujourd'hui chez Olivier une grande sérénité, que l'on retrouve aussi bien dans ses assiettes, réglées « au cordeau », que dans l'ambiance apaisée de cette adresse raffinée.

ENTRÉE _PLAT _DESSERT

PETIT POT DE SAUMON MARINÉ AUX HERBES, GALETTE DE SARRASIN

12 TRANCHES DE SAUMON COUPÉS DANS L'ÉPAISSEUR (1/2 CM)
6 TRANCHES DE LARD COUPÉES FINES
THYM, LAURIER ET CIBOULETTE
HUILE DE TOURNESOL
6 CRÊPES DE SARRASIN OU BLINIS

Placez dans six pots en verre deux tranches de saumon et une tranche de lard, couvrez d'huile et ajoutez les fines herbes.
Fermez et laissez mariner dans le réfrigérateur pendant 3 jours minimum (ils se conservent une semaine).
Au moment de servir, faites griller le lard, remettez-les dans le pot et servez avec les galettes.

ET LE CHEF A DIT

« C'EST UNE ENTRÉE SIMPLE À RÉALISER, MAIS À L'EFFET GARANTI, QUI MARIE LA TERRE ET LA MER, OÙ LE MOELLEUX DU SAUMON SE GLISSE DANS LE CROUSTILLANT FUMÉ DU LARD. POUR L'ACCOMPAGNER, JE VOUS SUGGÈRE UN VIN DE PAYS DE L'ARDÈCHE, COMME CELUI DE CHEZ BECHERAS. »

ENTRÉE_ **PLAT** _DESSERT

BRANDADE DE HADDOCK AU BASILIC

1,5 KG DE POMMES DE TERRE
600 G DE HADDOCK COUPÉS EN DÉS
400 G DE TOMATES COUPÉES EN DÉS
10 CL D'HUILE D'OLIVE
4 CUILLERÉES À CAFÉ DE BASILIC CISELÉ
30 CL DE CRÈME LIQUIDE
SEL ET POIVRE

Pelez les pommes de terre, lavez-les et faites-les cuire à l'eau bouillante salée. Égouttez-les, puis réduisez-les en purée.
Réunissez dans une grande casserole à fond épais les dés de haddock et les tomates, ajoutez l'huile d'olive, le basilic et la crème liquide. Faites chauffer doucement.
Mélangez, puis ajoutez les pommes de terre en purée.
Mélangez intimement et rectifiez l'assaisonnement. Servez bien chaud.

ET LE CHEF A DIT

« C'EST UNE RECETTE QUE J'AI EMPRUNTÉE À GÉRARD VIÉ, LE GRAND CHEF DU " TRIANON PALACE " DE VERSAILLES. JE VOUS SUGGÈRE DE LA SERVIR AVEC UN FAUGÈRES BLANC, CELUI DE CHEZ " CHABBERT " PAR EXEMPLE. »

ENTRÉE_PLAT_DESSERT

PAIN PERDU FAÇON « ALLOBROGES »

12 TRANCHES DE PAIN RASSIS
25 CL DE LAIT
5 OEUFS
150 G DE BEURRE
150 G DE SUCRE EN POUDRE

Trempez les tranches de pain dans le lait une par une, puis passez-les dans les oeufs battus dans un plat creux.
Faites chauffer le beurre dans une poêle. Quand il est bien chaud, faites dorer les tranches de pain dedans (procédez en plusieurs fois).
Poudrez-les ensuite généreusement de sucre et caramélisez-les rapidement en les passant sous le gril du four. Servez aussitôt.

ET LE CHEF A DIT

« PENDANT TOUTE MON ENFANCE, CE DESSERT FAISAIT LA JOIE DES GAMINS CHEZ MES GRANDS PARENTS. AVEC UNE LIMONADE OU UN CHOCOLAT CHAUD, ET UN POT DE CONFITURES DE TOMATES VERTES, C'ÉTAIT UN PUR BONHEUR. AUJOURD'HUI, AUX " ALLOBROGES ", JE LE SERS AVEC UN SORBET AU FROMAGE BLANC. »

LE BARATIN

RAQUEL CARENA

MÉTRO PYRÉNÉES
OU BELLEVILLE
3, RUE JOUYE-ROUVE
75 020 PARIS
01 43 49 39 70

FERMÉ SAMEDI MIDI, DIMANCHE ET LUNDI

PRIX : À LA CARTE ENVIRON 30 €
MENU DÉJEUNER À 14 €

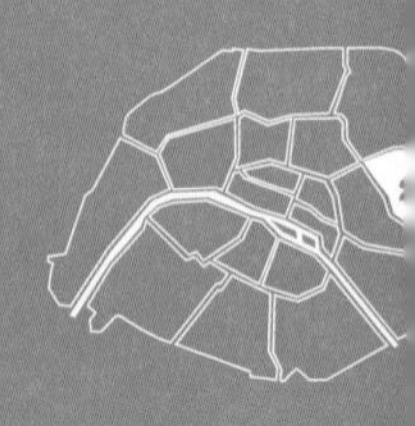

> “Tout ce que vous pourrez déguster ici est époustouflant.”

Attention : endroit hors norme, anticonformiste, voire alternatif ! Mais dieu que j'aime cette adresse perchée sur les coteaux de Belleville... Me remémorer les instants passés ici me fait bondir de joie, tant ce lieu est singulier, unique en son genre. D'abord l'ambiance : joyeuse, bruyante, amicale. Une ambiance chaleureuse de bohême, celle d'un Belleville de rêve, comme on se l'imagine en lisant Pennac et son Monsieur Mallaussène. C'est toujours bondé, vivant, très animé par une clientèle bigarrée, qui va du cadre costumé (la cravate est vite dénouée) à l'artiste engagé, en passant par quelques personnages plus « tendance » (très jolies filles notamment) ou encore des pros de la restauration (Pierre Hermé et sa femme sont des fidèles, mais de grands chefs parisiens également). Tout ce brouhaha est très pittoresque, mais du pittoresque aussi sincère, on en redemande. Vous en connaissez beaucoup, vous, des endroits parisiens où les gens disent bonjour à la cantonade en rentrant ? C'est populaire, dans le vrai bon sens du terme. Le cadre est celui d'un bar à vins traditionnel : carrelage en mosaïque au sol, tables, chaises et très joli bar en bois, décor de bric et de broc (carte des régions viticoles, vieilles bouteilles). Passons maintenant au domaine de prédilection de Philippe Pinoteau (« Pinuche » pour les intimes) : la cave. Car ici, comme il le dit si bien, « il n'y a pas de carte des vins, il y a une cave ». Pas de carte des vins, donc, mais une ardoise qui trône près du bar et présente une petite sélection pointue, très sûre et déjà très pertinente. Mais celle-ci n'est que la partie immergée des trésors que recèle la cave : plusieurs centaines de références, du petit vin de propriétaires aux grands crus, une vraie cave de passionné, avec un choix vraiment ahurissant. N'hésitez pas à discuter avec Philippe ou les serveurs qui vous piloteront selon vos envies, votre budget et vos connaissances. Passons maintenant aux assiettes, qui sont tout (mais alors tout) sauf un faire-valoir des magnifiques flacons. La cuisine est le domaine réservé de Raquel, une « mama » d'origine argentine qui régale son monde de plats mitonnés avec talent, en honorant de très belle façon des produits d'exception. Elle sait passer avec aisance des plats de terroir et de ménage à des préparations ensoleillées et généreuses, avec une touche de féminité, d'exotisme et d'élégance. Tout ce que vous pourrez déguster ici est époustouflant. Et ne vous fiez pas aux intitulés parfois « simplets » de certains plats : Raquel transcende cette cuisine du marché. Nulle part ailleurs, par exemple, je n'ai mangé un « pavé de saumon cru à la citronnelle » aussi remarquable, des « travers de porc rôtis au citron » aussi sublimes ou encore un « clafoutis aux cerises » aussi diabolique. Pour appuyer mon propos, je citerai Sylvian Sendra, le chef du « Temps au Temps » dans le 11e, un habitué de la maison, qui affirme : « Peu sont capables de faire ce que Raquel fait en cuisine ». Je terminerai par le service : cool, mais assez efficace, même si c'est ici « à la bonne franquette ». Tout le monde est charmant, souriant et sympathique, sans façons, ni prétentions. Jusque dans la façon de parler des vins : on voit bien qu'ils refusent « d'intellectualiser » leur passion et leur discours. Vous aurez compris qu'il s'agit là de l'une de mes adresses « coup de cœur ». Bien qu'elle soit loin d'être médiatisée et sous ses abords de « rade » de quartier (même pas de carte affichée à l'extérieur !), voilà pourtant une maison on ne peut plus sérieuse, foncièrement séduisante et émouvante.

QUELQUES EXEMPLES DE PLATS : **crème de lentilles au foie gras poêlé / salade de cailles aux olives noires/ tarte de blettes au parmesan / tartare de lieu jaune / escabèche de sardines à la galicienne / langue de bœuf et de veau en ragoût / pigeon étouffé rôti / travers de porc rôti au citron / aiguillettes de bœuf aux mangues vertes et galanga / pavé de cabillaud poché en ragoût au safran / soupe de pamplemousse et fraises à la vanille / pudding à l'argentine / fondant au chocolat / sablé aux fraises gariguettes / tartelette au miel et fruits d'hiver.**

POUR EN SAVOIR PLUS SUR RAQUEL CARENA

Raquel, c'est d'abord un magnifique accent qui trahit son origine : l'Argentine où elle est née en 1959. Nullement cuisinière de formation, elle décide au milieu des années 80 de prendre quelques semaines de vacances en France pour découvrir le pays. Ce qu'elle n'avait pas prévu, c'est qu'elle tomberait amoureuse d'un Français et qu'elle ne quitterait plus l'Hexagone. Tous les deux, ils décident alors de se lancer dans la restauration. Ils ouvrent ainsi « La Baratin » en 1988 dans le quartier populaire de Belleville (ce qui en fait l'établissement le plus ancien de cet ouvrage). Raquel, en pure autodidacte, se met aux fourneaux, tandis que son compagnon s'occupe de la salle et des vins. Au départ, il s'agit d'un modeste bistro de quartier, où ils proposent surtout des plats du jour, de la charcuterie, des fromages, mais déjà une conséquente sélection de vins au verre (chose novatrice à l'époque). Et puis, rapidement, Raquel progresse, apprend, au fil de rencontres avec des chefs talentueux et des producteurs méritants. Et surtout à force de travail acharné et de journées entières passées au piano. Au début des années 90, elle se lance dans des préparations plus sophistiquées, plus évoluées, plus ensoleillées aussi, introduisant en particulier des épices jusque-là inédites en France : le virage vers un restaurant plus ambitieux est parfaitement négocié. Aujourd'hui, le savoir-faire de Raquel en cuisine est tout simplement prodigieux. Tous les chefs qui viennent chez elle se régaler de ses plats mitonnés de main de maître(sse) sont subjugués par le talent de cette autodidacte des fourneaux : elle possède de toute évidence ce « je ne sais quoi » que tout le monde n'a pas, une sorte de « supplément d'âme » qui force leur admiration. Raquel Carena : une figure désormais incontournable du milieu gastronomique parisien…

ENTRÉE_PLAT_DESSERT

CAILLES AU BANYULS

6 CAILLES VIDÉES
4 ÉCHALOTES
1 TIGE ET DEMIE DE CITRONNELLE
1 BÂTON ET DEMI DE CANNELLE
75 G DE RAISINS DE CORINTHE
HUILE D'OLIVE
3 FENOUILS
2 GOUSSES D'AIL
12 CL DE BANYULS
SEL ET POIVRE

ET LE CHEF A DIT

« UNE SUPERBE ENTRÉE, D'UNE EXTRÊME FINESSE, À MARIER AVEC UN VIN NATUREL DE LOÏC ROURE, COMME LA CUVÉE "COURS TOUJOURS", UN CORBIÈRES 100% MACABEU. »

Faites rissoler les cailles à l'huile d'olive dans une petite cocotte juste assez grande pour les tenir serrées les unes contre les autres. Retirez du feu et laissez reposer.
Changez l'huile et faites revenir doucement les échalotes pelées et émincées, les bulbes de fenouil parés et émincés, ainsi que les gousses d'ail pelées et hachées. Laissez blondir en remuant.
Ajoutez la cannelle, la citronnelle et les raisins, puis remettez les cailles dans la cocotte et poivrez généreusement. Versez le Banyuls.
Fermez la cocotte et faites cuire pendant 10 minutes dans le four à 180 °C.

ENTRÉE_ PLAT _DESSERT

JOUE DE BOEUF À L'ORANGE ET AUX POIVRONS ROUGES

2 JOUES DE BŒUFS ENTIÈRES
1 ORANGE
4 POIVRONS ROUGES
15 CL D HUILE D OLIVE
1 L DE VIN ROUGE CORSÉ
3 GOUSSES D'AIL
2 OIGNONS
PERSIL PLAT
SEL ET, POIVRE

Préchauffez le four à 120 °C. Dans une cocotte juste assez grande pour contenir les joues de boeuf sur une seule hauteur, versez 10 cl d'huile d olive. Faites-y rissoler les joues sur toutes les faces pour obtenir une coloration uniforme. Égouttez et réservez.
Jetez l'huile qui a servi et ajoutez les 5 cl restants. Faites revenir les oignons et l'ail émincés, ainsi que les poivrons épépinés et coupés en quartiers. Laissez confire le tout sans faire colorer.
Prélevez le zeste de l'orange et taillez-le en julienne, puis prélevez la chair de l'orange en quartiers.
Remettez les joues de boeuf dans la cocotte avec les zestes et les quartiers d'orange. Salez et poivrez, versez le vin jusqu'à hauteur, portez à ébullition, puis couvrez. Poursuivez la cuisson dans le four pendant au moins 3 heures.
À la sortie du four les joues doivent être fondantes, caramélisées sur le dessus et la sauce bien liée. Parsemez de persil ciselé.

ET LE CHEF A DIT

« UN PLAT GÉNÉREUX ET PARFUMÉ À ACCOMPAGNER DE POMMES DE TERRE. À SERVIR AVEC LA CUVÉE "BOUT DU MONDE" D'EDOUARD LAFITTE, UN 100% GRENACHE BIEN SOLIDE. »

ENTRÉE_PLAT_DESSERT

PUDDING AUX NOISETTES

1 BAGUETTE RASSISE DE LA VEILLE
4 ŒUFS ENTIERS
300 G DE SUCRE EN POUDRE
1 L DE LAIT
1 GOUSSE DE VANILLE
100G DE NOISETTES ENTIÈRES

Éliminez la croûte de la baguette et coupez la mie en tronçons.
Dans un saladier, fouettez les œufs avec 200 g de sucre et le lait. Ajoutez la gousse de vanille coupée en morceaux, les noisettes et la mie de pain.
Couvrez avec un film étirable et laissez reposez au réfrigérateur pendant au moins 2 heures.
Pendant ce temps, préparez un caramel dans une casserole à fond épais en faisant cuire 100 g de sucre avec 10 cl d'eau.
Versez le caramel dans le fond d'une terrine ou mieux dans des moules à crème caramel. Préchauffez le four à 180 °C.
Sortez le saladier du réfrigérateur et passez son contenu au mixer, puis répartissez-le dans les moules.
Faites cuire au bain-marie dans le four pendant 40 minutes environ, puis laissez reposer à température ambiante.

ET LE CHEF A DIT

« UN DESSERT SIMPLE MAIS SUCCULENT, À SERVIR AVEC UNE CRÈME ANGLAISE OU UNE COMPOTE DE FRUITS. À ACCOMPAGNER IDÉALEMENT D'UN ANJOU BLANC DE CHEZ RENÉ MOSSE, COMME SA BELLE CUVÉE "TENDERNESS". »

INDEX _BISTRONOMIQUES À PARIS

ENTRÉES

PLATS

DESSERTS

BIBLIOGRAPHIE DUPUY & BERBERIAN

BANDES DESSINÉES

ÉDITIONS DUPUIS

MONSIEUR JEAN

UN CERTAIN ÉQUILIBRE, 2005

INVENTAIRE AVANT TRAVAUX, 2003

HENRIETTE

ESPRIT, ES-TU LÀ ? - TOME 4, 2003

AUX HUMANOÏDES ASSOCIÉS

MONSIEUR JEAN

COMME S'IL EN PLEUVAIT, 2001

LA THÉORIE DES GENS SEULS - 2000

VIVONS HEUREUX SANS EN AVOIR L'AIR - 1998

LES FEMMES ET LES ENFANTS D'ABORD - 1994

LES NUITS LES PLUS BLANCHES - 1992

MONSIEUR JEAN, L'AMOUR, LA CONCIERGE... - 1991

HENRIETTE

LE JOURNAL D'HENRIETTE (3 VOLUMES, NOUVELLES ÉDITIONS DES ALBUMS FLUIDE GLACIAL DES ALBUMS DE 1988, 1989 ET 1991)

TROP POTES - TOME 3, 2001

UN TEMPS DE CHIEN - TOME 2, 1999

UNE ENVIE DE TROP - TOME 1, 1998

ÉDITIONS L'ASSOCIATION

JOURNAL D'UN ALBUM - 1994

LES HÉROS NE MEURENT JAMAIS - 1991

EDITIONS CORNÉLIUS

PETIT PEINTRE - (NOUVELLE VERSION) 2003

TANGER CARNETS - 2004

LISBONNE CARNETS - 2001

BARCELONE CARNETS - 1999

NEW YORK CARNETS - 1996

AVEC ANNA ROZEN

LE PETIT GARÇON QUI N'EXISTAIT PAS - 2001

ÉDITIONS AUDIE (FLUIDE GLACIAL)

LE JOURNAL D'HENRIETTE - TOME 2, 1989

LE JOURNAL D'HENRIETTE - TOME 1, 1988

GRAINE DE VOYOUS - 1987

ÉDITIONS MILAN

KLONDIKE - 1990

ILLUSTRATIONS

FRANÇOISE **- NAÏVE, 2006**

TOUT L'UNIVERS DE DUPUY & BERBERIAN (...) **- PANAMA, 2006**

POÉSIES **- BAYARD ÉDITIONS, 2003**

F **- LE 9e MONDE, 2002**

TRENET ILLUSTRÉ **- ALBIN MICHEL, 2000**

LES SOURIS ONT PARFOIS DU MAL À GRAVIR LA MONTAGNE **- VINCENT RAVALEC, LE SEUIL, 2000**

JOSÉPHINE **- ALAIN BEAULET, 1999**

21 VICES **- ALAIN BEAULET, TEXTE D'ANNA ROZEN, 1998**

NECTARS **- REPORTER, 1997**

SANS TITRE **- GALERIE SANS TITRE, 1996**

LES MONTPARNOS **- ATELIER MÉDICIS, 1995**

LES SOUVENIRS DE LA NUIT **- PRIMA LINEA, 1994**

TOUT N'EST PAS ROSE **- TEXTE D'ANNE ROZENBLAT, 1993**

LE CHAT BLEU **- COMIXLAND, 1990**

CHANTAL THOMASS **- MICHEL LAGARDE, 1986**

BIBLIOGRAPHIES SOLOS

PHILIPPE DUPUY

UNE ÉLECTION AMÉRICAINE **- AVEC LOO HUI PHANG, FUTUROPOLIS, 2006**

HANTÉ **- CORNÉLIUS, 2005**

CHARLES BERBERIAN

THE SPELL **- AVEC JEAN-CLAUDE DENIS, NOCTURNE, 2005**

PLAYLIST **- NAÏVE, 2004**

CYCLOMAN **- AVEC GRÉGORY MARDON, CORNÉLIUS, 2002**

Je tiens particulièrement à remercier l'ensemble des chefs pour leur accueil réservé à ce projet, leur enthousiasme et leur disponibilité.
Et merci pour leurs recettes inédites.

Merci à celles et à ceux qui m'ont soutenu et encouragé lors de l'élaboration de cet ouvrage.

Arthur Deevs

L'éditeur tient à remercier Arthur Deevs pour ce long travail d'investigation ;
Charles Berberian et Philippe Dupuy pour leurs illustrations et leur enthousiasme ;
Edouard Bonnefoy pour la conception graphique remarquable et son implication.
Merci à tous les chefs de nous avoir permis de réaliser cet ouvrage, sans eux, *Bistronomiques* n'existerait pas !

Achevé d'imprimer sur les presses de l'imprimerie Bona en août 2006
Dépôt légal : octobre 2006
Imprimé en Italie